Dossiers et Documents

Le Bébé et l'eau du bain

Comment la garderie change la vie de vos enfants

Des mêmes auteurs

Jean-François Chicoine

Abandon, adoption, autres mondes, coauteur avec Rémi Baril, Le Monde est ailleurs, Montréal 2002 – 2006. [En ligne][*http ://www.meanomadis.com*].

L'enfant adopté dans le monde (en quinze chapitres et demi), coauteur avec Johanne Lemieux et Patrica Germain, Éditions de l'hôpital Sainte-Justine, Montréal, 2003.

Nathalie Collard

Interdit aux femmes. Le féminisme et la censure de la pornographie, coauteure avec Pascale Navarro, Boréal, Montréal, 1996.

Dr Jean-François Chicoine
Nathalie Collard

Le Bébé et l'eau du bain

Comment la garderie change la vie de vos enfants

QUÉBEC AMÉRIQUE

Catalogage avant publication de Bibliothèque et Archives Canada

Chicoine, Jean-François

Le Bébé et l'eau du bain : Comment la garderie change la vie de vos enfants

ISBN 2-7644-0479-4
1. Enfants – Développement. 2. Garde en milieu familial. 3. Garderies.
I. Collard, Nathalie, II. Titre.

HQ767.9.C44 2006 305.231 C2005-942392-7

SODEC Québec

Nous reconnaissons l'aide financière du gouvernement du Canada par l'entremise du Programme d'aide au développement de l'industrie de l'édition (PADIÉ) pour nos activités d'édition.

Gouvernement du Québec – Programme de crédit d'impôt pour l'édition de livres – Gestion SODEC.

Les Éditions Québec Amérique bénéficient du programme de subvention globale du Conseil des Arts du Canada. Elles tiennent également à remercier la SODEC pour son appui financier.

Québec Amérique
329, rue de la Commune Ouest, 3e étage
Montréal (Québec) Canada H2Y 2E1
Téléphone: 514 499-3000 Télécopieur: 514 499-3010

Dépôt légal : 1er trimestre 2006
Bibliothèque nationale du Québec
Bibliothèque nationale du Canada

Photo de la page couverture: Rémi Baril, gracieuseté de *Le Monde est ailleurs.*
Gestionnaire de projet pour *Le Monde est ailleurs* : Rémi Baril

Mise en pages : André Vallée – Atelier typo Jane
Révision linguistique : Claude Frappier

Imprimé au Canada

À Léa, ma prodigieuse filleule,
Qui aura 20 ans en l'an 2025
Et qui n'ira pas à la garderie avant ses 2 ans.

À Luc, mon père,
Qui aura près de 100 ans quand Léa aura 20 ans
Et que le CHU Sainte-Justine honore cette année
Pour son demi-siècle de pratique pédiatrique.

À Pierrette, ma mère,
Qui a donné toutes ses années au service social
Et le meilleur de sa vie à la mienne.

À Esther, mon amour,
Que ça dure encore mille ans !

Enfin, à tous ces enfants
Dont les besoins affectifs ne sont pas reconnus.
Qu'ils le soient enfin, sans attendre le prochain quart de siècle !

Jean-François Chicoine

À Catherine et Élizabeth,
Qui m'apprennent chaque jour à être une maman

Et à Monique Prudhomme, pour son aide précieuse
dans cette belle aventure.

Nathalie Collard

TABLE DES MATIÈRES
Le Bébé et l'eau du bain

AVANT-PROPOS

La science dit qu'il y a beaucoup de bénéfices à la garde non parentale, mais qu'il y a aussi des écueils, surtout pour les enfants de moins de 18 à 24 mois, dans certaines conditions, avec certains parents, dans l'irrespect de certaines limites. La mode est de parler des bénéfices, mais d'interdire le discours sur les risques des garderies. Plutôt que de remplir la baignoire, on l'a ainsi laissée déborder : le bébé s'en est trouvé jeté avec l'eau du bain.

En commençant par Ikea

Jean-François Chicoine

Pour élargir nos perspectives sur des sujets où nous ne sommes pas personnellement impliqués, nous pouvons lire des auteurs dont les opinions sont opposées aux nôtres, mais s'il s'agit de notre propre enfant, nous aimons consulter quelqu'un dont les vues sont proches des nôtres.

Pour être des parents acceptables
Bruno Bettelheim

C'est toujours bouleversant de penser que la personnalité de l'adulte commence par se construire dans les bras de ses parents ; que l'édification de la conscience se prolonge par un brassage de neurones sur la table à langer, au petit-déjeuner, au parc, à la garderie, dans la ruelle, au camp de jour et enfin à la petite et à la grande école ; mais qu'il arrive effectivement un moment dans la vie où le mal est fait, ou son contraire ; un temps où on peut toujours réformer des petits travers, lutter contre l'adversité en se livrant corps et âme à la résilience, mais où il faut décidément passer l'éponge sur l'idée d'une transformation extrême.

Rien n'est donc plus important dans une société que la qualité des soins qu'elle offre à ses enfants. L'estime de soi, les relations avec les pairs, les problèmes émotifs et comportementaux, l'attitude en classe, les frasques de l'adolescence, le sens du bien et du mal, les succès en amour, les perspectives d'avenir, tout cela va largement dépendre de la qualité de l'encadrement développemental des premières années, à la maison comme à la garderie. À ce chapitre, sommes-nous absolument certains d'offrir ce qu'il y a de meilleur à la petite enfance du Québec ? Sommes-nous convaincus que la culture de la garde non parentale précoce est l'avenue la plus profitable pour faire des enfants forts, sereins et altruistes ? Nous sommes-nous suffisamment questionnés sur l'âge auquel on peut les mettre à la garderie ? Pensons-nous vraiment que c'est une solution économiquement et humainement rentable ? Qu'il n'y a plus moyen d'élever une famille autrement par les temps qui courent ? Nous sommes-nous assurés de la qualité de nos services de garde ? Traitons-nous vraiment nos enfants à leur juste valeur ? Nous autorisons-nous à en discuter ?

J'ai eu le malheur de dire à la télé que la garde non parentale d'un enfant pourrait avoir des conséquences sur son développement, sur sa vie de famille, sur sa vie scolaire, sur son adolescence, sur sa vie amoureuse, sur sa personne, sur l'ordre social, sur l'avenir du monde. Le malheur de dire que pendant les deux premières années de sa vie, un bébé était généralement mieux avec ses parents qu'avec n'importe qui d'autre sur sa planète. Le malheur d'insister sur la dynamique parents-enfant en soulevant les extraordinaires découvertes des années 1990 en matière de connaissance sur les cerveaux en croissance. Le malheur de dire qu'il y avait des recherches renversantes sur cette pierre angulaire de la vie qu'est le lien interactif avec la planète Parent. Le malheur de parler pour les enfants et d'inviter leurs familles à mieux leur parler.

Le malheur de leur dire tout cela, avec émotion, avec conviction.

Mon malheur est devenu merveille, comme dirait l'autre, et me permet actuellement avec mon amie Nathalie Collard, des confrères pédiatres, des papas et des mamans rencontrés en consultation, des chercheurs, des auteurs, des amis, des éducatrices, des passants rencontrés par hasard et un courrier du cœur/haut de cœur fortement renouvelé, de réfléchir plus intensément sur les tenants et aboutissants des garderies sur le développement de l'enfant, sur l'intercompréhension enfant-parents, sur le devenir des familles et, du coup, sur la place accordée aux enfants au sein de notre tribu.

On admet généralement qu'il y a des conséquences à la garde non parentale, mais dans la frénésie qui fait présentement du Québec le village gaulois des meilleurs services de garde en Amérique du Nord, seules les conséquences positives sont mises de l'avant. Compte tenu de l'adversité économique et sociale de notre monde en transformation, de sa complexité il faut bien le dire, le mot d'ordre est de faire avec dans une ambiance de disette convenue. Il est de bon ton de chercher à offrir la meilleure qualité de services dans les circonstances mais sans rien, ou presque, remettre en question : ni l'âge d'entrée à la garderie, ni la durée d'une journée de garde, ni les conditions de formation et de rémunération des éducatrices, ni les particularités des enfants, ni les supports alternatifs à la famille, ni le devenir scolaire des enfants, ni les individualismes des adultes. Comme si la course contre la montre était tributaire d'une course contre la vie.

L'idée trop élémentaire, mais fort commode, d'une garderie universelle pour tous a l'avantage de ne pas être compliquée. Qu'elle soit fausse ou inadaptée au devenir de plusieurs enfants semble moins déranger que n'importe quel scandale politique dont on a pourtant l'accoutumance. Fruit d'un néolibéralisme autant que d'un néosocialisme, le discours relatif à la place des enfants dans nos sociétés relativement bien nanties rappelle celui que l'entreprise privée tient à propos des peuples du tiers-monde quand elle dit d'eux que ce sont des « populations non rentables ». Or 18 ans pour élever un enfant, cela fait un peu long sur le « *return on the investment* ». L'enfant n'est pas rentable par définition, malheur à lui donc. L'enfant échappe totalement à la mode, parce qu'il est indémodable justement. Faudrait-il qu'on s'en surprenne ?

À écouter les interventions de plusieurs sociologues, de nombreux psychologues, de moult ministres, employeurs et journalistes, et de quelques féministes, il existerait une position statutaire en faveur de la garde du jeune enfant que rien ni personne ne serait autorisé à ébranler. De la culpabilité engendrée naîtraient des femmes de Loth condamnées à voir brûler leurs vies professionnelles dans de terribles litanies. Le combat aurait été trop long, trop courageux, trop laborieux, trop souffrant, trop culpabilisant, trop sexiste et, j'oserais dire, trop sanctificateur pour laisser à quiconque l'autorité, la compétence, l'honnêteté, le professionnalisme, la science, l'humanisme, le sens de la justice et de l'amour pour dire ou clamer la chose autrement.

La garderie n'est pas à honnir, loin de là. Par l'encadrement physique et la stimulation humaine qu'elle est apte à générer, une structure de garde catalyse de nouvelles vies cognitives, affectives et sociales, mais elle le fait dans certaines conditions, pour certains enfants ayant certains besoins et dans certains contextes familiaux. Trop longtemps dans l'histoire de la petite enfance, des services de garde compétents se sont fait attendre pour des enfants et leurs familles en déroute. Mais nous versons maintenant dans l'aveuglement contraire. Notre monde nord-américain est passé en deux décennies d'une garde parentale quasi exclusive à une fiévreuse garde non parentale. À l'instar d'un virage paneuropéen concomitant, sinon légèrement plus précoce, les États-Unis, le Canada et le Québec ont donc vu les ambiances familiales prendre une nouvelle tournure d'une manière audacieusement accélérée. Trop de changements, trop de variables, trop rapidement. Des parents à demeure sont maintenant taxés publiquement, ou sous le couvert de la confession, de priver leurs enfants d'éducation et de socialisation. Des enfants sont expulsés à grand renfort de « sept piasses par jour » vers des infrastructures dont les parents connaissent insuffisamment le territoire.

La garderie est un montage commode et accommodant de réalités humaines qui deviennent, par les instructions politiques et sociétales, aussi faciles à assembler que les pièces d'un meuble préfabriqué. Plusieurs recherches révèlent que les Suédois, d'ailleurs passés maîtres dans l'éducation à la petite enfance, sont des menuisiers éprouvés, savent mieux que d'autres les utiliser au bon âge et de la bonne manière. Serait-ce pour cela qu'ils vendent si bien leurs meubles préfabriqués aux autres ?

La garde non parentale a des conséquences négatives que le parent informé est en mesure de soupeser en fonction de l'âge ou de l'individualité de son enfant et du contexte de vie de sa famille. Il est vrai que l'adulte, sa manière de gérer son stress et l'ambiance familiale sont des points tout aussi déterminants pour l'adéquation future de l'enfant avec sa vie sociale que le fait d'avoir fréquenté une garderie ou pas. Le sujet de la garde n'échappe pas à son contexte et doit donc être traité avec circonspection et sous plusieurs facettes. La sensibilité d'un parent notamment a des effets compensatoires sur les modes et les durées de garde : quand la sensibilité de la maman est bonne, l'enfant risque moins d'être affecté par la mauvaise qualité ou la trop longue durée d'une journée en service de garde. Aussi, il faut savoir qu'une maman heureuse professionnellement a des chances de pouvoir transférer son bonheur à son enfant, ne serait-ce qu'en fin de journée. Loin de moi donc l'idée de donner des conseils et des instructions aux parents qui pourraient les conduire à des solutions incompatibles avec leur vie de famille, à commencer par les familles de mes patients et amis qui répondent tous de leurs propres particularités et qui me priveraient ainsi de leur confiance.

Ce que je peux faire dans ce livre, en complémentarité avec une femme et mère et journaliste, lumineuse Nathalie, c'est éclairer la question et inviter les parents à être assez créatifs pour la résoudre à leur manière, avec des moyens adaptés à leurs besoins, à leurs styles de vie et à la personnalité unique de chacun de leurs petits. Des questions et réflexions des parents pourrait naître un meilleur respect des structures qui soignent, protègent et éduquent les enfants. Sans questions ni réflexions des parents ne naîtrait rien du tout, sinon une loi, des structures et des enfants à coincer dedans.

L'évolution des connaissances sur le développement de l'enfant est en pleine effervescence. Grâce aux neurosciences, nous savons maintenant des secrets de la vie qui étaient encore inconnus de nous il y a à peine cinq ans. Sous des allures progressistes, les acquis sociaux envisagés par les tenants de la ligne dure des défenseurs de la garde non parentale sont en retard sur les connaissances nouvelles sur le cerveau de l'enfant. En retard sur la pédiatrie, la biologie, l'éthologie, la neuropsychologie, l'anthropologie sociale... en retard quoi ! Encore faudrait-il qu'ils l'admettent ! Pour dépasser l'opinion lue ou entendue, il ne faut pas que des attitudes apparemment intelligentes : il faut aussi des connaissances. Communiquer sa pensée n'est pas tout, il faut aussi pouvoir informer.

Toutes ces années passées en salle d'urgence, puis à vacciner les enfants, à les bercer, à les voir survivre dans les orphelinats de la planète – des enfants parmi les plus démunis de l'humanité –, toutes ces années à soigner les horribles blessures primitives des quelques-uns d'entre eux qui auront eu la chance de trouver une famille adoptive, toutes ces années à voir grandir les proches de ma famille élargie et qui m'ont fait don de leur amour et de leur confiance auront profondément marqué mon cœur, je ne vous le cache pas. Entre l'amour fou que j'ai pour ces « petites choses » qui traversent quotidiennement ma vie – et qui survivront à mes points de vue – et ces millions d'enfants abandonnés du monde, il n'y avait qu'un contrepoids possible : explorer la garde non parentale au Québec, chercher à savoir, comme professionnel, comme citoyen et comme être humain, comment protéger les filiations de mon cœur ou de mon travail quotidien de tout ce que j'ai pu voir, entendre ou examiner en ce bas monde. On ne peut pas s'intéresser toute sa vie aux multiples visages de la détresse affective sans essayer de la prévenir. On ne peut pas croire que ce qui existe partout ailleurs n'existe pas aussi au Québec, bien entendu dans un autre registre, avec beaucoup de différences et certaines équivalences. Enfants de Mongolie, du Vietnam, de Chine, du Chili, de Roumanie, d'Ouganda en perspective, ce livre écrit en complicité avec Nathalie, cette fois-ci, a été pensé pour les enfants et leurs parents du Québec. Après toutes ces années nomades, si vous saviez comme j'en avais envie ! Envie de ce goût de mitaines mouillées que l'enfant mâchonne l'hiver avant de rentrer à la maison dans l'attente d'un parent qui le couvre de baisers !

Il ne s'agit pas ici de condamner les bâtisseurs sociaux pour le tort qu'ils peuvent causer à nos jeunes enfants ni de bouder leurs garderies qui « ont du bon », voire de l'incontournable quand elles sont bien rodées et proposées à des enfants qui ont le bon âge, et qu'elles sont animées par des éducatrices dévouées et compétentes. Il faut simplement accepter d'apprendre ce que sont les gardes non parentales pour les enfants, ce qu'elles ont comme effet, bon ou mauvais, sur la naissance de leurs émotions, ce qu'elles nous disent de neuf sur la parentalité et la famille contemporaine, pour parvenir à ouvrir, en vertu de tout ce qui précède, des pistes extrêmement nécessaires de réflexion.

Il en va du bonheur éclairé de nos familles. Il n'y a pas d'autres intentions à l'origine de ce livre.

Sinon, la révolution.

Bibliographie

Bettelheim, B. *A good enough parent.* New York, Alfred A. Knopf, 1987. *Pour être des parents acceptables.* Traduction française, Paris, Robert Laffont, 1988.

Ramonet, I. *La tyrannie de la communication.* Paris, Galilée, 1999.

Sroufe, L. A. *From infant attachment to promotion of adolescent autonomy,* dans *Parenting and the Child's World.* Londres, Lawrence Erlbaum Associates, 2002.

Ziegler, J. *Les nouveaux maîtres du monde.* Paris, Fayard, 2002.

Par un beau dimanche soir

Nathalie Collard

Assise devant mon téléviseur par un beau dimanche soir, j'ai regardé, amusée, mon ami Jean-François Chicoine, avec sa verve habituelle, remettre en question les sacro-saintes garderies dans le cadre d'une émission de débat qui ne lui laissait pas l'espace nécessaire, il faut le préciser, pour nuancer sa position. Quelle mouche l'a piqué ? me suis-je demandé. Cette fois, me suis-je dit, on n'a pas fini d'en entendre parler...

Effectivement, plusieurs mois plus tard, on en parle encore. Parmi les sujets tabous, celui de la garderie figure en tête de liste. Pourquoi ?

Parce qu'il nous fait, parfois, douter de nos choix. De nos choix de parents, mais aussi de nos choix de société. Parce que même si nous aimons nous épanouir au travail, ce n'est pas de gaieté de cœur que nous laissons nos enfants à la garderie le matin. Il existe d'excellentes garderies et les enfants qui les fréquentent se portent très bien, merci. Mais... il y a des mais.

Combien de fois ai-je entendu des parents se plaindre de la garderie de leur enfant, d'une éducatrice pas gentille, d'une garderie en milieu familial où l'on parque les enfants devant la télé pendant plusieurs heures... « La gardienne fume. La bouffe n'est pas bonne, mon enfant est maussade... » Et puis la conclusion, résignée : « Je n'ai pas le choix, on n'a pas de place ailleurs et il faut bien que j'aille travailler. »

Autour de moi, j'ai vu des mères qui, après avoir vécu un superbe congé de maternité, sont retournées au travail le cœur léger, sachant qu'elles avaient confié leur enfant aux meilleures éducatrices possibles. Mais j'ai aussi vu des mères au cœur brisé qui auraient aimé prolonger leur congé parental, mais qui n'en avaient pas les moyens ; des mères qui auraient préféré faire garder leur enfant à temps partiel, mais qui ne le pouvaient pas parce que « le système » ne le permettait pas. Bref, j'ai vu beaucoup de parents frustrés face à un programme, celui des garderies, qui ne semble pas pouvoir s'adapter aux besoins des familles qu'il est supposé aider.

Ce n'est pas la seule aberration du genre. Comment justifier que les éducatrices en garderie soient si mal rémunérées alors qu'elles accomplissent le travail le plus important qui soit, celui d'éduquer nos enfants ?

Comment expliquer que les garderies de certains quartiers défavorisés soient si mal en point ? Est-ce parce qu'elles sont fréquentées par des enfants dont les parents ne sont ni riches ni influents que leurs murs sont ternes, leurs jouets abîmés, leurs repas sans couleur et sans saveur ?

Je me pose des questions. Beaucoup de questions.

Ce livre est né à la suite d'une déclaration-choc lancée à la télévision par un médecin inquiet à propos du développement des enfants. Il a pris forme grâce aux connaissances et à l'expérience d'un pédiatre, grâce aux questions d'une journaliste interloquée, grâce aux réactions de plusieurs parents excédés. Ce que nous voulons, c'est réfléchir à voix haute, avec les parents, sur la place accordée aux enfants et à la famille dans notre société.

Ce n'est pas un livre accusateur (c'est la dernière chose dont nous ayons besoin, nous, parents débordés et souvent assommés), c'est un livre accompagnateur. J'espère sincèrement qu'il nous fera avancer.

INTRODUCTION

NATHALIE COLLARD

Nouvelles mamans. Nouveaux papas. Heureux. Désorientés. Organisés. Désorganisés. Congé de maternité. Congé de paternité. Congé parental. Grand frère. Grande sœur. Famille. Temps. Manque de temps. Jaunisse. Colique. Mastite. Nuits blanches. Fatigue. Les trois quarts du salaire. Congé non payé. Retour au travail. Conciliation famille-travail ? Travail-famille ? Mères au bord de la crise de nerfs. Pères au bord de la crise de nerfs. Familles à bout de souffle. Exténuées. Bébé malade. Mères à la maison. Pères à la maison. Familles élargies. Grand-mère sourire. Grand-père gardien. Soutien. Support. Autobus en retard. Patron bête. Patron compréhensif. Stress. Tensions. Congés de maladie. Course folle. Cris. Larmes. Course folle. Rires. Joies. Équilibre. Gardienne. Jeux. Sorties. Repas. Dodo. Quelle famille ? Débat de société. Budget. Argent. Investissement. Avenir. Choix. Priorité. Politique familiale. Parents épanouis. Enfants épanouis. Gros bon sens.

JEAN-FRANÇOIS CHICOINE

Garderie à 3 mois, à 6 mois, à 1 an, à 18 mois, à 2 ans. Garderie de qualité moyenne basse, moyenne, moyenne élevée, élevée. Garderie à la journée, 3 heures, 6 heures, 12 heures par jour. Garderie à un repas deux collations, à deux repas deux collations, pas de collations. Garderie à mi-temps, à plein temps, de temps en temps, halte-garderie. Garderie en installation, familiale, privée. Garderie 35 semaines, 42 semaines, 52 semaines par année. Garderie en ville, au village, au travail, scolaire. Garderie forcée, choisie, garderie temporaire. Garderie 48 heures, de soir, de nuit, à horaires atypiques. Garderie à « 7 piasses », à « 7 piasses » et suppléments, avec ou sans pot-de-vin, interdit les pots-de-vin. Garderie avec jours de vacances, inclus les mois de 31 jours, mais pas les années bissextiles. Garderie de quartiers pauvres, des beaux quartiers. Garderies confrontées aux parents phobiques, négligents, belliqueux. Garderies confortées par des parents conciliants, empathiques, reconnaissants. Garderie avec éducatrice en or. Garderie possible, impossible, liste d'attente en garderie. 200 000 places de garderie, bureaux de coordination des garderies, pétitions progarderies. Garderies avec trois gardiennes, une éducatrice, deux gardiennes, deux éducatrices. Garderie avec suspicion d'abus sexuel. Garderie de qualité médiocre, passable, bonne, très bonne, excellente. Garderies avec éducatrices sous-payées, sous-formées, sous-relayées. Politique de garderie. Garderies de sous-sol, d'entresol, à l'étage, près d'un parc, garderie avec grand balcon. Garderie pleine de bonheur ou d'adversité. Garderie vaccinée, non vaccinée, infectée. Propre, pas propre. Garderie pluriculturelle. Garderie végétarienne, végétalienne, bio. Garderie à la vie, à la mort. Garderie stimulante, moins stimulante. Garderie ouverte tôt, fermée tard. Garderie dans le champ du fédéral, du provincial. Garderie conservatrice, garderie libérale. Programme de garderie.

Garderie, gardera et ainsi de suite.

Grosse lessive

La famille et la gestion du temps

Nathalie Collard

« En retard, en retard, je vais être en retard... »

Comme le lapin dans le conte *Alice aux pays des merveilles*, les parents d'aujourd'hui courent, courent, courent... Ils courent à la garderie, à l'école, au travail... Ils sont à bout de souffle. Ils veulent du temps. Mais qui le leur donnera ?

6 h 30

Le réveil sonne.

Marie sursaute, se frotte les yeux et sort du lit en vitesse. Elle prend sa douche, s'habille, va à la cuisine préparer le lunch de son aînée et le sac de vêtements de rechange du plus jeune.

Pendant qu'elle tartine les tranches de pain, elle écoute les informations à la radio et parcourt du regard la première page du journal. Son café refroidit sur le comptoir. Son chum est sous la douche, son fils de 13 mois se réveille. Il faut changer sa couche, l'habiller, le faire déjeuner en vitesse pendant que la plus vieille, qui a cinq ans et demi, se lève, s'habille (ses vêtements ont été choisis la veille) et se dépêche d'avaler son petit-déjeuner. Les parents grignotent une bouchée en finissant de se préparer pour le travail. Ce petit branle-bas de combat dure environ 30 minutes, puis tout le monde enfile manteau, chapeau et bottes avant de franchir la porte du bungalow de Boucherville et de s'engouffrer dans la voiture familiale. Il est 7 h 45.

7 h 55. Jean et Marie déposent leur fille au service de garde de l'école. La cloche sonnera dans 45 minutes, à 8 h 40. Direction garderie où l'on dépose le bébé.

Il est 8 h 10.

Le couple pousse un petit soupir – ouf ! – Marie profite de ces quelques minutes d'accalmie pour lire le journal et Jean écoute la radio. De l'autre côté du pont, Jean dépose Marie au métro Champ-de-Mars et se dirige vers son lieu de travail, à Ville Saint-Laurent. Il reprendra Marie vers 17 h 30, puis le couple se dépêchera d'arriver à la garderie et à l'école avant 18 h 30.

De retour à la maison, il y aura le repas à préparer, les bains à donner, le petit devoir de l'aînée à superviser. Il restera un gros 20 minutes pour jouer et raconter une histoire avant d'aller au lit. Puis Jean s'assoira devant son ordinateur pour terminer le dossier qu'il a commencé durant la journée tandis que Marie passera à travers le courrier, paiera quelques comptes par Internet, répondra à une lettre du professeur de sa fille et fera un peu de lessive. Lire un livre ? Trop fatiguée. Avant d'aller au lit, le couple se retrouvera quelques minutes devant la télévision. Enfin, ils iront se coucher vers 22 h 30.

Le lendemain, tout sera à recommencer.

Heureusement qu'il y a les week-ends. Le ménage. Les courses. Les petites réparations à faire dans la maison. La fête d'enfants. L'invitation à souper qu'on a acceptée il y a trois mois. La lessive...

C'est ce qu'on appelle la vie de famille.

Mais est-ce une vie ?

Nous manquons de temps... du temps pour jouer, pour manger en famille, pour rire, du temps pour prendre le temps, tout simplement.

Nous manquons de temps pour voir nos amis, pour faire de longues promenades, pour dormir l'après-midi, pour regarder le temps qui passe. Nous manquons de temps et nous communiquons ce manque de temps à nos enfants.

— Maman, raconte-moi une histoire, viens jouer avec moi, prends-moi dans tes bras...

— J'ai pas le temps, mon amour, maman va être en retard.

Maintenant, imaginez un instant la situation contraire :

— Chérie, viens voir maman. Viens me donner un beau bisou...

— Désolée, maman, j'ai pas le temps...

Il n'y a que 24 heures dans une journée.

L'impression de manquer de temps est devenue, dans nos sociétés occidentales, un problème criant. Selon une étude réalisée par Statistique Canada intitulée *Le travail, la condition parentale et le manque de temps*, les personnes en âge de fonder une famille souffrent beaucoup du manque de temps et de ses répercussions. « On pense que l'augmentation du stress dû au manque de temps peut être liée à la complexité accrue des rôles chez les personnes qui s'efforcent de répondre aux exigences concurrentes du travail rémunéré et des obligations familiales », peut-on lire dans cette enquête publiée en 1998. « Quelle que soit la façon dont les gens répartissent leur temps dans une journée de 24 heures pour gagner un revenu et assurer les soins requis, les parents travaillent davantage tout en consacrant néanmoins beaucoup de temps à leurs enfants », ajoutent les auteurs.

Ainsi, ce n'est pas tant la quantité de temps qui est réduite mais la qualité des moments passés en famille. Il semble que les parents soient de plus en plus stressés. Les nouveaux pères se sentent tiraillés entre le travail rémunéré et les obligations familiales. De leur côté, les nouvelles mères se plaignent de ne pas avoir suffisamment de temps pour elles-mêmes.

Elles se sentent coincées et disent se démener pour avoir l'impression d'accomplir quelque chose dans leur journée. En fait, il semble que cette angoisse reliée au manque de temps, bien qu'elle soit vécue par les deux parents, est plus aiguë chez les femmes.

Les auteurs de l'étude de Statistique Canada remarquent en effet que malgré le fait que « certaines femmes devenues mères réduisent le nombre d'heures de travail rémunéré, les mères sont plus susceptibles que les femmes sans enfant de se sentir pressées par le temps chaque jour et de subir de fortes contraintes de temps ».

Notez bien que les hommes aussi sont stressés, mais ce stress ne semble pas lié au fait d'avoir des enfants. Sans doute parce qu'encore aujourd'hui, ils sont moins impliqués que les femmes dans les soins destinés aux enfants.

Évidemment, le stress est à son comble lorsque les mères occupent un emploi à temps plein. Dans l'enquête, on a présenté un questionnaire visant à évaluer les contraintes de temps que vivent les nouveaux parents. On posait des questions du genre : « Vous sentez-vous pris (e) dans une routine quotidienne ? » « Êtes-vous constamment tendu (e) parce que vous voulez en accomplir plus que vous ne pouvez en faire ? »

Résultat : quatre nouvelles mamans sur dix ont répondu oui à sept des dix questions. Dans l'ensemble, les auteurs ont observé qu'elles avaient deux fois plus de chances que les pères et les mères d'enfants plus vieux de se sentir débordées. Étrangement, même quand elles réduisaient leur temps de travail, ces mères disaient se sentir tout aussi pressées par le temps.

Moins travailler ?

Nombreux sont les spécialistes qui considèrent le travail à temps partiel comme une solution pour favoriser l'équilibre entre famille et travail. Dans une étude réalisée auprès d'un groupe d'infirmières de l'Institut de cardiologie de Montréal au début des années 1990 par Victor Haines, Gilles Guérin et Sylvie St-Onge, on a remarqué que les bénéfices du travail à temps partiel, dans une optique de conciliation travail-famille, étaient supérieurs aux coûts de ces pratiques.

« Les résultats de l'étude, écrivaient les auteurs, indiquent que le travail à temps partiel complexifie la programmation des horaires mais n'engendre pas de problèmes administratifs importants. Le principal bénéfice du travail à temps partiel volontaire a trait à la réduction de l'absentéisme des infirmières suite à un congé de maternité. Les témoignages des infirmières confirment que le travail à temps partiel permet une meilleure conciliation travail-famille. »

Évidemment, si tout le monde a l'impression de manquer de temps, c'est en grande partie relié au fait que les femmes ont accédé au marché du travail. Avant, maman faisait tout. Dans les années 1950, il ne serait pas venu à l'idée d'un sociologue de demander aux mères de famille si elles avaient l'impression d'être pressées par le temps. Il allait de soi que leur journée était presque entièrement consacrée aux tâches ménagères et à l'organisation domestique de la famille.

Dans *Éloge de la lenteur*, l'auteur Carl Honoré se demande, lui aussi, si nous ne sommes pas en train de tout sacrifier – amour, amitié, famille, sexualité, santé – à la dictature du temps. Il raconte que c'est dans un aéroport, alors qu'il cherchait par tous les moyens à se procurer un livre offrant des versions condensées des contes classiques pour enfants, qu'il a réalisé à quel point il se sentait toujours pressé par le temps... « Suis-je devenu complètement fou ? », se demande-t-il en introduction d'un essai qui prend la forme d'une quête exploratoire du mouvement Slow. Il ajoute : « Comme la plupart des gens, je veux trouver le moyen de vivre mieux en trouvant un équilibre entre vitesse et lenteur. » Il écrit aussi : « Je veux être capable de lire une histoire à mon fils sans regarder ma montre. » Combien sommes-nous à penser comme lui ?

Donner du temps au temps ?

Jean-François, te souviens-tu de la rentrée scolaire 2004 ? Lors d'une campagne pour faire la promotion des petits-déjeuners équilibrés, tu as lancé un véritable pavé dans la mare en déclarant qu'au-delà de l'aspect nutritif, le petit-déjeuner passé en famille était surtout important sur le plan affectif.

Je me souviens très bien de la réaction de mon entourage : tous les parents que je connais se sont livrés à un petit examen de conscience, moi la première. Je l'avoue, je ne me souviens pas d'un seul petit-déjeuner passé assise à table avec mes enfants au cours des trois dernières années.

Aux États-Unis, de plus en plus d'initiatives incitent les gens à passer du temps en famille. La plus connue se nomme « *Take back your time*

Day» – une journée qui est également soulignée au Canada. Objectif : rappeler à la population l'importance de prendre au moins un repas en famille. Même l'ex-vice-président Al Gore s'est mis de la partie. Dans son livre *Joined at the heart*, cet homme qui a toujours affiché ses valeurs familiales a déploré le fait que les gens ne prennent presque plus leurs repas en famille. N'est-il pas aberrant que nous en soyons rendus là ?

Déjà, au début des années 1990, une recherche québécoise sur les rituels familiaux révélait à quel point les repas pris en famille étaient en voie de disparition. Seulement un tiers des mères interrogées (l'enquête était réalisée auprès de familles où se trouvaient des enfants âgés entre 6 et 13 ans) disaient accorder une certaine importance au repas familial...

Une autre recherche, effectuée par l'organisme américain *National Eat Dinner Together Week*, affirme pour sa part que 80 % des familles mangent au moins cinq repas par semaine ensemble. Mais 5 sur 21, ce n'est quand même pas beaucoup. Surtout quand on sait que de ce nombre, trois familles sur quatre mangent en regardant la télévision...

Il y a quelques années, le *New York Times Magazine* publiait les résultats d'une étude réalisée dans la ville d'Alicante, en Espagne. On affirmait que les enfants issus de familles qui ne mangent pas ensemble risquaient plus d'éprouver des problèmes psychologiques que les autres. Une autre étude, réalisée en 1997 par des psychologues étasuniens, concluait pour sa part que les jeunes qui prenaient leurs repas en famille étaient moins susceptibles d'éprouver des problèmes de drogue et de dépression que les autres.

On aura compris qu'il ne s'agit pas de bouffe ici mais bien de cohésion et de sécurité. Le repas, c'est le moment de « débriefer » sa journée, de raconter les bons moments comme les moins bons, le moment de se retrouver. Dans une famille privée de ces rendez-vous et de ces repères, les enfants, comme les parents ajouterais-je, s'en vont à la dérive.

La famille, au fond, c'est comme un couple. Les magazines féminins débordent de conseils afin de garder à flot sa vie sentimentale et sa vie amoureuse. Qu'est-ce qu'on dit dans ces articles ? Qu'il faut du temps pour se retrouver, qu'il faut faire des activités ensemble, communiquer. Qu'est-ce qu'on attend pour appliquer les mêmes stratégies afin de préserver sa vie familiale ?

Une part pour l'employeur ?

En mai 2005, l'Université de Montréal a accueilli un colloque très intéressant consacré à la famille et aux défis qu'elle soulevait en ce début de 21e siècle. Parmi les conférenciers invités, il y avait Claude Martin, directeur de recherche au CNRS, qui est venu parler d'un sujet on ne peut plus actuel et qui se trouve depuis quelques années au cœur de la réflexion de la grande majorité des parents québécois : la conciliation famille-travail.

M. Martin a abordé la question de la flexibilité des conditions de travail. Il a dit ceci : « C'est peut-être cette forme-là qui pose le plus de problèmes. La montée en puissance des horaires atypiques, du travail où les tâches sont morcelées... La grande difficulté de l'horaire atypique n'est pas tant qu'il soit atypique. Dans certains domaines, le travail atypique est la norme. Le problème tient à la prévisibilité. Quand vous avez des responsabilités de soins (...) travailler de façon atypique revient à ne pas pouvoir vous organiser. »

Nous voilà au cœur du problème lorsqu'il est question de conciliation : l'entreprise ou l'employeur ne fait pas beaucoup d'efforts pour concilier ses exigences avec la réalité de ses employés qui ont des responsabilités familiales. En fait, le poids de la conciliation famille-travail repose surtout sur les épaules des parents qui doivent se démener (pour ne pas dire se démerder) pour que leurs devoirs de parents n'empiètent pas sur les heures passées au boulot. Dans un tel contexte, devinez qui fait le plus de concessions, et ce, sans même le savoir... Oui, ce sont les enfants.

Il y a une expression qui revient sans cesse lorsqu'on aborde la question de l'offre des services de garde et des politiques familiales et c'est « les besoins des parents ». Combien de fois avez-vous entendu cette phrase : « Les garderies doivent répondre aux besoins des parents » ?

Or de quels besoins parle-t-on ? Du besoin de passer du temps avec son enfant ? Du besoin d'être présent dans ses activités, de l'accompagner dans son développement, de ne pas être trop stressé afin de pouvoir lui offrir une présence positive ?

Pas du tout. Lorsqu'on parle des besoins des parents, on fait surtout référence aux besoins de faire garder les enfants pour pouvoir aller travailler.

Dans ce cas, ne vaudrait-il pas mieux parler des besoins de l'entreprise ?

La vérité c'est qu'on a complètement tordu la notion de besoins des familles. Aujourd'hui, on demande – que dis-je, on exige – des familles et surtout des enfants qu'ils s'adaptent aux exigences de notre économie qui n'est plus capable de s'arrêter, qui fonctionne 24 heures sur 24 et qui nous demande de produire pratiquement 24 heures sur 24.

Dans un article intitulé « Manquons-nous de temps ? » publié dans la revue *Interventions économiques*, la sociologue française Dominique Méda écrit ceci : « Loin de n'être qu'un petit inconfort personnel, qui serait l'apanage des cadres dirigeants et des *wonderwomen*, le sentiment de manque de temps apparaît au contraire comme le signe d'un grippage ou d'une inefficacité des mécanismes classiques de régulation, et sans doute comme une invitation à concevoir des politiques publiques capables d'aider la mise en place d'une nouvelle concordance et d'une plus grande cohérence des différents temps individuels et sociaux. »

L'auteure cite entre autres l'enquête « RTT et modes de vie » qui dit que les personnes qui avaient le plus réfléchi à ce qu'elles feraient d'un surcroît de temps disponible étaient principalement des mères qui souhaitaient plus de temps en semaine pour s'occuper de leur famille.

Le temps n'est pas flexible ? C'est faux. Il est flexible mais toujours dans le même sens. On peut allonger les heures de commerce, ouvrir les magasins le dimanche, développer des services de garde de nuit, ajouter des quarts de travail nocturnes, allonger les heures de service de garde dans les écoles et faire tourner la roue sans arrêt, sept jours sur sept. Le temps est flexible pourvu qu'il soit rentable, qu'il serve les objectifs d'une économie en constante recherche de profits, dont l'objectif supérieur demeure l'enrichissement d'une poignée d'actionnaires et de millionnaires.

Le jour où le bonheur procurera des dividendes, qui sait, on accordera peut-être une certaine valeur au temps passé non pas à travailler mais à accompagner, élever, aimer. C'est de ce temps-là dont ont besoin les familles.

Du temps organisé ?

Les Européens ont eu une idée qui vaudrait la peine d'être importée : les bureaux de temps. Ces bureaux – créés en Italie mais adoptés en France – sont en fait des tables de concertation entre différents acteurs municipaux qui visent à régulariser la circulation routière et faciliter les horaires de tout le monde.

Des exemples ? Dans la ville de Poitiers, qui a mené un projet-pilote au début des années 2000, on a choisi d'étaler le début des cours universitaires sur une demi-heure afin de désengorger le réseau routier et les transports en commun. On a également eu l'idée de génie de regrouper en un seul endroit l'inscription à l'école, aux services de loisirs, à la cantine scolaire et à la médiathèque de la ville. Imaginez que votre municipalité ou votre arrondissement vous offre une telle possibilité !

J'entends d'ici les parents – submergés à chaque rentrée scolaire par une tonne de feuillets d'inscription – pousser un grand soupir de soulagement devant une telle initiative.

L'idée à l'origine de bureau du temps est on ne peut plus actuelle : à Milan, des groupes de femmes ainsi que des membres du Parti communiste italien en étaient venus à la conclusion que la vie ne pouvait pas être complète si les gens ne disposaient pas de suffisamment de temps à consacrer à leur vie familiale et personnelle. La Ville de Milan a donc mis sur pied un comité formé de sociologues, d'architectes et de planificateurs urbains afin qu'ils revoient le temps de la ville en fonction des besoins et de l'équilibre de ses habitants.

Bien que le bureau de Milan ait disparu après l'élection de la droite à la mairie de cette ville industrielle, l'Italie a tout de même adopté une loi incitant les municipalités de plus de 50 000 habitants à créer leur propre bureau de temps afin d'harmoniser le temps des citoyens.

Au Québec, plusieurs villes ont réfléchi à la question du temps et de la famille. C'est le cas de la Ville de Gatineau qui organisait en octobre 2004 un forum famille. Environ 600 citoyens ont participé à cette rencontre qui a donné lieu à l'adoption d'une politique familiale. Dans les documents relatifs aux travaux du Forum, on retrouve cette même préoccupation par rapport au temps, énoncée ainsi : « La gestion du temps a une incidence majeure sur la qualité de vie des citoyens et des citoyennes.

Les familles souhaitent que l'offre de service soit accessible selon leur horaire et leur réalité en visant une meilleure articulation du temps entre les différents établissements, afin de faciliter l'organisation de leur vie quotidienne. La collaboration des employeurs est indispensable en regard des responsabilités et des activités familiales, professionnelles et sociales de leurs employés. »

Dans le numéro d'avril 2001 de la revue *Today's Parents*, on présentait le palmarès des cinq meilleures villes canadiennes où il fait bon vivre. La ville de Québec occupait le premier rang. Au nombre des critères sur lesquels on évaluait les villes, il y avait la proximité des espaces de loisirs. Ils devaient se situer à moins de 30 minutes de la maison.

Au Québec, on retrouve un responsable des questions familiales dans plus de 200 municipalités. C'est une excellente chose car cela concrétise l'idée que la famille est aussi une responsabilité collective et communautaire. Maintenant, il faudrait que la présence de ces gens soit visible.

L'une après l'autre, les municipalités du Québec – surtout celles qui souhaitent attirer les jeunes familles sur leur territoire– adoptent des politiques familiales basées avant tout sur la flexibilité et la disponibilité des services, la qualité de vie, l'accès au logement, les loisirs, etc. Une centaine de petites villes, parmi lesquelles on retrouve Coaticook, Gatineau, Ville Saint-Laurent, Saint-Basile-le-Grand, ont adopté des politiques familiales. Mais entre les énoncés de principes, les vœux pieux et les actions concrètes, il y a un fossé. Fossé que la politique familiale promise par le gouvernement Charest aurait peut-être pu combler. Or cette politique a été grandement diluée.

Peu importe le parti au pouvoir à Québec, sans initiatives provinciales en faveur des familles, les efforts des municipalités, même si celles-ci sont animées de la meilleure volonté du monde, seront toujours limités.

Créer du temps pour la famille ne doit pas être une initiative individuelle ou locale. Ce devrait être une priorité nationale.

Bibliographie

Collard, Nathalie. « La ville et le temps ». *La Presse*, Actuel, vendredi 2 novembre 2001, p. B1

Haines, Victor, Guérin, Gilles et St-Onge, Sylvie. *L'efficacité du travail à temps partiel comme pratique visant à favoriser un meilleur équilibre travail-famille*, Montréal, École des Hautes Études commerciales, Direction de la recherche, coll. « Cahier de recherche » nº 96-39, 1996, 17 pages.

Honoré, Carl. *Éloge de la lenteur !*, Paris, Marabout, 2005, 288 pages.

Méda, Dominique. *Manquons nous de temps ?* Dans *Interventions économiques*, mars 2003.

Regards sur la diversité des familles, Université de Montréal, colloque des 10 et 11 mai 2005.

Today's Parents, avril 2001.

Zukewich, Nancy. *Le travail, la condition parentale et le manque de temps*. Division de la statistique sociale, du logement et des familles, Statistique Canada, 1998.

http : //agora.qc.ca/colloque/cfe2005.nsf/Pages/Presentation

http : //www.simpleliving.net/timeday/

Nature et culture

L'évolution biologique naturelle et la culture de la garde non parentale

Jean-François Chicoine

Qu'est-ce qui poussait ces gens-là à leur sinistre activité ? La méchanceté ? Certes, mais aussi un désir de l'ordre. Parce que le désir de l'ordre veut transformer l'univers humain en un règne inorganique où tout marche, où tout fonctionne, où tout est assujetti à une règle supérieure à l'individu. Le désir de l'ordre est en même temps désir de mort parce que la vie est perpétuelle violation de l'ordre. Ou inversement, on peut dire que le désir de l'ordre est le prétexte vertueux par lequel la haine de l'homme justifie ses forfaits.

La valse aux adieux

Milan Kundera

Qu'ils sont drôles ces adultes à décider de tout en s'imaginant que la nature va les laisser faire !

Incroyable, mais ils ont décidé de bouder le cerveau humain, de faire comme si de rien n'était, d'éviter de dire que la tête de leurs enfants met trois années importantes à se formater. Trois années pourtant merveilleuses... Trois !

Ils ont décidé de protéger les bébés dans le besoin, de faire garder des enfants pour mieux servir leurs familles en difficulté. Ils se sont donné une mission qui allait au-delà de la garde non parentale : celle de sécuriser, d'éduquer et de socialiser ces enfants à risque pour leur donner une égalité de chances dans la vie. Ils ont fait des études là-dessus et, avec raison, ils se sont convaincus que c'était la meilleure façon d'agir pour faire grandir ce petit monde. Mais en développant leurs services éducatifs de garde, les camarades se sont privés des moyens de leurs idéaux. Ils ont omis d'assister la parentalité, ils ont omis de prévoir des places, ils ont omis d'assurer l'excellence des services. Ils ont omis de soutenir la formation des éducatrices, ils ont omis de considérer l'individualité des enfants, ils ont omis de chiffrer la durée d'une journée de garde, ils ont omis d'accorder aux familles dans le besoin la priorité d'accès aux services. Enfin, ils ont omis d'apporter des correctifs à leurs omissions.

Au Québec, des enfants sont gardés 52 semaines par année, une soixantaine d'heures par semaine. Des enfants déjà fragilisés passent des semaines entières dans des univers de qualité certifiée passable.

Ils ont décidé de protéger le travail de tous les parents, de les exhorter à faire garder leurs enfants pour mieux permettre la continuité des revenus et les idéaux de carrière. Ils se sont convaincus que c'était la meilleure façon d'assurer la santé économique des sociétés. Mais en pavant la route du progrès, les camarades affairés par leurs considérations d'adultes se sont insuffisamment souciés des particularités de la petite enfance. Ils ont omis de considérer l'âge des enfants à garder. Ils ont omis de tenir compte de leurs conditions de santé, ils ont omis de prioriser leurs besoins de sécurité affective, ils ont omis de prendre le temps nécessaire pour jouer avec eux. Ils ont omis de comptabiliser la durabilité des piles du couple parental, ils ont omis de considérer que la principale nourriture d'enfance est l'émotion. Enfin, ils ont omis de développer une politique de la petite enfance dont l'enfant aurait été le centre et le joyau.

Au Québec, des enfants peuvent dorénavant être gardés 24 heures de suite, le soir, la nuit, avec des horaires « atypiques », quand ils frissonnent à 40 degrés de fièvre. Des enfants jusqu'ici sans histoire apprennent à prononcer le mot « maman » sans être collés à leur mère et sans que personne en soit vraiment dérangé.

Qu'on les juge bonnes ou mauvaises, à point ou hâtives, sous-utilisées ou surexploitées, les garderies demeurent des machines à forcer les limites des vies naissantes. Comment pourrait-on le démentir ? Pourquoi ne pas y consentir, ne pas en profiter pour discourir ? « Casse-tête », « chaos », « disgrâce » écrivent les médias sur elles. En faut-il plus pour légitimer une porte ouverte au questionnement ? Réfléchir, poser des questions, réviser une position, améliorer une sauce qui tourne mal ne remet en cause la pensée dominante que si cette pensée s'est articulée sur des chimères. Déployer un discours sur la garde non parentale ne peut donc être qu'une bonne nouvelle. Faudrait-il se contenter de regarder les hommes et leurs bébés tomber ?

Un bon confrère de travail : il me reproche mes moulins à vent contre la garde exutoire, ajoute foi à l'inévitable et en attendant, tapisse les murs de son bureau des photos de ses trois enfants qu'il aperçoit aux deux semaines et que son ex-conjointe voit à peine plus longuement que lui depuis qu'ils ont quatre mois. Il appelle ça avoir une famille et il arrive même à s'en convaincre quand il achète du *Tempra.* La règle n'est pas de lui, alors je passe. Il s'ennuie, alors je m'attendris et, bien entendu, j'ai une pensée pour ses pauvres petits. Mon confrère de travail n'est pas le seul : ici, la photo d'un bébé de six mois qui pose avec son éducatrice; là, sur l'écran d'ordi d'une consœur, une icône pour aller voir en temps réel son petit trésor jouer avec ses camarades du service de garde; et ailleurs, dans un autre bureau, le portrait de 2 fillettes de 13 mois décrochées aux limbes après 4 ans d'attente et pas moins de 2 fertilisations in vitro, mais déjà épinglées au mur, le temps que passe la journée sans elles et que triomphe encore l'inévitable archivage des jeunes générations.

Qu'est-ce qui fait que je trouve ça, moi, triste à mourir?

Les programmes sociaux, familiaux, d'aide à l'enfance ou à la parentalité existent pour mieux servir la jeunesse et les familles, pas pour bétonner les bébés dans une statuaire d'adulte en crise, ni pour confirmer des politiciens dans leurs politiques soi-disant avant-gardistes, ni enfin pour astreindre leurs parents à un espace orwélien.

L'évolution biologique se donne 4 à 8 mois, parfois plus, jamais moins, pour permettre aux parents de craquer d'amour pour leur enfant.

L'évolution biologique se donne 8 à 15 mois, jamais moins, pour permettre aux enfants de s'attacher solidement à leurs parents.

L'évolution biologique se donne 18 mois, jamais moins, pour permettre aux enfants d'ajuster leurs réponses hormonales au stress de la vie.

L'évolution biologique se donne 18 à 24 mois, parfois plus, jamais moins, pour permettre à l'enfant d'incorporer l'image mentale de son parent.

L'évolution biologique se donne 24 mois, et pas moins, pour permettre à l'enfant de se faire une meilleure santé immunitaire.

L'évolution biologique se donne 24 mois, parfois plus, pour parfaire les fonctions de mémoire, de motivation et d'attention nécessaires à la permanence des choses et des êtres.

Enfin l'évolution biologique se donne des mois pour permettre la séparation graduelle de l'enfant de ses principales figures de confiance.

Donc 18 à 24 mois de protection parentale, c'est ce qu'il faut viser, je vous en conjure ! Ce n'est ni un minimum, ni un maximum, c'est la finalité que toute société devrait pouvoir s'octroyer pour donner le meilleur du monde aux jeunes générations. Teilhard de Chardin (oui, je suis allé chez les jésuites) appelait l'atteinte d'un objectif idéal point *Oméga*. Ces 18 à 24 mois seraient donc l'*Oméga* de la garde parentale ! Des enfants seront plus ou moins prêts par la suite, quelque part entre 2 et 3 ans. Mais il faut d'abord se battre pour la protection des deux premières années de leur cerveau.

Deux années fondatrices... deux !

Vous pouvez vous tromper sur vos amis, sur vos investissements et sur votre dentiste, mais vous ne pouvez pas tromper votre bébé. Il ne se laissera pas tromper non plus. Sa régulation cérébrale portera la marque balisée des gestes de tromperie ou de sincérité que ses parents et ceux qui ont pris soin de lui auront inscrits en lui. Il faudrait concocter des panneaux promotionnels sur la question, à la télé, dans les abribus, sur Google, dans les manuels scolaires. Partout on devrait dire et redire que les 24 premiers mois de la vie de l'enfant s'inscrivent physiologiquement dans sa matière cérébrale pour lui insuffler une manière originale d'être : une façon de se penser, de penser l'autre, bref de penser l'ordre du monde.

De toute évidence, notre manière de procéder à l'éducation de nos enfants n'en offre pas tant : elle tasse sous le tapis de grands pans de l'aventure biologique en faisant valoir les affaires de grandes personnes. Elle se donne 2 mois, 9 mois, 12 mois, 16 mois, bref elle se donne, mais ne se donne pas la peine. Il y a donc un décalage entre ce que culture sociale veut et nature du bébé peut.

L'opposition nature-culture est un vieux débat activé par Francis Galton, un cousin de Charles Darwin, à qui l'on doit, sinon tout, un tout pour mieux comprendre : la théorie de l'évolution. De tout temps, les principes biologiques se sont mesurés aux élans culturels d'exception qui sont propres à notre nature humaine. Le non-lieu en matière de garde serait de mettre nature et culture en opposition, alors que l'apparente discordance entre la biologie et les manières de société ne cache qu'une différence de vitesse.

Il faut pouvoir se rappeler que l'homme est capable de culture grâce au développement démesuré de son néocortex sans lequel le langage, la pensée abstraite, la conscience et des capacités infinies d'apprentissage seraient carrément impossibles. La gestion des comportements émotifs repose pour sa part sur une structure anatomique plus primitive appelée système limbique. Tous les mammifères disposent de ces structures destinées à la gérance des émotions, mais peu d'espèces, en dehors des primates et des humains, disposent d'un néocortex intelligent qui se fait libérateur en quelque sorte, à condition de lui donner le temps de grandir.

Le développement des émotions s'échelonne sur les trois premières années de la vie, surtout les deux premières. Le développement de la pensée intelligente s'étale pour sa part sur les trois premières années de la vie, pour se poursuivre jusqu'à l'adolescence, avec par la suite des remaniements actualisés, mais proportionnellement mineurs, tout au long de la vie. Un adulte qui choisit une garde non parentale pour son tout-petit recourt à ses émotions et au pouvoir d'abstraction privilégié de son espèce et fait ainsi usage d'interconnexions entre son cerveau de mammifère et son cerveau intelligent. Mais l'enfant qui, pendant ce temps, est occupé à développer son système émotionnel et dont le développement cortical est loin d'être achevé, fonctionne encore à un stade bien antérieur à celui de l'adulte, plus proche de celui du petit animal. L'enfant est tout en nature et dépend donc entièrement de la culture de l'adulte plus grand que lui. La protection que les grandes personnes doivent lui accorder ne fait donc aucun doute. L'éthique n'est donc pas étrangère aux neurosciences. Dans les faits, ce principe moral est malheureusement mis en péril et la guerre des cortex se trouve perdue d'avance pour les limbes en croissance. La croissance biologique des enfants est à peine amorcée que déjà leur nature est bousculée par la culture des grands.

« Il faut que les familles travaillent », entend-on dire. Effectivement, la question de l'argent tient souvent lieu d'argumentation pour justifier la prédominance de la culture sur la proposition biologique. Mais elle ne peut pas tenir seule la route dans une société qui consomme à plein ou, à l'opposé, qui se targue d'aspirer à une certaine simplicité volontaire. Toutes les familles ne peuvent pas dégager les revenus nécessaires, mais toutes les familles du Québec ne sont plus sans revenus à consacrer au développement cérébral de leur progéniture.

À ce titre, présenter le sort du cerveau du bébé comme un enjeu écologique dans une société consumériste aurait plus de chances de retenir l'attention que d'en parler comme de celui d'une personne nécessitant amour et protection. Attention les arbres, disent les altermondialistes. Mais saviez-vous qu'en Abitibi, la forêt cache aussi des bébés ? Attention les porcs, disent les environnementalistes. Mais saviez-vous qu'en Beauce, des enfants mangent aussi du bacon ? Attention à l'effet de serre, disent les climatologues. Mais saviez-vous que partout au Québec, les petits expirent du gaz carbonique ? Les penseurs Hubert Reeves et David Suzuki annonçaient récemment l'ère du fracas écologique. Je vous propose de croire que les petits fruits de notre espèce ne seront pas épargnés. Dans ses propos, Hubert Reeves se dit néanmoins optimiste devant l'éternel, difficile à décourager, malgré sa lucidité et ses terribles constatations. Ce n'est pas une mauvaise attitude, à condition, comme il dit, de passer à l'action. Qu'est-ce que les familles attendent pour faire la fête ?

La question démocratique sert ailleurs d'allégation contre l'ordre biologique du bébé. Sous des préceptes sous-gauchisants, à coup d'études savantes et de rapports périmés depuis des lunes, des adultes, politiciens, féministes avant l'heure ou journalistes complices, débandés de leurs enfants autant que de leur jugement, s'acharnent à vouloir projeter tous les tout-petits, fragilisés ou non dans leur besoin, dans des structures de garde dont ils n'ont jamais pris soin de vérifier ni la qualité, ni l'utilité. Parmi les premiers à applaudir aux tajines de dinde de Josée di Stasio ou aux mètres de plongeon d'Alexandre Despaties, ils sont pourtant les derniers à ouvrir la porte à un discours sur l'excellence quand il s'agit de la petite enfance. À tous les Québécois, ils font croire que tous leurs enfants sont pauvres et qu'ils doivent d'abord être traités comme des pauvres avant de l'être comme des personnes.

Je suis le premier à prôner la garde des enfants quand les mères sont trop jeunes, les parents trop démunis ou les enfants trop vieux, petits rois dans une maisonnée qu'ils terrorisent. Mais je ne suis pas prêt à les faire garder sans d'abord m'assurer des conditions d'existence, de sécurité et d'éducation que je leur impose comme adulte. Vous ne pouvez pas imaginer le bien que peut faire une garde non parentale de qualité pour ces familles où la mère est dépressive, la monoparentalité destructrice, l'insécurité parentale paralysante et la discipline incomprise. Toutes les recherches confirment que les enfants ainsi sauvés du pire retrouvent leur potentiel cognitif et le *yellow brick road* de l'ajustement social prometteur.

Mais qu'on laisse à une majorité d'enfants le temps de faire le plein avant de vivre la séparation. Qu'on permette aux parents de nourrir dignement la matrice cérébrale de leurs tout-petits. Qu'on leur dise que l'investissement vaut bien plus que l'hypothèque immobilière ! Quelques mois à plein temps d'émerveillement parental, puis rapidement l'insertion dans une structure non parentale avec en corrolaire un maigre deux ou trois heures par jour au retour de la garde, des saisons entières, le temps d'arroser l'agenda d'un divorce et de couper la poire en deux, pour mieux récolter ses pépins, c'est trop peu. Une seule culture décrétée par l'État et les manières de société ne peut pas convenir à tous les bébés !

Notre club des petits-déjeuners, une initiative exceptionnelle qui fait l'envie de plusieurs pays du monde, vise à assister des enfants qui, sans un déjeuner à l'école, n'auraient pas de « pep protéiné » à fournir à leurs neurones et se dirigeraient par conséquent vers un échec personnel et scolaire assuré. Par exemple, le petit-déjeuner à l'école a du sens pour Maxim, dont la maman tire le diable par la queue. Mais il n'aurait pas de sens pour Victor, dont les parents heureux et en moyens sont tout simplement coincés par le temps. Tout en beurrant leurs *toasts,* la plupart des enfants qui déjeunent à la maison apprennent d'un tuteur parental avant de s'en aller s'abreuver à leur professeur. S'adresser avec empathie à son enfant, ne serait-ce que dix minutes le matin, est pour le parent non seulement une occasion de transfert filial, mais aussi un gage pour la construction de l'autonomie de sa progéniture. Tous les parents ne sont pas démunis d'office. Et la meilleure façon de nuire aux pauvres est de tout traiter sous l'angle de la guignolée. Il en va de même pour les premières années de la vie où tout ne peut pas virer à la récupération éducative.

Le drame d'Hiroshima a une date. L'évolution de notre monde n'en a pas, alors on dit qu'il est en transformation. Combien d'entre nous ont-ils été épargnés par la bombe ? L'autre jour, la lettre chaleureuse d'Emmanuelle Q., une maman qui me requinque de tous les champignons atomiques, se conclut ainsi :

« ...Avec un horaire de travail réduit qui permette, au ralenti il est vrai, à cette sacro-sainte carrière d'évoluer, avec un budget réfléchi qui offre de plus l'avantage de nous positionner comme consommateurs responsables, avec des choix de vie et de loisirs temporairement limités, il est tout à fait possible de s'épanouir à tous les points de vue, de rester en marge de cette course folle que tous décrient, mais que peu évitent et, surtout, de redonner aux tout petits bonheurs la place centrale qu'ils méritent. Nous avons décrété que nos enfants s'adapteraient à notre rythme sans jamais vérifier la véracité de cet argument. Peu de gens considèrent que c'est pourtant aux adultes à modifier leur comportement le temps d'une parenthèse de quelques années. Offrez-leur donc, à défaut d'un salaire, d'un milieu de travail stimulé par les pairs et d'une reconnaissance sociale, la voix très rare de spécialistes qui leur confirment que ce "sacrifice" en vaut la peine. »

Je suis pédiatre, j'écris en tant que pédiatre et n'ai aucune pudeur à parler des plus petits que moi à, et avec, leurs parents. La pudeur suppose une maturité nécessaire à l'exercice de toutes les professions, sauf la mienne. Le terme consacré pour cet activisme axé sur la défense des enfants s'appelle pour la Société canadienne de pédiatrie, « *child advocacy* », ou selon la francisation de convenance, « plaidoyer pour l'enfance », plaidoyer donc pour faire passer les droits de l'enfance avant toute chose.

Un exemple : le tourisme sexuel. Un voyageur adulte contracte une maladie sexuellement transmise en République dominicaine. C'est terrible et il faut le soigner. Mais le mal indélébile qu'il a fait à une enfant prépubère, Irina, 13 ans, et le commerce qu'il a soutenu, sont plus horribles encore. Entre deux victimes d'âges différents, il y en a toujours une qui est moins responsable que l'autre. Les actions à mettre en place débordent ici largement la prescription de pénicilline. Dans cette affaire, la plupart des médecins ne dépasseront cependant pas le stade de l'antibiotique. Cela n'en fait pas obligatoirement de moins bons médecins. Mais cela n'en fait pas automatiquement des citoyens protecteurs des enfants.

Le plaidoyer pour l'enfance n'est donc pas que du lobbyisme, c'est une activité professionnelle clinique et éducative doublée d'une profession de foi, moins sur la valeur des enfants que sur la valeur d'un enfant, avec son lot de caractéristiques individuelles. La perspective à hauteur d'homme du clinicien descendu dans l'agora lui permet d'aller au-delà du débat académique, politique ou public. Le plancher des vaches est une grâce, on ne le dira jamais assez. On est libre d'adhérer ou pas : pour un pédiatre, rien n'est moins surprenant que de voir un patient refuser de se laisser examiner les oreilles. Néanmoins, cela n'empêche pas que nous nous autorisions à définir ensemble le périmètre de nos responsabilités d'adultes pour que la forme qui en résulte soit apte à contenir la situation du point de vue de l'enfant. À ce chapitre, le sujet des garderies est sans limites. Pour le pédiatre, il y a là matière et devoir moral à partager avec les parents.

J'aime dire en boutade : « L'opinion d'un docteur, qui est-ce que ça intéresse de nos jours ? » Peu importe s'il s'agit d'un combat d'arrière-garde, il suffit de porter ses armes et dire ici tout ce que nous savons des besoins de l'enfant, comme si nous étions son porte-voix, et dire ici ce que sont les gardes non parentales quand elles sont utilisées trop précocement, quand leur rendu n'est pas à la hauteur, comme lorsqu'on y recourt 12 heures par jour, 5 jours par semaine, en rallongeant les week-ends.

Un pédiatre est bien placé pour épauler les parents dans la découverte et la prise en charge des besoins émotifs et intellectuels de leur enfant. Surtout quand cet enfant est appelé à vivre dans certaines conditions stressantes comme celles d'une garderie, qu'il soit appelé à les vivre prématurément ou qu'il fasse partie d'un sous-groupe d'enfants ayant des besoins particuliers. Je pense ici aux enfants handicapés, aux enfants de petit poids, aux enfants atteints de maladies chroniques, aux enfants malades et, question de beurrer plus épais dans les pourcentages, aux enfants de la monoparentalité qui ne dorment plus la nuit parce que leurs parents se sont déjà séparés.

Un pédiatre est parmi les mieux placés avec le psychologue, le travailleur social et l'ergothérapeute, selon le cas, pour réviser le programme de garde des familles ; pour les appuyer dans la création de structures centrées sur les besoins biologiques et psychodynamiques de leurs petits ; enfin le pédiatre est bien placé pour outiller les parents à promouvoir la stimulation sensorielle, motrice, intellectuelle et la sécurité affective de leur enfant, en fonction de leurs capacités, de leurs ouvertures et de leurs limites.

PÉDIATRE
Hervé a besoin que vous le regardiez dans les yeux, que vous le touchiez, que vous le berciez et que vous lui chantiez sa chanson.

MAMAN
Il reconnaît déjà ma voix.

PÉDIATRE
Il reconnaîtra votre odeur et le goût de votre lait qui est sucré et à la bonne température. À cet âge la presque totalité du contenu affectif passe par le non-verbal. La direction, votre ton de voix génère chez lui de la sécurité.

PAPA
Même le bruit de l'aspirateur, Hervé le reconnaîtra. Ce sera son aspirateur.

Le combat, si combat il y a, ne date pas d'hier. Mais il est plus que jamais ravivé en raison de l'extension et de la complexification du travail parental, de la possibilité ou de l'impossibilité d'obtenir des congés parentaux, de l'appauvrissement des familles moyennes, de la multiplication des modèles familiaux, des contre-chocs des valeurs sociales et de la diversification culturelle. L'évolution contemporaine malheureuse de nombreux enfants a aussi son poids dans le discours de la garde non parentale ; pensez à toutes ces errances, entre les otites à répétition à deux ans, l'agressivité à quatre et l'échec scolaire dès la deuxième année du primaire.

Les liens entre tel mode de garde et telle évolution adaptative et comportementale de l'enfant ne sont pas toujours évidents ou scientifiquement possibles à extrapoler. Mais ils existent. Ils sont documentés, se documentent au quotidien et font l'objet de recherches cliniques, épidémiologiques, neurobiologiques, à court ou à long terme, de plus en plus imposantes, notamment en ce qui a trait à la qualité des services et aux effets de la durée d'exposition en service de garde sur la construction du cerveau des bébés. Une charge d'émotions brutes notamment, quelques mères indignes et beaucoup de parents terrorisés et captifs de la méconnaissance, semblent invariablement empêcher le sujet de tourner assez vite pour qu'il favorise sainement les enfants dans le besoin et les jeunes enfants en général. Les émotions d'adulte ne sont-elles pas toujours traitées en priorité?

Les parents doivent savoir qu'il est impossible pour les scientifiques et les gens chargés d'appliquer les politiques familiales de déterminer l'impact exact de la garde non parentale et des services de garde sur un enfant donné, dans une famille donnée, au sein d'un pays donné et à une époque donnée. Les programmes de garderie en place servent à subvenir, à conforter, à protéger et à éduquer une population d'enfants en général ou en particulier, quand on pense à l'enfance à risque pour qui des services d'assistance parentale sont impératifs. Tout à notre honneur, un honneur néanmoins relatif, ces programmes, bien qu'insatisfaisants, font déjà mieux au Québec que dans la plupart des États américains et les autres provinces canadiennes. Seulement, ils ne diminuent en rien la trajectoire d'un enfant précis, avec toutes les considérations naturelles ou obligées que ses parents et sa famille au sens large doivent avoir envers lui comme personne, non comme archétype. Les services de garde non parentale doivent s'arrimer à nos connaissances de plus en plus élaborées sur le développement et les apprentissages de l'enfant. Ils doivent s'ajuster à ce que l'on sait maintenant des structures cérébrales en émergence et qui gèrent autant nos émotions, notre mémoire, notre attention et nos possibilités de socialisation. Les services à la petite enfance se doivent également de ne jamais être en-deçà des attentes éducatives d'une famille, ce qui, vous en conviendrez, est difficile à faire sans la formation d'éducatrices, sans salaire décent à leur donner, et avec trop d'enfants à leur charge.

Dans les toutes premières vagues de recherche autour des garderies, les chercheurs tentaient de connaître les effets délétères de la garde non maternelle. Ils ont ensuite exploré les comportements de l'enfant et ses ajustements à l'école puis à la vie adulte en fonction de la qualité du milieu de garde auquel il avait eu droit et du temps qu'il y avait passé. Les meilleurs parmi ces chercheurs sont maintenant conscients que des variables expliquées par le contexte familial, les compétences parentales et leurs propres enfances ainsi que leurs propres sécurités affectives, sont également déterminantes pour les enfants.

Défendre l'universalité d'accès aux services de garde est primordial. Mais exclure, au profit de valeurs exclusivement adultes, que la garde non parentale, surtout la garde précoce, prolongée et continue, puisse d'une quelconque façon participer, et à des degrés divers, à la détresse d'un bébé et de ses parents, c'est carrément désavouer l'application des droits fondamentaux de l'assistance aux enfants et aux familles. C'est se draper d'arguments sociaux poussifs sur le développement des enfants sans rien connaître au développement d'un enfant. Sur la base de données scientifiques et d'*expériences* faites sur des bébés qui grandissent comme ils peuvent, il est clair que la garderie comporte un certain nombre de risques pour le développement des jeunes enfants, probablement pour leur devenir adulte et peut-être bien même pour l'ensemble du corps social. Si des parents participent en partie ou en totalité à l'insécurité, aux retards ou à des problèmes de perception éventuels, que nos communautés les aident dans la mesure du possible à soigner leur parentalité avant de leur confisquer leurs rejetons.

Récemment à l'échelle de l'histoire, Helena et Nicolaï Ceausescu ont fait croire à des générations de Roumains lettrés et brillants qu'il valait mieux produire en grand nombre des enfants et les confier à l'État pour travailler à la pérennité de la Roumanie. Les bébés ainsi confiés devaient par la suite contracter le sida, souffrir de malnutrition, d'autisme d'institution, bref des effets cérébraux d'une excroissance hors normes de la méchanceté humaine au profit d'un ordre absolu. « Nous n'avions pas le droit de penser autrement », me dit Sorin, mon chauffeur, lors de mon séjour marquant à Bucarest en 2000. « Ils venaient chercher nos enfants à quelques mois. Si on ne les leur livrait pas, on payait une taxe de punition. Les premiers bébés, on continuait d'aller les voir, ma femme et moi. Les autres, on les oubliait à la *Casa di copii.* C'était plus facile : de toute manière, ils ne nous connaissaient pas et ne nous reconnaissaient pas. On en a eu huit, cinq dont on a perdu la trace. La Roumanie voulait des fils, je lui en ai donné. C'était le meilleur de moi-même, mais elle n'a pas su quoi en faire. »

Sous le regard de la planète, des milliers d'enfants roumains sont devenus des adolescents vides, qui ne regardent nulle part, piétinent sur place, se balancent mécaniquement, grincent des dents et restent coincés dans leur monde. La Roumanie a maintenant troqué leur silence pour vendre son accès à l'Union européenne. De ces abandons extrêmes, la science a néanmoins beaucoup appris. Ces petits martyrs du projet social avaient des cerveaux anormaux au scanner ou à l'autopsie, des cerveaux à l'altérité impossible, déconnectés des rudiments essentiels de la biologie. Grâce à ces « irrécupérables », c'est le nom qu'on leur a donné, nous pouvons aujourd'hui constater jusqu'où il est humainement possible d'aller et comment la détresse peut profondément marquer l'anatomie.

Le Québec n'est pas la Roumanie, mais Sorin et la partie restante de sa famille élargie habitent maintenant Montréal depuis deux ans. Et Sorin a craqué lorsqu'il est allé chercher son petit-fils Pierre à la garderie *Les petits camarades.* Mais il a craqué pour rien. Il est très bien, Pierre, à sa garderie. À 16 mois, il est un peu jeune à mon sens pour y aller, mais il y est bien, son éducatrice est bien, il y mange bien. Sorin s'est juste souvenu de ceux qu'il avait laissés derrière. « Jeux libres », qu'ils appelaient ça à la *Casa di copii,* l'orphelinat des mineurs. Ils restaient des heures sur un tapis à jouer à rien avec rien, aucun jouet, à peine une surveillante pour 30 enfants ! C'est une question de proportion, se dit Sorin. Trop, c'était trop. Ici, c'est juste assez, « comme il faut ». Il est rassuré sur Pierre au moment où une éducatrice, en enfilant le manteau du petit, lui dit : « Rassurez-vous, Monsieur, tout est en ordre. » Sorin est bien placé pour savoir qu'un trop-plein d'ordre mène au chaos...

Au Québec, ou ailleurs, tracer une ligne pour toutes les enfances ne suffit pas. Il ne faut pas confondre démocratie et éducation. Un service à l'enfance n'est pas une politique de l'enfance et une politique de l'enfance n'est pas un service pour la personne. Précipiter une garde non parentale n'est pas accorder aux *pèremères* l'aide attendue et appropriée pour élever leur enfant dans le respect de son corps, de son esprit, dans la dignité. Le service de garde n'est pas le salut, il ne fait qu'y participer.

Faire garder l'enfant n'est pas un impératif. Le faire garder est une solution de continuité pour toutes les parties, à condition de ne pas faire l'économie des questions humaines fondatrices : quand, à quel âge, comment, à quel prix, où, pourquoi, avec qui, contre qui, pour combien de temps, sous quelles conditions, dans quelle mesure ? Dans quelles conditions courrons-nous au pire ou dans quel contexte sommes-nous appelés vers le meilleur ? Faut-il rendre l'enfant conforme à ce que son milieu, la famille, l'école ou la société attend de lui, ou bien le rendre capable d'accéder avec le moins de limitations possible à son autonomie et à son bonheur ?

Je vous invite à rouvrir le discours, non pas comme une blessure béante, mais comme un cadeau qu'on voudrait offrir à l'enfance. Le cadeau est un cerveau en Lego, avec un étage pour survivre, le cerveau dit reptilien, un étage au milieu pour s'émouvoir, s'attendrir et retenir, le cerveau dit paléomammalien où siège le système limbique que l'homme partage avec les mammifères, et finalement au-dessus, un étage noble pour penser, pour parler, pour devenir, le cerveau néomammalien qui fait qu'on communique ensemble aujourd'hui comme des adultes, je l'espère, propres et vaccinés.

Petites ou grandes infections, petites ou grandes insécurités affectives, la détresse ordinaire à laquelle participe la garde non parentale des jeunes enfants, n'est ni trop maladive, ni trop moralement frappante. Elle n'en appelle d'aucun syndrome à répertorier, d'aucune nouvelle à tirer à la une, d'aucune loi à voter. Cette détresse ordinaire, quand elle est reconnue, et qui habite la majorité des familles rencontrées par le pédiatre, a néanmoins besoin d'être nommée dans sa singularité et avec l'humilité qui convient à une moyenne. En cela, elle me semble porteuse d'exemplarité et d'action véritablement préventive pour les enfants à protéger.

Mamans, à travers tout ce discours, il n'y a pas lieu de vous culpabiliser, à la suite de quoi « ils » vous déposséderaient de tout. Mamans, papas, éducatrices, professionnels de la santé, politiques, etc., il y a lieu de nous responsabiliser, à la suite de quoi, « ils » ne pourront plus rien contre nous.

« Je suis là pour ça », dis-je souvent aux parents en détresse que je rencontre dans ma pratique.

Aujourd'hui, j'ai eu envie de le leur écrire.

Bibliographie

Bronfenbrenner, U. et Ceci, S.J. *Nature-nurture reconceptualized in developmental perspective : A bioecological model. Psychological Review* 1994, 101, p. 568-586.

Chiland, C. cité par Sulmoni, M. dans Benony, H. *Le développement de l'enfant et ses psychopathologies.* Éd. Nathan Universités, 1998.

Deater-Deckard, K. *et al. Child care quality and children's behavioral adjustement : A four year longitudinal study. Journal of Child Psychology and Psychiatry* 1996, vol. 37, n° 8, p. 937-948.

Greenspan, S.I. *Child care research : A clinical perspective. Child Development* 2003, vol. 74, n° 4, p. 1064-1068.

Kundera, M. *La valse aux adieux.* France, Éditions Gallimard, 1976.

Russel, C.M. *A Meta-Analysis of published Research on the effects of Non-maternal care on child development.* Department of educational psychology, University of Calgary, avril 1998.

Warwick, L. *Le meilleur pour les jeunes enfants.* Bulletin du Centre d'excellence pour le développement des jeunes enfants, Québec, Canada, vol. 3, n° 1, mars 2004.

LE BÉBÉ
Du désir d'enfant à 8 mois

JEAN-FRANÇOIS CHICOINE
Nathalie, en faire et vouloir en faire, c'est deux, on s'entend? Environ 75 000 bébés vont naître au Québec cette année. Ce n'est pas énorme, mais au bout du compte, ce n'est qu'une statistique. Je ne suis pas démographe, je suis un médecin pour enfant. Mon devoir est de travailler sur « la matière vivante », pas sur les enfants qui n'auront pas été fabriqués. Notre plus grande préoccupation, à nous les soignants d'enfants et de leurs familles, c'est finalement de savoir s'il y a eu ou s'il y aura désir d'enfant? Au Québec, ce désir est-il à la hausse ou à la baisse? Qu'en penses-tu, muse journaliste? Y a-t-il encore un avenir pour la pédiatrie?

NATHALIE COLLARD
Ne t'inquiète pas, Jean-François, tu n'auras pas à te recycler en gériatrie. Le désir d'enfant est toujours là au Québec. Est-il en hausse ou en baisse? Tout dépend à quoi on le compare. Tu vois, les observateurs de la société remarquent souvent que les jeunes d'aujourd'hui sont égoïstes, qu'ils font moins d'enfants, qu'ils ne rêvent plus à la famille comme c'était le cas il y a 50 ans. Ça me fait toujours rire quand j'entends ça, quand on me joue le coup de la nostalgie de la bonne grosse famille québécoise. Mon arrière-grand-mère, Claudia, la grand-mère de ma mère, a donné

naissance à 20 enfants. Oui, 20 ! Crois-tu qu'elle les a tous planifiés, désirés, attendus avec impatience ? Par la suite, crois-tu qu'elle a eu le temps de jouer de longues heures avec eux, de les connaître intimement ? Les aînés aidaient à élever les plus jeunes et mon arrière-grand-mère trimait dur. Ma mère raconte toujours que sa grand-mère ne s'assoyait jamais, mangeait toujours la dernière, était souvent fatiguée. Et personne n'est allé étudier l'impact de l'absence de son mari parti travailler dans le bois une partie de l'année, sur le développement de la personnalité de ses 20 enfants. Alors je veux bien parler du désir d'enfant mais sans mythifier ce qu'il était il y a 100 ou même 50 ans, alors que les gens n'avaient pas vraiment le choix. Ils se mariaient, ils faisaient des enfants, c'était implicite. Aujourd'hui, je dirais que le désir d'enfant est peut-être plus fort qu'avant car on n'est plus obligé d'en avoir, on a tous les choix devant nous, toutes les possibilités de vies qui s'offrent à nous. Or, on choisit encore d'avoir des enfants. Au Québec, on discourt de plus en plus sur le refus des hommes d'avoir des enfants, de se commettre, de prendre leurs responsabilités. Moi j'y vois la peur plus grande que le désir. Mais il y a encore le désir. Les gars ne sont pas les seuls à trembler devant le spectre des responsabilités familiales. Ils ne sont pas les seuls à devoir faire le deuil de leur insouciance et de leur liberté. Les filles aussi. Et Dieu sait que l'arrivée d'un enfant transforme encore davantage la vie des femmes que celle des hommes. Or, les filles en parlent moins. Et comme leur désir d'enfant est aussi physique, qu'il est ressenti dans leur corps, ce n'est plus seulement une construction de l'esprit, c'est quelque chose de beaucoup plus concret, de plus terre-à-terre pour elles. C'est peut-être ce qui facilite la transition. Alors oui, le désir d'enfant est toujours là, sans doute plus réfléchi, plus soupesé. Car il faut également du courage, aujourd'hui, pour faire des enfants. On ne peut pas dire que les nouveaux parents sont accueillis à bras ouverts dans notre société. En fait, Jean-François, on pourrait poser la question autrement : est-ce que la société québécoise désire encore que ses jeunes fassent des enfants ?

Rosemary's Garderie

La grossesse et la place en garderie

Jean-François Chicoine

Peut-être a-t-elle du mal à accomplir le travail de la grossesse ... à fantasmer, à s'imaginer dans son rôle de mère?

T. Berry Brazelton, pédiatre

Pensons à la peur provoquée par l'enfant piéton qui traverse la rue, à la peur provoquée par l'enfant qui parle en retard ou par l'enfant qui s'est réveillé aux côtés d'une chauve-souris. À toutes les inquiétudes parentales traditionnelles s'ajoute maintenant un nouveau genre de tremblement intérieur : la peur de ne pas trouver âme qui vive pour garder décemment l'enfant.

Cette peur n'est pas que nationale : elle est étasunienne, française, italienne. Mais elle n'a pas cours en Suède. L'éden scandinave en est devenu un, d'une part grâce à une perspective globale de bonne qualité éducative et de conditions extraordinairement facilitantes au congé parental, mais aussi en raison de la grande disponibilité de ses services de garde. Du simple fait qu'une chose existe, elle est d'ordinaire portée aux nues. Par exemple, nos services de santé faisaient l'envie du monde entier il y a une dizaine d'années. Ils n'ont pas beaucoup changé en substance, mais quand ils sont devenus trop peu disponibles, les analystes internationaux en ont fait une risée. Le film *Les Invasions barbares* s'est chargé d'enfoncer le clou : nous sommes devenus un mouroir civilisé, tellement débordé qu'il n'hésite pas à signaler la sortie à nos amis les aînés. Vivement qu'on conduise mémé sur les bords du lac Memphrémagog ! L'incapacité à disposer des vieux et des enfants est parlante ; elle en dit décidément long sur les valeurs de nos sociétés contemporaines.

Enveloppes budgétaires d'appoint, ententes fédérales-provinciales entérinées, réformes de passage, création de mégastructures de gestion, interdiction des pots-de-vin pour réserver sa place, toutes ces initiatives et mesures reflètent une volonté politique d'offrir un meilleur réseau de garderies. Mais l'absence de garanties éducatives associées, le trou démographique d'éducatrices formées en bonne et due forme ainsi que la structuration complexe des bureaux de surveillance, enfin toutes ces dispositions politiques récentes, n'obtiennent pas les effets escomptés sur le façonnement des peurs parentales. En contrepartie, il faut aussi dire que la manigance réactionnaire des milieux de garde ne fait qu'envenimer la terreur tranquille des parents déjà inquiétés par l'État. Forcer la main des familles pour qu'elles manifestent contre les réformes annoncées ou filmer au passage des enfants dressés à chanter des comptines de protestation, cela ne constitue ni une noble opposition, ni une action rassurante. « Trois fois passera, et la réforme y resteeeeeeera. » Peu importe les enjeux, on peut qualifier ces stratégies de séquestration familiale ; nous ne l'avons pas assez dit, écrit ni dénoncé collectivement.

Les parents québécois qui ont obtenu une place dans un service de garde, ne serait-ce qu'une première place sur une liste d'attente, sont dorénavant perçus comme des êtres fortunés et bénis, des voisins fréquentables, des citoyens sans reproches. Il suffira d'une rencontre à un barbecue d'été pour que les invités saluent leur chance, leur courage et leur détermination.

La qualité du service de garde est peu critiquée. Par expérience clinique, je sais que quand on insiste un peu en demandant : « Il est comment, votre service de garde ? », on obtient quelques « très bien » et bien des « corrects ». De l'avis de plusieurs familles dépossédées par l'État, accepter de disposer d'un enfant comme la société l'entend pourrait bien valoir un petit raccourci moral, surtout quand « l'éducatrice est bien fine »...

En contrepartie, les parents qui n'ont pas obtenu de place ou pire, ceux qui ne l'ont pas cherchée sont désormais perçus comme des parias, des infidèles, des désorganisés. Ils sont souvent soupçonnés de traditionalisme, d'ultraconservatisme, de machination familiale à condamner les épouses à torcher les petits et à essuyer la vaisselle. Au mieux, ils sont catalogués comme des pauvres et, avec un peu de commisération, des malchanceux. Ils sont à risque de tension dans le couple, de dépression, d'hypertension et font de la conciliation famille-travail un nouveau problème de santé publique.

Les magazines féminins prétendent que le tunnel de la mort n'est pas moins angoissant qu'un déménagement. Alors, imaginez l'absence de place en garderie ! Sur la liste d'épicerie des échelles de stress, quelque part entre la mort d'un conjoint et la perte d'un emploi, il va donc falloir que les périodiques s'attellent en sus à chiffrer l'indisponibilité de l'éducatrice comme un facteur contributif à la petite mort des familles.

Et encore, si le mal s'arrêtait là, les parents en seraient quittes pour un sentiment d'insécurité passagère et le pédiatre appelé à la rescousse, pour quelques tapes dans le dos bien placées. On appelle ça l'intersubjectivité de la consultation et ça vous fait une ambiance vachement décontracte dans le bureau : le bébé est tout nu, les parents s'épanchent, le docteur est comme un pote, bref le courant passe.

Mais le mal est plus pervers qu'il n'y paraît car il se répand dans l'imaginaire des futures mamans. Les secrets psychiques que nos mauvaises manières les forcent à ravaler ont de l'influence sur les attitudes qu'elles adopteront à la naissance de leurs bébés, de même que sur les conduites que leurs enfants épouseront auprès d'elles. Dans les premiers mois d'une grossesse, on questionnait ordinairement la maman sur sa santé à elle ; on s'enquérait de ses vomissements, de sa prise de poids, de sa fatigue, de ses seins. Au deuxième trimestre, on interrogeait ensuite du côté du bébé, sur le sexe attendu ou espéré. Au troisième, on y allait de demandes d'informations sur l'unité mère-enfant, sur le lieu d'accouchement choisi, sur l'allaitement ou sur la couleur du papier peint de la chambre du bébé en construisant, en coconstruisant – le mot est à la mode – l'intégrité de la dyade mère-enfant et sa projection dans l'espace social. Les adultes sont génétiquement préprogrammés pour répondre à leurs bébés, à condition que le programme soit actualisé par l'écosystème. La maman se trouvait ainsi renforcée naturellement par l'environnement ambiant, comme appuyée par les autres dans son étrange transformation.

Plus maintenant. Exit le rituel autour de la grossesse : le cérémonial mise dorénavant sur la performance. L'enfant comme sujet n'est plus un sujet à venir. On opère et on cuisine trois trimestres utérins en un. Sans autres préoccupations, on demande illico à la femme enceinte où, quand, comment elle songe à se séparer du fœtus pour le mettre en garderie, sans s'être intéressé à elle, au bébé qu'elle est à imaginer et à celui qu'elle aura :

LUI
Vous voulez une bière ?

ELLE
Non merci, je suis enceinte.

LUI
Avez-vous trouvé à le faire garder ?

La question du passage de l'embryon à la vie postnatale, autant que celle des séparations primordiales de l'accouchement – séparation originelle de la maman et séparation du bébé avec le placenta –, sont carrément évacuées. Ces interrogations semblent trop évidentes, peut-être même encombrantes, jugées – qui sait – trop faciles en comparaison avec la grande question d'État : la garderie.

Assister socialement les familles n'est pourtant pas les asservir. Assister les mères avant, pendant et après l'accouchement, c'est faire mieux que de la machinerie efficace. C'est aussi pouvoir agir auprès d'elles avec profondeur, intériorité, projection psychique. Leur tâche n'est pas rien : les mamans sont responsables de donner des repères à la structuration d'un être humain.

Un exemple extrême : des enfants sont encore dans leur orphelinat en Chine et une place les attend dans une garderie à Lachine. Entre les deux, rien ne leur garantit une renaissance dans la tête de leurs parents d'adoption. Pour devenir parent, il faut d'abord naître parent, et il n'y a pas d'automatisme là-dedans.

Ma collègue nantaise Sophie Marinopoulos, une spécialiste de l'intériorité des mères, écrit : « Non, devenir mère ne va pas toujours de soi. Oui, les mères ont besoin de soins, mais aussi d'attention collective. Les programmes de santé publique en matière de naissance, friands de technologie, consacrent à la santé psychique une part infime des moyens existants, entravant le travail possible auprès des mères. Une société moderne est une société qui avance au rythme de son humanité, non pas sans son humanité. »

Sophie, étonnante Sophie, me refile aussi de temps à autre des textes psychanalytiques. Elle connaît mes limitations sur le sujet, les accepte partiellement et satisfait amicalement son désarroi en me choisissant des ouvrages destinés à me faire grandir. Sa stratégie ne s'arrête pas là : pour être certaine que je les lirai, elle me fait l'amitié de les dédicacer. L'autre jour, je tombe sur un chapitre du psychologue français Sylvain Missonier au centre d'un livre sur le récit et l'attachement. J'admets avoir été attiré par la singularité du titre : « Paul Ricœur, Daniel Stern et Rosemary's baby : de l'identité narrative à l'enveloppe prénarrative ».

Rosemary's baby ?

Dans ce film de Roman Polanski, adapté du livre d'Ira Levin – meilleur que le film à mon avis –, Mia Farrow, alias Rosemary, incarne une New-Yorkaise enceinte qui se retrouve graduellement isolée entre des voisins de palier insolites et un conjoint subitement devenu fuyant et à qui elle se confie de moins en moins. Ce voisinage impénétrable s'avère en fin de compte une secte satanique dont la préoccupation vitale n'est autre que le bébé à venir de Rosemary. La suite nous apprend que le mari est maintenant dans le coup, que le bébé aura les yeux jaunes et qu'il pourrait bien être le fils de Satan.

L'hypothèse de Missonier est que Rosemary, enceinte, y est « progressivement privée de l'essentiel, c'est-à-dire de narrativité définie comme l'acte de narrer pris en lui-même ». En d'autres mots, car les mots des psys, même brillants, demeurent parfois des mots de psy, Rosemary, privée d'échanges humains par un entourage qui ne s'intéresse qu'à la livraison de son bébé, se trouve ainsi coincée dans l'impossibilité de dire sa grossesse et son vécu de femme enceinte. Le contrat social, prédéterminé par tout le monde, sauf la maman, est brisé et Mia Farrow, à défaut de renoncer à son bébé, sombre alors dans la folie.

Une société qui porte, en partie pour de bonnes raisons, ses services de garde comme un fleuron ne peut plus ignorer ces mamans en puissance qui ravitaillent le tissu social. Leur enfant n'en est qu'à sa préhistoire : il faut lui laisser le temps de s'incarner en elle, en son papa, en ses proches, avant de s'atteler à le caser. Les futures mères ont besoin de raconter leur grossesse, de se voir questionner sur leur bébé pour parachever leur propre identité et se faire une idée du petit démon à naître. Elles sont secrètement à songer que leur bébé pourrait ne pas être normal. Elles sont secrètement à songer à ses yeux bleus. Elles sont secrètement à se demander si elles seront à la hauteur.

« Vous avez entendu parler du travail d'attachement au fœtus et du caractère essentiel que cet attachement peut avoir pour la suite de l'épanouissement du développement de la femme », nous dit Brazelton à l'occasion de ses travaux de mise en relation entre l'échographie et le regard de la maman. En exposant les fœtus à des stimulations électriques ou visuelles, Brazelton et ses collaborateurs ont su démontrer que l'enfant s'habituait aux secousses extérieures, en tressaillant de moins en moins, d'intrusion en intrusion, pour finir par sucer son pouce. Du coup, Brazelton nous apprenait aussi que les mamans savaient instinctivement ce que leur fœtus pouvait entendre et pouvait voir. « Avec notre arsenal scientifique, nous avons simplement confirmé leurs connaissances, leur savoir : leur enfant est déjà un être humain, un être humain qui compte encore plus. Si nous disons aux mères, si nous leur confirmons que leur enfant entend et voit, alors nous les aidons à renforcer leur lien avec l'enfant et à partir de là, on obtient un nourrisson, un nouveau-né qui a déjà des sens très développés. »

Des naissances difficiles ou prématurées ont comme source les émotions instables et les angoisses mal colmatées des mères. Les détourner de leurs ventres, de la préparation de leurs seins, de leurs robes de maternité, de leurs « goûts de femmes enceintes », de leurs achats de table à langer, de leurs stocks de couches et de leurs rêveries pour se préoccuper de façon maladive de l'éventuel service de garde, c'est hâter ainsi des séparations naturelles et priver les femmes d'une mise en intrigue qui les définit comme personne.

Femmes enceintes, je m'adresse à vous. La prochaine fois qu'ils vous questionneront sur la chose, résistez de toutes vos forces. Tâchez de croire que vous n'êtes pas la pourvoyeuse d'enfant que nos voisinages imaginent. Que vous, et vous seule, dans la mesure où la réalité quotidienne vous le permet, déciderez ou non de vous séparer de votre nourrisson. Ils ne travaillent qu'à la mécanique du monde. Vous, vous travaillez à l'édification du monde, peut-être même à celui d'un

Nouveau Monde. Oui, vous vous dites que vous êtes Nulle, que vous vous apprêtez à pratiquer un métier impossible, mais cela a peu d'importance car, croyez-moi, vous y arriverez. Vous êtes une Bonne Mère. Et votre bébé n'est pas un Monstre, loin de là.

Le Monstre, c'est eux. Le Monstre, c'est les autres.

Les brochures gouvernementales à l'intention des futurs parents, les vidéos et cassettes éducatives, les soirées de formation ou de préparation à l'accouchement, les salons et les foires thématiques sur le bébé et sa maman ainsi que la plupart des livres de périnatalité à l'intention des familles abordent les intéressés avec des préceptes généralement constructifs et utiles pour une foule de choses. Ils sont comme qui dirait « de bon conseil ». L'époque est au savoir comment décorer, voyager, s'habiller, cuisiner. Cette vision est d'ailleurs contagieuse, toutes les sphères humaines ayant été contaminées. Les producteurs, les éditeurs, les diffuseurs, les promoteurs en tirent d'autant plus de bénéfices que le service en suggère un autre et nourrit sa propre pérennité. À « Comment faire une boîte à lunch » succède ainsi « Comment varier sa boîte à lunch » et ainsi de suite, même s'il est dans votre intention de manger à la cafétéria. La boucle utilitariste sans fin veille à colmater l'édification de la famille en préjugeant de ses besoins, mais non de ses sentiments d'incomplétude. Ce cycle indétrônable donne naissance à un interminable bottin de coups de pouce à adresser à des parents qui attendaient inconsciemment autre chose qu'une poignée de main. Ils ont appris quoi faire contre la fièvre, comment choisir un petit pot de viande bio ou installer le siège de sécurité dans l'auto (et encore !), mais ils perdurent toujours avec leurs peurs, des peurs pour lui, des peurs pour eux, car ils sentent d'instinct que les défis de la parentalité moderne dépassent largement le « *How to* ». Cette peur s'actualise le jour de la conception de leur bébé et s'achève à leur propre mort.

Les parents ont peur, on ne le dit pas assez. Leur désarroi est encore plus marqué lorsqu'il s'agit d'un premier enfant. La méconnaissance de la nature réelle de l'enfant à naître contribue à créer chez eux de la perplexité ou même des conduites irrationnelles. Sur leurs peurs se bâtissent des occasions d'affaires, s'édifient des politiques d'État. Savoir comment consommer un service de garde répond à un besoin, mais ne résout en rien la nécessité de familiarisation du nouveau parent avec des patrons maternants et paternants. Quand faudra-t-il prendre le bébé ? Quand faudra-t-il le laisser pleurer pour ne pas le gâter ? Comment savoir s'il est normal ? VRAIMENT normal ?

Inscrites profondément dans la psyché des papas et des mamans, les attentes, les limites, les capacités des uns et des autres échappent à la recette du mieux-vivre. Malgré notre apparente efficacité sociale à tout prévoir, à tout articuler, à tout bricoler, à surgeler à demeure et à décongeler au besoin, les mécanismes en place ne réussissent absolument pas à contrer l'essentiel de l'imagination humaine.

L'angoisse du gardien de but au moment du penalty est le titre, joli et pénétrant, d'un film, celui-là peu connu de Wim Wenders. Il est néanmoins un bon point de départ pour jauger la dimension souterraine des parents. La peur de ne pas être à la hauteur au moment du grand dérangement est incommensurable.

Constatez vous-même : M. C. et Mme B., d'ordinaire intelligents, tous deux comptables de formation, ont basculé dans l'attente de bébé dans une autre dimension relationnelle que leurs proches ne leur connaissaient pas. Ils sont fous, évanescents, évangéliques, distraits, un peu plus agités. Ils ne décident plus comme avant, ne chiffrent plus les choses comme précédemment. Ils ont compartimenté leurs pensées, usé d'une fonction cérébrale moins rationnelle pour leur permettre d'aller au-devant de nouvelles fonctions. Comme pédiatre, je leur accorde toute mon empathie. Avec le temps, ils retrouveront leur cerveau comptable. D'ici là, on doit leur permettre de se soûler de leur bébé.

Si les rencontres entre des pédiatres, ou des infirmières de pédiatrie, et des couples dont la femme est enceinte se faisaient plus fréquentes, si on favorisait socialement ce type de services aux parents en émergence, si on les rendait matériellement disponibles, les sessions aborderaient les services de garde en termes d'accompagnement à la parentalité, non comme des ordonnances obligées de placement. « Voilà comment vous pourriez utiliser les services : c'est votre responsabilité d'y voir clair » et non « Voici les services auxquels vous devez souscrire : vous y avez droit. » Une compréhension plus intime et plus exacte de la réalité des enfants par les parents est décidément nécessaire avant l'établissement d'un agenda de garde. Par ricochet, ces rencontres professionnelles, doublées de sessions formatives après l'accouchement, deviendraient ainsi le soutien nourricier favorisant la compétence parentale.

Notre ministère de la Famille a parrainé ou piloté des publications, parfois convenues, parfois exceptionnelles sur la garde des enfants. À ces publications, j'ai eu l'occasion de participer par le passé, notamment aux premières éditions de « Des enfants gardés en santé. La santé des enfants en services éducatifs » et de « Des enfants en sécurité. La sécurité des enfants en services éducatifs ». Ces guides de ressources, de services et de procédures adaptés annoncent, informent, éduquent sur la garde non parentale, la santé, la sécurité, l'intégration des enfants à la garderie. Ils s'adressent autant aux professionnels des services de garde qu'aux parents intéressés à se documenter sur la question. Globalement, ils font un excellent travail. L'enquête québécoise sur la qualité des services de garde éducatifs instituée par le même ministère déplorait d'ailleurs en conclusion le fait qu'autant d'outils intelligents n'aient pas encore mené vers l'excellence attendue la qualité d'ensemble de nos services de garde.

Il y a évidemment des raisons multiples à la chose, en commençant par la formation du personnel, le financement des locaux, la disponibilité des éducatrices, le salaire qu'on leur attribue et d'autres éléments plus ou moins influents qui tiennent de la pédagogie humaine. Mais parmi tous les facteurs en place, il ne faudrait pas négliger la profondeur et la complexité de la parentalité humaine. Elle échappe à la légèreté, elle échappe à la procédure. Elle profite de l'encadrement mais se replie devant la non-réponse à ses questionnements comme un petit animal qui a peur. On dit des mères qu'elles se sentent coupables. Elles ne sont pas coupables, elles sont paniquées.

Tous les acteurs québécois ont déploré notre trop longue attente collective d'une véritable politique de la famille. Pour se voir intégrés auprès de tous et chacun, conseils parentaux en tous genres, matériel éducatif d'État ou d'entreprise, doivent s'enchâsser dans une vision plus soutenue de la famille à laquelle participe la garde non parentale, comme une continuité, non pas comme un impératif. La ministre de la Famille du Québec déclarait en octobre 2005 qu'elle voulait d'abord ouvrir les écoutilles des places avant de songer à la profondeur de la conciliation famille-travail. C'est ne rien comprendre à la parentalité humaine et surtout la discréditer que d'avoir de telles dispositions. Un fonctionnaire peut penser comme cela, pas un être de compassion. La ministre n'a pas craqué pour rien.

La vision d'un réseau de professionnels en tous genres agissant dans la continuité des politiques, pas toujours bêtes, au contraire, mais toujours trop lentes à s'actualiser, est le gage d'une véritable attitude sociale de magnification parentale, non de disposition tout usage des bébés. L'éducation du bon peuple aux véritables avantages et désavantages de la garde non parentale, grâce à des écoles de parents, des consultations individuelles en polyclinique ou en CLSC, des lignes 1-800, est un incontournable à mettre en place collectivement. Le réseau et les milieux, comme on les appelle, ont une responsabilité dans l'accueil au quotidien des nourrissons, de leurs mamans enceintes, de leurs papas fébriles.

Question de changer l'ambiance des castes de barbecues, ménageons donc la grossesse parentale, posons-lui les questions appropriées, équipons-la de ressources fondamentales et intégrables et non de bons de commande pour le *Toys "R" Us*. Le simple fait d'inviter les mamans à tenir un journal de bord et de se donner l'occasion de réviser les techniques d'apaisement auxquelles elles ont recours avec leur bébé peut changer le monde des chambres à coucher, peut-être bien le monde tout court. La parentalité est décidément tout, sauf une occasion perverse de se dépouiller d'un enfant.

Mères enceintes, que votre narcissisme de circonstance vous nourrisse autant que votre bébé ! Profitez-en bien, soyons rondes pour vous, soyons-le pour nous les hommes qui n'avons pas cette chance-là.

LUI
Vous voulez une bière ?

ELLE
Non merci, je suis enceinte.

LUI
C'est formidable. C'est pour quand votre petit bébé ?

ELLE
Le mois prochain. Vous ne remarquez rien ?

LUI
Comme vous avez de gros seins...

ELLE
C'est pour mieux l'allaiter, mon enfant.

Bibliographie

Brazelton, T. B. *À ce soir*, dans *Développement de l'enfant et engagement professionnel des mères.* Collection « Les Grands Colloques », Paris, Éditions STH, 1992.

Brazelton, T.B. À ce soir... *Concilier travail et vie de famille.* Paris, Marabout, 1999.

Brazelton, T.B. et Greenspan, S.I. *The Irreducible Needs of Children.* Traduction française, *Ce qu'un enfant doit avoir.* Stock/Laurence Pernoud, 2001.

Marinopoulos, S. *Dans l'intime des mères.* Fayard, 2005.

Ministère de la Famille et de l'Enfance, collection « Petite Enfance », Les publications du Québec.

Missonier, S. *Paul Ricœur, Daniel Stern et Rosemary's baby : de l'identité narrative à l'enveloppe prénarrative,* dans *Récit, attachement et psychanalyse.* Éditions Érès, 2005, p. 103-120.

Rivest, C. *L'épreuve de l'abandon et l'état d'insécurité affective.* Québec, Les éditions du Cram, 2005.

La garderie descend du singe

La construction du cerveau de l'enfant et la garde non parentale

Jean-François Chicoine

Canaque, macaque, australopithèque!

Le capitaine Haddock

En associant le cannibale (canaque), le primate (macaque) et l'ancêtre (australopithèque), notre capitaine se laisse ici un peu emporter, mais charrie du coup bien des traces de vérité. Si la garderie est aujourd'hui notre affaire, c'est parce que le singe a quelque chose à y voir. Dans sa construction phylogénétique ainsi que dans sa manière de traiter sa progéniture puis de la socialiser, *le peuple singe* partage avec l'homme une même destinée.

En bon paléontologue, il nous faut remonter dans le temps, environ 1 600 000 années plus tôt, pour comprendre le cheminement des espèces en faveur de leurs rejetons. Le cerveau est en cause, notre cerveau d'homme en évolution et, à des fins comparatives, celui du singe.

D'hier à aujourd'hui, le singe s'est avéré notre meilleur imitateur. Il partage avec nous la grande majorité de son matériel génétique, près de 99 % de ses gènes en fait, même si ça paraît difficilement croyable. À quelques mutations chromosomiques près, chimpanzés et gorilles sont décidément nos pareils. Grâce aux études de terrain, on apprend que les singes nous ressemblent aussi dans leurs rapports avec les autres quand il s'agit d'aimer une mère, de jouer avec des petits amis ou de se battre, une fois devenu grand. Les similitudes vont donc jusqu'aux gestes. Pas surprenant que les braconniers s'en prennent honteusement aux mains des gorilles : elles ressemblent beaucoup aux nôtres.

Le grand généticien Axel Khan prétend que nous avons aussi énormément de points en commun avec les baleines, mais que nos mains et nos pieds, et pas simplement notre cerveau, nous auraient rapprochés plus facilement des primates. Nous connaissons bien peu la vie cognitive des cétacés, mais savons que, comme le singe, nous disposons déjà d'un outil commun, la main, nous rendant aptes à créer d'autres outils capables d'interagir positivement avec notre cerveau. « C'est ainsi que les premiers homos créèrent une industrie lithique, tandis que, bien évidemment, la création d'artéfacts par les cétacés se trouve limitée pour des raisons anatomiques : ils n'ont pas de mains. »

Singe ou mammifère marin, peu importe, des créationnistes étasuniens s'opposent maintenant aux projections de films *Imax* sous prétexte qu'ils porteraient préjudice à leur vision des origines. Mais contrairement à ce que pensent ces disciples du « dessein intelligent », il faut nous référer au cousinage d'espèce pour mieux comprendre comment grandissent nos enfants au-delà du ventre des mamans. Adam en sera quitte pour sa pomme. Quand il n'est pas verrouillé, la clé, c'est le cerveau.

Les singes ont été largués dans une branche généalogique qui nous est apparentée, mais dissemblable, et le hasard – faut-il croire – leur a fait un petit cousin, presque un homme. D'australopithèque à sapiens, qui est notre ancêtre direct à nous, existe de fait *Homo erectus* dont le squelette a été découvert au Kenya en 1985. Dans un petit musée de reptiles à Nairobi, il siège entre les tortues et les cages à serpent poussiéreuses, avec l'air de dire que le temps n'est qu'une question de point de vue. Il a raison. Quelque part, je suis photographié avec lui. Moi aussi depuis, j'ai un peu vieilli.

Malgré ses 12 ans à l'âge osseux, *Homo erectus* représente réellement une étape adulte intermédiaire entre les australopithèques et nous. Mi-homme, mi-singe, ni tout à fait eux, ni tout à fait nous. Comme l'écrit à propos de lui Albert Jacquard dans *Les origines de l'espèce,* « une caractéristique importante est celle de l'étroitesse du bassin ; compte tenu du volume du crâne, les enfants devaient être expulsés de leur mère avant la fin de la croissance fœtale ; ils nécessitaient donc des soins attentifs et prolongés, comme chez les hommes contemporains. »

Cette étroitesse du bassin nous conforte ainsi dans nos convictions : encore une fois, le bas du corps aura eu raison du haut. On est vraiment au cœur de l'aventure humaine ! La sélection naturelle a donc favorisé des parturientes qui accouchaient d'enfants moins développés, plus facilement expulsables, mais du coup, moins autonomes. Ici, la loi du plus faible aura été la meilleure. La nature a fait au plus commode et a relayé aux parents la responsabilité d'achever le travail.

Pour l'illustrer autrement, on peut faire appel à la notion de néoténie, c'est-à-dire à cette caractéristique de certaines espèces d'être plus inachevées que d'autres à la naissance et de devoir dépendre ensuite d'adultes parentaux pour assurer leur survie. À ce titre, un serpent, même en cage, peut être considéré moins néotène qu'un babouin. De la même façon, un concombre de mer va exercer plus rapidement son plein potentiel que le plus prometteur de tous les nourrissons.

« L'aventure *d'Homo sapiens sapiens* », écrit aussi Jacquard pour marquer le chemin parcouru depuis les premiers jours de l'humanité, « ne résulte ni de l'évolution de son crâne ni de celle de son larynx, mais du jeu simultané de ces deux organes, chacun étant propulsé grâce à l'autre vers plus de complexité. » Avec le temps, notre cerveau s'est donc mieux équipé pour transmettre une gamme infinie d'émotions, de rêveries et de projections futures. Mais du coup, il est devenu plus vulnérable que celui de n'importe quelle autre espèce. Au-delà des déterminants génétiques, le cerveau humain s'est fait plus tributaire de l'environnement et du regard des autres.

La liberté évolutive est une liberté responsable et la culture rendue possible par le développement du cerveau est ainsi une arme à double tranchant. Le poids de cette évolution réside encore aujourd'hui dans votre tête et dans la mienne. Les implications ont des rapports directs avec la garde parentale ou non parentale. Qu'elle tienne entre vos mains ou qu'elle tienne dans celles des autres, la tête de vos enfants se développe en fait dans la continuité environnementale.

C'est une question de poids, justement, de poids à combler par la nourriture, l'ouverture aux sens et l'affection. À la naissance, le poids du cerveau humain est loin d'être dans sa morphologie mature et ne pèse qu'environ 25 % du poids qu'il atteindra à l'âge adulte. À l'instar d'autres espèces de mammifères, mais plus que chacune d'elles, il lui faut donc grossir en dehors de l'utérus humain pour en arriver à son plein potentiel avec – on le souhaite – le maximum de stimulation et le minimum de carences.

Le cerveau a, en gros, trois ans pour se faire, trois ans et quelques poussières d'adolescence. Après de 16 à 18 ans, désolés mes vieux, mais il n'y a plus grand-chose à parfaire.

Pour souligner l'importance de cette croissance post-partum à parachever par un milieu nourricier et compatissant, on pourrait avancer l'hypothèse audacieuse – en acceptant de se faire des ennemis – que fumer deux paquets de cigarettes par jour pendant sa grossesse pèse moins lourd dans la balance que de se priver de temps avec bébé pendant ses trois premières années de vie, surtout ses deux premières. C'est vous dire la puissance de l'interaction de l'ontogenèse cérébrale avec l'environnement parental !

Il faut réaliser cela : si vous n'aimez pas votre tête – imaginons que vous êtes triste ou déprimé –, le bébé la captera quand même via ses organes sensoriels, sa vue ou lorsqu'il vous touchera le bout du nez. Il la percevra et l'incorporera dans ses limites et ses travers. Il fera de même avec la tête de la gardienne.

Comparativement au cerveau du bébé humain, le cerveau d'un reptile naissant est quasi complété au jour de sa naissance ; celui du singe rhésus n'en est qu'à 60 % et celui du chimpanzé, qu'à 45 % du poids qu'il aura au stade adulte. Toutes proportions gardées, vous remarquez qu'avec nos 25 % et ses 45 %, le cerveau du chimpanzé nouveau-né est celui qui ressemble le plus à celui de nos nourrissons.

Dans son remarquable ouvrage *Culture in Mind*, l'anthropologue culturel Bradd Shore parle ainsi de notre cerveau humain comme d'un *cerveau écologique*. Contrairement à celui d'autres espèces terrestres, le cerveau humain n'est que fragmentaire au moment de la naissance et va dépendre entièrement de son environnement immédiat pour survivre et grandir, dont d'une maman ou de son équivalent en termes de dispositions et de disponibilités. « *The brain is constantly generating models in the form of electrochemical patterns – neural networks*, écrit-il. *The brain is also continually monitoring the external world through its sensory portals, seeking patterns in the world to model neurally. When our brains can match external patterns with those already stored in memory, we get "meaning".* » Sans la culture, l'évolution humaine n'aurait donc pas de sens.

Le travail fondateur de l'environnement sur le cerveau est rien de moins que colossal. Par exemple, si vous bouchez expérimentalement les yeux et les oreilles de chatons à la naissance, avec un bandeau ou autrement, et que vous les libérez de leurs contraintes quelques semaines plus tard, vous découvrirez qu'il n'y aura plus rien à faire : ils ne verront pas leur bol de lait ni n'entendront les souris à chasser. Malgré un matériel génétique approprié, de beaux petits yeux et de belles petites oreilles, le fait de n'avoir pas pu profiter d'occasions développementales pour mettre en service leur vue ou leur ouïe compromet à tout jamais l'exercice perceptuel. Le chaton reçoit des sensations, mais son cerveau ne les interprète pas, ne les perçoit pas. Et les souris dansent, du moins elles en ont la possibilité.

On appelle câblage neuronal le travail du cerveau qui vise à développer certaines cellules cérébrales plus que d'autres parmi les cent milliards de neurones en place à la naissance. Le nombre de neurones reste le même que chez le fœtus, mais le câblage des synapses, c'est-à-dire de leurs échanges, devient de plus en plus complexe. Les gènes ont leur rôle, mais l'influence des stimulations externes est ici immensément grande. Le travail de l'environnement est donc de donner du sens à certaines cellules élues et mieux aptes à assurer la survie, à les inviter à développer leurs dendrites pour favoriser un certain réseautage. Un vrai passage de cartes d'affaires ! La voix d'une mère, par exemple, va développer de véritables circuits neurophysiologiques. C'est au quatrième mois après la naissance que les contacts sont à leur maximum. Les dendrites et les axones s'interpénètrent plus que jamais à coups de synapses et de poignées de main. En sollicitant le cerveau du chaton, du bébé singe comme celui de votre nourrisson, la lumière, les sons et autres stimulations chaleureuses en viennent ainsi à donner une finalité à des neurones privilégiés, au détriment de circuits aberrants. Le cerveau est littéralement façonné par les expériences de soins, de communication et par les émotions ressenties durant la petite enfance.

D'autres neurones doivent, au contraire, être détruits. C'est ce qu'on appelle l'élagage neuronal, de la même manière qu'on parlera d'émondage d'arbres : il y a des mauvaises branches ou des branches qui nous cachent la vue. Nous naissons avec trop de neurones, des milliards en trop. Le travail, curieux je vous l'accorde, de l'environnement sur le cerveau est également de laisser pourrir certaines cellules excédentaires qui autrement n'auraient été d'aucune utilité. Ce travail est une commande inscrite dans notre matériel génétique, un état de mort annoncée. Nos neurones font beaucoup trop de connexions au départ. Le câblage est extrêmement abondant, l'environnement se charge ainsi de le réduire. Le travail d'élagage va se dérouler sur de nombreuses années, en préscolaire à l'instar du travail de câblage et même bien au-delà, avec des activités encore soutenues à l'adolescence.

Ce qu'il faut retenir est que l'essentiel du remaniement, câblage puis élagage, se déroule néanmoins dans les premières années de la vie. Que le parent le fasse lui-même ou le fasse en continuité avec d'autres, grands-parents ou gardienne, le travail neuronal se doit d'être accompli de manière optimale pour permettre une croissance harmonieuse du cerveau dans les années qui suivent la naissance. L'adulte qui répond à un sourire de l'enfant ou lui fait la conversation câble ainsi des neurones salutaires au dam de centaines d'autres qui ne seront plus jamais sollicités. Le gras des aliments vient ensuite compléter le travail des sens en apportant la matière nécessaire à soutenir les neurones nouvellement affinés. Ce tapis à neurones est fait de cellules dites gliales qui contribuent à l'intégrité de l'ensemble. D'où, pour la croissance du cerveau, l'importance des graisses et le danger des produits allégés dans l'alimentation des bébés. Le gras soutient en quelque sorte nos compétences, notre parole, nos pensées, nos amours, pas juste ses poignées.

Les vétérinaires comme les pédiatres peuvent suivre mathématiquement le développement de la matière cérébrale en mesurant le périmètre crânien des petits en croissance. À cet effet, on remarquera que la tête d'un nourrisson ou d'un bébé singe mal aimé ou mal nourri ne grossira pas de manière optimale. Une mauvaise mère ou une mauvaise gardienne câblent effectivement mal, élaguent mal ou apportent quotidiennement trop peu de vivres aux cellules gliales pour permettre l'adéquation subtile des fonctions cérébrales en essor. À ce chapitre de la négligence, de la maltraitance ou, plus simplement, de l'ignorance, le concombre de mer s'en sort mieux que le primate ou le petit de l'homme.

Le câblage et l'élagage des cellules du cerveau vont se faire en continuité avec les parents, la famille puis l'éducatrice. Moins l'enfant aura eu droit pendant ses premiers mois de vie à un bon réseautage en raison d'un environnement humain ou physique pauvre, plus le rôle de l'éducatrice va devenir essentiel pour permettre le développement de son organe cérébral. Par exemple, capter l'attention d'un bébé, lui parler, bouger ses jambes comme s'il pédalait, sont parmi les activités constructives utiles à sa matière grise. Ces activités pourraient avoir été faites maladroitement, sans le sourire ou trop rarement par la famille du nourrisson. D'où l'importance de mettre en place des programmes éducatifs en garderie, au-delà de l'activité basique de soins primaires traditionnellement associés à la garde. Le cerveau de l'enfant a même une telle malléabilité que certains câblages déficients ou aberrants pourraient être contrebalancés par l'introduction de nouvelles activités stimulantes.

À l'inverse, une mauvaise gardienne ou une mauvaise éducatrice auront des influences négatives sur le développement sensoriel, moteur, affectif, cognitif, langagier et social de l'enfant. L'absence maternelle n'aura pas ou aura été insuffisamment compensée. Pour en revenir à nos chimpanzés, il a été démontré que le développement des dendrites était fortement retardé ou arrêté dans des zones cérébrales d'importance quand ils étaient séparés de leurs mamans pour de longues ou plus courtes périodes. Si ça vous intéresse, l'article s'intitule *Deprived Somatosensory-motor experience in Stumptailed Monkey Neocortex : Dendritic Spine Density and Dentritic Branching of layer IIIB Pyramidal Cells* et, c'est promis, on reste amis, même si vous omettez de le lire. Tous ces problèmes d'apprentissages et de comportements scolaires, le déficit d'attention pour n'en nommer qu'un, ont des parts déterminées, mais d'autres sont imputables à des environnements inadéquats dans les relations précoces entre adulte et enfant.

Dans les années 1950, Paul MacLean introduit sa théorie du cerveau triunique selon laquelle le cerveau humain est passé, au cours du temps, à travers trois stades évolutifs qui s'empilent les uns par-dessus les autres à force de raffinement. Le raccourci étagé n'est pas tout à fait exact (j'y ai fait référence deux chapitres plus haut comme un véritable jeu de Lego). Mais l'image est fort facilitante pour la compréhension du développement cérébral.

Au sous-sol, on peut imaginer le cerveau reptilien, le cerveau du boire, du manger et du copuler. C'est celui que nous partageons avec toutes les espèces vivantes, autant les oiseaux que les amphibiens. Pour donner du corps à ce cerveau, les parents s'assurent que bébé respire bien et mange bien. *

À l'étage au-dessus, le cerveau paléomammalien est pour sa part celui des mammifères primitifs, celui que ne possède pas le serpent par exemple, mais que l'homme partage avec le chien ou le hamster. Ce cerveau, construit de structures cérébrales réseautées, est non seulement notre clavier émotionnel, le siège de la détection du danger et des réactions de peur qui s'ensuivent, mais il est aussi la base nécessaire pour toutes les occasions d'apprentissage.

Enfin, au niveau au-dessus, chez l'homme et le singe, et bien peu d'autres mammifères, on trouve le cerveau néomammalien, celui de la pensée et du cortex cérébral des espèces plus « évoluées ».

J'attire votre attention sur l'étage du milieu. Dès sa naissance, le petit de l'homme autant que celui du singe va dépendre des stimulations faites à son cerveau de mammifère. Il bâtit ainsi à force de sensations, de perceptions, d'élagage et de câblage des fonctions émotives et cognitives de base. On appelle à tort le système limbique, qui constitue l'essentiel du cerveau animal, le cerveau émotionnel. Il participe, je vous l'ai dit, à la bonne gestion de nos émotions, par exemple à nos réactions de peur face au danger, mais il est également responsable de différentes fonctions associées de mémoire, d'attention et de motivation. Ce cerveau du milieu se développe d'une manière privilégiée dans les premières années de la vie. Il risque ainsi d'être le plus atteint par des environnements précoces déficients ou aberrants. Et il risque ainsi de faire souffrir toute la vie, malgré le bon développement de l'étage du dessus. L'intelligence, la parole et les diplômes ne peuvent pas tout contre les émotions et les prédispositions à l'apprentissage du dessous.

Une gardienne ou une éducatrice correcte, mais sans plus de compétences éducatives, aura ses effets relatifs sur les habiletés de l'enfant et sur son intégrité affective. Autrement dit, elle n'élaguera pas correctement ou câblera incorrectement le cerveau paléomammalien où sont gérées les émotions autant que les capacités d'attention et de motivation. Des enfants plus intelligents ou plus compétents que d'autres ou

* Note : Pour en savoir plus, veuillez consulter le shéma à l'annexe de la page 509.

dont les parents sont plus sensibles pour compléter le travail neuronal après leur propre journée de travail n'en prendront pas ombrage. Mais pour un enfant aux besoins particuliers (imaginons qu'il est prématuré ou émotivement fragilisé), l'intervention de l'adulte responsable aura d'autant plus de conséquences que son cerveau est immature et qu'il a accumulé des déficits potentiels à la suite d'hospitalisations antérieures ou d'infections respiratoires à la traîne.

Au Québec, comme ailleurs, des milliers d'enfants sont insuffisamment encadrés dans la construction de leur cerveau du milieu. Deux ou trois années de sous-stimulation ou de stimulation aberrante auront conduit leurs cerveaux de mammifères à ne plus réagir sainement à l'environnement. C'est sur un terrain mal élagué ou insuffisamment câblé que leur cerveau cortical va devoir se développer. La parole, l'abstraction, la pensée, la culture, enfin tout ce qu'il y a de plus humain devient malgré tout possible, mais le mammifère en la personne n'a pas la base nécessaire pour survivre en harmonie avec le monde. La santé du cerveau se fait ainsi sous-optimale. C'est le propre des enfants intelligents qui n'apprennent pas. C'est le propre des enfants de talent qui n'aiment pas.

Faire garder son enfant par quelqu'un d'autre – je reste volontairement vague pour que vous puissiez penser à la fois à l'aide maternelle, au grand-père ou à l'éducatrice – c'est comprendre et assumer que le travail neuronal auprès de l'enfant puisse être bien, mieux, moins bien ou encore mal fait. C'est en tout cas assumer que ce travail puisse être parachevé par un tiers. C'est confier un cerveau qui se différencie tout juste de soi à ce qui diffère totalement de soi. Avec les qualités et les faiblesses de l'autre, sans les qualités et les faiblesses de soi.

En l'absence de stimulation nécessaire, les dommages à l'anatomie cérébrale sont en partie irréversibles. C'est extrêmement important de le réaliser, nous disent les plus grands spécialistes du cerveau. Des résiliences sont possibles, le cerveau encore jeune est aussi en partie malléable. Il a, dans certaines limites, ce pouvoir-là. On trouvera bien un jour comment faire pousser ou refleurir les cellules neuronales. D'ici là, on ne peut pas. Christopher Reeves y croyait beaucoup. Esther, qui m'endure depuis 20 ans, disait que c'était son *superman*. Aujourd'hui, elle n'a que moi.

Axel Khan encore : « ...pour autant qu'on le sache, le seul être vivant qui a commencé de modifier son mode de vie, ses comportements, ses règles de vie habituelles, pour des raisons non biologiques, mais uniquement culturelles, c'est l'homme. Dans tout le reste du monde vivant, les comportements, les réactions, les modes de vie et leurs modifications sont largement liés à des évolutions biologiques aux fondements génétiques. Pour l'homme, il survient une discontinuité de nature non biologique. » La garde non parentale de l'enfant est ainsi faite d'un équilibre subtil entre les besoins biologiques du bébé et la discontinuité non biologique de sa culture sociale. Du bassin de l'humanité au bassin de nos mères, l'évolution aura fait de nous une espèce dépendante et forcément solidaire.

Pour beaucoup de lecteurs, il est déjà trop tard pour réaliser ce que je transmets. Ils ont fait comme ci avec leur progéniture ou comme ça avec leur petit dernier. Ils revoient ce qu'ils ont laissé derrière et pour la majorité d'entre eux, savent qu'ils ont fait pour le mieux et donné à leurs enfants le meilleur d'eux-mêmes. Pour les nouveaux parents, le discours arrive à temps. Pour tous et chacun, il n'est cependant jamais trop tard pour répandre la nouvelle. Alors, n'attendez pas un instant de plus, passez-la. De solidarité, de beaucoup de solidarité ont besoin nos bébés. Ne pourrait-on pas leur inventer un syndicat ?

« Oui à l'élagage parental. Non au câblage étranger. »

Bibliographie

Bryan, G.K. et Riesen, A.H. *Deprived somatosensory-motor experience in stumptailed monkey neocortex : Dendritic spine density and dentritic branching of layer IIIB pyramidal cells. The Journal of Comparative Neurology*, 286, p. 208-217, dans Rygaard, N. P. *L'enfant abandonné.* De Boeck, 2005.

Chiron, C., Jambaque, I., Nabbout, R. *et al. The right brain hemisphere is dominant in human infants. Brain* 120, p. 1057-1065, 1997.

Cyrulnik, B. *Un Merveilleux Malheur.* Paris, Éditions Odile Jacob, 1999.

Dawson, G., Panagiotides, H., Klinger, L.G. et Spieker, S. *Infants of depressed and nondepressed mothers exhibit differences in frontal brain electrical activity during the expression of negative emotions. Dev. Psychol.* 1997, 33(4) p. 650-656.

Jacquard, A. *La légende de la vie.* Paris, Flammarion, 1999.

Jacquard, A. et Kahn, A. *L'avenir n'est pas écrit.* Bayard culture, 2001.

Noël, L. *Je m'attache, nous nous attachons.* Montréal, Sciences et Culture, 2003.

Rygaard, N. P. *L'enfant abandonné.* Belgique, De Boeck, 2005.

Schore, A.N. *Affect Regulation and the Origin of the Self : The Neurobiology of Emotional Development.* Hillsdale, NJ, Lawrence Earlbaum Associates, 1996.

Schore, A.N. *The experience-dependent maturation of a regulatory system in the orbital prefrontal cortex and the origin of developmental psychopathology. Development and Psychopathology* 1996, 8, p. 59-87.

Schore, A.N. *Early organization of the nonlinear right brain and development of a predisposition to psychiatric disorders. Development and Psychopathology* 1997, 9, p. 595-631.

Shore, B. *Culture in mind. Cognition, Culture, and the Problem of Meaning.* New-York, Oxford University Press, 1996, 448 pages.

Shore, B. *Cultural models a Framework for media studies,* dans Hoijer, Birgitta (dir.). *Cognitive approaches to media studies.* p. 1-52. Stockholm, 1998.

Shore, B. *Human cultural adaptation and the double life of models. The Semiotic Review of Books,* 9 (3).

Shore, R. *Rethinking the brain.* New York, Families and Work Institute, 92 pages, 1997, citée par Noël, L. *Je m'attache, nous nous attachons.* Montréal, Sciences et Culture, p. 77, 2003.

Strauss, C. et Naomi, Q. *A Cognitive Theory of Culture.* Cambridge et New York, Cambridge University Press, 1997.

Toga, A., Thompson, P. et Sowell, E. *La turbulente dynamique de la matière grise,* dans *La Recherche,* n° 388, juillet-août 2005.

Université McGill. *Le cerveau à tous les niveaux.* http : //www.lecerveau.mcgill.ca.

« Rodrigue, as-tu du cœur ? »

Les nourrissons et les mères nourricières

Jean-François Chicoine

Vous êtes en train d'édifier la santé
d'une personne qui sera un membre de la société.
Cela vaut la peine qu'on s'y attache.

Donald W. Winnicott, psychanalyste

Je lisais l'autre jour dans *Historia*, sous le titre « La crise des mères nourricières », qu'au siècle des Lumières presque tous les nouveau-nés parisiens étaient placés chez une nourrice. Les premiers sourires, c'est la nourrice qui les avait, la première dent, les premiers je-me-tiens-assis, le premier pointé du doigt, c'est la nourrice qui profitait de tout cela. « C'était le siècle des génies », me rappellera-t-on.

Mais Rodrigue avait-il du cœur ?

Dans le Paris du 18e siècle, pour ménager les seins des bourgeoises autant que pour répondre à des contraintes économiques, la norme était de placer son enfant à la campagne pour ses premiers mois de vie, parfois pour quelques années. Sommes-nous là si loin des considérations affectives de notre temps ?

Des analystes de chez nous voient dans nos flous affectifs le reflet indirect d'une pauvreté déguisée. Les services de santé, les services d'éducation, les services culturels, les services routiers ne sont plus à leur nadir. L'époque duplessiste a laissé un terrain à bâtir, libre de dettes mais libre de liberté. La liberté s'est finalement construite, mais elle s'est très alourdie financièrement. Le Québec est maintenant frappé par un fouet arrière. Il y a effritement social de ce qui vient d'être bâti. On est toujours le pauvre de quelqu'un et le Québec semble devenu le pauvre de lui-même. Devant la disette, des personnes d'influence en appellent à la lucidité ; d'autres, à la solidarité, au partage des vivres encore disponibles. Hausses tarifaires, privations, coupures s'inscrivent. En attendant je ne sais quoi, le Québec dévore quelques-uns de ses enfants, mais sans que rien n'y paraisse tant les institutions qu'il s'est données font belle façade. La chute ouvre la porte aux discours ; le fond du tonneau, quant à lui, résonne.

Sous d'autres formes, le placement de l'enfant de moins de six mois existe encore. À Paris beaucoup, où la tradition s'est vaguement prolongée, mais à Montréal tout de même : gardiennes à domicile, assistantes maternelles, petites bonnes, voisines, jeunes filles au pair, Philippines parrainées, éducatrices de garderie dites de pouponnières, familles d'accueil, hospitalisations répétées ou autres formes alternatives de mise en nourrice. Familles riches ou familles pauvres, beaucoup d'entre elles trouvent encore le moyen de se détourner des bébés qui ainsi s'en trouvent ballottés, malgré leurs nombrils mouillés.

Mine de rien, derrière les façades des beaux quartiers, les bébés de riches ou de fortunes confortables sont gardés à domicile. Autrefois, ils étaient nourris sur place par leur mère ou par une nourrice avec les seins que vous imaginez. Mais vous imaginez mal : en réalité, ces nourrices étaient souvent des pauvres filles, amaigries et moroses, qui avaient dû sacrifier leur propre bébé et leur vie maritale pour engraisser un *gosse* de ville fortuné. Aujourd'hui, ces bébés de bonne famille sont le plus souvent pris en charge par leur mère qui, avec de l'assistance, se donne ainsi « du temps » pour les courses ou le travail.

Les courses ? À croire qu'un bébé ne se transporte pas au supermarché et que l'idéologie victorienne hygiéniste qui forçait à ne les point bouger a encore ses reliquats de protectionnisme. Il y a bien les premiers jours, surtout dans la froidure de l'hiver, mais les semaines d'ensuite, le bébé n'aspire qu'à suivre sa maman ou son parent. Il nous arrive maintenant comme pédiatres d'éplucher les marques de porte-bébés ventraux pour recommander à la mère de porter le bébé le plus souvent possible. Pour faire l'épicerie, les repas, le ménage, le lavage, la maman a besoin de tout le soutien affectif et pratique de son réseau, à commencer par sa propre mère. Mais c'est la maman ou le papa qui doit porter le bébé, absolument. Léa Pool a réalisé un film dont le titre est *Emporte-moi*. C'est exactement ce que dit le bébé à son parent : « Tu m'emportes ? Allez, emporte-moi ! » Aux parents, il faut dire les choses comme elles sont, mais avec chaleur et humanisme pour ménager d'éventuelles blessures narcissiques. « Emportez-le donc ! » Même derrière les façades des belles maisons, il y a des hommes, des femmes, et leurs passés d'influence.

Le travail du pédiatre est d'assurer la fusion du nourrisson avec sa mère. Elle a autant besoin de lui que lui d'elle. Le maternage ne va pas naturellement de soi. Winnicott appelle « préoccupation maternelle primaire » cette maladie d'amour de la mère pour son enfant qui sévit pendant les premières semaines qui suivent la naissance. Toutes les mamans n'en souffrent pas assez, certaines ont besoin d'en souffrir un peu plus pour améliorer leur sensibilité envers leur nourrisson. Le travail du pédiatre consiste à veiller à la pérennité de cette souffrance et à en donner autant que possible une signification à la famille élargie. Un écho qui résonne. À peine né, l'enfant est posé comme un contretemps à résoudre. Il faut changer la mesure, forcer toute la famille de l'enfant et toute la société civile à se raviser.

Quand un enfant est né prématurément, qu'il a longuement été hospitalisé, les risques de ne pas voir ses parents s'accrocher à lui sont encore plus élevés. Les mamans sont exposées à développer ce que l'on nomme en Europe une « maternité blanche », c'est-à-dire sans affect ou sans l'empathie souhaitée. Papa et maman opèrent en surface, mais sans approfondir le lien susceptible de les voir s'oublier devant leur bébé. Les mères s'identifient à des soignantes avec des conséquences graves au niveau du développement de l'enfant. En fait, elles jouent à l'infirmière et se permettent des quarts de jour, de soir et de nuit, des collations, des jours de vacances et de sorties. Avez-vous déjà vu une infirmière traîner son patient au supermarché ? Incidemment, il faut rappeler aux parents d'enfants prématurés qu'ils ont le droit de s'apitoyer, de se révolter, d'être parfois de mauvais parents, comme de vrais parents.

Bernard Cramer dit : « Chaque vagissement du bébé va prendre une signification. Pour produire cette interprétation de l'enfant, les parents vont puiser dans leur folklore personnel : le bébé sera têtu comme son grand-père, il aura les yeux bleus de sa grand-mère, on lui épinglera un prénom qui sera celui d'un aïeul vénéré. Ce cortège d'attributions est collé sur l'enfant, à la faveur d'un processus de projection qui a son origine dans le psychisme des parents et qui emploie l'enfant comme écran de projection. Chaque parent, à son insu, imprime ainsi un ou des thèmes centraux à son enfant qui devra s'en accommoder pour développer sa propre image de lui-même. Ces thèmes sont porteurs de fantasmes, de valeurs, d'interdits, d'options fondamentales des parents. Tout choix, notamment l'engagement professionnel de la mère, va marquer la relation avec l'enfant. »

À Paris autrefois, la garde nourricière n'atteignait pas que les familles aisées. Plus de la moitié des enfants des commerçants, des ouvriers et des soldats étaient alors placés dans des bureaux de commanderesses qui recrutaient des nourrices pour leur confier les bébés naissants. Confier à « nourrir de mamelles », selon l'expression consacrée à la chose dans mon numéro d'*Historia*, était très économique pour les familles d'artisans et de commerçants en comparaison avec le manque à gagner de l'épouse dans la boutique ou l'atelier. « La froideur des mères s'expliquait fort bien ; pour beaucoup de théologiens, le nourrisson était alors à peine un être humain. Des meneurs convoient les nourrissons, apportent les payes et, en retour, des nouvelles des enfants. » Les enfants criaient à leurs mères et se retrouvaient dans des conditions d'hygiène qui n'étaient pas celles d'une famille. Tous les bébés n'attirent pas la sympathie, tous les bébés ne trouvent pas le réconfort, l'intérêt et le plaisir de survivre à ce passage à une mère de fortune. La mortalité infantile était alors élevée. Quand ils ne mouraient pas, les enfants étaient rendus après trois ans. Tout dans la vie préparait déjà aux ruptures ; la mort d'un enfant, celle d'un parent était dans l'ordre immuable des choses.

Immuable ? Non. Révoltés par des pratiques aussi moribondes, des médecins (oui, oui, des médecins, nous en sommes aux premiers balbutiements du *child advocacy*) entreprennent alors des campagnes contre les nourrices et pour l'allaitement maternel. Des philanthropes se lancent dans le soutien financier des mères de famille pour qu'elles ne se séparent pas de leur enfant. Mais tous ces efforts se révèlent insuffisants devant l'ordre économique : malgré la mortalité infantile qui lui était associée, le « commerce » de la mise en nourrice allait finalement se perpétuer jusqu'au 20e siècle, avec ses équivalences au 21e.

Une étude assez saisissante a été réalisée dans une pouponnière parisienne à l'aube des années 1960. L'établissement est d'excellente tenue, les locaux sont décorés avec goût. On y retrouve 20 lits de nourrissons gardés et soignés par des infirmières pour les trois premiers mois de leur vie. Les familles de ces bébés sont normalement constituées et sans problèmes financiers : c'est simplement que l'usage social commande encore de balancer les petits derniers. À l'époque, on retrouve aussi cette tradition dans les familles « en moyens » de Québec et de Montréal.

Compte tenu de la multiplicité et de l'instabilité du personnel de la pouponnière et des longues périodes de solitude auxquelles y sont exposés les enfants, les investigateurs et le personnel s'inquiètent du devenir psychologique des nourrissons qui y sont engraissés. Les soins sont rapides et non individualisés, les boires complétés en quelques minutes. Quantité de choses échappent aux infirmières, le bébé subit de longues périodes de veille sans stimulation, surtout sans figure humaine à regarder. Les investigateurs introduisent au cours de leur observation, et pour un nombre limité d'enfants, des soins infirmiers intensifs et personnalisés pour constater que lorsque l'infirmière a l'occasion d'établir un lien affectif avec l'enfant, l'analyse des données rend compte d'une diminution des facteurs carentiels dans l'attitude vis-à-vis du nouveau-né. Nous sommes à Paris dans les années 1960, il n'y a pas si longtemps donc. On a pourtant l'impression de se retrouver dans un orphelinat vétuste de Sibérie.

« Lorsque, en effet, en l'absence de réconfort, les cris atteignent un paroxysme, et que l'enfant paraît débordé par sa rage, peut-on y lire, de brèves pauses apparaissent, l'enfant étant épuisé. Il semble alors faire des efforts pour prolonger ces intermittences, retenir les pleurs, les « ravaler », utilisant à cette fin des moyens tels que fermer la bouche, s'immobiliser en fixant l'espace, s'arquer en arrière, sucer, tourner la tête rapidement de droite à gauche, secouer le bassin, etc. » Et les auteurs d'y aller d'une lapalissade : « L'expérience clinique auprès d'enfants plus âgés suggère qu'il n'est pas bon pour un si jeune enfant de mettre en œuvre des mécanismes de lutte contre des besoins, qui, ainsi, non seulement ne sont pas exprimés, mais qui, de plus, sont supprimés ou réprimés... »

Aucun comité d'éthique ne donnerait aujourd'hui son aval à une pareille enquête comparative de bébés pris en charge par une bonne ou une moins bonne infirmière. Les risques encourus par des nourrissons d'un groupe aussi carencé sont extrêmement prévisibles et seraient trop cruels à déceler pour ne satisfaire que les besoins de la science. Les progrès des connaissances sur l'équipement prodigieux des nouveau-nés appelés à se construire à travers les bons soins d'une figure maternante sont donc réels. Mais nous ne devons pas perdre de vue qu'ils sont relativement récents. Leurs applications cliniques systématiques ont à peine une trentaine d'années. Sans oublier que tous ne sont pas encore contaminés par la bonne nouvelle.

Comme société, comment assiste-t-on aujourd'hui les jeunes mamans dépassées par les événements ? Le temps que s'accorde une maman avec son enfant de trois mois est positivement relié à son attachement à lui à l'âge d'un an. Comment fait-on pour s'assurer que ce temps à passer avec son tout petit enfant est protégé ? Comment dépiste-t-on les dépressions cachées des mères qui sont si vicieuses pour la construction mentale d'un jeune bébé ? Comment peut-on anticiper et soulager leur détresse avant que leur bébé finisse par être hospitalisé ? Dans le jargon hospitalier, on appelle pernicieusement « mère folle » la mère qui est dépassée par les événements de sa propre maternalité.

PREMIER INTERVENANT
Dans la chambre 3, la mère est « folle ».

SECOND INTERVENANT
Il a quoi le bébé ?

PREMIER INTERVENANT
Il a rien. On croyait qu'il avait la coqueluche. Les cultures sont négatives. La formule est normale. Il ne fait pas d'apnées. C'est finalement juste un rhume. C'est la mère qui est très énervée.

SECOND INTERVENANT
Pourquoi ?

PREMIER INTERVENANT
Je ne sais pas. Tu verras, si ça t'intéresse. D'ailleurs, dans la 4 aussi, il y a un bébé de deux mois admis pour fièvre et sa mère...

SECOND INTERVENANT
Est folle ?

Sous des considérations techniques et microbiologiques, nous déguisons actuellement l'incapacité des soignants à tenir compte des enjeux réels de la périnatalité. Médecin ou infirmière, l'un d'entre vous a-t-il déjà tenté d'interpeller un CLSC pour lui demander un peu d'aide à domicile pour une maman insuffisamment préoccupée par sa maternalité ? Imaginez la demande : « Bonjour, nous avons ici une maman qui n'est pas souffrante : pouvez-vous l'aider à devenir malade de son bébé ? »

L'un d'entre vous a-t-il déjà appelé le réseau de soins à l'aide pour ses propres besoins familiaux ? Si oui, comme moi, vous avez probablement eu gain de cause une fois sur cinq. Ou le service n'existe pas sur le territoire que vous avez désigné. Ou vous n'avez droit qu'à deux visites dans les trois premières semaines. Ou le programme est exclusif aux prématurés. Ou le service n'est disponible que pour les familles pauvres dites prestataires parce qu'elles bénéficient d'une prestation justement. Comme on dit : « *The proof of the pudding is in the pudding.* » N'y aurait-il pas de place pour la pédiatrie en dehors de la pauvreté ?

Qu'on se le dise : les nouveau-nés et leurs mamans n'ont pas besoin de nourrices. Ils ont besoin de services, et ce, dès les premières semaines de vie. C'est un besoin urgent : le besoin d'accompagnement. Pendant que Chloé Sainte-Marie crie les besoins d'accompagnement de son amoureux Gilles Carle, que personne ne s'en surprend et que le bon peuple y compatit, personne ne part au front pour le besoin d'accompagnement des mères et tout le monde cause garderie.

Ce qui arrive à la femme qui porte, qui accouche, qui nourrit un nouveau-né, c'est un retour massif du naturel : « Pour s'abandonner ainsi, régresser et comprendre psychiquement et sensoriellement son bébé, laisser affluer sa nature animale, la femme doit avoir une enveloppe sociale et familiale maternante. Car ce repli qui lui permet une identification à son bébé la rend vulnérable et l'expose aux blessures de la vie habituelle », nous dit la chercheuse Monique Bydlowski. Aussi la jeune mère doit-elle se sentir protégée, encadrée par son milieu familial, sa mère, son compagnon, l'infirmière, la structure sociale, voire les facilitations prosaïques de déplacement pour elle et son bébé, de la traversée piétonne aux portes tournantes des grands magasins. « Si ces conditions sont bien réalisées, elle pourra sortir de cette régression progressivement et atteindre une identité adulte, être parent où s'expriment le renoncement aux sentiments de toute puissance de sa propre enfance et le sens définitif de responsabilités pour l'enfant qu'elle a mis au monde. »

Surinvestir dans la garde substitut des poupons est un leurre. Les mamans malades, déprimées, intellectuellement défavorisées devraient avoir droit à des services intérimaires. Mais les autres, la grande majorité de nos parturientes devraient simplement disposer d'encadrement ou de béquilles à l'exercice du *holding*, pour rester avec les préceptes de Winnicott, c'est-à-dire d'assistance pour porter mentalement l'enfant, notamment des aides maternelles, des préposés ou des bénévoles. Des cours post-partum intelligents seraient également utiles, voire nécessaires. Une fois l'enfant collé à leur peau, nos mamans devraient pouvoir être accompagnées dans l'exercice du *handling*, c'est-à-dire devraient pouvoir disposer d'infirmières à domicile pour traiter d'une manière optimale le bébé, pour mieux le soigner, pour mieux le manipuler, pour mieux le contenir. Et finalement, les mamans pourraient disposer de meilleures solutions à l'exercice de l'*object presenting*, on pourrait dire de trucs et de directives pour stimuler les perceptions du monde de l'enfant avec empathie et contenance. Dans ces manières de faire, les psychologues, les travailleuses sociales, les ergothérapeutes, les physiothérapeutes et les groupes de soutien parentaux sont les mieux placés pour donner du support.

À Florence, vous trouverez l'image d'Épinal de la pédiatrie, imaginée par Della Robbia, à l'hospice des Innocents. Des médaillons d'enfants langés, comme on les emmaillotait autrefois, sont alignés et ornent la façade du portique principal. Cette façon de contenir le bébé n'assurait pas que la stabilité de ses fémurs dans le petit bassin : les langes permettaient également de porter le nourrisson, de le manipuler et de lui faire découvrir l'environnement avec une contenance renforcée, l'imposant ainsi et d'emblée au monde comme une personne différenciée. Le passé n'est pas qu'un ramassis d'histoires d'horreur, il est aussi signifiant, éclairant et, à l'occasion, respectueux des enfants que leur époque ne considérait généralement que comme des tubes digestifs ou des âmes à venir.

La contenance est une symbolique pour le pédiatre. Si l'enveloppe maternante postnatale est de mauvaise qualité du fait de l'isolement des jeunes femmes par rapport à leur mère, à leur conjoint et du fractionnement des familles, si nos services de santé et d'éducation ne sont pas capables d'aller pratiquement à sa rencontre, la jeune mère ira vite retrouver le monde du travail et la demande de garde de l'enfant en sera devancée.

Parents, employeurs, citoyens, décideurs, créateurs, montrez que Rodrigue a encore du cœur. Et faites l'impossible pour que les mères s'accrochent à leurs Innocents.

Bibliographie

Bydlowski, M. dans *Le développement de l'enfant et l'engagement professionnel des mères.* Éditions STH, collection « Les Grands Colloques », sous la direction du Dr Julien Cohen-Solal, Paris, 1992, 212 pages.

Collectif. *Objectif bébé : Le temps des poupards.* Paris, Autrement, 1985.

Cramer, B., Chanseau, J.C., Dayan, J. *et al. Transmettre la vie.* Éd. Érès, 1997.

Cramer, B. *Établissement de la relation mère-enfant,* dans *Le développement de l'enfant et l'engagement professionnel des mères.* Éditions STH, collection « Les Grands Colloques », sous la direction du Dr Julien Cohen-Solal, Paris, 1992, 212 pages.

David, M. et Appel, G. *Étude des facteurs de carence affective dans une pouponnière. La Psychiatrie de l'enfant,* 1962, IV-2, p. 407-442.

Hallet, F. *L'enfant souffrant de troubles de l'attachement.* PETALES Belgique, 2003.

Huston, A.C. et Aronson, S.R. *Mothers' Time with Infant and Time in Employment as Predictors of Mother-Child Relationships and Children's Early Development. Child Development,* 76 (2), p. 467-482.

Morin, H. *Privé d'affection, le nourrisson souffre de modifications cérébrales. Le Monde,* 22 novembre 2005.

Valois, P. *La crise des mères nourricières. Historia,* octobre 2004, p. 26-30.

Winnicot, D. *L'enfant et sa famille.* Paris, Petite Bibliothèque Payot, n° 182, 1981/ 2002.

Winnicott, D. *L'enfant et le monde extérieur.* Paris, Petite Bibliothèque Payot, n° 205, 1980.

« Jamais sans ma mère ! »
Les modèles animaux et la garde maternelle

Jean-François Chicoine

Je pense que quel que soit le choix effectué en matière de travail,
la prime enfance de l'enfant en sera affectée, bouleversée
et il me semble que les parents doivent faire ce choix,
déterminer le genre d'enfance qu'ils veulent donner à leur bébé.

Daniel Stern, psychanalyste

Exister pour *elle* et exister à travers les autres sont des apriorismes à la vie heureuse. Comme chez le macaque, la garde réussie de l'enfant hors du giron maternel présuppose une double condition. Condition de départ : que le parent aime ou ait eu l'occasion d'aimer l'enfant. Condition qui suit : que la société puisse le relayer ou ait l'occasion de le relayer pour aimer l'enfant à son tour. Sans ces deux amours inconditionnels, point de salut pour les rejetons, ni au zoo, ni dans les forêts tropicales, ni à la maison, ni à la garderie. Quel que soit le choix effectué en matière de travail, les parents doivent donc s'assurer qu'il y ait de l'amour tout partout.

« Comment va mon petit singe ? », demande une mère venue chercher fiston après sa journée de garde. La réponse anthropomorphique est généralement dans le ton, c'est-à-dire animale et prélangagière. L'enfant ne fait ni une ni deux et se blottit dans la fourrure du manteau maternel. Qu'elle ne s'avise pas de porter un *Kanuk*, il lui tirera les cheveux !

Il veut du poil.

Le primatologue H.F. Harlow a démontré que, dès les premières semaines de sa vie, le bébé macaque recherche activement le contact avec sa mère, son réconfort, la chaleur de son corps ainsi que ses mouvements, de façon à se fondre en eux. Ce contact lui assure un bien-être et une sécurité que rien ne saurait remplacer.

En offrant comme maman substitut à des singes de laboratoire un mannequin en éponge dispensateur de nourriture et un mannequin en fer également nourricier, mais beaucoup moins réconfortant, Harlow a mis en évidence que les bébés macaques préféraient de beaucoup la pseudo-mère en tissu. Être nourri ne leur suffisait pas. Plus encore, en l'absence de cette mère éponge, les bébés devenaient anxieux lorsqu'un intrus faisait irruption dans leur cage. Bien que nourris et entourés par le mannequin en fer, les petits singes demeuraient insatiables et paniqués.

En montrant ainsi le caractère essentiel du réconfort pour favoriser l'affection du jeune primate envers sa mère, Harlow a mis en évidence « la priorité, la force, la nécessité vitale de cet amour » afin de mieux alimenter le cerveau des mammifères auxquels nous nous apparentons. Privés d'une mère substitut, de toute stimulation tactile en fait, les bébés rhésus en arrivaient à présenter une symptomatologie dépressive.

« Il y aura du singe ! », avait l'habitude d'annoncer, en ouverture de session, un de mes vieux profs de sciences naturelles. Je le soupçonne aujourd'hui d'avoir voulu parler de nous et non de ses taxidermies. Avant de souligner nos dissemblances, l'observation du monde animal apporte effectivement beaucoup de connaissances fondamentales sur nos apparentements. Chez l'homme et le primate, les supports organiques sont semblables : je pense ici aux yeux, aux oreilles, à la peau et à nos extrémités. Les capacités sensorielles s'actualisent de la même façon par le regard, l'ouïe, l'odorat et le mouvement. Il en va ainsi du contact vital avec la mère. Cela n'enlève rien à l'espèce humaine. Au contraire, cela l'inclut dans un tout parmi les espèces. L'homme, comme le singe, grandit à travers le regard de l'autre.

Chez l'homme et le primate, le cerveau paléomammalien, à l'étage du milieu, évolue de fait dans un même continuum avec le néomammalien, celui du cortex à l'étage du dessus. Un singe comme le chimpanzé va vous faire l'équivalent d'un enfant de 18 mois, en ce sens qu'il empile lui aussi ses étages reptilien, paléomammalien et néomammalien. Comparativement à celui de l'homme, ce dernier étage est bien sûr nettement sous-développé chez le primate. Après sa première année et demie de vie, le cortex humain continue d'évoluer dans le symbolisme, tandis que celui du singe reste dans son enclos. Chez l'homme et le primate, le cerveau paléomammalien est par ailleurs tout à fait comparable. Ce cerveau limbique est notamment le cerveau des émotions. On a beau « avoir du cœur au ventre », tout cela n'est finalement que dans le cerveau.

Dès les premiers mois de son existence, la première condition pour que la vie du petit *singe* soit une réussite, ailleurs comme à la garderie, c'est l'amour préalable et inconditionnel d'une mère ou de son équivalent : appelons cela le *principe maternel*. Une illustration de ce *principe*, c'est vous, papa. À condition d'y croire et d'être appuyé pour le faire, c'est vous, papa, le principe le plus maternel après la maman.

Père ou mère, parent quoi, il vous faudra néanmoins être disponible, contenant, alerte et généreux. Les qualités nécessaires sont nombreuses et inqualifiables. Dans la lignée de Harlow, d'autres primatologues ont ensuite renchéri sur la disponibilité de la mère ou du *principe maternel* et découvert que, lorsque les mamans singes sont soumises à des conditions expérimentales de privation alimentaire ou appelées à vivre en milieu naturel dans des groupes plus nombreux, elles se font alors plus directives et moins conciliantes avec leurs rejetons, ce qui a pour effet de modifier plusieurs dimensions sociales en devenir.

Plus que n'importe quelle autre couche de population, les bébés vont être sensibles au stress. Le rôle d'un parent est ainsi de protéger sa progéniture contre les effets néfastes du stress sur le cerveau paléomammalien. Un stress absolu, une tempête tropicale par exemple, va plonger toute une tribu singe dans une grande agitation pour fuir la menace climatologique. Le cerveau limbique des papas et des mamans profite ainsi des effets bénéfiques du stress et de l'action consécutive qu'il entraîne. Le cœur bat plus vite, l'adrénaline monte, une hormone appelée cortisol est produite en grande quantité et l'on se met à l'abri. Lorsqu'un événement crée un déséquilibre entre demande et ressource, l'organisme animal réagit pour survivre. Le cerveau limbique du petit du singe ferait de même s'il ne disposait de la protection de sa mère. La maman est là et veille à la charge hormonale. Autrement, l'enfant singe développerait des taux de cortisol trop élevés pour son niveau de croissance. Exposé chroniquement à des taux élevés de cortisol, le cerveau limbique atrophie alors plusieurs de ses structures maîtresses.

Des études ont montré que le taux de cortisol augmente à la fois chez les mères et chez leurs bébés lorsque le stress des mères s'amplifie, par exemple quand l'apport de ressources alimentaires n'est pas régulier. On ne parle plus ici d'un stress absolu, évident pour toute la tribu, comme l'eau qui vous tombe sur la tête. On parle ici d'un stress relatif survenant uniquement chez les guenons privées de nourriture. Cette situation métabolique perturbe profondément les relations de la mère avec les autres singes adultes. La maman ainsi anormalement stressée se fait du coup moins protectrice pour son bébé, ne lui sert plus d'immunité en quelque sorte. Les bébés insécurisés de ces mères développent donc des niveaux de cortisol élevés et deviennent du coup des adultes facilement apeurés et socialement moins compétents. La blessure ainsi créée se forme à des stades primitifs, ce qui explique pourquoi la réactivité anormale des bébés s'incruste dans la base de leurs comportements à long terme.

Sonia Lupien est directrice du Centre d'études sur le stress humain à l'hôpital Douglas de Montréal. Elle connaît les singes et s'y connaît particulièrement bien en rat et en raton laveur. Elle est certainement la meilleure conférencière qu'on puisse entendre sur la question du stress chez l'enfant.

Un jour elle me dit à la suite d'une présentation : « Le cortisol mange littéralement le système limbique des mammifères, l'adrénaline demeure dans le corps mais le cortisol produit pénètre, lui, quelques minutes après la décharge, dans le cerveau en construction. » Les structures limbiques, présentes chez tous les mammifères, ont des fonctions de régulation émotionnelle et des fonctions de cognition. « La recherche animale nous porte à croire que l'exposition précoce à l'adversité pourrait donc nuire aux fonctions de mémoire à long terme, aux fonctions d'attention et pourraient avoir un impact négatif sur le développement adéquat des structures du cerveau. L'expérimentation nous amène à croire que les bébés exposés à des niveaux trop élevés de cortisol deviendraient plus réactifs au stress à l'âge adulte. »

Les psychiatres nous entretiennent pour leur part sur la capacité de contenir des parents, leur manière de protéger leur progéniture contre vents et marées, de lui garantir leur totale disponibilité. Il y aurait donc des parents contenants, d'autres moins et des parents chargés de cortisol, d'autres normalement dosés, des enfants plus ou moins protégés contre des difficultés qui ne sont pas de leur âge avec des taux plus ou moins élevés de cortisol. «Un enfant tout seul, ça n'existe pas», disait Winnicott. Être protégé, être reconnu, être aimé, être entendu, être délivré du mal et du cortisol, voilà tout ce que demande l'enfant.

D'autres hormones de stress (elles ont des noms à coucher dehors) sont produites par la mère et par le bébé au moment d'un stress quelconque, mais le cortisol est l'hormone la plus facile à doser. Imaginez les cas de figure : le taux de cortisol est bas chez la mère et élevé chez l'enfant. «Mais où étiez-vous donc quand bébé pleurait?» Le taux de cortisol est élevé chez la mère et bas chez l'enfant. «Il va falloir que vous vous reposiez un peu, vous ne trouvez pas que vous en faites un peu trop?» Le taux de cortisol est élevé chez la mère et chez le bébé. «Mais où donc est passé le père, au casino?»

Élyse a eu des parents amoureux, mais amoureux d'eux, pas d'elle. Ils ont 55 ans maintenant. Ils portent des vêtements depuis à peine dix ans, m'affirme-t-elle. Sa famille singe l'a élevée dans une commune près de Sainte-Émélie-de-l'Énergie. Ils vivaient là avec six autres couples et leur ribambelle d'enfants. Pendant longtemps, ce genre de paradis a été en vogue au Québec : Élyse a été allaitée, nourrie aux carottes du jardin et au pain de ménage. Elle me décrit néanmoins son enfance comme un enfer de privation : «On n'arrivait pas à avoir assez à manger, mes parents étaient drogués du matin au soir, la musique était *coast to coast.* On était gardés par ceux qui restaient dans la cabane. Des fois on voyait Éric et Suzelle (papa et maman) quelques semaines, puis après ils disparaissaient de nouveau. Un jour, les adultes qui nous gardaient nous ont fait cuire un caniche Royal qu'ils avaient volé à une ferme voisine.»

Élyse a maintenant une fille de deux ans dont elle n'arrive plus à se séparer. Elles dorment ensemble, magasinent ensemble, jouent ensemble, mangent ensemble. La petite prend toute la place dans le lit, fait régulièrement des crises au centre commercial et crache à répétition son souper au visage de sa mère. Élyse me demande en consultation si je considère qu'elle a donné assez d'amour à sa fille ou si elle lui en a trop donné. Il y a certainement des deux, je me dis, avant de lui renvoyer la question pour qu'elle la fouille un peu : une difficulté possible à transmettre de l'amour et une compulsion étouffante à l'idée d'avoir été incapable d'en transmettre assez? La petite d'Élyse est maintenant en garderie, c'est moi qui le lui ai recommandé. Par amour, allez-vous me croire? Il faut bien que cortisol se passe...

Pour que la vie de l'enfant en garderie soit éventuellement réussie, il nous faut également tenir compte de notre deuxième condition essentielle : le relais des pairs et un partage respectueux avec les autres. Il existe des liens entre les comportements sociaux des parents envers leurs enfants et les comportements sociaux des enfants entre eux, nous indiquent les chercheurs du domaine social. Une absence de séparation maternelle vous fait un singe timide ou agressif, incapable de porter l'amour qu'il a reçu vers autrui. L'enfant à qui les parents proposent souvent des jouets sera l'enfant qui propose souvent des jouets à ses camarades.

Des expérimentateurs ont observé qu'après la naissance, le bébé singe s'éloigne fort peu du corps de sa mère, mais que dès l'âge de deux mois, il va sans façon chercher à voir au dehors, à exercer sa curiosité pour commencer à interagir avec les autres petits singes de son âge. Les jeux interactifs juvéniles se font croissants, de plus en plus soutenus à mesure que l'enfant singe avance en âge. À un an, ce qui, chez le petit de l'homme, correspond à un enfant de deux à quatre ans, le singe amorce un premier sevrage de sa maman redevenue enceinte. La durée des séparations s'amplifie dans les mois qui suivent. Mais, fait à noter, quand arrive sa préadolescence, autour de ses trois ans de vie, le singe utilise encore sa mère comme base de sécurité principale. Il va vers les autres et revient de temps en temps vers elle. L'attachement pour les pairs, nous rappelle Stephen Suomi, n'est donc pas au départ simultané, mais d'apparition séquentielle. D'abord la mère, avant de pouvoir s'épancher sur les autres.

Il en va de même chez le bébé humain, toujours avec un comparatif possible au niveau des âges. Pendant ses 18 premiers mois de vie, l'enfant apprend à se percevoir comme une entité, un sujet distinct de sa mère. Chez des enfants de 18 à 24 mois, parfois même au-delà, la psychiatre Margaret Mahler a néanmoins observé la persistance de crises de rapprochement avec les mamans. À mesure que l'enfant s'aperçoit qu'il est devenu une entité séparée, il semble ressentir un besoin accru de sa mère et un vif désir que celle-ci partage avec lui chaque nouvelle expérience, chaque nouvelle acquisition. Il ne court pas vers sa mère pour se faire prendre; il cherche la plupart du temps à établir le contact avec elle par des gestes et des mots, par des dons. Durant cette phase, Mahler a noté des réactions à la séparation chez tous les enfants observés.

« Cette angoisse de séparation et ce besoin de rapprochement coïncident avec le début du négativisme », écrit une autre psychiatre, le Dr Louise Quintal. « Le paradoxe provient des désirs contradictoires de l'enfant qui tantôt veut grandir, tantôt veut rester bébé, tantôt veut faire tout seul comme une entité séparée, tantôt veut se réunir à la mère et fonctionner passivement comme un prolongement d'elle-même. Entre deux et trois ans, l'enfant acquerra une représentation totale de la mère et de lui-même. »

Pour que la vie de l'enfant en garderie soit éventuellement réussie, nos deux conditions de départ se doivent donc d'être affublées d'un mode d'emploi, d'une séquence à respecter par les parents du genre de celle qu'imaginerait le cinéaste Pedro Almodovar : *Jamais sans ma mère* suivi de *Détache-moi.*

C'est ainsi que des chercheurs se sont intéressés aux effets sur le bébé singe de la substitution précoce de sa mère par un groupe de pairs, affectueux certes, mais moins arrangeants, il faut croire. Ils ont remarqué que les jeunes ainsi élevés ne pouvaient pas suffisamment confier leurs anxiétés à d'autres macaques, étaient plus impulsifs, moins enclins à partager *confraternellement,* voire même biochimiquement différents, c'est-à-dire plus difficiles à anesthésier et plus tolérants à l'alcool. Avec l'âge, ces singes privés d'une relation privilégiée avec leur mère au profit d'une relation précipitée avec des jeunes de leur âge étaient moins enclins à se montrer maternels avec leur propre descendance. La durée des contacts ventraux mère-bébé, si primordiale dans la vie simienne, en était d'autant plus écourtée.

Je vous raconte tout cela, moins pour les détails que pour l'idée d'ensemble. On retiendra que pour construire *normalement* leur personnalité, les singes ont donc besoin d'une mère. Ces mères sont *normalement* meilleures avec leurs petits quand elles sont exposées à des conditions de vie moins stressantes. Enfin, pour socialiser *normalement,* nos singes ont aussi, mais graduellement, besoin de pairs avec qui farfouiller. Il existe donc des constantes naturelles dans l'observation biologique. Ces constantes sont forgées de passages obligés, de moments d'importance et surtout, de temps à respecter.

J'entends déjà la question des « mères ». Non, les études animales ne nous renseignent pas scrupuleusement sur les âges souhaitables ou néfastes pour amorcer des séparations. D'autres observations humaines sont pour cela nécessaires. Il faut savoir marquer la différence avec le macaque. Les primatologues nous indiquent cependant des repères incontournables et des étapes à franchir, c'est déjà cela. Ils nous renseignent également sur une modalité sociale évidente, mais négligée : l'amour des uns suppose l'amour d'une autre, et pas l'inverse. S'il est une chose qu'on devrait décidément retenir du singe, avant de prétendre en descendre, c'est bien sa discipline dans l'amour. Combien d'enfants insuffisamment aimés ont été prestement largués à d'autres ? Combien d'enfants suffisamment aimés, mais insuffisamment rassurés de cet amour, ont été prématurément confiés à d'autres ?

Pour que la garde non parentale en tant qu'expérience d'altérité ne soit pas l'amorce d'une pente dangereuse, elle doit succéder à l'amour unitaire. Si nous ne protégeons pas les premiers mois de la vie de l'enfant, non seulement nous compromettons l'avenir de nos enfants, mais nous compromettons également le processus d'attachement de leurs parents envers eux. À mesure que le temps passe, l'amour ne se fait plus jamais pareil et le cortisol ne dérougit pas.

Dans ses *Fraternités*, Jacques Attali fait ses prédictions sur l'évolution du monde. Je ne sais trop quoi penser de la futurologie, mais entre nous, ça se place toujours bien : « Des enfants de plus en plus nombreux seront ainsi *privés d'enfance*, oubliés, abandonnés, manquant de tendresse ou simplement de sécurité, parfois martyrisés. Au Nord, faute de temps pour leur raconter des histoires ou leur apprendre à en lire, les parents les laisseront errer entre tous les horizons virtuels : du jeu, de la violence et de la sexualité. Au Sud, vendus ou acculés à travailler par leurs parents devenus trop tôt adultes, esclaves ou guerriers, ils ne seront plus capables que de violence. » Pour réinsérer l'enfant dans des réseaux, Attali propose un *droit à l'enfance*, « un droit à une période d'irresponsabilité, de tendresse, de douceur assorti du droit à commettre des bêtises et à croire aux contes de fées. Ce n'est pas là une considération accessoire : il ne peut y avoir de fraternité qu'entre personnes ayant eu une enfance. Par symétrie, pour qu'il y ait droit à l'enfance, encore faut-il qu'il y ait devoir de parenté. »

De nos jours, la pop psycho parle beaucoup de *l'enfant intérieur*. Il faut soigner son *enfant intérieur*, lui parler, l'écouter, ne plus s'en priver, en extraire le peu d'humanité que certaines personnes ont à offrir, soi-disant «parce qu'ils auraient déjà trop donné». Pour éviter la fabrication d'exégètes de la sorte, il nous faut donc éduquer nos sociétés à la priorisation de l'ordre biologique. Nous en sommes donc là : éduquer nos sociétés soûlées de culture à rien de moins que l'évidence biologique.

Il faut le dire, le crier, pouvoir le porter : le respect de l'amour inconditionnel d'une maman ou du *principe maternel* de la parenté, doublé par la suite d'une généreuse ouverture avec les pairs, cela dans le respect d'un étapisme réfléchi, demeure pour l'enfant le gage solide de sa mise en personne et en société.

Jean-Charles Sournia, historien de la médecine que j'ai eu le bonheur de côtoyer en 1984 et qui m'entretenait à tout coup de la génétique des microbes, a écrit : «Chez les animaux tout comme chez les végétaux, l'adaptation n'a presque jamais le caractère d'emblée rigoureux de l'adaptation culturelle, fruit d'une volonté réfléchie. L'adaptation biologique répond à une nécessité : mais elle ne poursuit aucun but, ne répond à aucun projet. L'adaptation culturelle est presque toujours consciente et finalisée. La seconde est plus rapide que la première.» La privation prématurée d'amour, que nos sociétés justifient culturellement par le besoin de travailler des parents, se ferait-elle source de conflit en raison d'une méconnaissance de notre condition humaine?

Brûler les étapes, inverser l'ordre du programme, c'est de toute manière esquinter la progression développementale. On ne force pas les acquis d'un enfant. Le développement, affectif aussi bien que moteur et social, comprend une série progressive de changements ordonnés et cohérents qui mènent à la maturité. Chaque changement est caractérisé par l'acquisition de nouvelles habiletés. Si chaque enfant traverse les différents stades du développement, en revanche chacun les traverse à son propre rythme. Le développement normal ne s'effectue pas de façon linéaire et sans accrochages, mais plutôt en dents de scie, avec des avancées et des reculs. Les bonds en avant alternent avec les régressions, c'est-à-dire avec les retours à des comportements moins évolués des périodes antérieures. Sous l'influence de la fatigue, d'un stress physique ou émotionnel, un dodo ailleurs ou un nouveau petit frère, on observe également des régressions temporaires.

Elle était la fille de l'autre. La plus grande contribution d'Anna Freud à la pédiatrie quotidienne va d'ailleurs dans le sens d'une psyché de l'enfant qui s'ancre à l'ordre biologique. Elle écrivait : « Il n'y a, durant l'enfance, aucun niveau stable de fonctionnement dans quelque domaine et à quelque moment que ce soit... le niveau de performance de l'enfant varie sans cesse... Les positions optimales sont à tout bout de champ gagnées, perdues et regagnées... Il est judicieux de souligner que les enfants de tout âge devraient avoir le droit de se conduire de temps en temps en dessous du niveau de leurs aptitudes potentielles. »

Parole de pédiatre, dont vous ferez ce que vous voudrez : ne pas écouter les forces progressives et régressives d'un enfant donné, exposé à une mère donnée, à un environnement donné et à un temps donné, c'est s'exposer à des anxiétés croissantes – peur de dormir, peur des hauteurs, peur de l'école, peur de la cour d'école –, à des rages croissantes – colères incessantes, agressivité humaine –, à des silences constants – solitude, tristesse, dépression. Quelles que soient les raisons de la garde non parentale, l'âge de la *mise en garde*, la qualité et la durée quotidienne de la journée avec les pairs, vous devrez préalablement tenir compte des forces et des faiblesses de votre petite fille ou de votre garçon ou appelez à l'aide pour vous aider à en tenir compte.

Aimez vos enfants, je vous en conjure : sans discipline de l'amour, mesurée, adaptée, pondérée, il n'y a pas de développement possible pour l'enfant et l'adulte en devenir.

Les conditions sont grâce. Il serait dommage de vous en priver.

Bibliographie

Attali, J. *Fraternités : une nouvelle utopie.* Paris, Éditions Fayard, 1999.

Harlow, H.F. et Harlow, M.K. *Effects of various mother infants relationships on rhesus monkey behaviours*, dans *Determinants of Infant Behaviours*, vol. 4, p. 15-36. Londres, Metheum, 1969.

Harlow H.F. *The development of affectional patterns in infant monkeys*, dans Foss, B.M. (dir.). *Determinants of infant behaviour,* vol. 1, p. 75-97, New York, Wiley, 1961.

Harlow H.F. et Harlow, M.K. *The affectional systems*, dans Schrier, A.M., Harlow, H.F. et Stollnitz, F. (dir.). *Behavior of Non-Human Primates*, 2, p. 287-384, 1965.

Lupien, S. *Le stress chez l'enfant : aspects psycho-endocriniens.* Centre d'études sur le stress humain, Hôpital Douglas, Université McGill, Montréal, 2005.

Quintal, L. *Le développement affectif de l'enfant de 2 à 5 ans.* Conférence donnée à l'éducation médicale continue de l'Université de Montréal, Montréal, 1978.

Ruffié, J. et Sournia, J.C. *Les épidémies dans l'histoire de l'homme.* Paris, Flammarion, 1995.

Shore, B. *Culture in mind : Cognition, Culture, and the Problem of Meaning.* New York, Oxford University Press, 1996.

Stern, D. *Le développement de l'enfant et l'engagement professionnel des mères.* Éditions STH, collection « Les Grands Colloques », sous la direction du Dr Julien Cohen-Solal, Paris, 1992, 212 pages.

Suomi, S.J. *Parents, peers and the process of socialisation in primates,* dans *Parenting and the Child's World.* Londres, Lawrence Erlbaum Associates, 2002.

Wright, R. *The Moral Animal.* Pantheon Books, 1994.

De guerre lasse

Les mères problèmes et la garde de l'enfant

Jean-François Chicoine

Au moment où je suis devenu célèbre, j'aurais
aimé avoir dit à ma mère, très clairement
et en quelques phrases, combien j'étais conscient
de l'influence qu'elle avait eue au tout début de ma vie.

Federico Fellini

Une maman ne devrait pas se séparer de son bébé durant les quatre ou cinq premiers mois de sa vie. On en trouvera pour prétendre le contraire, mais, inutile de sonder, la majorité d'entre nous jugera immanquable cette nécessité nourricière des premiers mois. Nous savons, pour la plupart, que nous devons notre propre survie à notre maman. Et que notre mère a pu trouver un sens complémentaire à sa survie à travers nous. Nous avons incorporé son sourire, son odeur, l'essentiel de son corps, comme on avale une hostie. Pendant une vingtaine de semaines, le bébé va se fondre à sa mère et sa mère à lui. Cette manière de cuisine fusion favorise en fait les deux parties : le bébé est l'ingrédient, la maman, le liant, et leur rapport à eux deux, la *finishing touch*. Un premier semestre de garde non parentale est donc une nuisance potentielle autant pour le bébé que pour son parent.

« Il est plus facile pour les parents de se séparer précocement de leur enfant quand ils sont rassurés déjà sur la solidité de leur relation avec leur bébé, sur la solidité du bébé lui-même, et enfin sur la capacité de l'enfant à se faire comprendre, à faire entendre ses besoins et ses sentiments », a déjà confié la psychologue française Sylvianne Giampino lors d'un colloque sur la question de la conciliation familiale des mères qui travaillent. « Les mères, surtout les mères c'est vrai, sont beaucoup plus confiantes quand elles savent qu'il n'y a pas besoin d'interprète entre l'enfant et la personne étrangère qui va s'occuper de lui. C'est un repère. »

Fort heureusement, on parle moins de nos jours de l'enfant essentiellement comme un tube digestif, de plus en plus comme une personne à part entière. Mais la communion originelle entre la mère et son nouveau-né n'en est pas pour autant continûment mise en pratique. Le monde tournerait résolument mieux si moins d'intérêts personnels, politiques ou économiques avaient permis de mieux faire respecter ces besoins relationnels essentiels aux tout-petits. Entre connaître et reconnaître, dire et faire, il y a la marge habituelle. Pour les femmes pigistes, professionnelles, aux études, sans emploi, démunies, la route semble encore bien longue. Je connais, à travers ma vie professionnelle et celle de tous les jours, des mamans qui se sont privées de ces premiers mois avec leur enfant, qui s'en priveront, et d'autres qui ont été forcées de se déposséder de leurs maternités.

Désolé, mais toutes les femmes ne réalisent pas l'importance des premiers mois de la vie. Toutes n'ont plus la chance non plus d'être humainement ou socialement soutenues pour donner corps aux premiers temps de l'existence de leur enfant. L'isolement psychologique des familles est non seulement ressenti par des professionnels comme moi, mais souvent éprouvé cruellement par les jeunes parents au moment de la naissance de l'enfant. Il n'y a pourtant pas de mal à dire que toutes les mères ne pourront pas être ultimement séduites par la petite bête qui monte, qui monte. Il faut simplement chercher à comprendre pourquoi il en est ainsi et comment les aider pour qu'il en soit au moins un peu autrement.

On peut d'abord chercher des explications à la chose dans le bébé qui est le leur. Par exemple, un enfant prématuré est moins réactif, son rythme de vie est moins prévisible, ses pleurs ont une tonalité particulière dont le caractère insistant est déplaisant. Bref, un enfant prématuré ou de petit poids à la naissance offre pour l'adulte des échanges sociaux moins valorisants qu'un bébé joufflu, dont il pourrait être plus éprouvant de se séparer. D'autres nouveau-nés ont des déficits ou des malformations, un menton fuyant, une tache de naissance en plein visage, toutes sortes de freins pour une maman qui joue sa vie devant Dieu et les hommes. Un bébé se doit d'être montrable. Les fabricants d'images me le confirmeront. Une maman dévastée m'a déjà dit : « J'ai engendré un lutin. »

Plusieurs nourrissons ont tout bonnement des tempéraments plus difficiles. Ils pleurent souvent, dorment mal ou sont exaspérants de lenteur pour se mettre en train. On pourrait dire d'eux qu'ils sont de commerce moins agréable. On peut se souvenir que les traits de tempérament sont faits de considérations biologiques, génétiques et également d'acquis sociaux. Un enfant est donc dans telle ou telle forme à cause d'une quantité de facteurs dont certains sont sous le contrôle des adultes, d'autres pas. Rien de moins que 100 % de facteurs innés et 100 % de facteurs acquis, écrivait l'éthologue Boris Cyrulnik : « L'acquis ne se trouve jamais acquis que grâce à l'inné, qui lui-même s'avère toujours à façonner par l'acquis. »

Les attributs tempéramentaux sont au cœur de nos usages sociaux et en partie à l'origine de nos guerres des sexes, les filles étant réputées de meilleur tempérament que les garçons. Scientifiquement, les études nous permettent de reconnaître que les femmes sont effectivement plus souples et généralement plus aptes à s'adapter à des situations nouvelles. Ce n'est pas une raison pour les expédier toutes à la garderie ! Vous imaginez les promenades en ville : un garçon privilégié tenu par la main de sa mère et une ribambelle de filles accrochées à la même corde ? *O brave new world !*

À moins de conditions particulières, c'est au parent de trouver la juste mesure par la reconnaissance des facilitations et difficultés du tempérament du bébé. Faire face à la musique, n'est-ce pas une action parentale ? Appuyé ou non de compétences professionnelles, le parent est a priori le mieux placé pour veiller à la modération du quotidien, à la compréhension de sa rythmicité. Sa position est privilégiée pour faire connaissance avec le nourrisson. Mais ce n'est pas à la hauteur des possibilités de toutes les mères. Quelqu'un a-t-il déjà démontré que l'instinct maternel existe ?

Dépister les traits tempéramentaux d'un enfant favorise les ajustements. La meilleure façon de s'y retrouver est encore de s'en remettre à un classique du genre élaboré il y a des lustres par Chess et Thomas. Pour ces auteurs, on peut observer les traits principaux du tempérament d'un bébé dès les premiers mois de sa vie. Certains enfants, comme le petit

Patrice, sont très énergiques, trop même, d'autres sont plus calmes et moins actifs. Je vous rappelle qu'on ne parle pas ici d'intelligence ou d'émotions, on parle de tempérament. Les habitudes de sommeil ou de selles sont programmées chez certains, totalement imprévisibles chez d'autres : quatre cacas par jour pour Patrice, puis pas de caca pendant quatre jours ! Des enfants vont accepter d'être déplacés plus facilement que d'autres, certains se feront plus facilement explorateurs que leurs petits frères ou leur petite sœur.

Le seuil de réaction, c'est-à-dire le niveau d'intensité nécessaire de bruit ou de douleur pour qu'un enfant réagisse, est aussi une bonne façon de prendre la mesure de son style relationnel. « Il a l'habitude d'être dur avec son corps », entend-on dire d'un enfant qui ne pleure pas pour des riens. Comment Patrice exprime-t-il ses émotions, de façon virulente ou discrète ? Quelle humeur le caractérise le mieux, comment se lève-t-il de bon matin, en pleurant, en souriant ou tranquillement ? Certains enfants sont facilement perturbés, d'autres ne seront distraits que par des stimulations très fortes. Un jumeau aura la faculté d'être hypnotisé par tout ce qu'il regarde tandis que son frère aura une capacité d'attention plus réduite. Il n'est pas hyperactif, gardons-nous des étiquettes hâtives, il n'est tout simplement pas identique.

De la maison à la pouponnière, de simples changements de milieu ou de personnes responsables peuvent être salutaires aux nourrissons qui ont des traits de tempérament difficile. À quatre mois déjà, il a fallu intervenir auprès de Patrice et de sa famille. Cette situation est particulière : qu'on n'en fasse pas une panacée. Mais les parents ont aussi leurs caractères et leurs limites. Entre les répits à la garderie, une aide-infirmière a été appelée pour soutenir la famille tendue. Fusionner la matière parentale avec la matière du nourrisson tient parfois de l'alchimie. L'infirmière visiteuse qui est intervenue auprès de la famille de Patrice s'est faite grande magicienne.

Des mères sont moins bien programmées ou équipées que d'autres pour offrir une relation de qualité, et ce, peu importe l'état de santé de bébé. Les études démontrent qu'un réseau familial et d'amis peu développé va compliquer la qualité du parentage. Vous pouvez facilement imaginer qu'une psychopathologie relationnelle, non récupérée par une grand-maman ou une excellente amie, peut inonder l'enfant d'anxiété. Des mamans sont trop jeunes, trop dépressives ou trop droguées. On évalue qu'entre 10 % et 15 % des mamans vont souffrir de dépression grave en post-partum ; pas de *baby-blues*, mais bien de dépression, de tristesse absolue, de fuite impossible avec des conséquences à long terme sur le développement et le comportement de leur progéniture. Vous connaissez l'expression « un ours mal léché » ?

D'autres mamans travaillent, par exemple, dans des bureaux de juristes mâles et compétitifs, et sont trop éloignées du monde des émotions. En droit, un « associé » n'est pas un partenaire. Il n'accompagne pas la vie privée. Au mieux, il s'en préoccupe. Maître D. me demandait hier comment intervenir pour que Flavie, son bébé fille, se réveille de meilleure humeur. Je n'ai pas pu lui suggérer quoi que ce soit tellement les matinées de la famille m'apparaissaient précipitées. Les nourrissons vont distinguer le jour de la nuit vers six mois. Se coucher, dormir, se réveiller, s'habiller pour le départ vers une pouponnière, et tout cela dans la noirceur de l'hiver, ne facilitent pas l'ajustement des caractères à l'environnement. Le soleil de minuit n'est pas le matin tropical. Je suggère à la dame de payer une gardienne à domicile. « Allez-vous me la trouver, docteur ? » Je lui demande si elle a secrètement peur d'en trouver une plus disponible qu'elle. « Pensez-vous que Flavie va l'aimer plus que moi ? » Si jeune, ça se pourrait.

L'aspiration professionnelle n'est pas seule en cause : des mères veulent sortir, rencontrer des amis, se refaire une vie, parfois trop intensément. « Sa mère est une guédaille », m'a confié l'autre jour une infirmière qui a inscrit la chose plus politiquement dans ses notes de nursing. D'autres mamans sont si submergées par leurs propres désirs inassouvis qu'elles n'ont pas prévu de temps pour un bébé dans leur agenda.

Nathalie, que penses-tu de tout cela ?

Un nouveau-né n'est pourtant pas quelque chose qu'on ajoute. Un nouveau-né est une personne qui prend la place de quelque chose qu'on retranche.

Pendant une pause publicitaire, au cours d'une émission de télé où je suis invité avec quatre ou cinq autres participants, une discussion informelle se dessine autour du retour de la mère au travail. Les échanges en coulisse sont souvent plus parlants que ceux qui sont retransmis en ondes. Dans le groupe, une politicienne célèbre nous relate combien elle avait été heureuse 20 ans plus tôt de se séparer hâtivement de son poupon de 3 mois pour retrouver ses activités de militante. Le commentaire est accueilli comme un discours de Robespierre : intelligent. Je pense le contraire : éprouvant.

Dans le monde contemporain reflété par les médias, un *squeegee* descendu des beaux quartiers est susceptible d'arracher assez de larmes pour inonder des centaines d'heures d'antenne. Mais un nourrisson qui cherche à se nourrir de sa mère soulève rarement un vent de compassion parmi les participants. Il crie, il chie et ne lave pas les vitres.

Des animatrices de télé se retrouvent à l'écran deux mois après leur accouchement. Personne ne les dénonce. Ce n'est tout de même pas une question d'argent ! On a droit à une entrevue du genre : « Hé ! Que je me suis ennuyée de vous pendant mes deux mois auprès de mon bébé. » Par fausse ou vraie pudeur, impossible de s'en assurer, ces animatrices robotisées nous privent encore quelques mois des photos de leur nouveau-né. C'est à se demander si elles ont vraiment accouché. Est-ce un concept de retour à l'écran ? Sommes-nous dorénavant contraints d'assister à cela ?

« Une évolution rapide entraîne toujours des crises sociales », souligne Bruno Bettelheim dans *Le cœur conscient*, « jusqu'à ce que l'homme ait appris à effectuer un progrès correspondant dans l'intégration psychologique qui lui permet non seulement de s'adapter à la situation, mais de la maîtriser. Souvent l'adaptation est temporairement vide de sens comme notre adaptation actuelle aux possibilités que nous offrent l'abondance des biens matériels et plus encore, les loisirs. »

Nos gouvernements devraient investir dans la garde des plus grands. Le développement de pouponnières pour accueillir des nourrissons ne devrait être encouragé que pour des situations d'exception, notamment en raison d'une dépression maternelle ou en cas de déchéance parentale. Pour des raisons apparentées, des gardiennes à domicile ne devraient pas intervenir intensément pour protéger l'interdépendance entre la maman et son bébé, peu importe la fortune familiale ou les impératifs de carrière. À des âges précoces, une mobilisation circonstancielle de garde non parentale devrait également se faire complémentaire à des programmes bien encadrés d'assistance à la maternité, à l'allaitement maternel et à la parentalité. L'un ne devrait pas aller sans l'autre au risque de déposséder la nature en place. L'idée est de faire avec, en forçant un peu sur le meilleur.

Bettelheim recommande de ne pas lâcher prise dans l'adversité, l'espoir se mesurant en termes de décennies, pas d'années. « ...dans le passé, l'homme a toujours fini par se rendre maître de ses conquêtes et par les utiliser à des fins plus élevées. » Né à Vienne en 1903, ce grand pédagogue de l'enfance, sans lequel je ne serais peut-être pas pédiatre, s'est suicidé à Silver Spring, aux États-Unis, en 1990.

En conséquence, continuons de guerre lasse. De rester debout, nous avons la responsabilité. Continuons, dans l'aveuglement, à porter le flambeau des premiers mois de la vie.

Bibliographie

Bettelheim, B. *Le cœur conscient.* Paris, Laffont, 1972.

Brunner et Mazel. *Temperament and Development.* New York, 1977, dans Ferland, F. *Un enfant à découvrir.* Éditions de l'hôpital Sainte-Justine, 2001, p. 56.

Cyrulnik, B. *La naissance du sens.* Paris, Hachette littérature, 1995.

Jéliu, G. *L'environnement psychosocial : Évaluation de la relation parents-enfants.* Université de Montréal, 1984.

National Institute of Child Health and Human Development. *Does amount of time spent in child care predict socio-emotional adjustment during the transition to kindergarten? Child Development* 2003, 74, p. 976-2000.

Une photographie du monde

Le principe de l'attachement et la garde parentale

Jean-François Chicoine

Avant de prendre le volant pour Virginiatown, je reviens sur les jolies choses que tu as échappées. Imagine un film avec un cas extrême où se présente une femme de 85 ans et son fils de 57 ans qui vivent harmonieusement une jolie relation mère-fils. Ils nous proposent le pattern classique qu'auraient pu jouer des gens d'un âge plus normal. Tu saisis? J'aime cette idée d'une relation mère-fils qui n'a pas subi l'outrage du temps. Salutations amicales. Marc-André dit André Forcier l'admirable, trésor national au service de l'humanité souffrante.

Je vais commencer ce passage par un remerciement. Merci à John Bowlby. Vous connaissez peut-être cet homme, peut-être pas. Bowlby était un psychiatre anglais. Vous trouverez sa photographie sur Internet : c'est celle d'un psychiatre anglais. Mais il était aussi un génie. On lui doit la théorie de l'attachement. Un demi-siècle avant que les neurosciences puissent trouver les composantes anatomiques responsables du comportement d'attachement parent-enfant, Bowlby en avait eu la formidable intuition. La substructure scientifique fait aujourd'hui de son hypothèse une réalité concrète qui n'attend qu'à être mise en pratique pour la prévention de l'insécurité affective des bébés et des adultes qu'ils deviendront. L'attachement est la vie; mieux encore, il est le film continu de la vie.

Les échos et l'éclairage que le principe de l'attachement offre sur les comportements humains sont encore trop peu connus dans nos sociétés. On peut expliquer cela à la lumière des graves questionnements que pose cette représentation de l'affect humain sur les manières de vivre avec soi, en famille et en collectivité. Par exemple, personne n'est enchanté d'apprendre que les choses iraient peut-être tout autrement dans sa vie actuelle si certaines conditions de développement lui avaient été offertes.

Pourtant, « la lumière ne doit pas rester sous le boisseau », ne serait-ce que parce que d'autres vies sont à se construire. La perfection n'existe pas et beaucoup d'erreurs restent corrigibles ou rachetables pour le devenir de nouvelles cuvées d'enfants. Finalement, culpabilité et responsabilité ne sont pas des sentiments si dissemblables : le premier est à vif, le second suppose une certaine maturité. Mais seul le sentiment de responsabilité permet l'action altruiste.

Bowlby appelle « modèle opérant interne » la représentation pour l'enfant de ce que sont les relations sociales en général et de ce qu'il peut attendre d'un lien affectif particulier, et de la sécurité ou de l'insécurité qu'il génère. Le modèle opérant pourrait se définir comme la tendance de l'enfant à projeter ses expériences parentales précoces dans sa mémoire. Il est une sorte de passe-partout des relations émotives de toute sa vie. Ses relations amicales, au travail, de couple, avec ses futurs enfants seront positivement ou négativement affectées par la qualité de son modèle opérant. C'est d'ailleurs le caractère provocant de la théorie : ce qu'il vit étant bébé détermine ultérieurement l'estime de soi de l'adulte, ses rapports avec les autres, son sens moral. Rien de moins.

À l'origine du modèle de Bowlby, on trouve Konrad Lorenz et ses oies cendrées. En observant les oies cendrées, ce grand biologiste autrichien a remarqué la disposition précoce de leurs bébés à suivre leur mère à la trace. Dès les premiers jours, le comportement s'installe tant et si bien que Lorenz lui-même se trouve piégé quand un bébé oie séparé de sa mère jette sur lui son dévolu. Il faut voir l'ovipare à ses trousses, du salon à la cuisine : la situation a tout de l'arroseur arrosé. En photographiant les oies, Lorenz se retrouvait du coup photographié dans leur cerveau. Cette disposition de plusieurs oiseaux et des mammifères à s'accrocher à tout ce qui bouge pour survivre, Lorenz la nomme « empreinte ». On peut y voir une prédisposition génétique de certaines espèces à établir une relation de proximité avec un individu en particulier. Grâce à l'empreinte, la mère trouve effectivement l'occasion rêvée de protéger son petit contre les prédateurs. Sans sa maman dont elle hésite ainsi à s'éloigner, la bête meurt, ignorée ou dévorée. Parce qu'au contraire la bête s'en est imprégnée, la mère, ou l'adulte qui fait figure de mère, devient sa maman et la survivance est assurée. L'empreinte est ainsi l'assise d'un comportement adaptatif de survie. À un niveau apparenté, imaginez par exemple la télé comme une prédatrice éventuelle pour l'espèce humaine. Vous comprenez ainsi pourquoi la maman éteint le téléviseur aussitôt *Caillou* terminé. Maman protège son bébé, comme l'aurait fait « ma mère l'oie ».

Bowlby découvre par ces expériences sur les oies l'éthologie naissante et surtout ce concept d'empreinte qu'il permute en application humaine. Ainsi naît le « modèle opérant interne » et les comportements qui lui sont attribués. Le modèle de représentation que se bâtit l'enfant-oie est comme une photographie du monde : la photo est belle, elle est laide ou elle est floue, alors elle engendre de la beauté, de l'horreur ou du doute et elle générera un sentiment apparenté toute sa vie durant. Les présidents d'entreprises ont souvent une photo de famille sur le coin de leur bureau. La photo ne leur sert pas qu'à projeter une valeur de stabilité économique et d'attachement aux valeurs familiales, elle permet également de raviver plus rapidement en eux l'image aimée. Plus que toute autre représentation, cette image est capable d'activer le modèle opérant interne de l'homme d'affaires et de lui redonner paix, confiance et sécurité. Avec un peu d'audace, monsieur le président pourrait même afficher le portrait de sa mère.

Quand son parent est disponible, qu'il a su répondre avec chaleur, constance, rapidité, régularité à ses besoins, l'enfant développe une image positive de l'autre. S'il est malade, s'il est inconfortable, si sa couche est souillée, s'il se sent seul, s'il se sent en danger, il anticipe de l'autre une présence ou une action, il s'y attend en quelque sorte et cela est bon pour lui. La répétition du cycle « besoin/réponse/satisfaction » permet ainsi la formation du processus d'attachement dès les premières heures suivant la naissance du bébé. Le cycle procure à l'enfant le sentiment qu'il peut compter sur l'adulte pour subvenir à ses besoins et que le monde qui l'entoure est un endroit où il peut vivre en sécurité. « Je me sens bien avec lui, je me sens bien avec eux », en vient-il à penser, au lieu de dépenser ses énergies à lutter pour sa survie. Les avantages à court et à long terme d'un modèle opérant positif ne manquent pas. À titre d'exemples, le cycle dit « de la confiance » va permettre à un bambin de deux ans d'accepter l'autorité légitime et le contrôle des parents à travers les limites qu'ils lui posent ; plus tard, l'attachement sain conduit ce même enfant devenu adolescent à respecter la consigne parentale du couvre-feu de minuit.

Quand le parent est insuffisamment disponible, que la maman est dépressive ou que la famille est négligente, le petit enfant décode le monde comme insipide ou dangereux. Il avait soif, on lui a changé sa couche. Il pleurait, on n'est pas venu le voir avant un long 20 minutes. Le nourrisson ainsi aguerri au cycle de la négligence ou de l'absurdité accumule ses frustrations et emmagasine un immense sentiment de détresse. Il capte alors un miroir déformant du monde et stocke dans son cerveau ses impressions négatives. Il ne peut pas narrer son anxiété et sa tristesse, à son âge il ne peut que l'incorporer dans son cerveau limbique. Des psychologues parlent d'engrammation des expériences négatives. L'enfant ainsi soumis à de petites insatisfactions répétées dépense toute son énergie à mettre en place son système de contrôle. Il ne peut jamais relaxer, étant toujours sous tension, hypervigilant. À l'examen, il se présente au pédiatre comme hyperactif avec un tonus extrême. « Il est raide comme une barre », a-t-on envie de dire de lui. À un an, il s'arque sur ma table d'examen. Malgré les années, sa tension cède difficilement. Son modèle opérant négatif du monde le conduit à l'insécurité affective. Il ne peut confier sa survie à personne. Son estime de soi est à risque d'être faible ainsi que ses relations avec les autres qui risquent d'être au pire. Il ne se laisse pas aimer facilement, préférant garder le contrôle de sa survie, à défaut d'avoir pu la confier à des adultes aimants. Jusqu'à preuve du contraire, cet enfant juge qu'il n'y a pas de place pour lui en ce monde dont il s'est fait une image opérante négative. Son cerveau s'est « câblé » pour faire face à des crises et des difficultés. Il paye, alors il va faire payer. Beau portrait de famille !

J'examine chaque semaine des orphelins adoptés par d'extraordinaires parents. Même quand ces enfants vont psychologiquement bien, il leur faut des années pour aller au-delà de leurs premiers moments difficiles. Longtemps ils gardent l'impression d'avoir été de mauvais bébés. Pendant des années, parents et éducateurs doivent ainsi veiller à assurer la construction de leur estime de soi fragilisée. Les plus souffrants d'entre eux acceptent difficilement d'être touchés, se raidissent, même devenus grands, enfin se crispent tellement qu'on doit parfois leur prescrire une médication pour les assouplir et leur permettre de moduler leur représentation chaotique du monde. Dans le roman journalistique *De sang froid* du formidable Truman Capote, l'assassin de la petite famille du Kansas déclenche sa tuerie meurtrière lorsqu'il arrive à ressentir de la honte face à sa future victime. Cette honte est une souillure cérébrale consécutive à l'environnement d'origine, un modèle opérant si négatif qu'il en devient incapable de supporter le regard de l'autre.

L'agressivité est parfois génétiquement transmise dans les familles. On pense que 4 % des enfants seraient porteurs du gène de la violence en fait, mais l'expression physique dépendra de toute une série de facteurs. Parmi toutes les influences en place, la sécurité ou l'insécurité dans laquelle auront baigné ses toutes premières expériences de vie façonnent, plus que toute autre emprise, l'estime de soi de la personne et, conséquemment, le respect qu'elle aura des autres. Dès l'âge de deux ans, par exemple, des enfants seront capables de plus d'agression que d'autres en garderie, simplement parce que leurs parents ou ceux qui avaient la charge parentale n'ont pas su gagner leur confiance impérissable. Entre les blessures d'enfance extrêmes et les petites détresses, il y a toute une grille de souffrances et d'expressions comportementales possibles.

Pour Bowlby, le nouveau-né cherche à entrer en relation avec sa mère ou sa figure maternelle, non seulement pour satisfaire ses besoins de nourriture et d'oralité, mais surtout (c'est là l'essentiel du précepte de l'attachement) pour satisfaire un véritable appétit relationnel. Aux origines de la construction de sa théorie, Bowlby a donc prévu, aux côtés des oies de Lorenz, une place d'influence pour les singes de Harlow. À l'instar des primates, l'appétit humain pour autrui est inscrit comme un besoin primaire dans le matériel chromosomique. L'environnement humain, dont l'investissement parental, est ensuite invité à faire éclore les déterminants génétiques prévus par la nature à cet effet. Comme facilement les trois quarts du cerveau restent encore à bâtir à la naissance, l'occasion est belle de favoriser le progrès. De la satisfaction ou de l'insatisfaction de cet appétit relationnel, de l'importance qu'on aura accordé à la rose qu'il est en quelque sorte, dépendront la survie ou la détresse du bébé et la santé ou la dysfonction de ses circuits neuronaux.

Vous imaginez si on rappelait tout cela aux parents en accompagnement post-partum ? Maman, quand vous donnez du pablum à bébé, vous ne faites pas que le nourrir, vous le Nourrissez. Papa, quand vous changez la couche de bébé et en profitez pour le faire rire, vous facilitez déjà l'ambiance des futures périodes de devoirs et de leçons.

Pendant la Deuxième Guerre mondiale, John Bowlby a constaté que des enfants séparés de leur mère afin de les protéger des bombes n'évoluaient pas bien sur le plan affectif. Il en conclut que la perte de la figure maternelle pendant la petite enfance est un événement capital dans l'édification de la personnalité et en informa les autorités publiques de l'époque pour les prier de ne plus évacuer les petits sans leur maman ou sans une figure de confiance avec lesquels ils ont déjà des liens (encore du *child advocacy*!). Grand observateur clinique, Bowlby a développé ainsi graduellement la conviction que tous les organismes, sauf les plus primitifs comme l'amibe ou l'éponge, ont la compétence de schématiser dans leur cerveau les renseignements qu'ils reçoivent sur le monde environnant et que cela est susceptible de déterminer ce qu'ils sont et seront par la suite pour eux et pour les autres. Du point de départ des oies, en passant par les bébés singes étudiés par Harlow, l'instigateur de la théorie de l'attachement en arrive ainsi à expliciter l'impact d'une relation privilégiée dans le processus de survie des bébés humains. Le bébé n'a pas su faire confiance, il meurt. Le bébé fait plus ou moins confiance, il survit plus ou moins bien. Le bébé fait confiance, il survit. Sur la photo de famille, il triomphe parce que la photo de famille triomphe dans son cerveau.

Prendre soin de son nourrisson, le garder à la maison, comme on a maintenant coutume de le dire, c'est veiller à ce que jour après jour, l'enfant se fabrique une image rassurante de son petit monde à lui avant d'avoir à plonger dans le monde des grands. La mode est au *scrapbooking*, à recoller les images du passé, à les enjoliver de bouts de tissus, de collants et d'étoiles pour les réactualiser dans une narrativité acceptable ou fondatrice. Le *scrapbook* de l'enfant nourri d'images positives du monde n'aura pas à être traficoté pour aboutir à un album officiel. Comparé aux ouvrages de collage, il aura une beauté pure et saisissante.

Comme le résume la travailleuse sociale Louise Noël, dans son remarquable ouvrage récapitulatif de la question, *Je m'attache, nous nous attachons*, dans lequel vous trouverez une approche pédagogique de la théorie de l'attachement, les individus ayant le plus de chances de se reproduire et donc de transmettre leur bagage génétique seraient ceux qui auraient développé de meilleures aptitudes à être en relation. Ces dispositions les rendraient plus sociables et plus aimables, leur faciliteraient les choses au moment de trouver un partenaire et les rendraient plus aptes à remplir éventuellement leur rôle de parents et à assurer de la sorte la survie des enfants en continuité avec la lignée.

Plus qu'un rapport tacite, le parent et l'enfant en *flagrant délit* d'attachement sont appelés à entretenir, comme deux partenaires de danse, une véritable interaction quasi imitative dont ils sortiront tous les deux gagnants. Le nouveau-né amorce les contacts ou se retire selon son propre rythme, selon son niveau d'éveil ou d'ensommeillement, son besoin d'activité ou de calme, avec une régulation qui lui est propre et dont le parent est garant de l'intégrité. Le parent, devant l'objectif, renvoie son sourire et sa chaleur humaine. Ainsi, pour continuer de causer photo, il nous faut aussi aborder la notion de dynamique dans l'attachement, en l'occurrence de psychodynamique. La construction du modèle d'attachement est moins celle de l'enfant photographe qui « tire le portrait » de son parent que celle de deux photographes japonais qui se photographient mutuellement en multipliant les poses, les sourires, les rires, les effets de montage et les clichés à l'infini.

Pour un bébé donné, le comportement biologique d'attachement est cependant une arme à double tranchant. S'il a de quoi s'attacher, l'enfant est au septième ciel et trouve dans ce lien serein avec l'adulte le sentiment de sécurité nécessaire à sa future existence autonome. Il n'y a effectivement de séparation possible d'avec ses parents qu'à partir d'un bon lien d'attachement d'origine. À l'opposé, ou à l'extême, si le parent ou son équivalent n'est pas présent ou l'est insuffisamment, l'enfant en grandissant se laisse mourir ou échoue dans ses tentatives d'indépendance. Par exemple, au lieu de se consacrer un jour à un travail ou à une famille, il précipitera sa chute dans le chômage ou dans la rue, dans l'impossibilité d'assurer son existence autonome. Des premiers cris du bébé à la vieillesse, il faut effectivement voir l'attachement comme un continuum, une manière d'être en soi et au monde à travers des styles comportementaux qui vont s'imprégner au départ pour demeurer toute la vie durant. Les changements de trajectoire sont possibles, mais réalisables en partie seulement.

René Spitz, psychanalyste, professeur et chercheur américain d'origine autrichienne, a décrit le comportement de ces enfants privés de mère dont Bowlby s'est aussi inspiré pour bâtir sa vision de la survie du bébé humain. L'apport essentiel de Spitz est d'avoir démontré l'importance du phénomène du sourire comme base essentielle des relations humaines naissantes. Il a aussi tracé le portrait de l'importance des soins prodigués aux bébés pour l'intégrité de leur santé physique, psychique, intellectuelle et sociale, ainsi que les conséquences désastreuses du placement en institution. Spitz est à l'origine des premières descriptions d'hospitalisme : les bébés coupés de leur mère protestent d'abord, puis se découragent dans les jours qui vont suivre, enfin n'attendent plus son retour et basculent dans des comportements autonomes. Ils regardent dans le vide, se balancent, mâchonnent. J'en suis certain, vous avez déjà vu ces bébés de l'abandon extrême, sinon comme moi dans l'exercice de ma profession, du moins dans des reportages à la télévision.

Depuis peu, les recherches basées sur la méthode scientifique et, en particulier, les neurosciences reconnaissent comme vrai ce que la psychologie de l'attachement révèle depuis des années. Grâce à cette « cartographie » permise par l'imagerie scientifique, nous pouvons maintenant observer « in vivo » le fonctionnement du cerveau en étroite connexion avec l'environnement et ainsi donner du corps aux théories psychologiques. Il y a des neurones derrière les troubles d'apprentissage, de la chimie dans les alentours du suicide. Bowlby a eu du génie donc, non seulement parce que sa théorie a encore toute son importance, mais parce que sa formidable intuition devait trouver un substrat anatomique concret une cinquantaine d'années plus tard. Parler de « théorie de l'attachement » est donc un peu faible. L'attachement a ses bases neurophysiologiques. L'attachement, il se concrétise dans le cerveau, à l'étage du milieu et à mesure que l'enfant grandit, il s'actualise finalement dans le cortex, à l'étage du haut.

Allan Schore, peut-être le plus brillant des neuroscientifiques de la planète et auteur de livres étonnants parus durant « la décade du cerveau » soutient, avec d'autres auteurs, que l'interaction précoce du parent avec l'enfant est responsable de la maturation complète du cerveau droit où se bâtissent les premiers élagages et cablâges neuronaux. À la manière des scientifiques « nouvelle cuvée », Schore a donc osé faire le lien interdisciplinaire entre la psychologie, la sociologie et l'anatomie microscopique du cerveau. Parce qu'il s'est intéressé tout particulièrement aux structures cérébrales qui gèrent la vie émotionnelle, on a dit de lui qu'il était « *the American Bowlby* ».

Je vous rappelle que notre système limbique possède des fonctions connues de régulation des émotions ainsi qu'une charge développementale d'élaboration des compétences. Ces fonctions régulatrices ou exécutrices sont directement en relation avec des fonctions plus évoluées de notre cortex cérébral. Elles se développent dès les premières semaines de la vie, à l'étage du milieu du cerveau droit. Du côté du cœur, mais dans le cerveau, c'est bien cela ; ce n'est qu'avec le temps que notre cerveau s'affairera plus avec sa partie gauche, notamment quand il sera question de développer le langage dans le cortex. Parmi les nombreuses structures limbiques en construction en sandwich entre les fonctions vitales et les fonctions nobles de la pensée, se trouvent une région appelée hippocampe, comme le poisson, une autre appelée amygdale cérébrale, comme les amygdales de la gorge, et une autre encore faisant partie du cortex préfrontal du cerveau, près des orbites. Toutes ces zones cérébrales – et bien d'autres sur lesquelles nous passerons – appartiennent au système limbique. Toutes sont le propre des mammifères. Toutes sont instincts et aptitudes et contribuent à l'intégrité du modèle opérant interne.

Dans l'hippocampe se développe la capacité de mémoriser les choses, la mémoire dite épisodique, celle qui nous permet de raconter notre journée en rentrant du travail et la mémoire contextuelle qui permet de réaliser une quantité de choses sans même qu'on s'en aperçoive – s'asseoir sur une chaise, par exemple, parce qu'on s'apprête à souper. Grâce à d'autres structures limbiques auxquelles il est relié, l'hippocampe consolide notre mémoire à long terme.

Dans l'amygdale cérébrale, juste à côté, et un peu au-dessus de l'hippocampe auquel elle est interconnectée, se développe notre sens du décodage des émotions et de la détection du danger. La fameuse alarme du *fight, flight or freeze*, est située dans cette portion de notre système limbique. On lui doit nos réactions normales ou exagérées face à l'adversité et aux stress de la vie : « je me bats », « je me tasse » ou « je fige sur place ». L'hippocampe participe à la mémoire en quelque sorte, mais c'est l'amygdale qui est responsable de déclencher l'action qui semble appropriée à la souvenance.

Dans le cortex préfrontal, sur l'avant du cerveau par rapport à l'hippocampe et aux amygdales, se développe d'autre part l'attention sélective, la mémoire à court terme, par exemple celle qui permet de se souvenir d'un numéro de téléphone et également l'habileté à anticiper les choses, à voir venir.

C'est donc grâce à son hippocampe qu'un bébé se souviendra d'avoir eu faim ou d'avoir été brassé par un beau-père qu'il ne connaissait pas. « L'hippocampe est ainsi particulièrement sensible à l'encodage du contexte associé à une expérience aversive », nous apprennent les neurosciences. C'est l'hippocampe qui fait en sorte que non seulement un stimulus peut devenir une source de peur conditionnée, mais également les objets, la situation ou le lieu où se trouve le déclencheur. Le modèle opérant conceptualisé par Bowlby se situerait en partie là, avec les connexions aux structures adjacentes du système limbique. Mais c'est par l'entremise complémentaire de son amygdale, et ses liens privilégiés avec l'hippocampe ou d'autres structures plus raffinées du cerveau que le cœur du bébé peut se mettre à battre très fort et le rendre inconsolable, malgré les bercements et le réconfort du lait chaud.

Vous remarquez que tout cela n'a pas eu besoin d'atteindre la conscience de l'étage supérieur pour se déclencher. Un traumatisme précoce pourra donc perturber les fonctions mentales et comportementales par des mécanismes inaccessibles à la conscience. L'hippocampe est encore immature lorsque l'amygdale, « avide » de contact social, est déjà capable de réagir. Nous sommes ici dans un cerveau limbique qui s'exprime sans la pensée, la parole ou la culture. On le dit « prélangagier ». Comme si les photographies du monde qu'il détenait étaient secrètes. Le mammifère en chaque bébé emmagasine ainsi des réflexes qui serviront face à l'environnement qui s'offre et s'offrira à lui. Un comportement de poupon blessé persistera ainsi dans l'album de photos confidentielles d'un vieillard, même septuagénaire.

« En l'absence de stimulation sociale ou en présence de stress que confèrent toutes les formes d'abus », écrivent mes collègues Gloria Jéliu et Dominique Cousineau, « on assiste à une désorganisation des circuits neurono-limbiques par mort neuronale, perte de synapses ou au contraire, par création de connexions aberrantes et par invasions de cellules anormales (...) Dans des circonstances cliniques de privations sensorielles et sociales importantes, les dysfonctions du système d'attachement conduisent à une forme de cécité sociale qui rend le sujet inapte non seulement à capter, identifier, répondre de façon adaptée aux stimuli sociaux normaux, mais également à se souvenir des visages, des lieux comme si le noyau amygdalien, le noyau septal et l'hippocampe avaient subi des dommages irréparables. »

Des nourrissons trop rapidement exposés à des structures de garde bruyantes, à quatre ou six mois par exemple, se retrouvent ainsi dans des environnements trop provocants pour l'épanouissement de leur amygdale cérébrale. À court ou à long terme, la conséquence risque d'être l'insécurité, petite, moyenne ou extrême en raison d'un dérèglement des mécanismes activateurs en croissance.

Heureusement, les premiers mois à la maison sont plutôt sans histoire triste pour la majorité des enfants. Dans la douceur et le contentement, le papa, la maman, la grand-maman ou la gardienne y prennent soin de donner au nourrisson un appétit pour le monde, la maman aux commandes, les autres à sa suite. Avec le père, les échanges sont plus espacés, moins longs, de nature différente en fait. « La mère va privilégier les regards, les échanges de vocalisation, le toucher plus caressant », écrit Gloria Jéliu. « Par contre le père va préférer des échanges plus musclés, plus vestibulokinesthésiques, favorisant les déplacements dans l'espace, les chatouilles plus intenses que d'ailleurs les bébés apprécient beaucoup, témoignant du caractère différentiel et complémentaire de ces modes d'interaction parentale. »

Entre trois et huit mois, la synchronie entre la figure maternelle et l'enfant devient le cadre incontournable de référence du bébé, une véritable plateforme qui lui permet de s'engager dans des processus plus complexes. Grâce à cette rampe de lancement, l'enfant devient capable de discriminer les personnes, de faire la différence entre les unes et les autres. Son cerveau animal se construit, son cortex cérébral prolonge graduellement la mesure. L'enfant apprend à « faire ses nuits », à s'alimenter à heures plus régulières. Ses acquis ont déjà quelque chose de l'ordre de l'anticipation, de l'apprentissage et du contrôle. Lui proposer trop de déplacement affectif à cet âge, chez la gardienne ou une éducatrice un jour, le grand-parent l'autre, risque de perturber ses repas ou son sommeil.

On assiste de nos jours à des changements intempestifs de préparations lactées pour nourrisson sous prétexte que le bébé régurgite ici ou vomit là. La plupart de ces changements inutiles sont attribuables à des déplacements trop fréquents des enfants de la figure maternelle à des adultes substituts. « La valse des laits », ainsi que l'appellent certains de mes confrères, engraisse les fournisseurs et dégraisse les liens de sécurité que l'enfant tente de tisser avec ses parents. Mon confrère, le psychiatre et éducateur Michel Lemay écrit à propos de cette période que « la présence d'adultes stables, sécurisants, capables de projeter sur le petit être humain des désirs cohérents et respectueux de son identité naissante permet d'inscrire l'enfant dans un lieu où les personnes, les objets, l'espace, les séquences temporelles ont une fonction structurante. »

À travers une parentalité de qualité, marquée par la différence et la complémentarité des rôles, l'enfant en vient à s'attacher à sa mère et à son père. Au fur et à mesure qu'il réalise l'amour qu'il leur inspire, il développe la confiance en lui-même, ce qui l'incite à s'ouvrir encore davantage au monde des objets et des personnes. Des parents suffisamment présents, follement amoureux de leur bébé et mutuellement engagés à l'égard de son développement contribuent sérieusement à rendre l'enfant heureux de vivre, courageux dans l'épreuve, soucieux des autres et de l'éthique. Autrement, les enfants réagissent avec méfiance et s'enferment dans leur monde.

C'est d'ailleurs pour cela que les enfants aux parents insuffisamment présents ne regardent pas dans les yeux ; ils n'arrivent pas à trouver chez l'autre de quoi conforter leur amygdale cérébrale. Les fameuses réactions de lutte (*fight*), de fuite (*flight*) ou d'anxiété (*freeze*) progressent en harmonie avec l'environnement auquel est exposé l'enfant. Par exemple, s'il entend un bruit ou un son inhabituel, l'enfant engagé auprès d'adultes sécurisants ne sera pas anormalement terrorisé. Il réagira, mais pas exagérément. Il cherchera au besoin la sécurité affective de son parent pour se perdre dans sa fourrure ou un quelconque équivalent animal, le cou tiède de son papa, par exemple. Autrement, il se trouvera envahi par une réponse anormale de ses mécanismes de survie donnant lieu à de l'anxiété, de la rage ou de la terreur. Promise à la gérance de la vie sociale, l'amygdale cérébrale ne se développera normalement que si elle est exposée à une stimulation complexe, perceptuelle et émotive, interactive et sociale, comme une maman ou un papa à demeure. En l'absence de maman, ou face à des ruptures trop prolongées des équivalents maternels, l'amygdale s'emballe et menace la pérennité de l'être, pour longtemps ou pour toujours. L'amygdale, par ses liens connexes avec d'autres structures limbiques comme l'hippocampe, est en quelque sorte le levier de notre mémoire affective, la photographie de notre monde intérieur.

À l'aube de ses huit mois, on peut dire que l'enfant du bonheur est attaché à notre monde, pourvu qu'on ait pris soin de lui en présenter les meilleurs clichés. Son modèle opérant interne, dont on peut dorénavant faire une lecture neuroscientifique, a accompagné une partie de sa maturation cérébrale des images positives ou négatives qu'il aura reçues du petit univers qui l'entoure : les visages de maman, de papa, de sa grande sœur, la petite mouffette en peluche (n'est-ce pas, Léa ?), le hochet qui fait un bruit étonnant, les contrastes dans le petit livre en plastique, le goût des purées de carottes, l'amour du bain, le plaisir de retrouver une couche sèche autant que la joie d'une promenade. La photo des parents apparaît à chaque page de son album de famille. Cela conforte son amygdale cérébrale, le protège des effets néfastes des excès de cortisol.

Dans les mois qui vont suivre, à mesure que l'enfant intensifiera sa relation d'attachement à sa figure maternelle, la photo des proches finira par éclipser toutes les autres photos de l'album de famille. Dans la tête du bébé, il n'y aura alors de place que pour quatre ou cinq personnes, sa figure maternelle en tout premier, généralement celle de sa maman. Contrairement à ce qu'on entend dire, l'apothéose de la relation de confiance entre un enfant et son parent ne doit pas être vue comme une contrainte ultime pour l'adulte. L'attachement ravivé à la fin de la première année de vie est plutôt un kaléidoscope d'images sécurisantes, une mise en réserve d'instantanés amoureux, la deuxième partie d'une trilogie de la survie qui annonce déjà la troisième : la séparation. Sans attachement préalable, il n'y pas de séparation possible.

Vous photographiez un bateau au large par exemple : croyez-vous vraiment qu'il se retrouve à l'horizon impunément ? Qu'il n'a pas de port d'attache ? S'il vogue vers l'horizon, c'est qu'il est parti de bon port. Chaque cargaison a son embarcadère.

C'est comme la maman de Christophe Colomb : ce devait être une mère à laquelle le petit Christophe était très attaché pour qu'elle lui permette autant d'audaces et d'aventures.

Bibliographie

Bee, H. *Psychologie du développement.* Paris, De Boeck Université, 1997.

Belsky, J. *The "Effects" of infant day care reconsidered. Early Childhood Research Quarterly* 1988, vol. 3, p. 235-272.

Bowlby, J. *Attachment and Loss.* Vol. 1: *Attachment.* New York, Basic Books. *Attachement et perte.* Vol.1 : *L'attachement,* 1re éd. Paris, PUF, 1978.

Bowlby, J. *Developmental psychiatry comes of age. American Journal of Psychiatry* 1988, 145(1), p. 1-10.

Bowlby, J. *Soins maternels et santé mentale. Cahiers de l'O.M.S.,* Genève, 1954.

Bowlby, J. *Les effets sur le comportement d'une rupture des liens affectifs. Hygiène mentale du Canada,* 1969, nº 59, p. 1-13.

Bowlby, J. *Attachment and Loss.* Vol. 2: *Separation.* New York, Basic Books. *Attachement et perte.* Vol. 2: *Séparation, angoisse et colère,* 1re éd. Paris, PUF, 1978.

Bowlby, J. *Attachment theory, separation anxiety and mourning,* dans Arieta, S. (dir.). *American Handbook of Psychiatry.* New York, Basic Books, 1975.

Carrol, R. *Interview with Allan Schore, The Psychotherapist,* automne, 2001.

Cassidy, J. *The nature of the child's ties,* dans Cassidy, J. et Shaver, P.R. (dir.). *Handbook of Attachment,* New York, Guilford, 1999.

Chicoine, J.-F. et Lemieux, J. *Les troubles de l'attachement en adoption internationale. Journal des professionnels de l'enfance*, France, 2006.

Chicoine, J.-F., Sulmoni, M., Hallet, F. et Marinopoulos, S. *Méta-analyse interdisciplinaire sur l'attachement : approche psycho pédiatrique familiale à des fins cliniques et éducatives*. Société de pédiatrie internationale, Canada/Québec, Suisse, Belgique, France, 2006.

Grossmann, K. et Grossmann, K.E. *L'impact de l'attachement du jeune enfant à la mère et au père sur le développement psychosocial des enfants jusqu'au début de l'âge adulte*, dans Tremblay, R.E., Barr, R.G. et Peters, RDeV. (dir.). *Encyclopédie sur le développement des jeunes enfants* (sur Internet). Montréal, Québec, Centre d'excellence pour le développement des jeunes enfants, 2005, p. 1-7. Disponible sur le site : *http : //www.excellence-jeunesenfants.ca/document/grossmannFRxp.pdf*

Hallet, F. *L'attachement*. PETALES Belgique, mars 2003.

Isabella, R., Belsky, J. et VonEye, A. *Origins of infant-mother attachments : An examination of interactional synchrony during the infant's first year. Developmental Psychology* 1989, 25, 1, p. 12-21.

Jéliu, G. et Cousineau, D. *Le cerveau et l'amour maternel. Prisme* 2003 n° 40, p. 118-125.

Jéliu, G. *Écologie et développement de l'enfant*. Éditions de l'hôpital Sainte-Justine, 1984.

Le Camus, J. *Attachement et détachement. Enfance* 1992, tome 46, n° 4, p. 201 à 212.

Lemay, M. *J'ai mal à ma mère : Approche thérapeutique du carencé relationnel*. Paris, Éd. Fleurus, 1993.

Montagner, H. *L'attachement, des liens pour grandir plus libre*. Paris, l'Harmattan, 2003.

Noël, L. *Je m'attache, nous nous attachons. Sciences et culture*, Montréal, 2003.

O'Connor, T.G. et Zeanah, C.H. *Current perspectives on attachment disorders : Rejoinder and synthesis. Attachment and Human Development*, 2003, 5, p. 321-326.

Pierre Humbert, B. *Le premier lien, théorie de l'attachement*. Paris, Éditions Odile Jacob, 2003.

Schore, A.N. *Effects of a secure attachment on right brain development, affect regulation, and infant mental health. Infant Mental Health Journal* 2001, 22, p. 7-67.

Schore, A.N. *Affect Regulation and the Origin of the Self : The Neurobiology of Emotional Development*. Hillsdale, NJ, Lawrence Earlbaum Associates, 1996.

Schore, A.N. *The experience-dependent maturation of a regulatory system in the orbital prefrontal cortex and the origin of developmental psychopathology, Development and Psychopathology*, 8, p. 59-87, 1996.

Schore, A.N. *Early organization of the nonlinear right brain and development of a predisposition to psychiatric disorders, Development and Psychopathology*, 9, p. 595-631, 1997.

Stern, D. *Journal d'un bébé.* Paris, Calmann-Lévy, 1992.

Stern, D. *La constellation maternelle.* Paris, Calmann-Lévy, 1995.

Stern, D., Hofer, L., Hoft, W. et Dore, J. *Affect attunements : the sharing of feeling states between mother and infant by means of inter-modal fluency*, dans Field, T. et Fox, N. (dir.). *Social Perception in Infants*, Norwood, N.J. Ablex, 1985, p. 67-90.

Sulmoni, M. *Les troubles de l'attachement : les comprendre, les repérer... les dépasser.* Mémoire présenté à l'école d'études sociales et pédagogiques de Lausanne, en Suisse, en septembre 2002.

Thompson, R. *The legacy of early attachment. Child Development* 2000, 71, p. 145-152.

Verrier, N. *L'enfant adopté : Comprendre la blessure primitive.* Traduction de Françoise Hallet, Éditions De Boeck Université, 2004.

La famille cochon

Les bonnes mères et la garde non maternelle

Jean-François Chicoine

La maman a de l'avance sur tous les autres adultes susceptibles de compter pour l'enfant. Le fœtus apprend à la connaître dès sa vie utérine : la mère, dont il dépend alors totalement, le façonne, comme on pétrit de la pâte à modeler. Sa voix, le son d'une clochette, la lumière du plafond sur son ventre globuleux, une soirée bien épicée, tout cela, la maman porteuse de sens le transmet au fœtus. Lui s'éveille, réagit, se retourne, avale. Une sensation le titille après l'autre et devient perception pour contribuer ainsi à l'intégrité de ses organes en construction. Le tabac, le bruit, les solvants, l'acide folique, les pesticides, l'alcool, la marijuana, le calcium vont influer positivement ou négativement sur sa journée – « journée », comme dans *journey* en anglais, journée pour périple. Vous souvenez-vous de ces journées en vrac, ressentez-vous jusqu'à quel point votre maman est encore de votre périple ?

Observez l'échographiste qui sonde : au septième mois, le corps du fœtus s'arrondit, il ouvre les yeux. Il est là, sa mère le voit sur l'écran, elle le sent en elle. Il la sent, il l'entend la voir sur l'écran. Elle et lui se reconnaissent, du moins on se croise les doigts pour qu'ils se reconnaissent. Le sens le plus primitif et le plus rapidement développé étant le toucher, plusieurs spécialistes des limbes abordent ces questions d'origine comme une intelligence de la peau fœtale. C'est par l'intermédiaire de sa peau que le fœtus est amené à ressentir. C'est par le passage des sens à travers la peau que les différentes zones sensorielles du cerveau commencent à communiquer entre elles pour assurer les fondements du système nerveux. La grossesse est bien faite : elle prépare le fœtus à vivre en continuité avec la vie extra-utérine, au grand air. « À l'air libre », comme l'écrit si justement Sophie Marinopoulos.

Après la naissance, un système nerveux normal cherche donc à prolonger la fusion sensorielle qu'il a déjà établie avec la mère pendant les neuf mois passés dans son ventre, ou à défaut, avec une figure maternante qui ressemble à sa mère. Cette phase symbiotique entre le nouveau-né et les soins maternants est la base nécessaire pour développer une sécurité affective, puis une conscience de soi. Il faut se rappeler que l'image qu'un enfant acquiert de lui-même est le reflet du désir de l'autre. Sans ce passage interactif fondamental, la vie heureuse n'est pas possible. Laissé à lui seul ou à quiconque qui ne serait pas à la hauteur, privé de rapports de proximité, de réconfort comme de continuité, l'enfant devient incapable de se construire une vision articulée du monde. Il est alors à risque de psychopathologies, plus ou moins sévères. L'humanitude s'accomplit en lui, mais dans la sous-exploitation.

Dès ses premiers mois, le bébé et sa maman vont passer par des niveaux d'apprentissage mutuel qui ont une importance vitale pour les deux. Dans les premières semaines, nous apprend Brazelton, la maman apprend comment aider le nouveau-né à maintenir un état alerte. Elle est la mieux placée sur la planète pour le faire, mieux que le papa, il ne faut pas avoir de mal à l'admettre. L'enfant écoute, suit des yeux, ébauche des sourires. La maturation de son cerveau se poursuit ainsi afin de lui permettre d'apprendre à vivre dans cet univers inconnu, fait de sons, de lumières, de mouvements, de sensations tactiles, de goûts et d'odeurs. Tous les sens sont appelés à l'interpeller. Il vous suffit d'observer une maman qui allaite pour vous en rendre compte : le bébé blotti dans le sein et qui concurremment la regarde, c'est la meilleure illustration qu'on peut donner de cette fusion quasi intemporelle.

« Prenons un bébé qui pendant les 10 premiers jours de sa vie est pris en charge par une mère ou par une nourrice qui s'en occupe très bien, qui est très sensible », propose Daniel Stern à qui on doit, pour mieux représenter la finesse de la dynamique mère-enfant, le curieux mot d'« accordage », accordage comme dans s'accorder. « Après 10 jours, on change de personne pour s'occuper de cet enfant, de puéricultrice, elle est tout aussi efficace, tout aussi sensible. Mais dès que l'on change de puéricultrice, le cycle de réveil et de sommeil sera perturbé pendant 2 ou 3 jours, tout simplement parce que dès l'âge de 10 jours, l'enfant sait véritablement quelles sont les manifestations intimes de communication de cette puéricultrice, de cette nourrice avec lui. Il connaît par exemple la voix, l'odeur, le *timing*, les cadres chronologiques de sa mère. Donc il est parfaitement au courant de cela, et il y réagit très très fort dès son 10e jour. »

Masser bébé sur la plante des pieds – pas le chatouiller, car il n'aime pas ça – en fait, exercer de petites pressions solides sous ses pieds et dans la paume de ses mains, le bercer, lui parler, modifier sa voix selon les expressions de l'enfant, capter son regard encore furtif sont des rituels qui contribuent à structurer son monde interne et externe. Plus tard, l'enfant devenu adulte décodera les sons, les voix, les images en fonction de l'intégrité de ces premiers moments. Pour le psychologue danois Rygaard, la mère, ou un solide équivalent, est un filtre, comme un garde-fou contre le monde : « Elle inhibe les impressions sensorielles trop violentes et fournit une stimulation externe si l'environnement est trop morne, évitant ainsi la carence sensorielle. » Guidé par l'adulte dont il dépend encore totalement, l'enfant assimile graduellement à travers sa perception du monde la manière de se tranquilliser ou de stimuler son esprit d'exploration, ce qui a pour effet d'équilibrer sa vie émotionnelle. Autrement, les enfants privés de sons hurleraient au passage d'un camion. Autrement, les enfants privés de mouvement hésiteraient à s'amuser sur une balançoire. C'est ce qu'ils font d'ailleurs, j'en rencontre chaque semaine à ma Clinique de santé internationale au CHU Sainte-Justine.

Entre trois et huit semaines, le bébé profite activement de son état d'éveil pour produire des sourires et des vocalises auxquels l'adulte répond. La préférence de l'enfant tout juste né pour les visages humains lui confère une capacité particulière d'influencer la relation avec l'adulte. On pourrait dire que son chant est celui d'une sirène à laquelle le marin répond. Vous avez été témoin de ce continuum dans vos familles : plus ce processus est régulier et prévisible, plus il semble satisfaisant pour les parents et plus le lien qui les unit à l'enfant s'en trouve consolidé. D'abord, le lien naturel avec la maman, ensuite celui avec le papa dont la présence prend à son tour de plus en plus d'importance autour de la sixième semaine. Ce passage du premier mois au deuxième est décrit par Freud comme la rupture de la coquille d'un œuf. Si la comparaison ne rend pas justice aux compétences neurologiques du bébé naissant, elle montre combien la relation interactive qui s'inscrit après les premières semaines est déjà plus nourrissante pour toutes les parties à table. On pourrait dire que la mère frappe sur la coquille pour que l'œuf l'engloutisse.

Puis, entre 8 et 16 semaines, les vocalises et les sourires se font séries de jeux interactifs qui sont autant d'occasions pour l'enfant d'apprendre le rythme et la réciprocité. Papa et maman sont à même d'en profiter. En mesurant à cet âge la température de la peau des bébés, un chercheur japonais, Keiko Mizukami, a observé qu'elle baisse quand le bébé est stressé, notamment quand la mère quitte la pièce et encore plus quand un étranger la remplace auprès de lui. C'est vous dire à quel point la symbiose nouveau-né et maman est alchimie : deux thermomètres, mais une même colonne de mercure.

C'est autour du quatrième mois de vie que l'ensemble du système affectif du bébé va finalement vivre une sorte d'éclosion qui permet au nourrisson d'aller voir au-delà d'une relation rapprochée avec l'objet premier d'amour. L'enfant s'empare alors, et graduellement, du monde. Vous êtes en mesure d'estimer l'affermissement consécutif du lien avec sa maman et son papa. C'est qu'après les pleurs, les coliques, les trémulations et ce chaos intérieur qui paraissait parfois impénétrable, il y a les rires, les réactions et les mimiques en réaction à un environnement plus élargi dont aucun parent ne devrait être privé de l'avènement. De l'émergence de la lucidité : comment s'en priver? Les sourires de sa mère : comment ne pas s'y retrouver? Le regard de son père : n'est-ce pas lui tout craché?

L'enfant est un sujet éclairant. Son identité naissante repose sur la qualité de ses relations à deux et à trois avec ses parents. Se construire soi en s'attachant progressivement à l'autre, n'est pas une affaire de *load and go :* « Lui je l'aime, lui moins, lui pas du tout. » Développer une image positive du monde pour pouvoir à la fois le dominer et le respecter, pour courir après sa chance sans nuire au potentiel des autres, suppose une dynamique de tous les instants. Les spécialistes parlent de psychodynamique, d'un mouvement cybernétique en quelque sorte, qui va se consigner dans la substance cérébrale du bébé en croissance.

Imaginez l'enfant qui a faim, qui a soif, qui a mouillé sa couche, qui a froid, qui a peur ou qui a mal. Imaginez comme il est heureux quand on décode bien ses pleurs : « Ha, il doit avoir faim, alors je lui offre à manger », ou encore « On dirait qu'il va régurgiter, je vais mieux le soutenir ». L'enfant s'attend à ce qu'on réagisse avec rapidité et chaleur humaine à l'expression de son besoin. L'enfant s'attend à ce qu'on fasse preuve de cohérence à son égard, autrement dit, on ne le rhabille pas sans avoir préalablement changé sa couche alourdie de pipi, on ne lui donne pas un biberon quand il a froid. L'enfant s'attend à une réponse prévisible. Par exemple, il s'est retrouvé sur sa table à langer, il a pu reconnaître l'*after-shave* de son père. Imaginez combien l'enfant qui a droit à des interventions solides et chaleureuses acquiert de l'appétit pour le monde.

Notre travail, comme pédiatre – c'est aussi la tâche des infirmières visiteuses et des sages-femmes – est d'accompagner les parents dans les premiers mois de la vie de leur enfant, de leur faire voir dès le départ les extraordinaires compétences sensorielles, motrices et d'organisation neurologique de leur petit. Vous conviendrez avec moi que c'est un travail qu'on ne fait pas suffisamment. Des milliers de relations parents-enfants approfondies échappent ainsi, impunément allais-je écrire, à nos sociétés. La familiarisation avec le corps de leurs bébés, le simple fait de leur dire que leur enfant ne demande qu'à interagir permet de faire passer les parents anxieux, démunis, ou déjà ailleurs à un exercice plus avisé de leurs compétences parentales. Sans leur dire quoi faire, contrairement à ce que tentent de leur imposer des services de santé trop infantilisants ou bien des magazines de services à la mode, le soignant renseigne, informe et facilite l'intérêt des nouveaux parents et leur mouvement naturel à l'égard de leur nourrisson. Il est facilitateur en quelque sorte. Il apparaît ainsi moins formateur de dire à des parents « Parlez-lui lors du changement de couche » que « Il est particulièrement disposé à vous entendre lors du changement de couche ». Maudite civilisation de conseils ! Quand comprendra-t-on que les conseils ne peuvent pas se substituer à une écoute et un transfert de connaissances au jour le jour ? Le rôle essentiel de la prévention est discuté par tout le monde mais pratiqué par personne, ou presque.

D'une visite à l'autre, le parent accompagné par des professionnels est conduit vers une compréhension plus intime et plus exacte de la réalité de l'enfant. Le père tout particulièrement, loin de ses chums de billard ou de ses confrères de bureau, y trouve une occasion « non moumoune » de laisser aller son ouverture parentale, sans risque d'être importuné.

Traditionnellement, le père agit en continuité avec la mère. Son bonheur est celui de la mère et celui du bébé. À mesure que l'enfant s'éveille, il le promène, le rassure, le change de couche, le dévore, en commençant par les pieds. Il n'y a pas chez l'homme de montée laiteuse, et le sein n'est pas pour lui une source naturelle de satisfaction. Le papa porte plus haut l'enfant que la maman et le place contre la face latérale de son cou. Avec les semaines, son rôle devient primordial dans le développement des relations avec bébé, car il est le mieux placé pour empêcher que s'instaure une relation possessive entre la mère et l'enfant. Ce type d'illusion maternelle, qu'on retrouve allégrement en monoparentalité ou chez les mamans anxieuses, paralyse toute forme de développement chez l'enfant. C'est de la folie !

Quelques enfants de militaires se retrouvent au sein de ma clientèle. Quelle vie pour leurs femmes restées à la baraque ! (Et quelle baraque !) Un luxe de circonstance et la perspective d'une bonne pension valent-ils le sacrifice des premiers sourires ? Imaginez le papa en exercice qui se roule dans le sable le jour où le bébé commence à rouler sur lui-même. L'enfant à la guerre, disait Prévert.

Si, d'un commun accord, la maman et le papa ont décidé que le papa servirait de mère, le bébé perd un peu au change. Il est déjà fondu à sa mère, en connaît les allées et venues sensorielles. Il reconnaît sa voix, mais pas encore la voix de son papa. Ça viendra. Il faudra bien un jour qu'il connaisse autre chose que sa mère, mais c'est idéalement encore trop tôt pour crever sa bulle. Au stade des premières semaines, son objet d'amour et lui ne sont pas différenciés : sa mère, c'est lui ; lui, c'est sa mère. Meilleure est la symbiose, moins il y a de stress possible. Moins il y a de stress, plus le bébé peut se concentrer sur son développement et s'adonner à l'interaction nécessaire pour mieux percevoir le monde, chaque jour offrant de plus en plus de perspectives.

Mon Charles adoré, âgé de quatre ans, me demande pourquoi c'est sa maman qui allaite toujours sa petite sœur. C'est une bonne occasion de détailler un peu les rapports hommes-femmes, les possibilités de l'un, les limitations de l'autre, et vice-versa. Je réponds d'abord par un mini-exposé anatomique sur les canaux lactifères auquel il feint de s'intéresser. Il sait que son *mononcle* peut être un peu plate : c'est d'ailleurs ce qui l'amuse : « Yaya, c'est plate ! » Mon histoire improvisée de petits cochons semble mieux l'interpeller :

« Il était une fois un pays où les mamans cochons s'occupaient des bébés filles cochons et les papas cochons des bébés garçons cochons. Les bébés filles cochons buvaient le lait de leurs mamans et les bébés garçons cochons buvaient la bière de leurs papas. » Charles fait « Yark ! ». Mon histoire improvisée a l'air de lui plaire : il voit qu'elle n'a aucun sens. Comme quoi un pédiatre est toujours mieux de s'en tenir à la lactation.

Le nouveau-né materné par son père ne sera pas allaité, ou pas pour bien longtemps. S'il était de petit poids à la naissance, s'il est né prématurément, s'il a déjà été hospitalisé ou s'il n'a pas la capacité organique de bien communiquer, bref, s'il a déjà vécu assez de stress, dont la cigarette pendant les mois de grossesse, la maman fera généralement beaucoup mieux que le père pour assumer la continuité du processus naturel d'identification. Elle est déjà inscrite au programme. L'océan mère, dit mon confrère, le psychiatre Michel Lemay. Moins vous faites de vagues, meilleur est votre voyage...

Autrement, le père disponible, enveloppant et communicant s'en sortira probablement bien. Son rôle peut dépasser celui des interactions particulières. De plus en plus de pères « modernes » donnent d'ailleurs dans des fonctions néonatales. Des recherches futures sont souhaitables pour mieux documenter l'impact relativement nouveau de ce jeu de rôle dont certains éléments génériques sont convenus (p. ex : le bébé a besoin de...) et d'autres, beaucoup moins (p. ex : de mordre le mamelon).

Le rôle du père maternant est néanmoins une avenue à considérer, aucun doute là-dessus. À l'instar de plusieurs chercheurs du monde des femmes au travail, au Québec, Thérèse Gouin-Décarie s'est intéressée aux interactions de l'enfant avec ses tout premiers environnements. Les tenants de ce réseau social précoce rejettent a priori le concept étroit d'une famille fonctionnant selon les modalités de type nucléaire et ont donné par le fait même une place prépondérante au père. Pour ces chercheurs, les interactions différenciées de l'enfant s'élaborent en interdépendance avec leur mère, mais elles ne sont pas nécessairement consécutives à cette relation à deux, ni entièrement déterminées par elle. Ces hypothèses s'intéressent moins à la sécurité affective des enfants, mais nous indiquent qu'une figure autre que la maman, à condition d'être gratifiante, peut participer à la construction identitaire de l'enfant.

Comment faire pour aider le papa à assurer un univers sensoriel qui ne soit pas trop dépaysant ? Écouter, sans varier, la même musique que sa femme quand elle était enceinte ? Apprendre les mêmes chansons, les mêmes berceuses de nourrice ? Consacrer biologiquement l'universalité de Céline Dion ?

Advenant une hospitalisation, un retour au travail de la maman ou une quelconque indisponibilité de sa part, la responsabilité du père en équivalence est d'assurer une figure stable, constante, prévisible et permanente auprès du nouveau-né. Son rôle structurant est de regarder bébé dans les yeux. De lui sourire. De le bercer. De lui parler. De faire silence avec lui. De se laisser guider par lui. De le contenir dans ses gros bras. De le changer si sa couche est mouillée. De le nourrir s'il hurle de faim. De le couvrir s'il a froid. De l'organiser sensoriellement s'il se déstructure et pleure de douleur. Son devoir, comme celui d'une mère, est d'assurer la constance, la pertinence, la régularité. Son devoir, comme tendent à le montrer certaines études, est de prévenir, autant qu'une mère sinon d'une manière parfaitement masculine, les anxiétés du bébé.

À mesure que les mois passent, il peut se faire le « camarade de guerre de l'enfant », écrit Bernard Golse en citant S. C. Feinstein, « en le protégeant de l'impact de la mère archaïque et en s'intégrant ainsi à l'ensemble du système de pare-excitation ». Le pare-excitation, c'est la capacité de protéger contre l'adversité, comme un pare-chocs pour une automobile.

Dès la naissance, la maman et le papa, à travers un processus dynamique de tous les instants, sont donc appelés à nourrir le territoire des souvenirs. Chaque seconde tisse un nouveau chapitre que la seconde suivante sera appelée, non pas à reproduire, mais à reconstruire. Ce que John Bowlby appelle « le modèle opérant interne », le psychologue Frédéric Bartlett, un autre Britannique, le nomme « remémoration », en anglais *remembering*, précisant ainsi la dynamique du processus. « La remémoration n'équivaut pas à la ré-excitation d'innombrables traces immuables, inanimées et fragmentaires », écrit le neurologue anglais (décidément !) Oliver Sacks. La remémoration, souligne-t-il, « consiste au contraire en une reconstruction ou une construction imaginative qui établit une relation entre une attitude qui nous est inspirée par toute une masse de réactions passées activement organisées, et de tel ou tel détail à peine remarquable qui se manifeste en général sous la forme d'une image ou d'un mot ». Toute perception est une création, et tout souvenir, une re-création aux assises cérébrales.

Pas plus qu'il n'est humainement acceptable que les parents ne soient pas mis en mémoire de manière privilégiée, il n'est pas scientifiquement correct de croire que les intervenants qui participent aux soins de l'enfant ne sont pas mis en mémoire. Politiciens, société civile, parents et nourrices participent tous activement à une remémoration de tous les instants. Chaque bon coup, chaque incartade devient donc influx neurologique, matière à émotions, matière à cognition, matière à se mouvoir librement avec soi et avec les autres.

À défaut d'une disponibilité du père ou de la mère dans les cinq premiers mois de sa vie, le bébé confié à une grand-mère trouve peut-être une bonne conformité au niveau des soins maternels, mais perd ainsi confiance en ses parents. Peut-être pour toujours. C'est la grand-mère qui devient alors l'objet de son premier amour. C'est une formule de misère, moins pour le bébé et sa grand-maman maternante que pour sa maman qui ne trouvera pas ainsi l'occasion de s'imprégner. Plusieurs travailleuses des premiers mois ont souvent exprimé leur désarroi sur la question, leur sentiment de dépossession. Elles risquent d'ailleurs d'être des mamans moins attachées à leur nourrisson parvenu à l'âge d'un an.

Aux États-Unis, les enfants qui reçoivent dès leur jeune âge des soins grands-parentaux ont des parents décédés, drogués, prostitués, incarcérés, psychiatrisés, chômeurs, sidéens ou abuseurs. On évalue là-bas à six millions le nombre de grands-parents vivant avec leurs petits-enfants. Là, comme dans d'autres pays du G-8, les enfants ont parfois des parents qui travaillent, c'est tout. Ce n'est pas une maladie. Soit ces parents n'ont pas la sécurité d'emploi, soit la mère est à la tête de sa propre entreprise. Le père a peut-être un contrat à l'étranger qui tombe quasiment le jour de la naissance, ou peut-être n'ont-ils aucune protection sociale. Ou alors le bébé n'était pas au programme et il a fallu programmer sa périnatalité.

L'expérience transculturelle nous renseigne cependant sur la sous-utilisation des grands-parents dans l'évolution de notre tradition de garde occidentale des enfants en bas âge. Les grands-parents semblent particulièrement équipés pour servir de pare-chocs devant les difficultés de l'existence. Dans plusieurs communautés, notamment chez les Afro-Américains, les Hispaniques et les Chinois, les grands-parents ont encore une fonction familiale liante et des responsabilités de garde dans la petite enfance. Leur rôle dans la deuxième et la troisième année de vie dépasse largement celui des pourvoyeurs d'amour sans limites ou de l'inscription identitaire dans une lignée généalogique. Pourvu que leur santé le leur permette, qu'ils ne soient pas fermés à la discipline et que leurs limites structurantes soient compatibles avec celles que les parents ont instituées, certaines grands-mères peuvent avoir un rôle salvateur, au-delà des premiers mois de l'enfant et facilement jusqu'à ses trois ans, le temps d'assurer la pérennité des bases affectives.

Niels Peter Rygaard s'insurge aussi sur cette question : « Les grands-parents ont disparu du voisinage, emmenant avec eux toute leur connaissance traditionnelle et agaçante sur la façon de faire face aux naissances incessantes, aux maladies infantiles et à la bonne cuisine, laissant derrière eux leur progéniture effarée devenir parents du mieux qu'ils le pouvaient. Les consultants pour bébés et d'autres substituts les ont remplacés. » Les grands-parents, pourvu qu'ils n'y soient pas astreints et qu'ils y trouvent une occasion de valoriser leur existence, peuvent donc avoir en matière de garde une utilité que la recherche sociale future permettra de mieux cerner. Comment voir dans leurs techniques disciplinaires autre chose qu'un terrain de mésentente avec les parents ? Comment leur éviter d'y sacrifier leurs projets et leur santé ? Comment permettre l'épanchement de leur amour débordant dans le respect des nécessités structurantes éducatives ?

Nonobstant les participations paternelles ou grands-parentales, l'État et ses programmes d'assistance aux mères sont d'un apport essentiel. Des organismes communautaires, quelques programmes de prévention et de soutien à la parentalité émergente existent. Tant d'écoles de parents sont à bâtir. Nos investissements québécois en matière de santé battent des records, ceux pour la famille viennent loin derrière. Et pourtant, les problèmes et défis de santé des tout-petits sont majoritairement des histoires de mamans, de papas, de gardiennage et de scolarité. Les problèmes d'hypertension et d'hypercholestérolémie ne leur sont pas étrangers, mais les bébés ont, à moins d'être malades, encore un peu de temps avant d'être plongés dedans.

Comment se fondre à un enfant qui braille, qui pisse, qui sourit de manière réflexe ? Les compétences neurologiques qui permettent l'éveil des sens décrits plus haut sont fascinantes, mais elles ne sont pas palpitantes pour les maternités tièdes et fragiles. Il existe une véritable réciprocité affective dans les relations d'une mère avec son enfant au cours des quatre premiers mois de la vie, mais la rythmicité qu'elle suppose est faite de silences, de sourires, de vocalises et de petits signaux intérieurs faciles à négliger. Une fois le bébé changé des centaines de fois de couche, baigné des dizaines de fois dans son bain ou endimanché, au moins à l'occasion de son baptême, des parents, et beaucoup plus qu'on ne le dit ou ne le pense, n'arriveront plus à croire que ce qu'ils font est exceptionnel.

« Qu'est-ce qui se passe avec le loup, ajoute Charles, est-ce qu'il mange les mamans cochons ? » Encore une fois, il faut s'en sortir. Encore une fois, je risque de m'enfoncer. « Non, que je lui réponds, les papas cochons empêchent le loup de manger les mamans cochons pour qu'elles continuent de donner du lait aux petits cochons. Ce sont les bébés filles cochons et les bébés garçons cochons qui dévorent les mamans cochons. Ils aiment tellement leur maman qu'ils veulent la manger. » Le petit me regarde, perplexe. Raté. Décidément, le pédiatre que je suis devrait se contenter de la pédiatrie : d'où vient cette manie de vouloir partager tout ce qui me passe par la tête ?

De ma mère, faut croire, que je me la *remémorise*?

Bibliographie

Anzieu, D. *Le Moi-Peau.* Paris, Bordas, 1985.

Brazelton, T.B. et Greenspan, S.I. *The Irreducible Needs of Children.* Perseus Publishing, 2000. Traduction française, *Ce qu'un enfant doit avoir.* Stoch /Laurence Pernoud, 2001.

Gouin-Décarie, T. *Au-delà de la dyade mère enfant,* dans *Le développement de l'enfant et l'engagement professionnel des mères.* Éditions STH, collection « Les Grands Colloques », sous la direction du Dr Julien Cohen-Solal, Paris, 1992, 212 pages.

Jéliu, G. *L'environnement psychosocial : évaluation de la relation parents-enfants.* Université de Montréal, 1984.

Kataoka-Yahiro, M. *et al. Grandparent caregiving role in ethnically diverse families. Journal of Pediatric Nursing,* vol. 19, nº 5, octobre 2004.

Kontos, S. J. *Child care quality, family background, and children's development. Early Childhood Research Quarterly* 1991, 6, p. 249-262.

Lebovici, S. *L'Arbre de vie. Éléments de psychopathologie du bébé,* Toulouse, Érès/Sarfilm, 1998. Cité par Marinopoulos, S. *Dans l'intime des mères.* Paris, Fayard, 2005.

Marinopoulos, *De l'une à l'autre : de la grossesse à l'abandon,* Révigny, *Hommes et perspectives,* 1997.

Marinopoulos, S. *Dans l'intime des mères.* Paris, Fayard, 2005.

Rygaard, N. P. *L'enfant abandonné.* Traduction française de Françoise Hallet, Belgique, De Boeck, 2005.

Sacks, O. *Un anthropologue sur Mars.* Paris, Le Seuil, 1996.

Sulmoni, M. *Les troubles de l'attachement : les comprendre, les repérer... les dépasser.* Mémoire présenté à l'école d'études sociales et pédagogiques de Lausanne en Suisse, en septembre 2002.

Le Robin des gardes

Les enfants à risque et la garde éducative

Jean-François Chicoine

Les primitifs fabriquent peu d'ordre par leur culture. Nous les appelons aujourd'hui des peuples sous-développés. Mais ils fabriquent très peu d'entropie dans leur société. En gros ces sociétés sont égalitaires, de type mécanique, régies par la règle d'unanimité (...) Au contraire, les civilisés fabriquent beaucoup d'ordre dans leur culture, comme le montrent le machinisme et les grandes œuvres de la civilisation, mais ils fabriquent aussi beaucoup d'entropie dans leur société : conflits sociaux, luttes politiques, toutes choses contre lesquelles nous avons vu que les primitifs se prémunissent, de façon peut-être plus consciente et systématique que nous ne l'aurions supposé.

Claude Lévi-Strauss, anthropologue

Combien d'enfants négligés, abandonnés, carencés, dépourvus ? Au bout du compte, ils auront été des milliards à être ignorés ou à l'être dans un futur élargi, et à peine quelques centaines de milliers d'autres à être considérés. Nos enfants en font partie, en général, certainement pas en totalité. Un discours sur l'enfance n'est pas un discours sur la pauvreté, mais un discours sur l'enfance ne tient pas sans références aux enfants pauvres.

Si l'abus, le mépris ou l'abandon existent dans toutes les couches des sociétés, c'est bien la marginalisation financière qui va engendrer et aggraver toutes ces mises à l'écart, notamment sur le plan de la santé physique des enfants, de leur développement, de leur estime de soi, de leur scolarité et des manifestations racistes et sexistes à leur égard. À l'instar de la plupart des sociétés industrialisées, le Québec n'est pas amnistié. Pourquoi le serait-il au fait ? Au nom de quel principe, du confort ou de l'indifférence, aurions-nous été épargnés ?

Peu importe les beaux discours des chefs d'État, les contributions relatives des services publics et du monde des affaires, nonobstant les fondations philanthropiques, les chèques en bois des donateurs, les plans d'attaque et les prétendues stratégies d'action, la première discrimination à l'origine du mal qui s'attaque encore aux enfants est la discrimination économique de leurs familles, la différenciation par l'argent. Incidemment, et à sa mesure, la problématique des garderies n'échappe pas à la loi du marché. S'il en allait autrement, les garderies ne seraient plus un enjeu politique.

Aux États-Unis, il y a des services de garde qui s'envolent pour 30 000 dollars par année, ce qui laisse peu d'espace de manœuvre aux parents de l'Idaho qui, à deux salaires combinés, rêvent à peine de cette somme pour le quotidien du dodo, des bottes d'hiver et des achats de pommes de terre au supermarché. Au chapitre de la faisabilité, la conjoncture des familles québécoises n'a donc aucune commune mesure avec la garde à la républicaine.

Collectivement, nous avons bâti des solutions d'assistance et d'éducation à la petite enfance qui sont autant de privilèges qu'une société relativement bien nantie et démocratique est en mesure d'offrir à ses familles citoyennes. Le réseau de nos services de garde est en quelque sorte devenu le fer de lance de femmes et de décideurs partageant une vision progressiste de la famille, un véritable « fleuron » de la nation, pour reprendre leur expression consacrée. Mais un fleuron peut-il se targuer de l'être quand sa qualité, sa disponibilité et sa flexibilité sont lourdement questionnées ?

Rome ne s'est pas bâtie en un jour, mais à notre fleuron manquent toujours trop d'ornements dont, plus que d'autres, les enfants pauvres pâtissent, chroniquement. Dans un souci d'équité, et pour éviter de stigmatiser certaines familles, nous avons marchandé le coût de la place en garderie sans nous préoccuper suffisamment de la qualité, de la priorisation et de la disponibilité des installations. Plus que d'autres, les enfants pauvres en ont souffert. Et ils en souffrent encore.

Entre le document du groupe de travail « Un Québec fou de ses enfants », qui expliquait clairement pourquoi certaines populations d'enfants méritaient, non pas des services de gardiennage, mais bien des services éducatifs compétents, et l'actuel discours insipide du ministère de la Famille, qui confond toujours la garde avec l'éducation, il s'est écoulé une décennie de tergiversations consuméristes. Augmenter le nombre de places, diminuer le coût des places, pourquoi si rarement s'inquiéter de la qualité des places ?

Pourquoi avoir développé un réseau de service sans investissement massif dans le salaire et la formation des éducatrices ? Sans s'assurer que les installations soient impeccables comme des sous neufs ? Comment avoir laissé faire cela ? En se disant qu'avec le temps, la qualité des offres de service s'améliorerait d'office, comme des fleurs dont l'éclosion est à prévoir au printemps ? Combien de générations perdues nous faudra-t-il encore condamner ?

En élaborant sa politique familiale en 1997, le gouvernement du Québec visait d'abord à améliorer les services offerts aux enfants. Depuis lors, notre incapacité crasse à faire dans l'excellence a déjà été confirmée par trois études sérieuses sur la qualité des services de garde québécois. Toutes ont jugé globalement la qualité de nos services comme passable, « ben correct », comme qui dirait. On prendra le temps d'y revenir. Des mentions de convenance ont enfoncé le clou et confirmé ce dont on se doutait déjà, à savoir qu'il y avait des services de moindre qualité pour les pauvres ; que les enfants des familles démunies se retrouvaient dans des environnements moins chaleureux et moins compétents que ceux des milieux plus fortunés ; qu'il y avait donc des occasions plus manquées que d'autres de donner du souffle à des enfants. Dites-moi, il doit bien exister un mot de fonctionnaire pour décrire cela : l'apparentement ? Apparenter le pauvre avec le pauvre...

Personne n'a lu ses classiques de pédiatrie qui disent qu'un bébé nourri d'ordinaire aura toutes les chances de ne reproduire que de l'ordinaire ? Tout le monde s'en fout ou quoi ? Nous mettons collectivement des enfances fragiles dans des milieux fragilisants et nous trouvons le moyen d'appeler ça un fleuron ?

« D'autres recherches sont nécessaires, mais la majorité des études laissent entrevoir qu'un milieu préscolaire de qualité aurait un impact positif encore plus marqué chez les enfants de familles défavorisées. » La définition d'un service de haute qualité reste à préciser, mais on s'entendra pour souligner qu'il faut pour claironner un « personnel bien formé et éduqué, un faible nombre d'enfants par adulte, un faible roulement de personnel, de bons salaires et un leadership efficace », souligne avec raison L. Warwick dans le bulletin du Centre d'excellence pour les jeunes enfants.

Aucune recherche, ici ou ailleurs, ne démontre que les enfants normalement favorisés sont mieux préparés à l'école ou à la vie en fréquentant une garderie avant d'avoir leurs deux ans. Au contraire, les services de garde présentent pour eux des risques accrus sur lesquels nous allons plus loin nous étendre. Mais autant je suis et serai toujours ferme pour défendre que la garde non parentale n'est donc pas la meilleure solution pour la plupart des enfants de moins de 18 à 24 mois, selon leurs conditions respectives, autant je suis et serai toujours ferme pour défendre des services à la parentalité en difficulté et des accès favorisés à des structures éducationnelles pour les enfants des milieux chaotiques ou dont le besoin de santé affective ou intellectuelle doit être encadré. C'est à partir de leurs expériences précoces et de leurs relations soutenues que les enfants développent, ou non, la capacité de faire confiance aux autres et de grandir à travers eux. Ces services de garde collectifs, de gratuité universelle ou à coût accessible à la majorité, sont par ailleurs des avenues impensables sans la qualité. Garder n'est pas éduquer, c'est indiscutable. Garder c'est protéger, donner de l'amour, éventuellement de la confiance. Éduquer pendant la petite enfance, c'est faire tout ce qui précède à la puissance dix, pour renchérir ou pour pallier ; le faire 6 à 12 heures par jour, dans la continuité et le professionnalisme, c'est aussi discipliner, anticiper, prévenir et stimuler, avec des bases théoriques et pratiques ravivées en l'absence temporaire de parents. Qu'est-ce qui explique donc que pour un ministère de la Famille, la différence ne soit toujours pas claire ?

Écoutez bien cela : tout ce que l'on sait du bénéfice à faire intervenir une éducatrice dans la vie des enfants en difficulté tient d'une part à la protection qu'elle procure, mais surtout aux occasions d'apprentissages qu'elle offre sur un plateau d'amour et de compréhension. Autrement, ces enfants ne trouvent aucun bénéfice dans une garde non parentale. Leurs familles n'ont pas besoin de gardiennage, elles ont besoin d'un continuum à leur parentalité : les parents ne font pas que garder, ils assistent à toutes les étapes de l'émergence développementale de l'enfant, interviennent, soutiennent, applaudissent, encadrent, enfin ils élaguent et ils câblent.

Beaucoup de familles démunies s'occupent fort bien de leur progéniture et n'ont nullement besoin d'un service de garde, dont ils ne pensent parfois que du mal. Malgré des difficultés à mettre du beurre sur leur pain, s'occuper de leurs enfants est pour eux une valeur profonde qu'ils partagent d'ailleurs avec l'universel.

Le fait d'être pauvre entraîne ou explique néanmoins plus de précarité en matière de soins à la petite enfance. À la radio, je tentais un jour de faire comprendre que, comparativement à une famille où les deux parents travaillent, des parents fragilisés par le chômage devraient avoir un accès favorisé à nos installations de garde pour leur famille. Que l'éducation des enfants devait avoir priorité sur le gardiennage. Qu'une société qui n'avait pas les sous, les infrastructures et les effectifs professionnels pour éduquer ses enfants les plus à risque devait sérieusement remettre en cause son privilège d'envoyer l'ensemble de ses enfants à la garderie.

La majorité des travaux de recherche portant sur les installations de garde confirment à quel point les meilleures d'entre elles arrivent à protéger, sinon à favoriser le développement cognitif, langagier et affectif des enfants de familles désavantagées ou issues de milieux émotivement difficiles. Les enfants de parents qui vivent dans des situations de précarité avec des réseaux insuffisants sont connus pour être à risque du syndrome du bébé secoué. Un soir ou une nuit où ils en ont assez, les parents en viennent à « brasser » le bébé, abîmant ainsi irrémédiablement ses structures cérébrales fragiles ou le tuant, carrément. Pour ces enfants précarisés ou issus de la négligence familiale, un service de garde de qualité est également associé à des compétences accrues en lecture, en vocabulaire ou en mathématiques. Les enfants de parents stressés ou dépressifs ont moins tendance à pratiquer des jeux stimulants. Afin d'expliquer les performances majorées des enfants encadrés par des éducatrices, des travaux ont pu détailler que les services de garde se faisaient principalement stimulants pour les fonctions d'attention et de motivation nécessaires aux apprentissages ultérieurs. Autrement dit, les bonnes garderies apprennent à mieux apprendre à ceux qui auraient été privés d'un continuum d'occasions humaines ou pédagogiques privilégiées.

Les relations avec les pairs s'en trouvant modifiées, plusieurs études ont également indiqué que les garderies pouvaient prévenir l'agressivité ou les attitudes asociales des enfants laissés pour compte ou au tempérament difficile. En effet, les enfants qui ont une relation inadéquate avec la mère et qui ont fréquenté la garderie manifestent moins de retrait social lorsqu'ils entrent à la maternelle et en première année que ceux qui n'ont pas eu d'expérience de garde. Dans ce cas, la garderie joue un rôle, on pourrait dire, un tant soit peu compensatoire, de protection de l'enfant contre les stress excessifs de sa trop jeune existence.

Je vous rappelle que si les événements de la vie du nourrisson ou de l'enfant ont été traumatisants – en passant, on dit nourrisson jusqu'à un an –, l'enfant engrange des sources d'anxiété qui seront ravivées ensuite pendant toute sa vie. Si au contraire sa vie est nourrissante, son système de défense se développe sainement et il cultive une confiance en lui et envers les autres. Son amygdale cérébrale sursaute aux véritables dangers absolus, pas à des situations quotidiennes qu'il décoderait comme dangereuses. Quand l'encodage des premiers moments de l'hippocampe et des amygdales se fait dans la détresse, la négligence et la souffrance, les réactions de l'enfant et de l'adulte qu'il deviendra se présentent sous un mode déréglé. Ainsi naissent l'anxiété, chez l'enfant qui trop se fige, la dépression, chez l'enfant qui trop se tasse et la rage, chez l'enfant qui trop se bat. Ses compétences sont également atteintes. Ainsi naissent les difficultés d'attention, de motivation et de mémoire.

Les enfants des milieux pauvres vivent en moyenne plus d'inconsistance dans la garde parentale et moins d'occasions stimulantes que les enfants des classes moyenne ou bien nantie. Souvent leurs mamans sont célibataires, peu scolarisées ou peu entourées. Leur maisonnée carbure allégrement aux maladies physiques, à la détresse émotive, parfois aux conditions de négligence. Une infirmière visiteuse ou une auxiliaire familiale s'imposent pour soutenir les parents et chercher ce qu'il y a de meilleur en eux. Une éducatrice s'avère également incontournable pour protéger et réhabiliter pendant qu'il en est encore temps la structure limbique en émergence de leurs enfants.

L'éducatrice formée, payée et compétente est en quelque sorte la bonne fée de l'hippocampe de l'enfant trop peu regardé par sa mère ou trop laissé à lui même par sa famille. Si sa présence est soutenue, l'enfant grâce à elle améliorera d'abord ses fonctions de mémoire. S'il a toujours affaire à la même éducatrice, s'il peut lui confier sa survie, l'enfant en arrivera aussi à mieux réguler ses émotions et ses peurs et à mieux assurer la santé de ses amygdales cérébrales. Ainsi, l'éducatrice devient également la bonne fée de ses humeurs.

En exerçant le regard du tout-petit avec un livre, en apprenant à l'enfant à y chercher des objets, à y reconnaître des couleurs, en cultivant l'interactivité, l'éducatrice permet également à son petit protégé de mieux développer son cortex préfrontal droit, donc à exercer sa motivation et son attention qui siège par là. Du coup, plus un enfant se trouve défavorisé intellectuellement, plus il profite de cette relation privilégiée avec un adulte pareillement attentionné. À cinq ou six ans, la différence est si manifeste que les chercheurs ont été capables de démontrer que les enfants des milieux à risque entrés en garderie avant d'avoir un an lisaient en général beaucoup mieux que leurs congénères arrivés quelques années plus tard. La quantité ainsi que la richesse lexicale de leur langage étaient parallèlement reliées et leurs mots pour le dire dans la continuité que vous imaginez. L'éducatrice se faisant partout salvatrice, il n'y a donc aucune raison humaine ou scientifique de la restreindre à un rôle de gardienne. Et pourtant, comment se fait-il qu'il en soit autrement derrière le vernis progressiste du Québec?

Peu importe la pensée dominante de circonstance – de gauche, de *gogauche*, socialisante ou de droite –, quand les idéaux d'adulte demeurent dans la sphère théorique, les enfants se retrouvent chroniquement devant une assiette à demi pleine. Une morale ambiante n'est pas une valeur appliquée. C'est une chose de souhaiter un réseau « par amour des enfants », c'en est une autre que d'en assurer la ventilation « par action préventive pour les enfants ».

Tout le bien que peut faire une éducatrice à un enfant en difficulté doit se faire avant qu'il ait deux ou trois ans. Après, la plupart des structures limbiques ont déjà fait un bout de chemin. L'hippocampe cesse de croître vers deux ans. Les amygdales poursuivent un peu leur croissance dans l'année qui suit. Seul le cortex préfrontal continue de croître jusqu'à 20 à 24 ans, question de nous donner un peu d'espoir pour la récupération de quelques fonctions. En l'absence d'intervention éducative, l'élagage et le câblage se font donc de travers.

Aux côtés de centaines d'échéanciers destinés à panser l'existence des enfants pauvres perdus, délaissés ou à risque, il fallait donc des politiques et des décideurs pour mettre en place des programmes de garde non parentale dans le but de protéger et coéduquer ces enfants dans la continuité de leurs familles. Il aurait donc fallu leur réserver une priorité de places à la carte. Combien de places « à sept piasses » ont été subtilisées à des familles pauvres en faveur de couples travailleurs ?

Nos gouvernements ont de la difficulté à boucler les finances de la santé, de l'éducation, des services sociaux. Peut-être ne sommes-nous pas assez riches pour faire garder et éduquer tous les enfants du territoire pour sept dollars par jour ? Au lieu de tous les faire garder, d'être incapables de protéger l'éducation des plus à risque et de fragiliser du coup la vie de ceux dont les parents auraient pu faire autrement, nous aurions dû étouffer le spectre de la prétendue culpabilité parentale pour brandir celui de la responsabilisation sociétale.

La culpabilité des femmes n'a donc pas sa raison d'être, la cause des enfants est une responsabilité à partager. Si les femmes aiment leur travail, elles en tirent un bénéfice qui pourrait bien être à l'avantage de leur rejeton retrouvé après la journée hors du domicile. « Il ne faut pas opposer les mères qui travaillent aux mères qui ne travaillent pas dans notre société occidentale », déclarait un jour dans des termes apparentés le psychanalyste français Serge Lebovici. « Il faut opposer les mères qui ont un travail régénérateur, un travail où elles peuvent s'insérer, s'investir, développer leur carrière aux mères qui sont forcées de travailler, ou qui travaillent dans des conditions misérables. »

Oh ! l'étrange démocratie de la garde non parentale ! C'est finalement toujours une question de souffrance, de souffrance d'adulte à prioriser contre une souffrance d'enfants à tasser sous le tapis. Si quelques ministres, quelques éditorialistes, quelques féministes et quelques autres avaient accepté de souffrir, des milliers de petits Québécois se porteraient déjà mieux parce qu'ils seraient et gardés et éduqués. En toute humilité, c'est mon avis de pédiatre. Indécrottable.

Bibliographie

Baugnet, L. *L'identité sociale.* Paris, Dunod, 1998.

Caughy, M., Di Pietro, J. et Strobino, D. *Day-care participation as a protective factor in the cognitive development of low-income children. Child Development* 1994, 65, p. 457-471.

Charbonnier, G. *Entretiens avec Claude Lévi-Strauss.* Paris, Plon/Julliard, 1961, dans Deliège, R. *Introduction à l'anthropologie structurale : Lévi-Strauss aujourd'hui.* Paris, Éditions du Seuil, 2001.

Cloutier *et al. La spécificité de l'organisation des services de garde en milieu défavorisé.* Sainte-Foy, Université Laval, Centre de recherche sur les services communautaires, 1994, dans Institut de la statistique du Québec. *Enquête québécoise sur la qualité des services de garde éducatifs*, Québec, 2004.

Fox N.A. *et al. Continuity and discontinuity of behavioural inhibition and exuberance : Psychophysiological and behavioural influences across the first four years of life. Child Development* 2001, 72, p. 1-21.

Gicquel, J.-B. *Discriminations.* Enfance et familles d'adoption, Accueil n° 1, France, février 1998.

Howes, C. *et al. Thresholds of quality : Implications for social-development of children in center-based child care. Child Development* 2001, 72 (5), p. 1534-1553.

Howes, C. *L'impact des services à la petite enfance sur les jeunes enfants (0-2 ans)*, dans Tremblay, R.E., Barr, R.G. et Peters, RDeV. (dir.). *Encyclopédie sur le développement des jeunes enfants.* Montréal, Québec, Centre d'excellence pour le développement des jeunes enfants, 2004-1-4. Disponible sur leur site Internet, juillet 2005.

Knitzer, J. *Interventions visant à promouvoir le développement social et émotif sain des enfants de familles à faibles revenus*, dans Tremblay, R.E., Barr, R.G. et Peters, RDeV. (dir.). *Encyclopédie sur le développement des jeunes enfants* (sur Internet). Montréal, Québec, Centre d'excellence pour le développement des jeunes enfants, 2003, p. 1-6. Disponible sur le site : *http : //www.excellence-jeunesenfants.ca/documents/KnitzerFRxp.pdf*

Lupien, S. *Le stress chez l'enfant : Aspects psycho-endocriniens.* Centre d'études sur le stress humain, Hôpital Douglas, Université McGill, Montréal, 2005.

National Institute of Child Health and Human Development Early Child Care Research Network. *Early child care and self-control, compliance, and problem behaviour at twenty-four and thirty-six months. Child Development* 1998, 69, p. 1145-1170.

National Institute of Child Health and Human Development Early Child Care Research Network. *The relation of child care to cognitive and language development. Child Development* 2000 b, 71, p. 960-980.

National Institute of Child Health and Human Development Early Child Care Research Network. *Does quality of child care affect child outcome at age 4? Developmental Psychology* 2002, 39, p. 451-469.

National Institute of Child Health and Human Development Early Child Care Research Network. *Does amount of time spent in child care predict socio-emotional adjustment during the transition to kinder-garden? Child Development* 2003, 74, p. 976-1005.

O'Brien-Caughy, M., DiPietro, J. A. et Strobino, D. M. *Day-care participation as a protective factor in the cognitive development of low-income children. Child Development* 1994, 65, p. 457-471.

Sanzone, L. *Congés parentaux et bien-être des parents et des jeunes enfants*, dans Tremblay, R. E., Barr, R. G., et Peters, RDeV. (dir). *Encyclopédie sur le développement des jeunes enfants* (sur Internet). Montréal, Québec, Centre d'excellence pour le développement des jeunes enfants, 2004, p. 1-4. Disponible sur le site : *http : //www.excellence.jeunesenfants.ca/documents/SanzoneFR.pdf*

Toroyan, T., Oakley, A., Laing, G., Roberts, I., Mugfords, M., et Turner, J. *The impact of day care on socially disadvantaged families : An example of the use of process evaluation within a randomized controlled trial. Child Care Health & Development* 2004, 30 (6), p. 698.

Votruba-Drzal, E., Coley, R. L. et Chase-Lansdale, P. L. *Child care and low-income children's development : Direct and moderated effects. Child Development* 2004, 75 (1), p. 296-312.

Warwick, L. *Le meilleur pour les jeunes enfants.* Bulletin du Centre d'excellence pour le développement des jeunes enfants, Québec, Canada, vol. 3, nº 1, mars 2004.

L'EAU
De la mère au père

JEAN-FRANÇOIS CHICOINE
Nathalie, qu'est-ce qu'un bébé doit comprendre du féminisme ?

NATHALIE COLLARD
Je pourrais te répondre par une boutade, mais cette question est trop importante à mes yeux pour la traiter à la légère. Le féminisme reste pour moi une des plus belles idéologies, dans la mesure où une idéologie peut être belle. Une idéologie imparfaite à qui on doit toutefois une société beaucoup plus riche et stimulante qu'il y a 50 ou 100 ans. J'ajouterais que si c'est un bébé fille, et qu'elle naît dans notre monde occidental, elle pourra être reconnaissante à l'endroit de toutes les femmes qui l'ont précédée et qui ont mené des combats difficiles pour accéder à l'égalité entre les sexes. Elle devra les remercier car grâce à elles, ce petit bébé fille pourra grandir, s'épanouir et se réaliser dans un monde qui, sans être parfait, lui offrira presque toutes les mêmes chances qu'aux hommes. Si c'est un petit garçon, il pourra lui aussi remercier ce mouvement qui lui permettra un jour de rencontrer des filles qui lui sont égales, qui n'ont pas peur d'exprimer leur opinion et qui feront des compagnes de vie ô combien stimulantes. Dans les deux cas, je dirais

toutefois à ton bébé, peu importe qu'il soit un garçon ou une fille, que le féminisme ne doit jamais devenir un dogme, qu'il doit pouvoir laisser aux individus la liberté de choisir et de vivre leur vie comme ils l'entendent. C'est primordial.

Crise de choix

Avoir des enfants au Québec

Nathalie Collard

« Ça aurait été ben plus simple si on avait été divisé en deux groupes : ceux qui en veulent à gauche pis ceux qui en veulent pas à droite. »

Fred, personnage interprété par Patrice Robitaille dans le film *Horloge biologique*

Un Ipod nano, *shuffle* ou classique ? Noir ou blanc ? Avec un étui bleu ou vert ? Ma nouvelle paire de jeans maintenant : taille basse, jambes étroites ou taille haute *boot cut* ? J'achète mon lait bio, écrémé, 1 % ou 2 % ? Mon nouvel ordi : Mac ou PC, portable ou pas ? Mon téléphone cellulaire : avec appareil numérique ou écran télé ? Je prends le forfait à la carte ou j'adhère au forfait mensuel ? À moins que j'achète le *blackberry* ? Ou le Tréo ? À quelle école devrais-je envoyer mes enfants ? L'école du quartier ? L'école internationale, l'école option musique ou l'école programme sports-études ? Je les inscris à la natation ou au cours de piano ? Ou les deux ? J'insiste sur la discipline ou la politesse, je stimule leur créativité ou je leur apprends le sens des responsabilités. Tout n'est qu'une question de choix.

Quoi qu'on en pense, la vie n'est pas aussi simple (et simpliste) que ce que nous disent les protagonistes du film *Horloge biologique*. Il n'y a pas d'un côté ceux qui veulent des enfants et de l'autre, ceux qui n'en voudront jamais.

Il y a des hommes et des femmes qui se rencontrent, deviennent amoureux et songent un jour à fonder une famille. Les uns plongent tête première sans trop se poser de questions tandis que les autres se triturent l'organe « engagement » en se demandant s'ils seront en mesure de faire tous les sacrifices qu'implique le fait d'avoir des enfants. Nos parents et nos grands-parents avant eux ne se posaient pas toutes ces questions. Les choix étaient limités.

Aujourd'hui, toutes les possibilités s'offrent à nous. On peut choisir de vivre seul toute sa vie. Ou on peut vivre en couple et décider de ne pas faire d'enfants, ce qui était carrément impensable ou excentrique il y a seulement 50 ans alors qu'un couple sans enfant recevait inévitablement la visite du curé leur reprochant « d'empêcher la famille ».

Au Québec, le taux de natalité est à la baisse. Il l'est d'ailleurs dans la plupart des pays occidentaux. Cela dit, il est faux de croire que les Canadiens ne veulent plus faire d'enfants. Au contraire. En 2001, seulement 7 % des Canadiens de 20 à 34 ans (434 000 personnes) affirmaient ne pas vouloir d'enfants. Et contrairement à la thèse défendue par Ricardo Trogi et ses complices dans *Horloge biologique*, cette opinion était également partagée par les hommes et les femmes (7 % pour les femmes et 8 % pour les hommes).

Parmi ceux qui ne désirent pas avoir d'enfants, certains sont plus militants que d'autres. Il suffit de consulter des sites comme *childfree.net* pour constater que ce refus de fonder une famille devient un acte politique chez certains qui déclarent même la guerre aux mots. En effet, en ouverture du site de l'organisation *childfree*, on explique qu'on a choisi cette expression (libre d'enfants) plutôt que *childless* (sans enfant) qui, dit-on, avait une connotation négative. Or, tient-on à préciser, la vie n'est pas moins riche parce qu'on n'a pas d'enfants.

Donc, la majorité des adultes en âge de se reproduire songent à avoir des enfants. On note qu'ils retardent de plus en plus le moment. Leur carrière, leur situation financière, la stabilité de leur couple sont autant de facteurs qui font réfléchir. Vais-je pouvoir me réaliser sur le plan professionnel même si je ne suis plus en mesure de donner à l'entreprise autant d'heures que mon collègue sans enfant ? Aurons-nous les moyens de bien vivre quand on sait qu'élever un enfant jusqu'à l'âge de 18 ans au Canada coûte en moyenne 150 000 $? Serai-je capable de sacrifier mes soirées de gars, mes activités sportives, mes copines, mes voyages, mes sorties au resto ? Vais-je me retrouver à élever mon enfant seule parce que mon mari m'aura quittée? Est-ce que je risque de voir mon enfant une fin de semaine sur deux parce que ma femme m'aura quitté? Voilà le tourbillon de questions qui assaille bien des jeunes couples lorsqu'ils pensent à repeindre la pièce-bureau en bleu ou en rose.

Dans son enquête visant à définir le désir d'enfants chez les jeunes âgés entre 20 et 34 ans, Statistique Canada a constaté qu'il n'y avait pas de lien entre le fait d'avoir eu une enfance heureuse et celui de désirer fonder une famille. Alors, quel serait le contexte favorable à la natalité?

Quel genre de politique peut-on adopter pour encourager les couples à avoir des enfants? Une allocation à la naissance (bébé-bonus)? Un congé de maternité bonifié? Une réduction d'impôts plus généreuse pour les enfants à charge? Un meilleur service de garderie?

Ces mesures incitatives, plutôt timides, mises de l'avant au Québec et au Canada, ont-elles vraiment stimulé le taux de natalité? En fait, si les bébés-bonus (primes à la naissance) – un programme québécois qui a pris fin en 1997 – ont fait grimper le taux de fécondité de 1,37 en 1986 à 1,66 en 1992, le programme des garderies, lui, n'a eu aucun effet notable. Mais faut-il s'en surprendre puisqu'au fond, cette politique n'est en aucun cas nataliste. Elle permet tout simplement aux femmes de retourner rapidement sur le marché du travail.

« Tu viens d'avoir un bébé, s'est fait dire un ami par son patron à la naissance de son troisième enfant. C'est important, la famille, a ajouté le chef d'entreprise en lui donnant une tape dans le dos. Prends donc deux jours de congé... »

Le choix d'avoir ou pas des enfants dépend de plusieurs choses, Jean-François. Il dépend tout d'abord de la politique familiale dont se dote une société. Et comme je te l'expliquerai un peu plus loin, notre politique familiale n'a pas grand-chose de familial.

Ce choix dépend aussi de nos priorités. Or, en Amérique du Nord, notre priorité c'est le travail, pas la famille, et ce, quoi qu'en disent les sondages. Comme le faisait remarquer le sociologue Jacques Hamel, spécialiste des comportements de la génération X, ces jeunes ont toujours reproché à leurs parents de trop travailler et de ne pas s'occuper suffisamment d'eux. « Mais quand on cherche à cerner les modes de vie de la génération X, les deux parents travaillent aussi! », remarque-t-il. Si les parents aujourd'hui affirment mettre d'abord et avant tout leur famille de l'avant, il y a un paradoxe entre ce qu'ils disent et ce qu'ils font. On peut dire que la famille est importante, mais une fois qu'on a des responsabilités financières, on se défonce dans le travail et ce sont les enfants qui en payent le prix. » Ce choix dépend aussi de nos valeurs et on aura beau nous répéter que la famille est une des valeurs chères aux Québécois, que la famille est une corde sensible, j'ai de la difficulté à y croire. Est-ce parce que notre culture populaire regorge de familles dysfonctionnelles – de *La Petite Vie* aux *Bougon* en passant par toutes les familles imaginées par Victor-Lévy Beaulieu ? Je pense plutôt que nous aimons croire que la famille est importante, mais que notre image de la famille est soit nostalgique, soit idéalisée : en aucun cas elle n'est implantée dans la réalité.

Enfin, ce choix dépend de la place qu'on fait aux enfants et tu avoueras comme moi, Jean-François, qu'au Québec, les enfants sont vus comme une nuisance. On aime les enfants jusqu'au jour où ils dérangent. Or, un rien nous dérange. On aime les enfants à condition qu'ils s'insèrent dans notre vie sans faire de bruit, qu'ils s'intègrent et surtout (mon expression préférée) à condition qu'ils aillent bien. Quand un adulte te dit : « Cet enfant-là, il va bien », tu peux tout de suite traduire cette affirmation par : « Il ne dérange pas. » C'est comme ça qu'on les aime nos enfants. Obéissants.

La plupart des jeunes en âge de fonder une famille disent vouloir des enfants. Ils en auront un, peut-être deux, rarement plus. Pourquoi si peu ?

Parce qu'avoir des enfants dans une société qui les aime si peu, c'est un choix drôlement périlleux.

Bibliographie

Dandurand, Renée-B., Bernier, Léon, Lemieux, Denise et Dulac, Germain. *Le désir d'enfant : Du projet à la réalisation.* Rapport présenté au Conseil québécois de la recherche sociale, Institut québécois de recherche sur la culture, 1994, 377 pages.

Drolet, Marie. *Mariage, maternité et rémunération : Le choix du moment importe-t-il?* Statistique Canada, Division de l'analyse des entreprises et du marché du travail, 2002.

Duxbury, Linda et Higgins, Chris. *Work-Life Balance in the New Millennium : Where Are We? Where Do We Need to Go?* Division de la santé des collectivités, Santé Canada. 2001.

Galipeau, Silvia. « Ces parents de la génération X ». *La Presse,* Actuel, 8 mai 2004. p. 1.

Stobert, Susan et Kemeny, Anna. « Choisir de ne pas avoir d'enfants », *Tendances sociales canadiennes,* n° 69, été 2003, p. 8-12

http ://www.childfree.net

Mères coupables

La culpabilité maternelle et la garde d'enfants

Nathalie Collard

On ne naît pas coupable, on le devient…

Maxime connue

Dès le début, les mères en font trop. Elles quittent leur maison par moins trente, flanquées d'enfants emmitouflés comme des Esquimaux, mais trop préoccupées pour songer à enfiler leur propre manteau. Elles s'interrompent toutes les dix secondes pour moucher un nez ou répondre à une petite voix insistante. Elles font des kilomètres à pied dans le blizzard pour acheter de la peinture. Après quelques années de ce régime, elles se retrouvent fagotées comme des clochardes et se répandent en excuses devant n'importe qui. Car les mères les plus radicalement altruistes, celles qui n'ont pas de satisfactions propres, sont souvent celles qui se sentent les plus coupables et les plus déprimées.

Comment ne pas être une mère parfaite
Libby Purves

« Tu écris un livre sur les garderies ? Ma blonde va encore se sentir coupable », m'a lancé un collègue lorsque je lui ai dit que je préparais ce bouquin. Qu'y a-t-il avec les femmes, la maternité et la culpabilité ? On dirait qu'à la naissance de l'enfant se développe, chez beaucoup d'entre nous, le sentiment que nous ne serons jamais à la hauteur, que nous ne deviendrons jamais de bonnes mères.

Est-ce parce que nous idéalisons nos propres mères ? Ou parce qu'il existe un complot pour nous faire constamment nous sentir inadéquates ?

L'essayiste étasunienne Susan J. Douglas estime que le mythe de la maman parfaite est trop fort dans notre société, qu'il impose des normes inatteignables. J'ai interviewé le professeur Douglas en mars 2004 à la sortie de son livre *The Mommy Myth : The Idealization of Motherhood and How It Has Undermined Women.* « C'est toujours la même chose, affirmait l'auteure à l'époque. Le portrait de la maternité parfaite, joyeuse, sans aucun stress. On ne vous dira jamais que Cindy Crawford a eu des problèmes d'allaitement ou que le petit de Madonna a des coliques qui la tiennent éveillée toute la nuit. De toute façon, ces gens-là ont des *nannies*, des entraîneurs personnels, des cuisiniers... Leur vie est tellement facile, elle n'a rien à voir avec la vie des femmes ordinaires. »

Selon elle et sa coauteure Meredith Michaels, c'est la faute aux médias si les mères se sentent constamment coupables, car ce qu'elles ressentent comme mères correspond rarement au sentiment de félicité décrit dans la plupart des magazines féminins.

Douglas et Michaels estiment d'ailleurs que la propagande ne cesse pas au moment où la femme devient mère : elle se poursuit en même temps que la croissance des enfants. Qu'il s'agisse d'éducation, d'alimentation ou de psychologie de l'enfance, les mamans sont bombardées d'écrits ayant pour objectifs de les conseiller ou de les accompagner...

Aux États-Unis seulement, les deux femmes ont recensé plus de 700 articles et ouvrages consacrés à l'éducation des enfants entre 1980 et 2000 !

« En surface, disent-elles, cette nouvelle religion donne l'impression de célébrer la maternité, mais dans les faits, elle ramène la femme à l'âge de pierre en fixant des objectifs impossibles. Le discours a l'air branché et progressiste parce qu'on dit aux femmes qu'elles sont autonomes et qu'elles maîtrisent la situation, alors que dans les faits, on exige encore plus d'elles que dans les années 50. On puise dans le féminisme, mais en même temps, on le répudie. »

Comment en sommes-nous arrivées là ? Comment se fait-il que les femmes ont réalisé autant d'avancées dans la sphère publique et qu'en même temps, elles soient toujours aussi irréalistes dans les attentes qu'elles entretiennent face à leurs compétences parentales ?

Est-ce parce que, comme l'affirme Susan Douglas, nous avons appliqué notre éthique de travail à l'éducation de nos enfants et que nous ressentons le besoin de réussir dans tout : éducation, psychologie, divertissement, nutrition, etc. ?

J'irais même plus loin – et c'est l'opinion d'un très grand nombre de femmes dans mon entourage – actuellement, on attend des filles et des femmes qu'elles réussissent dans tous les domaines sans exception, que ce soit à l'école, dans leur vie professionnelle ou leur vie personnelle... on exige d'elles qu'elles exercent un contrôle sur leur corps, leurs émotions, leurs pulsions... il ne faut donc pas se surprendre si aujourd'hui, ces mêmes filles aspirent à être des mères parfaites. D'une certaine façon, et même si cette affirmation peut sembler complètement exagérée, il ne peut en être autrement.

En Amérique, la maternité est devenue quelque chose d'oppressant, affirme pour sa part la journaliste américaine Judith Warner, auteure du livre *Perfect Madness : Motherhood in the Age of Anxiety*. Susan Douglas et Meredith Michaels utilisent quant à elles le terme « *the new momism* » pour décrire cette nouvelle religion qui exige des mères un dévouement total, 24 heures sur 24, 7 jours sur 7. Allons-nous nous-mêmes, avec ce livre, nous faire accuser de culpabiliser les mères en mettant de l'avant les théories de l'attachement développées par John Bowlby et Mary Ainsworth ? Nombreuses sont les féministes qui rejettent les théories de l'attachement sous prétexte qu'elles viseraient à convaincre les femmes de quitter le marché du travail pour retourner à leurs fourneaux.

Cette opposition ne date pas d'hier. Au début du siècle dernier, la célèbre anthropologue anglaise Margaret Mead avait contesté les théories de Bowlby en affirmant qu'elles correspondaient en réalité au désir des hommes d'empêcher les femmes de travailler. Elle affirmait en outre qu'un enfant n'avait pas besoin d'une affection exclusivement maternelle. « Lorsque nous considérons les effets de la séparation, disait-elle, ce qu'il faut nous demander c'est quelles sont les conséquences d'une séparation d'avec la ou les personnes dont le nourrisson ou l'enfant a reçu de bons soins, sans égard pour le lien biologique qui, parfois, peut être même un facteur létal. »

Ce à quoi la collaboratrice de John Bowlby, Mary Ainsworth, répondit : « Si le nourrisson humain est par nature monotrope, on peut dire que toute situation qui empêche l'attachement monotropique aura pour effet de dévier le cours normal du développement. » Précisons que c'est Mary Ainsworth qui s'est surtout intéressée à la réponse de la mère au besoin d'amour du nourrisson qu'avait étudié Bowlby.

Ces théories et ce qu'elles sous-tendent – c'est-à-dire un certain sacrifice, un don de soi de la mère et éventuellement du père durant les premières années de la vie d'un enfant – sont-elles compatibles avec les aspirations des femmes à vouloir se réaliser sur les plans personnel et professionnel ? En d'autres mots, la maternité et la paternité telles que nous les décrivons dans ce livre sont-elles contraires ou pas au féminisme et aux aspirations des individus en général ?

Voilà les questions qui me préoccupent depuis la naissance de ma première fille, il y a une dizaine d'années. Comme bien des femmes de ma génération, je me suis toujours sentie tiraillée entre mes convictions féministes et ce que je ressentais au plus profond de moi, c'est-à-dire ce que j'imagine être ce qu'il y a de mieux pour mes enfants. Je dois avouer bien humblement que je n'ai toujours pas trouvé réponse à mes interrogations.

J'ai toujours été féministe car à mes yeux, pour une femme, il ne peut en être autrement. Pour moi, le féminisme se conçoit simplement : c'est avoir pour objectif l'égalité des chances entre les hommes et les femmes. Une féministe, c'est une femme qui refuse de voir sa palette de choix – et celle des autres femmes – rétrécir à cause de son sexe. Être féministe, c'est aussi être une femme libre. Libre de ses choix et des décisions qui guideront sa vie. Je suis féministe et j'ai puisé dans les écrits féministes beaucoup d'idées et un certain cadre de vie qui ont guidé, depuis l'adolescence, mes rapports avec les hommes, ma place dans la société, ma place dans le monde du travail et mon rôle dans la vie publique.

Mais je dois dire que je n'ai jamais entendu ou lu une féministe qui ait su me parler de maternité et répondre à mes angoisses existentielles de mère.

En fait, il me semble que le féminisme n'a jamais abordé la maternité directement. Depuis les années 1960, on a parlé du droit à l'avortement et du droit des femmes à disposer de leur corps. Ensuite, on a décrit la maternité comme une forme d'esclavage liée aux travaux domestiques et à la dépendance financière et juridique envers le conjoint. En fait, à l'exception du mouvement éco-féministe qui parlait de la femme comme d'une terre nourricière (très réaliste merci !), je n'ai pas lu ou entendu de féministes qui abordaient de front la délicate question de la maternité.

Sauf, peut-être, Naomi Wolf, auteure du best-seller mondial *The Beauty Myth*, qui a partagé avec ses lectrices son dur atterrissage sur la planète maman dans *Misconceptions : Truth, Lies and the Unexpected on the Journey to Motherhood*, un livre écrit sur le mode victime dans lequel la jeune femme avoue avoir trouvé son expérience de la maternité tellement difficile que ses convictions féministes s'en sont trouvées ébranlées.

Une thèse qui trouve écho dans le plus récent livre de la romancière française Éliette Abécassis, *Un heureux événement*, roman dans lequel on retrouve, à peine embelli, le long récit d'une dépression post-partum, récit dans lequel la maternité prend des allures de tsunami responsable de la destruction du corps, des capacités intellectuelles et du couple de l'auteure.

Nous voici donc prises entre deux feux : d'un côté, un discours idéalisé qui fait la promotion de la maman-madone complètement dévouée à ses enfants et de l'autre, une thèse plutôt négative sur le prix que les femmes paient lorsqu'elles décident d'avoir des enfants.

Entre les deux, le désert.

Comme le résume si bien Sabine Fortino dans la revue française *Clio*: « L'absence de modèles collectifs alternatifs et de discussion au sein du mouvement féministe a indéniablement pesé sur l'action des mères féministes. Elles-mêmes disent avoir vécu le face à face avec l'enfant dans l'enthousiasme mais surtout dans l'angoisse de mal faire. Confrontées aux multiples défis qu'imposait une éducation nouvelle, elles se sont senties seules, isolées voire abandonnées par un mouvement social qui, par bien d'autres aspects, les accompagnait sur le chemin de leur propre libération. »

En fait, un des livres les plus justes parus au cours des dernières années est un roman plutôt comique intitulé *Je ne sais pas comment elle fait* de la journaliste britannique Allison Pearson.

L'histoire de cette professionnelle du milieu de la finance qui jongle avec sa vie professionnelle, amoureuse et familiale tout en tentant de rivaliser avec le clan des mères à la maison (rebaptisé « Muffia »), est tout simplement hilarante. Rares sont celles qui ne se sont pas reconnues dans ce livre qui décrit si bien le déchirement des femmes qui se sentent coupables au travail, coupables à la maison, coupables au lit. Bref, coupables partout.

Cette thèse est reprise sur un ton plus sérieux dans *Perfect Madness : Motherhood in the Age of Anxiety* de Judith Warner. De retour aux

États-Unis après un séjour de quelques années à Paris où elle a donné naissance à ses deux filles, Warner ne peut s'empêcher de comparer les deux façons de vivre la vie de famille. Elle s'extasie devant la politique familiale française (il faut dire qu'aux États-Unis, il n'y a aucune politique familiale) et se désole de la rivalité qui règne entre les mamans étasuniennes qui vivent leur maternité dans un esprit compétitif complètement épuisant. La famille apprêtée à la sauce capitaliste. L'horreur.

Nous vivons à une époque où nous nous définissons avant tout par le travail, par notre occupation. Et si, pour les hommes, avoir un enfant est encore perçu comme un signe de richesse et de prospérité, pour les femmes, devenir mère est rattaché au danger de disparaître, d'être oubliée, ostracisée.

Une jeune femme qui prend un congé de maternité sent le besoin de rassurer son entourage sur son désir de reprendre le collier au plus vite alors qu'un jeune père qui revendique son congé parental fait encore figure de pionnier, pour ne pas dire de héros.

Sans compter que, comme tu l'as si bien écrit, Jean-François, on s'inquiète davantage de ce que l'on fera du bébé une fois qu'il sera né (a-t-il déjà sa place en garderie?) que des conditions dans lesquelles l'enfant viendra au monde.

Que faudrait-il pour que cette culpabilité s'estompe et pour que les parents – surtout les mères – puissent vivre l'arrivée de leur enfant dans le bonheur, sans une once de culpabilité? À la blague, j'aurais envie de répondre : quelques milliers d'heures de thérapie! Plus sérieusement, il est évident que le soutien de l'entourage ainsi qu'un renforcement positif de la communauté faciliterait beaucoup la tâche des nouveaux parents, en particulier celle des mères. Laissons celles qui désirent rester à la maison vivre leur maternité en paix. Et encourageons les autres, celles qui envisagent de retourner au travail plus tôt, à donner le maximum à leurs enfants sans laisser leur peau en échange. Personnellement, je ne vois pas les théories de l'attachement comme un vaste complot pour nous ramener dans les années 1950. Je ne crois pas que le fait d'affirmer qu'un enfant a besoin d'un lien très étroit avec sa mère, puis avec son père, constitue une menace qui risque de faire reculer le droit des femmes.

J'estime plutôt – et je m'inclus tout à fait dans ce groupe – que l'idée de sacrifice personnel et de don de soi qu'impliquent les théories de l'attachement vont tout à fait à l'encontre de notre individualisme effréné. Je crois qu'un très grand nombre de parents de ma génération – ainsi que la très grande majorité des parents issus de la génération des *baby-boomers* – répugnent à mettre de côté leurs besoins afin d'accorder la priorité à ceux de leurs enfants.

Personne n'a jamais exigé des parents qu'ils se transforment en hyper-parents ultra-performants. Les théories de l'attachement ne sont pas à blâmer pour les dérives de la parentalité, ses excès, ses perversions. Utilisons notre jugement. On ne nous demande pas d'être des mères parfaites. On nous dit seulement que notre enfant a besoin de nous durant les premières années de sa vie. Où est le problème?

Bibliographie

Abécassis, Éliette. *Un heureux événement.* Paris, Albin Michel, 2005, 222 pages.

Douglas, Susan et Michaels, Meredith. *The Mommy Myth : The Idealization of Motherhood and How It Has Undermined Women.* Free Press, 2004.

Fortino, Sabine. *De filles en mères. La seconde vague du féminisme et la maternité.* Revue Clio, n° 5, 1997.

Pearson, Allison. *Je ne sais pas comment elle fait.* Plon, 2002, 414 pages.

Purves, Libby. *Comment ne pas être une mère parfaite ou l'art de se débrouiller pour avoir la paix.* Paris, Éditions Odile Jacob, 1986, 254 pages.

Warner, Judith. *Perfect Madness : Motherhood in the Age of Anxiety.* New York, Riverhead Books, 2005, 327 pages.

Wolf, Naomi. *Misconceptions : Truth, Lies and the Unexpected on the Journey to Motherhood.* Anchor Books, 2001.

Le spectre de Lynette

La mère au travail ou à la maison

Nathalie Collard

Les femmes ne peuvent plus être réduites à une seule fonction. Elles revendiquent le droit d'être mères, amantes, travailleuses. Celles qui s'absentent du travail plus d'un an sont pénalisées. Quand elles cessent de cotiser au régime des rentes, elles s'appauvrissent; les statistiques l'indiquent.

Ariane Émond, une des fondatrices de *La Vie en rose,* dans une entrevue au magazine *L'actualité.*

*Il est inconcevable que la question de la maternité ou de la paternité à la maison soit, encore aujourd'hui, source de honte et de culpabilité. Depuis le XIX*e *siècle, on évalue qu'entre le tiers et les deux tiers du produit intérieur brut provient de l'activité menée en dehors de la sphère professionnelle. Pourtant, la reconnaissance de cet apport social indéniable est loin d'être assurée.*

Louise Vandelac, sociologue

La pire ennemie de la mère qui travaille, c'est la maman à la maison. La seconde critique les choix de la première, la regarde partir en vitesse le matin puis revenir à la course le soir, un sac d'épicerie dans une main, un enfant dans l'autre, un porte-documents entre les dents. La maman à la maison hoche la tête en constatant que c'est grand-maman, et non maman, qui assiste au petit spectacle présenté dans le gymnase de l'école.

Bon d'accord, elle jalouse un peu son beau tailleur et ses mains manucurées.

Mais quand les enfants de sa voisine pètent les plombs, elle fait : « Tss tss tss... pas surprenant, leur mère n'est jamais là... »

La pire ennemie de la maman à la maison, c'est la mère qui travaille. Et qui tente, tant bien que mal, de concilier vie professionnelle et vie familiale.

Elle toise sa voisine d'un regard condescendant, remarque son jean usé, son t-shirt un peu informe. Elle se demande comment cette femme « qui avait pourtant une super job » fait pour passer ses journées « enfermée à la maison à ne rien faire». Elle dissimule une grimace quand elle apprend que c'est encore le fils de la voisine qui a été choisi représentant de classe et qu'il a apporté un plateau de muffins frais confectionnés pour célébrer avec sa classe.

Cette stupide guerre n'a-t-elle pas assez duré?

La mère à la maison est suspecte. Si elle vit dans un milieu aisé, on le lui reprochera, on dira d'elle que c'est une privilégiée qui se fait entretenir par son mari. Si elle est pauvre, on l'accusera d'être paresseuse, de ne pas vouloir se trouver un emploi. Rarement saluera-t-on son dévouement, son abnégation, et le fait qu'elle ait décidé de troquer sa passe d'autobus (ou son trousseau de clés d'auto), son tailleur et ses talons hauts pour une paire de jeans, des séances de bricolage et au moins quelques heures d'ennui profond.

Il y a les femmes qui ont décidé de ne pas travailler (elles sont de moins en moins nombreuses) et il y a celles qui choisissent d'arrêter. C'est le phénomène de « *l'opting out* » – ou départ volontaire – du marché du travail de ces femmes de carrière qui renoncent à la course folle à la réussite et aux promotions pour rester à la maison et s'occuper des enfants. À chaque fois qu'un reportage sur ce phénomène est publié ou diffusé, il ravive un vieux débat sur la notion de choix véritable qui s'offre aux femmes. C'est une question difficile.

En décidant de se retirer, ces femmes font fi de plusieurs décennies de féminisme et font surtout un superbe bras d'honneur à l'épais plafond de verre qui, dans bien des milieux, se trouve encore au-dessus de leur tête. Au lieu de s'échiner à tenter de concilier le travail et la famille (défi quasi impossible à relever de sorte qu'on éprouve de la frustration au travail et en famille), elles mettent leur énergie d'entrepreneure, d'enseignante, d'avocate ou de gestionnaire au service d'une petite entreprise qui ne sera jamais inscrite en Bourse : leur propre famille.

Cette transition ne se fait pas sans heurts. Quand on a grandi avec l'idée qu'on réussirait une carrière, dans un contexte où l'on attend des femmes qu'elles misent avant tout sur leur vie professionnelle, le choix de rester à la maison durant quelques années provoque de grandes remises en question, des doutes et des angoisses.

On ne dira jamais assez que pour les femmes de ma génération, c'est-à-dire celles qui sont nées dans les années 1960, ne pas travailler n'était justement pas une option. Nous avons été élevées dans l'idée que nous allions être autonomes, indépendantes financièrement et que notre épanouissement personnel passerait d'abord par notre réussite professionnelle.

Mon amie Chantal qui a occupé un poste de haute responsabilité dans le domaine de la finance et qui a été élevée par une mère très féministe, m'a raconté que lorsqu'elle a décidé de mettre sa carrière sur la glace quelques années pour être présente auprès de ses deux enfants, sa maman lui a dit : « Notre erreur à nous les femmes de notre génération, c'est que nous avons oublié de dire à nos filles qu'un jour, elles voudraient peut-être des enfants et qu'elles auraient des choix difficiles à faire. »

Difficiles, dites-vous ?

Un sondage CROP réalisé pour *La Presse* (29 janvier 2005) a révélé récemment la grande ambiguïté que provoque chez les femmes ce dilemme déchirant entre l'appel de la maternité à temps plein et celui de la vie professionnelle et son rythme effréné. Les résultats étaient troublants : 70 % des femmes interviewées qui occupaient un emploi auraient souhaité tout abandonner alors que les deux tiers des femmes interviewées qui restaient à la maison auraient aimé avoir un emploi à temps partiel. L'équilibre, on l'aura compris, doit se situer quelque part entre les deux... Chose certaine, les résultats de ce sondage mettent en lumière le peu de flexibilité qu'offre notre société aux mères, et aux parents en général.

Aux États-Unis comme au Canada, quand il est question d'*opting out* ou du retour des femmes au foyer, les féministes crient au gaspillage de ressources ou encore, au lavage de cerveau. Une femme qui choisit de rester à la maison est socialement conditionnée à reproduire les modèles traditionnels de la société patriarcale. Bon, j'exagère, mais à peine. Il est vrai que la montée de la droite chez nos voisins du Sud ainsi que les discours passéistes du Parti conservateur chez nous n'annoncent rien de bon, qu'ils s'appuient sur un vieux fond misogyne qui rêve d'une société où tout le monde serait à sa place, c'est-à-dire les femmes à la maison et les hommes au travail.

Ce n'est surtout pas la société dont je rêve. Ce qui ne m'empêche pas de noter que les féministes ne se sont jamais inquiétées du fait que bien des femmes se sentent aliénées, déchirées lorsqu'elles laissent leur enfant à la garderie le matin, malheureuses de ne pas pouvoir passer plus de temps auprès de leurs enfants.

« Comment ça se passe, la petite à la garderie ? », ai-je demandé l'autre jour à ma voisine qui s'apprêtait à retourner au travail après un congé de maternité d'un an. « La petite va bien. C'est la mère qui trouve ça dur... »

Qu'on ne m'accuse surtout pas de tenir une position antiféministe, je suis féministe et le serai toujours. Je me questionne simplement à propos d'un mouvement qui s'inquiète beaucoup de l'épanouissement professionnel des femmes et trop peu de l'épanouissement des mères parce qu'à leurs yeux, dans le mot mère, il y a aussi le mot piège. Je le rappelle, le phénomène de départ volontaire est marginal, on l'observe dans les classes sociales aisées, comme le dit souvent la sociologue Francine Descarries, professeure et membre de l'Institut de recherches féministes à l'UQAM. Elle martèle toujours, et avec justesse, que le mouvement de la société va dans le sens contraire, ce que confirment les chiffres de Statistique Canada qui nous disent que le taux d'activité des mères d'enfants de moins de six ans est passé de 30,3 % à 73,3 % entre 1976 et 2002. (Source : Statistique Canada et Institut de la statistique du Québec.)

Peux-tu le croire, Jean-François ? En mai 1999, une maman a créé un forum de discussion sur le portail familial *petitmonde.ca*. Le titre de son forum ?

« Peut-on rester à la maison sans honte ? »

Sur ce site, les mamans exprimaient un éventail d'émotions et de réactions auxquelles elles avaient à faire face pour justifier leur choix d'être parent à temps plein.

JACYNTHE
Bien que je sois diplômée universitaire et que j'aie fait mes preuves sur le marché du travail, je n'échappe pas à l'insipide question : c'est pour quand le retour au travail ? Comment ne pas lire : le retour au vrai travail, celui qui contribue à la société, comme si tout autre choix n'était qu'une perte de temps.

LOUISE
Je déplore que nous devions nous autovaloriser tout le temps. Nous n'avons aucune reconnaissance sociale.

CATHY
La société déplore le manque d'encadrement des enfants et lorsqu'une femme décide d'éduquer, d'encadrer et de veiller sur ses enfants, on lui reproche son inactivité.

VALÉRIE
Lorsque l'on me demande ce que je fais dans la vie, je réponds que je suis PDG d'une entreprise multifonctionnelle : infirmière-cuisinière-nettoyeur-éducatrice-psychologue. Ça en bouche un coin à ceux qui voudraient critiquer ce choix ! Personne ne fait autant de métiers que les mamans à la maison.

Et c'est sans compter tous les groupes de discussion qui ont explosé sur Internet au cours des dernières années. Sur ces sites, les mères disent à peu près toutes la même chose : la difficulté d'être maman à la maison dans un univers qui ne les valorise pas, la culpabilité des mères qui travaillent et leur agressivité face à celles qui ont choisi de rester à la maison, les doutes, les questionnements et, au beau milieu de tout cela, la fierté d'offrir à ses enfants un luxe que tous ne peuvent pas se payer : du temps.

Un des grands succès télévisuels de la saison 2004-2005 aura été, au Québec comme aux États-Unis, la série *Desperate Housewives* (*Beautés désespérées*) qui a attiré environ 25 millions de téléspectateurs chaque semaine aux États-Unis et autour de 500 000 au Québec.

Des cinq personnages de femmes dépeints dans cette série, le personnage de Lynette est celui qui illustre le mieux le phénomène de l'*opting out*: femme d'affaires accomplie, Lynette choisit de rester à la maison auprès de ses quatre enfants – des monstres ! – et ce, malgré le fait qu'elle se sente presque toujours inadéquate, qu'elle ne semble pas éprouver beaucoup de plaisir et qu'en outre, la rivalité entre les mères de banlieue semble plus féroce que les guerres de pouvoir qui se jouent à Wall Street.

On pourrait discuter longtemps du point de vue de l'auteure de cette série qui nous présente des personnages de femmes aux prises avec les stéréotypes qu'on leur impose, des femmes à la fois irréelles et terriblement humaines.

Et surtout, imparfaites. Certains critiques étasuniens ont vu dans la série créée par Marc Cherry un plaidoyer en faveur d'une Amérique plus traditionnelle. J'y vois plutôt une caricature décapante de l'Amérique de George Bush fils, le fantasme déformé d'une nation hétéro, propre et blanche.

Lynette est donc l'incarnation de l'*opting out* et son expérience rejoint le témoignage de la majorité des femmes ayant fait le même choix qu'elle : un sentiment à mi-chemin entre le désespoir et le sens du devoir accompli. Au cours des 15 dernières années, j'ai interviewé un grand nombre de femmes qui ont quitté l'arène professionnelle. Elles disent toutes la même chose : on a l'impression d'arrêter d'exister aux yeux du monde.

Récemment, je relisais un article que j'ai fait paraître dans *La Presse* en mai 2004 sous le titre « Arrêter la course folle », à l'occasion de la fête des Mères. J'avais rencontré des femmes de carrière qui avaient choisi de rester à la maison. Plus d'un an plus tard, leurs propos sont toujours aussi pertinents et d'actualité. Je me permets donc de les reproduire :

Elles ont fait des études universitaires et mené des carrières prestigieuses. Elles ont travaillé comme des folles pour essayer de maintenir un semblant d'équilibre, faisant souvent passer le travail avant la famille. Puis un jour, à bout de forces, elles ont dit : « C'est assez. » Et elles sont rentrées à la maison. Ces femmes ne sont pas des réactionnaires. Elles auraient pu continuer à grimper les échelons. Elles ont plutôt choisi de se retirer de la course folle avant de voir leur famille et leur santé s'effondrer.

Valérie Castonguay se souvient très bien du moment où elle a décidé de tout abandonner. « J'arrivais à la gare après une journée de travail, ma mère m'y attendait avec mon fils qui n'avait pas encore un an. J'ai vu son regard se promener, me fixer, puis continuer. Il m'a vu, mais n'a pas réagi. Ça m'a brisé le cœur », raconte la jeune femme de 32 ans, aujourd'hui mère de 3 enfants âgés de moins de 5 ans. Trois mois plus tard, l'ingénieure avait fermé sa petite entreprise pour se consacrer à sa famille.

Les femmes qui font le choix de Valérie ne sont pas nombreuses. « En fait, on observe la tendance inverse », note la sociologue Francine Descarries qui souligne qu'il n'y a jamais eu autant de femmes sur le marché du travail. Le phénomène de l'*opting out* (c'est ainsi qu'on le nomme dans la presse américaine) s'observe surtout dans les milieux très aisés financièrement, où les femmes peuvent se permettre de quitter le marché du travail sans risquer de voir leur niveau de vie diminuer. On parle donc d'un microphénomène. Ces femmes sont privilégiées et elles le savent.

Pour Marie (nom fictif), une des rares femmes à occuper un poste très en vue dans le milieu de la finance à Montréal, c'est la frustration de vivre une vie familiale incomplète ainsi que le désir d'avoir un second enfant qui l'ont poussée à se retirer pendant un certain temps de la vie professionnelle.

« Ma fille de 3 ans ne me connaissait pas, explique la jeune maman de 41 ans. Elle semblait heureuse, mais moi je ne l'étais pas. Je faisais toutes les tâches domestiques en plus de mes longues heures, je ressentais de l'amertume et du ressentiment. J'étais irritée, irritable et anxieuse. Dans ma profession, on arrête parce qu'on a le cancer, de graves problèmes psychologiques ou parce qu'on décède. Moi, j'ai décidé d'arrêter avant. »

Même son de cloche chez Geneviève, avocate de 36 ans détentrice d'un MBA. La jeune femme, mère d'un petit garçon de 10 mois et d'une petite fille de 4 ans, affirme que c'est le cancer de sa meilleure amie qui l'a poussée à revoir ses valeurs. Il y a un mois, après avoir longuement réfléchi, elle a décidé de quitter définitivement son poste de directrice au financement corporatif. « J'en ai beaucoup parlé avec mon conjoint, dit-elle. Il m'a appuyé dans ma décision, il était content que j'arrête. »

Pendant des années, ces trois femmes ont travaillé très fort pour essayer de tout concilier. En les écoutant, on est pris d'un vertige tellement leurs journées ressemblaient à un marathon olympique. « Je travaillais entre 80 et 90 heures par semaine, raconte Valérie. Je faisais la navette entre Montréal et Ottawa, chez mes parents, alors que mon chum, lui, travaillait à Toronto et revenait à Montréal les fins de semaine. Je n'étais jamais disponible. Je couchais mon fils en parlant au téléphone, je lui donnais le biberon en parlant au téléphone. Je devais passer une heure par jour avec lui tout au plus. Et ça n'allait pas ralentir. Je savais que si je voulais me rendre là où je voulais aller avec mon entreprise, il faudrait que je continue encore cinq ans à ce rythme. C'était devenu tellement grave que mes parents – qui n'ont pas l'habitude de se mêler des affaires d'autrui – m'ont dit un jour : « Ça n'a pas d'allure, tu ne peux pas continuer comme ça. »

Les journées de Geneviève étaient tout aussi chargées. « J'étais la seule fille dans mon département et tous mes collègues avaient une femme à la maison, raconte-t-elle. Quand je partais du bureau à 19 h, on me disait : « Bye, bon après-midi. » C'était une blague, mais ça en disait long. C'était rendu que je voulais me fondre dans le mur tellement je me sentais malade de devoir partir avant les autres. Pourtant, j'arrivais au travail à 7 h 30 et je mangeais le midi au coin de mon bureau. Je calculais que je travaillais plus d'heures et que j'étais plus productive que mes collègues. »

Comme bien des femmes qui occupent des emplois prestigieux, Geneviève a un conjoint qui travaille encore plus qu'elle. « Mon chum avait été clair, il ne voulait pas du tout partager la pression de courir à la garderie et d'assumer les tâches domestiques. Or, de mon côté, je voulais bien faire mon travail. Quand on préparait le financement de contrats, on pouvait travailler tous les jours jusqu'à minuit. Il n'y a pas une personne qui n'est pas allée chercher ma fille à la garderie. Ma sœur, mes parents, la famille de mon chum, tout le monde y est allé. »

Ces femmes ont toutes une anecdote ou un souvenir douloureux qui illustre à quel point la situation était devenue intolérable. Pour Marie, c'est cette soirée où, pliée en deux par les douleurs des contractions, elle a quand même trouvé l'énergie de dicter un texte en préparation d'une réunion à laquelle devait assister son supérieur.

« On m'a dit par la suite qu'on avait perdu la cassette que j'avais envoyée par courrier au bureau, raconte-t-elle avec émotion. Mon travail n'a jamais servi... J'ai travaillé des journées de 18 heures. J'ai repoussé et annulé des vacances, je ne déjeunais pas, ne lunchais pas, ne dînais pas. J'ai passé trois gardiennes différentes en trois ans. Elles sont parties parce que les heures étaient trop longues. »

Un jour, se sentant dépassée par les événements, Marie a fait des calculs : « J'estimais que 30 % de mon salaire brut allait à la gardienne, 20 % était relié au fait que je travaillais au centre-ville. Bref, ça ne valait pas la peine et en plus, j'avais l'impression de devenir folle. »

Aujourd'hui, Valérie et Geneviève sont mamans à temps plein, tandis que Marie a repris des contrats à titre de consultante. Elle travaille à temps partiel à partir de la maison. Et aucun de ses clients ne lui fait des misères parce qu'elle n'est pas disponible 24 heures sur 24.

Toutes trois reconnaissent cependant que si leur conjoint avait été plus présent, elles n'auraient jamais arrêté de travailler.

« J'espère que je ne lui en voudrai pas plus tard, que je ne me sentirai pas frustrée, souhaite Geneviève. Quand on a fait toutes ces études et tous ces efforts, c'est épeurant de tout abandonner à 36 ans. En plus, j'ai perdu mon indépendance financière. Par contre, on est beaucoup plus heureux comme couple et comme famille. »

Dans une société où le travail est presque devenu une religion, la jeune femme ressent toutefois le besoin de justifier son choix. Souvent. « Je dirais que la mère qui travaille est la pire ennemie de celle qui ne travaille pas, observe Geneviève. Je me dis que tant que je vais me justifier, c'est qu'il y aura quelque chose qui n'est pas réglé. »

« Je sens encore le besoin de dire que je suis ingénieure, renchérit Valérie. Mais je travaille là-dessus. Et puis, le génie, c'est une façon de résoudre des problèmes, alors j'utilise mes connaissances tous les jours avec les enfants. Je sais réparer des jouets ou la piscine. Je peux expliquer le fonctionnement des roues motrices à mon fils. »

« Aujourd'hui, c'est ainsi que je vois mon rôle. Je mets tous mes efforts dans mes enfants, je forme des individus. C'est mon effort pour la société. » Un effort qui n'est pas encore reconnu à sa juste valeur, comme a pu le constater Marie. Les commentaires apitoyés de certains collègues – « J'ai perdu le respect de mes pairs du jour au lendemain » – et même de sa famille – « Mes parents étaient déçus, ils ne comprenaient pas » – n'ont pas influencé Marie qui est convaincue d'avoir pris la bonne décision.

« Je me suis refait une santé, rapprochée de ma fille et j'ai ouvert la maison aux amis, observe-t-elle. Je suis tombée enceinte de mon fils quelques mois après avoir arrêté de travailler, alors que j'essayais depuis quatre ans. J'ai consacré mes meilleures années à ma carrière, j'ai travaillé pour enrichir les autres. Aujourd'hui je mise sur mon couple et ma famille. » (Source : *La Presse*, cahier Plus, 9 mai 2004.)

Faut-il le rappeler, il s'agit de femmes privilégiées qui avaient les moyens de faire ces choix, de cesser le travail et de rester à la maison. La grande majorité des femmes n'ont pas ce luxe. La majorité des hommes non plus. Mais ce n'est pas parce que le commun des mortels n'a pas les moyens de cesser de travailler qu'il n'y pense pas. Et peu importe le milieu social, le poste qu'on occupe ou le salaire qu'on reçoit, on éprouve à peu de choses près pas mal les mêmes sentiments à l'endroit de nos enfants. Cette impression qu'on mène une vie de fous et que nos relations familiales et personnelles en écopent, elle n'est pas ressentie seulement dans les beaux quartiers, au sein des familles aisées.

Si la société nous permettait de ralentir le rythme sans être pénalisé, de travailler à temps partiel, d'être présent auprès de nos enfants lors des premières années de leur vie, et ce, sans nous juger ou nous ostraciser, je parie que nous serions très nombreux à nous prévaloir de ce privilège qui, lorsqu'on y pense, ne devrait pas être un privilège mais un devoir, pour ne pas dire un droit.

Qu'arriverait-il si la société accordait une véritable valeur au temps consacré à former, éduquer, aimer les citoyens de demain ? Est-ce utopique d'espérer qu'être parent, c'est aussi avoir le temps, et le droit, de jouer son rôle de parent ?

Le 30 octobre dernier, dans les pages de *La Presse*, un groupe de 13 femmes signait une lettre dans laquelle elles exprimaient leur désir et leur bonheur de rester à la maison auprès de leurs enfants. Leur lettre était signée de leur nom, de leur âge ainsi que de leur profession, comme si elles tenaient à montrer qu'elles avaient été quelqu'un avant d'accepter de disparaître pour devenir simplement des mamans à la maison.

En préambule de leur lettre, elles précisaient : rassurez-vous, nous ne faisons partie d'aucune secte ni d'aucune religion. Étrange, tout de même, qu'on en soit rendu à se justifier parce qu'on a choisi de rester à la maison.

J'avoue m'être moi-même informée pour savoir si elles étaient membres d'un parti politique de droite comme le Parti conservateur du Canada ou l'ADQ. Des mères épanouies qui revendiquent le droit de rester à la maison, c'est toujours un peu suspect.

Finalement, j'ai pris le téléphone et j'ai appelé Olivia Pelka, une des signataires de cette lettre cri du cœur. Olivia a 37 ans. Elle vit à L'Assomption avec son mari et ses deux fils, âgés de huit et deux ans. Jusqu'à la naissance de ses enfants, Olivia se considérait comme une « femme moderne » (ce sont ses mots), qui allait toujours travailler. Elle n'avait jamais envisagé de rester à la maison. « Puis, dit-elle, il y a eu un conflit en moi, l'envie d'être présente, d'élever mes enfants. »

En accord avec son mari, elle a décidé d'arrêter de travailler durant sa seconde grossesse, il y a plus de deux ans. Elle ne le regrette absolument pas. « Non seulement mon bébé en bénéficie mais le plus grand aussi. Il vient manger à la maison, je suis là à son retour de l'école. Il a l'air tellement heureux. »

Chanceuse, Olivia jouit de l'appui de sa famille et de sa belle-famille qui valorisent son choix. Ce qui ne l'a pas empêchée de faire « un certain ménage dans (s) a tête » afin d'admettre que pour être heureuse dans sa nouvelle vie, il faudrait que sa valorisation personnelle cesse de passer par le regard des autres. « Quand tu es à la maison avec tes enfants, personne ne te félicite ou ne te tape dans le dos. Une couche bien changée, ça ne mérite pas d'applaudissements. Au fond, il n'y a rien d'exceptionnel à s'occuper des enfants, les femmes l'ont toujours fait. Pourtant, moi je trouve que ce que je fais est exceptionnel. »

Ce choix implique toutefois des compromis, certains sacrifices. « Nous devons vivre avec un seul salaire. Par contre, j'ai de la misère avec l'idée qui veut que j'aie sacrifié ma carrière pour mes enfants. Je ne vois pas les choses ainsi. Ma mère s'est sacrifiée pour ses enfants parce qu'elle a oublié tout un pan de sa vie et de sa personnalité. Moi je n'ai pas l'impression de sacrifier qui je suis. »

En lisant la lettre d'Olivia et des autres mamans, j'ai été frappée par l'emploi des mots choix et compromis. Voilà des propos qu'on n'entend pas souvent. La mode est beaucoup plus à l'accomplissement total, à la réalisation personnelle. L'oubli de soi, ce n'est définitivement pas à la mode.

Ce que dit madame Pelka me touche. En même temps, je sais d'où nous vient à nous, les femmes, cette peur chronique d'être enfermées. Je la connais parce que je l'ai ressentie, et ce, dès les premiers jours qui ont suivi la naissance de ma première fille. C'est une peur que les hommes ne peuvent pas ressentir et ne ressentiront jamais car historiquement, ils n'ont jamais été enfermés dans l'espace domestique. Aux yeux de la société, un père qui reste à la maison est au mieux un exemple à suivre, au pire un original. Pour une femme, rester à la maison évoque un passé douloureux.

Il faut comprendre qu'il n'y a pas si longtemps, les femmes étaient enchaînées à leur cuisinière et à leur frigo. J'ai passé une bonne partie de mon adolescence en compagnie des écrits de Marylin French (*Toilettes pour femmes*), de Betty Friedan (*Feminine Mystique*) ainsi que des ouvrages de Flora et Benoîte Groulx.

Dans ces livres, la domesticité est décrite comme un enfer, la vie familiale comme une prison et la vie de couple comme une relation dominant-dominé. Je me souviens en particulier de l'histoire de Ira et Norm décrite par Marylin French dans *Toilettes pour femmes.*

« Il (Norm) l'écoutait avec patience et tolérance envers ses histoires insignifiantes, désireux de lui montrer son affection et attendant qu'elle s'arrête.

Alors il la regardait gentiment, s'étirait vaguement et disait : Tu viens te coucher ? Comme si cela avait été une vraie question. (...) mais il tendait simplement sa main vers la sienne et elle savait, elle savait qu'elle devait se lever, prendre sa main et aller se coucher avec lui. Elle n'avait pas le choix. Elle le savait : alors elle le faisait. C'était une loi non écrite.

Peut-être même était-ce une loi écrite : il avait des droits sur son corps même si elle ne le voulait pas. (...) Elle se sentait achetée et payée et c'était tout d'une pièce : la maison, les meubles, elle, tout lui appartenait, c'était écrit tel quel sur une froide feuille de papier. » (p. 176)

La réalité décrite dans le roman de Marylin French était à des années-lumière de la mienne. En fait, elle se rapprochait peut-être davantage de celle de la génération de ma mère. Mais ce portrait angoissant de l'univers domestique a tout de même représenté une menace, implicite, pour bien des femmes qui associent encore aujourd'hui la maison et les tâches domestiques à une forme d'esclavage.

C'est ce qui explique que pour la majorité des femmes de ma génération, il allait de soi qu'une fois l'enfant mis au monde, il se dirigerait gaiement vers la garderie ou sinon, dans les bras accueillants d'une nounou. Il ne nous était pas venu à l'esprit que nous aurions peut-être envie d'être maman à plein temps.

Je connais des femmes ayant passé les dernières années à la maison qui pourraient remplir leur CV d'expériences variées allant de la gestion de crise à l'organisation de ressources matérielles en passant par la gestion d'un agenda complexe, l'administration de soins médicaux de première ligne, la diplomatie extrême, l'organisation d'événements, etc.

Or, le jour où un employeur potentiel leur demandera d'expliquer le trou béant de 5, 8 ou 10 ans dans leur CV (trou qui correspond au nombre d'années passées loin du marché du travail), ces femmes répondront : « Je n'ai pas travaillé, je suis restée à la maison. » Alors la personne en face d'elles les regardera d'un œil absent et balaiera du revers de la main cette expérience incroyable qui a contribué à former un être humain. Aucune reconnaissance pour cet apport incroyable à notre société. C'est injuste...

Entendons-nous, toutes les femmes ne rêvent pas de rester à la maison, et il serait simpliste de croire qu'élever des enfants à temps plein est une partie de plaisir. Je ne me ferai surtout pas l'avocate du retour de la femme au foyer et je suis la première à me méfier quand le Parti conservateur rapplique avec son projet d'allocations familiales ou que Mario Dumont et son ADQ me vantent l'importance de la vie de famille.

Dans la bouche de ces gens-là, la famille est un papier à mouches, une bande de papier collant qui nous attire sous de fausses représentations et qui nous colle sans qu'on puisse se libérer. Au cœur de leur réflexion, il y a l'idée que la famille doit obligatoirement être hétérosexuelle, blanche, traditionnelle. Je n'adhère pas un seul instant à cette vision rétrograde.

Je dis seulement que les femmes (et les hommes) qui désirent consacrer du temps à l'éducation de leurs enfants devraient avoir le droit de choisir. Or, à l'heure actuelle, notre système ne leur laisse pas beaucoup de choix.

Notre gouvernement provincial subventionne uniquement les garderies, il ne permet pas aux parents qui le souhaitent d'utiliser cet argent pour rester à la maison.

Le nouveau gouvernement conservateur, lui, propose aux parents une maigre somme de 1200 $ imposable de surcroît. Une allocation qui ne fera sans doute pas une grande différence dans la vie des parents. De toute façon, le discours ambiant culpabilise ceux et celles qui ne « produisent » pas. Faudrait-il inscrire l'éducation des enfants dans une logique de productivité pour que le travail des parents à la maison soit enfin reconnu, apprécié et valorisé ?

Bibliographie

Collard, Nathalie. « Arrêter la course folle ». *La Presse*, cahier Plus, 9 mai 2004.

Collard, Nathalie. « Femmes au bord de la crise de nerfs ». *La Presse*, 29 janvier 2005.

Descarries, Francine et Corbeil, Christine. *D'hier à aujourd'hui : La valse-hésitation des mères en emploi*, dans Éthier, Louise S. et Alary, Jacques. *Comprendre la famille*. Actes du 4e symposium québécois de recherche sur la famille, Québec, Presses de l'Université du Québec, 1998, p. 108-123.

French, Marylin. *Toilettes pour femmes*. Robert Laffont, 1977.

Robert, Véronique. « Faut-il verser un salaire aux parents ? » *L'actualité*, 15 octobre 2005.

Statistique Canada, Enquête sur la population active, compilation effectuée par l'Institut de la statistique du Québec, 2002.

http ://www.petitmonde.ca

Les papas ont raison

L'implication des pères dans la famille

Nathalie Collard

Peu importe ce que font les mères, elles se compareront toujours à leur propre mère. Or, leur mère était présente, elle confectionnait des gâteaux, organisait des fêtes d'enfants, et les aidait à faire leurs devoirs. Au jeu de la comparaison, les mères d'aujourd'hui sont presque toujours perdantes tandis que les pères... peu importe ce qu'ils font, feront toujours plus et mieux que leur père à eux...

L'homme devient père le jour de la naissance, quand il voit son enfant, et se sent brusquement responsable de lui, animé d'une indicible tendresse vis-à-vis de celui qu'il tient dans ses bras.

Christiane Olivier, psychanalyste

En juin dernier, le député péquiste François Legault annonçait qu'il ne serait pas de la course à la chefferie du Parti québécois parce qu'il souhaitait, disait-il, être plus présent auprès de ses enfants.

Cette déclaration a eu plusieurs effets. Tout d'abord, elle en a surpris plus d'un. Ensuite, elle a semé le doute chez certains esprits cyniques (est-il vraiment sincère ?). Mais la décision de M. Legault nous a surtout permis d'apprécier le chemin parcouru depuis quelques années. Il y a 20 ans, un homme public choisissant de renoncer à sa carrière au profit de sa famille aurait fait figure d'extraterrestre. À part quelques hurluberlus dont l'ex-Beatle John Lennon – qui a passé cinq ans auprès de son fils –, les pères incarnaient plutôt ces figures mythiques qui s'asseyaient à une extrémité de la table, élevaient la voix pour imposer leur autorité et se vantaient auprès de leurs amis de ne pas savoir changer une couche.

Les temps ont bien changé.

Les pères n'assument pas encore la moitié des tâches domestiques et des soins prodigués aux enfants, mais ils en font beaucoup plus qu'avant, une tendance qui, réjouissons-nous, va en s'accentuant.

Non seulement les papas d'aujourd'hui participent-ils davantage à la vie domestique, mais lorsque survient une séparation, ils sont de plus en plus nombreux à réclamer la garde partagée alors qu'il n'y a pas si longtemps, les pères avaient la fâcheuse tendance à disparaître dans la nature lorsque le couple s'effritait. (À partir de quel moment la garde partagée doit-elle être appliquée dans le cas d'un jeune enfant ? C'est un autre débat que nous n'aborderons pas ici.) Soulignons seulement que ce désir de garde partagée peut être perçu comme l'expression d'une plus grande implication des pères auprès de leurs enfants.

À quoi est dû ce plus grand intérêt des pères pour la famille et l'éducation des petits ? En grande partie au mouvement féministe, qui a toujours demandé que les hommes soient présents, partagent les tâches, s'intéressent davantage à la vie de leurs enfants. Sans la révolution féministe, François Legault aurait probablement été candidat à la chefferie du Parti québécois.

Cela dit, j'ai été surprise de découvrir que le questionnement sur la place des pères dans la famille n'est pas propre à notre époque, qu'il est présent dans la culture populaire depuis plusieurs décennies.

En 1993, un professeur d'histoire de l'Université d'Oklahoma, Robert Griswold, publiait *Fatherhood in America : An History*. Dans ce livre, Griswold raconte que si notre génération est la première à exiger de la société et des gouvernements des mesures concrètes pour encourager une participation plus active des pères, nous ne sommes pas les premiers à réfléchir à la nature de ce rôle. En effet, l'historien affirme qu'entre les années 1920 et les années 1950, les magazines populaires publiaient déjà des articles consacrés aux relations pères-enfants ainsi qu'à l'implication des pères auprès de leur famille. Griswold va plus loin encore et prétend que notre réflexion n'a pas vraiment évolué au cours des dernières années, que les questionnements sont restés sensiblement les mêmes.

La différence c'est qu'aujourd'hui, le débat s'est transporté sur la place publique. La participation des pères n'est plus une simple question de chance ou de volonté individuelle. C'est une « problématique » sociale qui exige des solutions politiques. Aujourd'hui, nombreux sont les gouvernements qui reconnaissent l'importance du rôle du père en accordant des congés de paternité de plus longue durée que les trois jours réglementaires.

C'est le cas de la Finlande où, en 1997, près de 60 % des pères avaient pris un congé de paternité. C'est également le cas de la France où, depuis janvier 2002, les pères peuvent bénéficier d'un congé de paternité de 15 jours, indemnisé comme le congé de maternité. Le cas de la France est particulièrement intéressant. Au chapitre des relations hommes-femmes, on peut dire sans se tromper que les Français accusent un retard d'une bonne dizaine d'années sur les Québécois. Or, une étude réalisée en avril 2004 par Ipsos a montré clairement que les pères français étaient beaucoup plus impliqués que leurs propres pères. Au printemps 2005, *Enfants Magazine* consacrait un dossier à cette « nouvelle paternité ». Avec une autre étude d'Ipsos à l'appui, le magazine est allé vérifier de quelle façon se manifestait cette nouvelle paternité.

L'enquête montrait bien que les mentalités avaient évolué. Elle révélait aussi un fossé entre la perception qu'avaient les pères de leur propre engagement et le point de vue des mères sur la participation de leur conjoint. Parmi les conclusions, on notait que les hommes ne souhaitaient pas moins d'enfants que les femmes. Ils étaient même prêts, dans une proportion de 86 %, et si cela avait peu d'impact financier, à « prendre un congé de paternité de quelques mois au moment de la naissance » pour vivre plus intensément leur paternité. Plus les pères étaient jeunes, plus ils étaient enclins à se prévaloir de ce congé de paternité. Les papas français se disaient même prêts à prendre une année sabbatique (71 %) afin de jouer leur rôle de père.

Enfin, les trois quarts des pères interrogés se disaient prêts à travailler à temps partiel, à condition bien entendu que l'impact financier soit limité. Il ressortait en outre de cette étude que plus les répondants étaient jeunes, plus ils étaient ouverts à la conciliation famille-travail.

Faut-il faire confiance aux sondages ? voilà la question. Les réponses de ces pères sont-elles à classer dans la même catégorie que celles des téléspectateurs qui disent regarder surtout des documentaires à la télévision ? En d'autres mots, ce sondage français relève-t-il plus de l'ordre du fantasme que de la réalité ?

Si je pose la question c'est qu'en Suède, malgré les mesures exemplaires mises en place par le gouvernement (si on les compare aux nôtres) et destinées à encourager les pères à passer plus de temps auprès de leurs enfants, on n'est toujours pas satisfait. Même si la proportion des pères qui ont réclamé des indemnités parentales est passée de 3 % en 1974 (année d'introduction de la politique familiale) à 10 % en 1998, et même si en 1999, 80 % des pères se sont prévalus de leur congé de paternité, le gouvernement suédois est toujours à la recherche de mesures incitatives. C'est qu'on a constaté que seulement 17 % des pères utilisaient tous leurs congés parentaux disponibles, et ce, malgré une mesure introduite en 2002 qui alloue aux pères deux mois de congés non transférables à la mère.

J'ai bien ri lorsque j'ai lu que ces papas suédois qu'on idéalise tellement en Amérique du Nord sont reconnus pour prendre leur congé parental durant la belle saison ou encore, lors d'événements sportifs importants comme les Jeux olympiques et la Coupe du monde de soccer… *Boys will always be boys* ou comment joindre l'utile à l'agréable…

Chez nous, le 1er janvier 2006 a marqué l'entrée en vigueur d'un nouveau régime d'assurance parentale. Ce régime prévoit entre autres un congé de paternité pouvant aller jusqu'à cinq semaines. Cette nouvelle mesure va-t-elle encourager les pères québécois à être plus présents? C'est à souhaiter. On note déjà une popularité grandissante des congés de paternité depuis leur bonification, en 2001. Selon les statistiques compilées par la Régie des rentes du Québec, le nombre de pères qui se sont prévalus de leur congé a triplé, passant à 10 %.

Parmi les facteurs qui facilitent, voire encouragent, le congé de paternité, il y a l'ouverture d'esprit en milieu de travail. Si les patrons et les collègues se montrent fermés ou pire encore, s'ils expriment des préjugés négatifs à l'endroit des hommes qui souhaitent être présents auprès de leurs enfants (on pense tout de suite au milieu de la finance ainsi qu'à plusieurs grands cabinets d'avocats), les pères ne seront pas portés à réclamer leur congé de paternité.

L'image des pères dans la culture populaire peut également jouer un rôle positif dans la motivation des hommes. Ici toutefois, il y a place à l'interprétation. Personnellement, je me situe du côté des optimistes. Dans les téléromans, je vois des pères qui, loin d'être parfaits, se remettent en question et s'impliquent auprès de leurs enfants. Le film *Horloge biologique*, s'il a eu l'effet d'une douche froide pour certains, m'a semblé encourageant en ce sens qu'il n'encensait aucunement les jeunes hommes qui refusent l'engagement et la paternité, au contraire. Même si Ricardo Trogi dépeignait une génération d'hommes un peu lâches et pas mal immatures, on sentait aussi qu'il le déplorait. Traitez-moi de naïve, mais je vois dans cette prise de conscience le début d'une évolution. Non?

L'essayiste Mathieu-Robert Sauvé, qui publiait récemment un brûlot sur les modèles masculins, est loin de partager mon avis. À ses yeux, la plupart des pères décrits dans des films récents comme *Gaz bar blues, Les Invasions barbares* ou *La grande séduction* sont des *loosers.* « Ils sont comme ça, nos pères imaginés, écrivait-il récemment dans les pages du *Devoir.* Tout au long de l'histoire de notre cinéma, peu importe le genre ou la génération d'appartenance, les personnages masculins du grand écran ont été des alcooliques, des suicidaires, des violeurs, des lâches ou, bien entendu, des pères décrocheurs. Des zéros. »

Mathieu-Robert Sauvé est-il atteint de pessimisme galopant? Et si l'implication des hommes dépendait tout simplement de leur propre capacité à se projeter, à s'imaginer pères? Faut-il demander à Téléfilm Canada de financer davantage de films dans lesquels les pères sont dépeints sous des traits positifs?

Enfin, les femmes doivent, elles aussi, se soumettre à un examen de conscience. J'ai trop entendu de jeunes pères se plaindre que leur conjointe ne les laissait pas prendre leur place comme père pour ne pas accorder de l'importance à cette expression exacerbée de la territorialité et de l'expertise maternelle.

Plusieurs facteurs l'expliquent, le premier étant bien évidemment que la femme porte le bébé durant neuf mois et qu'elle se sent donc investie, avec raison, d'une mission. Toute l'information concernant l'enfant, son développement et les soins à lui prodiguer lui est d'abord destinée. Le monde de la maternité et de la naissance est encore et toujours féminin. Si on veut que les pères y participent, il faudra les inviter, leur faire une place. Il est illusoire de penser que par une espèce de pensée magique, ils s'impliqueront d'eux-mêmes. Il est faux de croire qu'ils ne se laisseront pas démonter par des phrases assassines du genre : « Laisse faire, c'est pas comme ça qu'il faut faire. » Ou encore : « Hey ! qu'est-ce que tu fais là? tu fais ça tout croche... ! »

Je caricature, bien sûr.

N'empêche qu'on ne peut pas attendre des hommes qu'ils s'impliquent si, au départ, on ne leur tend pas la main, si on n'accepte pas qu'ils fassent les choses différemment, à leur manière. Après tout, les femmes ne souhaitent pas que les hommes jouent le rôle d'une seconde mère. Elles désirent la présence d'un père qui viendra compléter leurs compétences maternelles.

Bibliographie

Father Involvement Research Alliance. Conseil de recherches en sciences humaines du Canada.

Griswold, Robert. *Fatherhood in America : A History.* Basic Books, 1993.

Jones, Daniel et Morrow, William. *The Bastard on the Couch : 27 Men Try Really Hard to Explain Their Feelings About Love, Loss, Fatherhood, and Freedom.* 2004.

Quéniart, Anne. « Présence et affection : l'expérience de la paternité chez les jeunes ». *Nouvelles pratiques sociales,* vol. 16, n° 1, 2003, p. 59-75.

Sauvé, Mathieu-Robert. *Échecs et mâles : les modèles masculins au Québec, du marquis de Montcalm à Jacques Parizeau,* Montréal, Éditions Les Intouchables, 2005.

Sondage IPSOS effectué pour *Enfant Magazine,* printemps 2005.

LE BÉBÉ
De 8 à 15 mois

JEAN-FRANÇOIS CHICOINE
Chaque fois que des parents viennent me voir à l'hôpital avec leur enfant de 15 mois qui se tape son septième rhume de l'hiver à la garderie, je me pose secrètement la même question : disons que la mère n'aime pas vraiment son emploi, qu'elle se sent en quelque sorte forcée de gagner un deuxième revenu familial, est-ce que les coûts reliés au fait qu'elle travaille, ses allers-retours, l'essence, les prescriptions d'antibiotiques, les nombreuses bouteilles de salinex, le stress, la fatigue, les achats de bouffe toute préparée, la petite lassitude ordinaire qui se dégage de tout cela sont vraiment moindres que les bénéfices financiers qu'elle retire de ce travail ?

NATHALIE COLLARD
Dans la tête d'une femme, la question ne se pose pas ainsi, Jean-François. Il est vrai que bien des femmes pourraient arriver à la conclusion que parfois toutes les dépenses encourues par le fait qu'elles travaillent à l'extérieur de la maison (y compris les frais de garde, leurs vêtements, leurs repas, etc.) sont à peine moindres que le salaire qu'elles reçoivent. Mais même ce petit surplus peut faire une différence pour une famille dans le contexte économique actuel. Il y a d'autres facteurs qui entrent

en considération. Tu sais qu'au Québec, un peu plus du quart des familles comptant un enfant âgé de moins de six ans sont monoparentales et que le parent est habituellement une femme. Les couples sont tellement fragiles aujourd'hui, les femmes n'ont tout simplement pas les moyens de ne pas travailler. Pour risquer de se retrouver seule avec un, deux ou trois enfants, en quête d'un emploi ? Je suis certaine que bien des femmes songent à ça. Enfin, il y a aussi toute la valorisation que peut t'apporter un emploi, même s'il ne s'agit pas de la « job » de tes rêves. Travailler à l'extérieur, ça signifie aussi un cercle social, une certaine indépendance financière, une autonomie. Aux yeux des femmes, ce sont des atouts qui valent très cher. Enfin, est-ce que les hommes se la posent, eux, cette question ?

Tout le monde est malheureux
L'attachement insécure et les services de garde

Jean-François Chicoine

Tant que l'on n'aura pas diffusé très largement à travers les hommes de cette planète la façon dont fonctionne leur cerveau, la façon dont ils l'utilisent et tant qu'on n'aura pas dit que, jusqu'ici, cela a toujours été pour dominer l'autre, il y a peu de chance qu'il y ait quelque chose qui change.

Henri Laborit
Médecin, biologiste et pharmacologue,
dans le film *Mon oncle d'Amérique* d'Alain Resnais

« Tout le monde est malheureux », dit la chanson, mais à la fête du premier de l'An, le plus malheureux, c'est certainement le bébé de huit à neuf mois. Vous connaissez la peur de l'étranger, non ? Vous avez bien vu des enfants hésiter à aller dans les bras des « matantes » au jour de l'An ? Jusqu'à maintenant, l'enfant découvrait le monde (l'ambiance du party), dorénavant il chouchoute son monde plus que toute autre personne au monde (ses parents qui l'accompagnent au party). Jusqu'à maintenant, il était sensible aux environnements affectifs (les invités du party), dorénavant il devient hypersensible (ses parents d'un côté, les autres invités du party de l'autre). Cette hyperémotivité coïncide on ne peut plus mal avec nos modes d'être en société. Le party, passe encore, ce n'est que pour la soirée et papa et maman sont à ses côtés pour subtiliser bébé aux épanchements excessifs d'adultes inconnus. Mais à l'âge où l'enfant se recentre sur sa figure d'attachement principale et sur quelques personnes d'importance à sa suite, on ne lui impose pas seulement la fête de famille, on s'apprête à s'en séparer pour le faire garder.

À mesure qu'il s'approche de son huitième mois, l'enfant réagit beaucoup plus au départ de sa mère ou de la personne qui en a pris soin les derniers mois. Jusque-là, on pouvait dire du petit qu'il n'était « pas sauvage ». Dans les réunions familiales, il pouvait, sans trop protester, passer de bras en bras pourvu que ceux-ci lui offrent le confort nécessaire. Maintenant, il conteste hautement et s'époumone à mort devant le visage du Jos Bleau qui s'empare de lui. Une méconnaissance du vécu biologique de l'enfant pousse les « purs » étrangers à trouver ça rigolo. Eux connaissent les règles du jeu, mais pas le bébé. Une meilleure connaissance du développement cérébral, sinon une attitude de respect, leur éviterait quelques effets de cirque.

Qu'on le dise : l'enfant n'a pas peur « juste pour rire » devant cette famille nouvellement élargie, il a peur pour vrai. Alors il se doit d'être conforté par la sécurité de ses principales figures d'attachement. Les chercheurs autant que les cliniciens notent que les comportements marqués de préférence envers la mère et de peur envers les étrangers se manifestent en moyenne vers l'âge de 8 mois. Mais ils peuvent commencer dès l'âge de 4 mois ou être retardés jusqu'à 11 mois. On ne doit jamais oublier qu'il y a des modulations importantes chez les enfants selon leur tempérament, leur condition de naissance et de santé, et selon l'environnement dans lequel ils se développent. Peu importe l'âge auquel elle se manifeste, cette dépendance accrue pour la figure aimante et de confiance appelée « peur de l'étranger » est le stigmate qu'aucun parent, aucun éducateur et aucune société ne devraient ignorer, au moins jusqu'au 15e mois de l'enfant. Par hasard ou par nécessité, la nature ne fait jamais rien pour rien.

Cette période est sans contredit la plus importante de la vie, peut-être parce qu'elle est la plus subtile à bien réaliser. La période du 8 à 15 mois étant particulièrement sensible, la mise en garderie devrait ainsi devenir un souci clinique pour les soignants, en plus ou en moins, selon les contextes familiaux, parentaux et la qualité des services en place. La protection de l'attachement sélectif devrait aussi devenir un des principaux enjeux des parents happés par la vie mais tout de même inquiets du bonheur de leur progéniture. Proposer à cet âge une nouvelle figure d'attachement, « une belle étrangère » par exemple, est un affront au développement neurophysiologique qui pourrait insécuriser à tout jamais l'enfant dans ses rapports avec les adultes, surtout si à cette « belle étrangère » en succède une autre, et ainsi de suite jusqu'à créer en service de garde une ambiance de *party* agitée et dantesque. Tous les enfants n'en sortent pas perdants, d'autres moins attachés à leur maman y trouveront enfin dans les bras d'une bonne gardienne une véritable soupape de survie. Mais plusieurs bébés y vivront un manquement si important qu'il en modifiera toute leur future vie émotive. La problématique de la garde non parentale en lien avec la relation d'attachement prend ainsi une importance ravivée autour des 8 à 15 mois de l'enfant. Le nouveau congé parental au Québec vient – ouf ! – en partie de le reconnaître.

Avant la fin de la première année de vie, par le jeu des neurohormones et l'arrivée d'un système régulateur venu du système nerveux autonome sympathique, le cerveau droit spécialise une portion précise du système limbique située dans une sorte de prolongation de la fameuse amygdale cérébrale, au-dessus d'elle plus précisément. Notre tête est décidément bien faite : cette portion du système limbique nommée « gyrus cingulaire » explique pourquoi de l'attachement au monde réalisé dans le premier semestre de vie émergera ultérieurement un comportement clinique d'attachement plus sélectif. Entre la psychologie et la neuroanatomie, il n'y a dorénavant que ce seul et même discours rassembleur. Le gyrus cingulaire préside à l'attachement sélectif en inhibant l'avidité affective précoce de l'amygdale. « Hola ! », semble-t-il lui dire. Sans système de freinage, l'enfant développerait autrement un appétit sans limites pour le monde, pour tout le monde, les « matantes » et les « mononcles » autant que ses parents. Un jour ou l'autre, cela constituerait une menace pour sa survie. Vous connaissez, j'en suis certain, des adultes qui quémandent de l'affection partout et nulle part à défaut de pouvoir établir une relation significative d'amour ou d'amitié avec quelques personnes en particulier. Ils sont hyperséducteurs, un tantinet manipulateurs, parfois drainants il faut bien le dire. Quand ils étaient enfants, ces adultes se sont attachés au monde mais pas à leurs parents ou à des équivalents solides. Certains sont quittes pour des styles de personnalité, mais d'autres souffrent secondairement de réels troubles de l'attachement avec toutes sortes de conséquences comportementales, légales et criminelles. Grâce au développement perspicace des nouvelles cellules cérébrales spécialisées du gyrus cingulaire et d'une structure qui lui est reliée, appelée « le noyau septal », le nourrisson devient apte à développer une confiance particulière en certains élus parmi les adultes : sa maman, son papa et quelques proches, dont la gardienne, à condition que ce soit toujours la même. Cela lui servira toute sa vie. Cela lui sauvera toute sa vie. Et celle des autres...

Il faut savoir, réaliser, admettre, confesser – tous les verbes que vous voudrez – qu'il existe des périodes sensibles, en quelque sorte, des fenêtres d'opportunité pendant lesquelles une zone du cerveau devient comme un papier buvard face à certains types d'expériences et de stimulations. Il en est ainsi du moment d'exception où mature neurologiquement le système limbique et ses interconnexions avec l'amygdale cérébrale qui trône en son centre. Si les stimulations adéquates ne se produisent pas pendant cette période, ou encore si l'enfant est temporairement stressé dans un environnement étranger, le développement de la microanatomie se fait moins satisfaisant à court et à long terme et rend certains apprentissages plus difficiles.

On reconnaît aujourd'hui deux grands types d'attachement : sécurisé et insécurisé. Cette manière d'être à soi et aux autres se construit donc dans les premiers mois de la vie pour se raffiner autour de la première année. Déjà donc entre un an et deux ans, vont paraître les comportements de solidité ou de précarité émotive témoignant, c'est selon, d'un entretien parental harmonieux, boiteux ou pathologique du cerveau du milieu. L'enfant exposé au temps et à la qualité parentale est sécurisé dans sa survie mais dans le cas contraire, celui qui aura été inquiété développera graduellement une insécurité affective, plus ou moins importante, fracassante ou intériorisée, mal arrimée en tout cas avec l'évolution de son développement et de sa personne. Ces styles affectifs anxieux ou tout en évitement des enfants parachèvent ultimement leurs attributs avant la fin de la deuxième année de vie. Ils se développent en la présence de leurs parents avec l'apport plus ou moins solidifiant des principaux adultes rencontrés, dont les grands-parents et le personnel de la garderie. Des enfants « sumo » auront du mal à être pris, d'autres « solo » ne dérangeront pas et n'exigeront jamais d'être pris, enfin les plus anxieux d'entre tous demanderont à être pris comme de petits « velcros ». À cet âge, un bon clinicien peut d'ores et déjà intervenir sur la relation parent-enfant pour en améliorer la solidité et la pérennité, selon les observations qu'il aura faites ou qu'on lui aura transmises.

On doit à Mary Ainsworth la description subtile de ces états de confiance, de peur, de doute ou de rage tributaires des relations d'attachement que l'enfant aura pu entretenir, ou pas, avec des adultes normalement responsables d'offrir sécurité et survie contre les prédateurs du jour de l'An ou de la garderie. La pratique clinique de l'attachement ne serait pas ce qu'elle est aujourd'hui sans l'apport d'une procédure de laboratoire inventée par cette psychologue canadienne née en 1913. Mme Ainsworth est en quelque sorte la continuité évaluative du principe de l'attachement mis au monde par Bowlby. Elle s'est fait la main en Ouganda où elle a notamment observé des mamans qui, incapables de subvenir aux besoins alimentaires de leurs nourrissons apathiques, s'en détachaient graduellement pour finalement les laisser aller à la mort et aux mouches. En swahili, « kwashiorkor », le terme désigné en médecine pour décrire la malnutrition protéino-énergétique signifie « enfant qui a été laissé là ». L'enfant aux cheveux jaune orangé, à la peau sèche, au regard hagard et au gros ventre est un enfant qui souffre de « kwashiorkor » et que la mère s'apprête à abandonner. À partir de ses travaux africains et d'observations contrôlées en laboratoire, la chercheuse a ensuite mis en place une procédure empirique mais universelle permettant de mesurer l'attachement entre le jeune enfant et sa maman et qu'on nomme « situation étrangère ». Cette procédure capitalise sur le fait que, dès l'âge de six mois, les enfants manifestent du déplaisir lorsqu'ils sont séparés de leur mère et que cet inconfort peut être observé par la suite chez des enfants de différents âges.

Dans cette « expérience » que seuls des initiés doivent tenter et que je décris ici très brièvement, la mère et une inconnue discutent pendant trois minutes en présence de l'enfant. La mère sort et laisse l'enfant derrière elle. La mère revient, joue et console l'enfant, puis l'inconnue et elle repartent pour finalement laisser l'enfant seul. Les réactions de l'enfant sont scrutées à la loupe. Au terme de toutes ces observations, certains enfants réagissent d'une façon qui suggère un lien d'attachement fort. Ce sont nos enfants à l'attachement sécurisé. D'autres néanmoins surutilisent les mécanismes de survie de leur amygdale cérébrale et, en raison du développement sous-optimal du gyrus cingulaire et de ses interconnexions, expriment des comportements d'insécurité de tous les instants. Par exemple, certains enfants observés ont du mal à se rassasier de leur mère, même quand elle est là : ce sont de petits « velcros » dont l'amygdale est à « *freeze* ». D'autres, les petits « solos » indépendants, évitent leur maman en faisant du « *flight* », incapables de trouver en elle un pont de confiance solide. Enfin, d'autres enfants planchent sur le « *fight* » tels de petits « sumos » refusant toute caresse.

Malheureusement l'outil, formidable dépisteur des rapports relationnels de la nature humaine, sert surtout en laboratoire. Il n'est valable qu'en bas âge et, au départ, que pour évaluer les relations avec la mère ou la figure maternante. Les pédiatres, les psychologues, les travailleurs sociaux, les infirmières s'ancrent néanmoins sur des schémas émotifs apparentés qui facilitent leur travail clinique et les solutions familiales qui sont susceptibles d'en découler. Par exemple, l'enfant anormalement accroché aux jupes de sa mère sera invité à de petites périodes de jeu en solitaire, à des séparations désensibilisantes en quelque sorte ; l'enfant qui, au contraire, ne veut rien savoir de sa mère sera sollicité à la dépendance au cours des activités quotidiennes, notamment à accepter de se faire donner le biberon, même s'il préfère le vider tout seul dans son coin. Quel que soit le type d'insécurité observé, il faut remettre l'enfant en famille si le stress a été causé par un environnement non parental, ou dans le cas contraire lui offrir un contact prolongé avec une éducatrice qui pourra guider la maman à mieux intervenir avec l'enfant.

D'autres chercheurs à la suite de Mme Ainsworth ont pu démontrer, à partir d'études réalisées chez des enfants d'âge préscolaire et enfin chez des adultes, notamment le groupe Mc Arthur et les instigateurs de l'AAI (pour *Adult Attachment Interview)*, une constante dans les patrons d'attachement tout au long de la vie. La période du 8 à 15 mois est donc grandement responsable du style affectif que l'enfant empruntera pour toute sa vie. Autrement dit, les bébés confiants auraient tendance à devenir des enfants confiants puis des adolescents confiants, à moins bien sûr de catastrophe en cours de route. De la même manière, les enfants anxieux à deux ans pourraient bien devenir des adultes anxieux. Comme le système limbique se développe pendant les premières années d'existence, la continuité émotive entre le bébé et l'adulte qu'il deviendra n'apparaît pas comme une découverte surprenante. Elle n'en est pas moins provocante. Deux à trois années fondatrices, je vous l'ai déjà dit !

Le grand frère, la grand-mère ou l'éducatrice responsables de la survie du tout-petit à l'occasion d'une sortie, d'une occasion spéciale ou sur une base régulière auront aussi leur part contributive dans la phase d'attachement sélectif de l'enfant. La nature « étant bien faite », l'enfant va ainsi pouvoir s'attacher à d'autres figures significatives. Pourvu qu'on lui en donne le temps, l'enfant à force d'actions et de réactions va pouvoir survivre avec d'autres personnes que son parent. Autrement, aucune grand-parentalité ni aucun gardiennage ne seraient possibles. On parle d'au moins cinq figures significatives, dont un frère ou une sœur plus âgés qui font figure d'adulte. Ainsi, la majorité des enfants confiants, je dis bien des enfants n'ayant pas vécu d'abandon affectif, ne repousseront pas trop longtemps ou trop vigoureusement leurs nouvelles figures d'attachement, notamment leurs nouvelles éducatrices. Si ces dernières ont la manière, les enfants vont assez rapidement leur faire confiance, accepter de s'engager dans une relation souriante et se laisser protéger et guider. Avant leurs 15 mois d'âge, ils ont besoin de quelques semaines. Mais ils y arrivent, à moins que surviennent des ruptures collatérales, une otite réfractaire, un déménagement ou une crise d'asthme qui perdure.

Envers tout son beau monde, l'enfant opère avec hiérarchie. Ainsi, s'il se fait mal en trébuchant, malgré la proximité de la grand-maman qu'il aime, il va se précipiter sur papa et maman qui sauront le réconforter et l'accompagner dans sa survie. À la garderie, il cherchera la présence de SON éducatrice, pas celle d'une autre. Des études ont montré également qu'un enfant pouvait développer une relation d'attachement solide avec une personne à charge et un rapport anxieux avec une autre. L'enfant d'une maman toxicomane profitera ainsi de la relation sécurisante avec son éducatrice habituelle, mais retrouvera son pattern d'anxiété en présence de sa mère. On doit cependant bien retenir qu'il faut se donner de quelques semaines à quelques mois pour qu'un enfant établisse un lien de confiance avec un adulte qu'il ne connaît pas. Quoi qu'on en pense et quoi qu'on en dise, un enfant d'un an qui n'est pas adapté à sa garderie après un mois de fréquentation est un enfant normal. Nous visons l'attachement, pas l'ajustement. On peut s'adapter sans faire confiance. À force de ronger son frein, de ne pas pouvoir confier sa survie quotidienne à un ou des adultes significatifs, l'enfant piège ses mécanismes de défense, développe du stress à qui mieux mieux, arrose généreusement ses structures cérébrales d'un excès néfaste de cortisol et s'épuise. Des enfants s'épuisent un peu et on dira d'eux qu'ils ont un style d'attachement insécure. Certains enfants, beaucoup moins nombreux, s'épuisent beaucoup et développent une réelle psychopathologie, notamment des phobies, des dépressions ou des conduites répréhensibles – de l'indiscipline, des agressions, des attitudes immorales.

On estime que plus de la moitié des enfants vivent dans un état de bonne sécurité affective. Dans les descriptions d'origine de Mme Ainsworth, on parle de 65 % des enfants qui sont aptes à utiliser leur parent comme base de sécurité pour s'en servir ensuite pour mieux explorer le monde.

Ces enfants se font confiance et font confiance à leurs pairs parce qu'ils ont pu faire confiance à leurs parents, à leurs substituts ou à leur éducatrice. L'enfant confiant accepte d'être pris dans les bras de la personne de confiance, est capable de s'en éloigner sans trop en souffrir et, advenant son absence, souhaite ardemment la retrouver pour raviver toute forme de partage. Cette manière d'être en eux et avec les autres s'observe également dans leurs comportements comme adolescents et comme adultes. À un an, par exemple, les enfants en sécurité affective qui cherchent la présence de leur mère, leur père, leur grand frère, leur grand-mère et celle de leur éducatrice préférée – à condition de la connaître depuis quelques mois – embrassent les adultes et se laissent embrasser. Ils aiment feuilleter un livre avec eux. À deux ou trois ans, ce sont des enfants qui dorment généralement bien, s'engagent affectivement dès le petit matin, communiquent, se concentrent sur leurs jouets et supportent la frustration après quelques protestations bien naturelles. Ils aiment jouer dans les cheveux de leur parent ou vérifier la qualité du rasage du papa. « Ça pique », dit Victoria. Parvenus à la maternelle, ces enfants capables d'intimité humaine comprennent l'exclusivité, le plaisir mutuel, sont susceptibles d'accepter et de reconnaître les sentiments de l'autre. Ils ont des défauts, rassurez-vous, mais ils n'ont pas des travers contre nature. Jusqu'à l'adolescence, puis à l'âge adulte, ces enfants devenus grands garderont une disposition positive pour les relations avec l'autre. Ils sont l'avenir du monde. Un temps pondéré en service de garde, un âge d'exposition au-delà des 15 à 18 mois d'âge, une qualité des services de garde, une éducatrice unique, un respect des conditions de santé ou développementales et de bons parents au retour de la journée de garde contribuent à ne pas fragiliser les émotions du jeune survivant.

Les recherches ont également permis de démontrer que plus du tiers des enfants vivaient une certaine insécurité affective. On ne parle pas ici obligatoirement de pathologie, plutôt de style relationnel. Ce sont ces enfants nés de mère adolescente, de mère dépressive, ce sont de grands prématurés, de petit poids à la naissance, des enfants brisés par des ruptures, des séparations pour cause d'hospitalisation, de divorce, des enfants adoptés, des enfants « aux petites valises ». Ce sont aussi des enfants de tous les jours, si je puis dire, qui n'auront pas pu confier leur survie à des adultes de confiance ou à qui on en aura proposé trop, en garderie par exemple. La garderie est une menace potentielle pour la survie du petit singe qui dort dans le petit de l'homme. Les recherches étasuniennes, qu'on détaillera dans un prochain chapitre, ont d'ailleurs mis en lumière des patrons clairs d'insécurité affective chez les enfants de la garde non parentale, d'où l'intérêt d'aborder les styles affectifs dans un livre comme le nôtre.

La majorité des enfants insécurisés dans leurs besoins seront simplement « désagréables » ou dits « de caractère fort » ; d'autres présenteront des difficultés relationnelles graves. L'enfant « détaché » de ses sentiments et émotions peut paraître charmant superficiellement. Mais c'est pour mieux masquer son sentiment profond d'insécurité, de peur et de rage. Indirectement, c'est donc à travers des troubles du comportement que le tout-petit exprimera son mal-être d'avoir été trop rapidement sevré. Définis par Ainsworth et redéfinis par la suite à partir de différents chercheurs, dont Solomon, comme « ambivalents, résistants ou évitants », ces styles d'attachement insécure ont des échos cliniques – *sumo, velcro* ou *solo* – apparentés que des découvertes futures permettront de mieux définir. Ces manières d'attachement se présentent à l'équipe parentale aussi bien qu'à l'éducatrice ou en consultation professionnelle dans une sorte de continuum dont l'intensité et la gravité varient dans le temps et l'espace. Mon amie de Belgique, l'incroyable et infatigable Dr Françoise Hallet, vous en dira infiniment plus long sur son site PETALES concerné par l'attachement et ses troubles.

Les enfants au style d'attachement *ambivalent* sont colériques, opposants, irritables, de caractère difficile, insatiables, souvent inconsolables. Bébés, ils ont souvent eu des parents non congruents, déprimés ou alcooliques et ont reçu le message que l'univers pourrait bien être dangereux. Ils semblent nous dire : « Non, vous ne m'y reprendrez plus, je n'embarque pas dans vos histoires d'adultes. » Adolescents, ils testeront constamment les limites et la solidité de leurs parents ou de leurs tuteurs ou tout autre adulte voulant les aider. Débordés, ils n'hésiteront pas à donner un coup de poing dans le mur. Ils pourraient avoir des tendances opposantes, être indisciplinés par exemple, toujours désagréables. Selon l'importance de leur désarroi, ils pourront développer de véritables troubles de conduite, petites et grandes criminalités, vol, toxicomanie, intimidation, etc. Les enfants de famille à risque qui ne trouveront pas d'éducatrice à la hauteur auront souvent ce profil type. C'est pourquoi la formation des éducatrices est primordiale. Sans diplôme, sans formation continue, elles sont capables d'affection, mais pas de manière à faire face à des enfants déjà aguerris à l'adversité, pour qui l'affection est menaçante.

Les enfants à l'attachement *anxieux résistant* sont pour leur part accaparants, insécures, agités, insomniaques, toujours accrochés à leurs parents. Ils pleurent pour des riens et pourraient bien s'exprimer ainsi : « J'ai tellement peur que le pont relationnel tombe que je m'accroche désespérément à lui et je ne le quitte pas des yeux une seule minute ni de jour ni de nuit. » Jeunes, ils ont souvent des mamans monoparentales qui leur auront facilement transféré leurs propres anxiétés. À quatre, cinq ou six ans, on les retrouve couchés pour la nuit dans le lit de leur parent. Ils sont constamment l'objet de moqueries à l'école. Devenus adolescents, ils ont le sentiment d'avoir peu de valeur et de ne pas mériter l'amour des autres. Ils accordent beaucoup d'importance à ce que les autres pensent d'eux et sont préoccupés de faire certaines choses afin d'être aimés. Ils veulent plaire. Ils pourraient souffrir de troubles anxieux, de paniques. Ils passent leur vie à user leurs gommes à effacer. À mesure que s'écoulent de trop longues heures à la garderie, plusieurs enfants de familles heureuses mais débordées, ainsi que des enfants de couples séparés pourraient correspondre à ce dernier portrait robot. N'en faites cependant pas un absolu. Je déteste les recettes. Je fais mal à manger, d'ailleurs. Mais je repère bien les ingrédients. Je vous livre des pistes.

Enfin, les enfants au style d'attachement *évitant* donnent à voir de petits solitaires prudents d'apparence calme, sociable, des enfants apparemment faciles, qui s'occupent et se consolent tout seuls, qui ne demandent pas grand-chose. Malgré la présence d'une situation stressante, ils demeurent détachés de leur parent. « Je me conforme, je ne fais pas de vagues, je suis en observation, je suis en relation utilitaire avec ce pont et puis on verra bien. » Pour avoir été trop souvent ou trop longtemps mis au rancart, ils s'isolent. Ils hésitent à déranger, longent les murs. Adolescents, ils ont tendance à ne pas investir dans les relations et à éviter l'intimité potentielle. Ils survalorisent l'indépendance tout en se sentant rejetés et isolés. Dans leur chambre, la musique joue à tue-tête et ils portent des écouteurs. Ils pourraient avoir des tendances suicidaires. Leurs parents ont trop travaillé et n'ont pas eu assez de sensibilité pour s'en apercevoir ou encore ils ont été trop durs avec eux. Ils ont appris à ne pas déranger, ni à la maison, ni à la garderie.

Un enfant normalement sécurisé par ses parents trouvera entre 8 et 15 mois un prolongement émotif dans les bras d'une « simple » gardienne. D'ailleurs, c'est au chapitre de l'attachement sélectif que les garderies en milieu familial semblent parfois faire des merveilles, ce que les centres de la petite enfance ne font pas avec la même constance. On n'a pas idée de l'importance de la stabilité des figures d'attachement. Avec le temps, les centres de la petite enfance gagnent en performance éducative. Mais un enfant de petit poids qui n'aurait pas eu tout son temps avec sa maman y gagnera souvent au change dans les bras d'une gardienne.

D'autres enfants exposés à la garde non parentale se retrouveront inutilement dans une situation d'insécurité à un âge où il n'est pas approprié de l'être parce que personne – ni des gouvernements, ni des soignants, ni des médias, ni des féministes – n'aura pris la peine ou le temps de soutenir et d'informer leurs parents sur les récentes découvertes de la neurobiologie. La garderie ne donne pas de l'insécurité affective : bien rodée, elle pourrait sauver de l'insécurité plusieurs enfants perdus ; mal rodée – et pour nombre d'enfants qui y perdront trop hâtivement la sécurité parentale –, elle participe à l'insécurité affective des générations montantes.

Le style d'éducation des parents ou des « pourvoyeurs de soins » étant différent d'une personne à l'autre, d'une éducatrice à l'autre, chaque enfant en arrive donc à vivre des trajectoires différentes, individuelles, qui influencent l'architecture de son cerveau et rendent son vécu unique. L'expérience réussie ou non, anticipée ou non, de la garde non parentale ne fait donc que participer au tableau d'ensemble. Son impact est néanmoins majeur en raison du moment particulier où elle est appelée à intervenir. Cela, trop peu de gens intelligents ou influents sont capables de l'admettre sur la place publique.

À un adulte qui a peur des souris, on ne donne pas des souris : on le prépare à l'éventualité d'être confronté à des souris. À un enfant qui a peur de l'étranger, pourquoi donnerait-on un survenant ? Pourquoi se surprendrait-on qu'il en ait peur ?

Bibliographie

Ainsworth, M., Blehar, M., Waters, E. et Wall, S. *Patterns of Attachment : A Psychological Study of the Strange Situation.* Hillsdale, N.J., Lawrence Erlbaum Associates, 1978.

Ainsworth, M., Blehar, M., Waters, E. et Wall, S. *Patterns of Attachment : Assessed in the Strange Situation and at Home.* Hillsdale, N.J., Lawrence Erlbaum Associates, 1978.

Ainsworth, M., *Attachments across the life span. Bulletin of the New York Academy of Medicine* 1985, 61, p. 792-812.

Chicoine, J.-F. *La capacité du cerveau de l'enfant à être adopté.* Carrefour Les entretiens internationaux de l'adoption d'Enfance et familles d'adoption, Montpellier, novembre 2003.

Chicoine, J.-F. et Lemieux, J. *Les troubles de l'attachement en adoption internationale. Journal des professionnels de l'enfance,* France, 2006.

Chicoine, J.-F., Sulmoni, M., Hallet, F. et Marinopoulos, S. *Méta-analyse interdisciplinaire sur l'attachement : approche psycho pédiatrique familiale à des fins cliniques et éducatives.* Société de pédiatrie internationale, Canada/Québec, Suisse, Belgique, France, 2006.

DeMulder, E.K., Denham, S., Schmidt, M. et Mitchell, J. *Q-sort assessment of attachment security during the preschool years : Links from home to school. Developmental Psychology* 2000, 36, p. 274-282.

Goossens, F. et Van Ijzendoorn, M.H. *Quality of infants' attachments to professional caregivers : Relation to infant-parent attachment and day-care characteristics. Child Development* 1990, 61, p. 832-837.

Hallet, F. *L'enfant et ses troubles de l'attachement.* PETALES Belgique, mars 2003.

Hallet, F. PETALES Belgique, www.petales.org.

Lamb, M. E. *Nonparental child care : Context, quality, correlates, and consequences,* dans Damon W., Sigel, I.E. et Renninger, K.A. (dir.). *Handbook of Child Psychology* (vol. 4). *Child psychology in practice,* 5e édition, p. 73-133. New York, Wiley, 1998.

Lemieux, J. *Velcro, Sumo, Solo,* d'après Randolph, E. *Adopteparentalité,* Bureau d'adoption de Québec, *Le monde est ailleurs,* 2005-2006.

Main, M. et Soloman, J., dans Greenberg, M. *The process of identifying infants as disorganized/ disoriented during the Ainsworth Strange Situation.* Cicchetti, D. et Cummings, M. (dir.). *Attachment in Preschool Years.* Chicago, University of Chicago Press, 1990.

Montagner, H. *L'attachement, des liens pour grandir plus libre.* Paris, l'Harmattan, 2003.

Moss *et al. L'attachement aux périodes préscolaires et scolaires et les patrons d'interaction parent-enfant,* dans Tarabulsy, G.M. *Attachement et développement.* Presses de l'Université du Québec, 2000.

Noël, L. *Je m'attache, nous nous attachons. Sciences et culture,* Montréal, 2003.

Pierre Humbert, B., Ramstein, T., Karmaniola, A. et Halfon, O. *Child care in the preschool years : Attachment, behaviour problems and cognitive development. European Journal of Psychology of Education* 1996, vol. XI (2), p. 201-214.

Schore, A.N. *Effects of a secure attachment on right brain development, affect regulation, and infant mental health. Infant Mental Health Journal* 2001, 22, p. 7-67.

Sulmoni, M. *Les troubles de l'attachement : les comprendre, les repérer... les dépasser.* Mémoire présenté à l'école d'études sociales et pédagogiques de Lausanne, en Suisse, en septembre 2002.

Tarabulsy, G. M. *Attachement et développement : Le rôle des premières relations dans le développement humain,* dans Tarabulsy, G.M. *Attachement et développement.* Québec, Presses de l'Université du Québec, 2000.

Verrier, N. *L'enfant adopté : comprendre la blessure primitive.* Traduction de Françoise Hallet, Éditions De Boeck Université, 2004.

Le nœud gordien

Le couple parental et les services de garde

Jean-François Chicoine

Début février, les rebelles sont revenus du Soudan et ne font que perpétrer des choses horribles, pires que tous les terroristes du monde. Ils massacrent les civils gratuitement (leurs co-tribu Men), brûlent les cabanes, souvent avec hommes et femmes à l'intérieur, volent le bétail et la nourriture, violent et kidnappent les jeunes de 10 à 15 ans pour les vendre en esclavage aux Arabes du Soudan ou en faire des guérilleros peu et mal protégés. Devant eux, nos militaires s'enfuient, terrorisés, et sans offrir la moindre résistance, ce qui explique qu'une armée de 10 000 soldats dans le Nord de l'Ouganda ne réussit pas à éliminer quelques milliers de rebelles. C'est vraiment monstrueux. (...) Pratiquement tous les médecins ont décidé de partir. Reste quatre internes et quatre médecins ougandais dont deux seulement font médecine. Piero et moi avons continué d'agir.

Lucille Teasdale, chirurgienne pédiatrique (1929-1996)
St. Mary's Hospital, Gulu, Ouganda, 17 mars 1996

Rester debout et solidaire, malgré le chaos, plutôt qu'angoisser, s'enfuir ou attaquer, n'est pas un acte de foi : c'est le symptôme d'une certaine construction du cerveau. Cette manière d'être en soi et aux autres, adulte devenu, dépend de la qualité de la relation de confiance que l'enfant aura entretenue avec des adultes. On peut partager, ou pas, la décision de mon amie Lucille et de son mari Piero Corti d'avoir inépuisablement gardé le fort de leur hôpital, malgré l'intrusion des Soudanais sanguinaires et de mille fléaux accumulés au cours des années, mais on ne peut qu'être frappé par la solidité du système limbique qui leur aura permis pareil aplomb. Les héros sont souvent des exemples d'intelligence ou de jugement et ils sont toujours des monuments de sécurité affective et de partage.

Parmi toutes les grandes personnes qui influencent le style affectif de l'enfant, ses parents ont évidemment l'ascendance la plus marquante. Des premiers mois de sa vie, en passant par la période d'attachement sélectif vers la fin de sa première année, jusqu'au jour où il aura à partager une grande décision personnelle et professionnelle, enfin toute sa vie durant, l'enfant sera empreint de ses rapports d'attachement sécure ou insécure avec sa mère et son père. Meilleurs les parents auront été pour pallier sa vulnérabilité de petit bébé, meilleur il sera par la suite pour accueillir et confronter le bon et le mauvais de l'existence. À ce chapitre, des gens extrêmement simples réussiront aussi bien à sécuriser et à édifier la conscience de leurs enfants que des parents éduqués et choyés par la vie. Plusieurs facteurs environnementaux – la garde non parentale en tête de liste – sont appelés à précariser la survie de l'enfant, mais, à la manière d'un transformateur, c'est surtout la capacité, ou pas, de ses parents à protéger l'enfant des décharges électriques qui va déterminer sa manière de survivre.

Lucille Teasdale n'a pas toujours eu des rapports faciles avec sa mère. Dans une biographie écrite par Michel Arsenault, le médecin ne parle pas toujours en termes élogieux de sa maman, ce qui avait d'ailleurs déplu à sa sœur Lise pour qui j'ai aussi la plus grande amitié. Mais la maman de Lucille petite avait certainement fait chez sa missionnaire en herbe un travail nourricier fondateur que Lucille adulte n'avait pas encore réussi à verbaliser. Sa personnalité chirurgicale lui jouait souvent des tours que sa sincérité prodigieuse avait la grâce de rattraper. J'accompagnais Lucille au Gala des personnalités du quotidien *La Presse* 1995, l'année avant sa mort dans un hôpital de Milan. Ce soir-là, Lucille devait recevoir le prix dans la catégorie Courage et réalisation personnelle. Sa maman, je puis vous le dire, était descendue du ciel pour assister à la soirée avec elle. Sur le petit moniteur télé installé à notre table pour les besoins de la cérémonie défilent des images de la série télévisée *Les filles de Caleb*. « C'est elle, c'est Marina Orsini que les producteurs vont approcher pour jouer ton rôle à l'écran », dis-je à Lucille. « Elle est belle, tellement belle. Elle a quelque chose de ma mère », me répond-elle. Émile Genest fait son entrée sur scène. Lucille devient alors subitement hystérique, ce qui ne lui ressemble aucunement. « Jean-François, c'est lui qui jouait dans *La famille Plouffe*, non ? Émile Genest... Tu parles ! On écoutait ça, maman et moi, quand j'étais petite. Hé que maman l'aimait ! Si maman me voyait ici, avec lui ce soir, elle n'en reviendrait pas. » Je n'étais plus là, ni moi ni les autres invités du Monument national. La chirurgienne des guérillas était plongée dans son passé, sur un divan avec sa mère, à regarder un épisode de la famille du pied de la pente douce.

Chaque famille a son genre. Le temps alloué aux enfants par les parents reflète de fait leurs propres caractéristiques, leurs priorités, leurs emplois. Les parents qui reviennent épuisés de leur journée de travail n'ont généralement pas tendance à contenir l'anxiété débordante de leur poupon alors que ceux qui reviennent satisfaits trouvent encore en eux des ressources pour accueillir les émotions immatures de leur enfant. Plus que le style de l'éducatrice ou les jouets disponibles au Centre de la petite enfance, ce qui s'imprègne avant toute chose dans le tout-petit, c'est donc le couple parental, la manière dont les deux parents conjuguent leurs mondes psychiques, leurs forces comme leurs faiblesses, matin, soir, nuit, week-ends et périodes de vacances. La différence entre les enfants capables de réguler leurs humeurs, leurs émotions et leurs comportements et ceux qui ne le peuvent pas – pour qui la plus petite frustration est ressentie comme une catastrophe – provient du degré d'aptitude aux échanges gestuels et émotifs rapides qui ont ou qui auront lieu entre toutes les parties en présence. C'est à travers les représentations que ses parents se font de lui, par leurs regards et leurs attentes, que va émerger leur attitude singulière envers leur enfant. C'est là le nœud gordien, celui qui fait mentir le chercheur autant que l'éditorialiste d'un grand quotidien tant son influence arrive à modifier tout ce qu'on peut dire pour ou contre les garderies.

Peter Fonagy et Mary Main ont démontré la transmission intergénérationnelle des styles affectifs d'attachement. Ainsi, des parents élevés dans la confiance et dégageant eux-mêmes de la confiance auront plus de chances d'engendrer des enfants qui auront un modèle opérant positif face au monde et un style relationnel riche et progressiste. La journée à la garderie s'inscrit donc dans un continuum avec l'ambiance familiale. Même à l'âge des fragilités émotives, certains enfants plus résilients ou moins fragilisés ne combattront pas trop longtemps ou trop vigoureusement leurs nouvelles éducatrices. Ils vont assez rapidement refaire confiance, accepter de s'engager auprès d'elles et se laisser aimer, protéger et guider. Ces enfants ne seront cependant pas à l'abri d'un retour au mode insécure si une tempête de la vie fragilise leur pont parental.

Une maman atteinte d'un cancer, un déménagement, une séparation du couple peuvent ainsi devenir des ancrages post-traumatiques qui vont à nouveau projeter l'enfant *sans problèmes* dans une peur incontrôlable. Pourquoi confier sa survie à une éducatrice si ses parents en qui il avait tellement confiance lui font faux bond ? Un service de garde super-adéquat va donc perdre de ses effets sécurisants sur l'enfant si, au retour de sa journée, la maman crie ou le père se fait absent, de la même façon que la grand-mère criait après sa fille et le grand-père se faisait absent du fait qu'il était travailleur saisonnier et qu'on ne le voyait pas trop souvent. En vertu du même processus de fragilisation des émotions, des parents contenants et ultra-compétents, comme leurs propres parents à eux, vont voir s'égrener la richesse familiale si pour quelque raison que ce soit ils sont forcés de confier l'enfant trop d'heures par semaine à une garderie de qualité faible ou moyenne. À l'instar de leurs parents, les enfants sont tributaires des environnements de vie, peu importe leurs bagages d'origine. Avec de bonnes valises, ils risquent cependant de mieux durer sur la route.

Des sociétés comme des individus seront donc responsables de donner leur *imprimatur* au style affectif de lignées d'enfants. Dans certaines sociétés, comme dans les *kibboutzim* israéliens, on a remarqué un plus grand nombre d'enfants anxieux en raison des rapports qu'ils entretenaient avec des styles particuliers de mères et des environnements tricotés serrés. Dans d'autres cultures, comme en Allemagne, on a remarqué une prévalence d'enfants susceptibles de contenir en eux leurs émotions, après une enfance vécue avec des mamans plus rigides. Historiquement, les conseils du Dr Daniel Gottlieb Schreber, le Dr Spock des Allemands, regroupés dans de petits guides de services intitulés *Schrebergärten,* auraient tant insisté sur la sévérité disciplinaire de plusieurs générations que certains auteurs vont jusqu'à leur imputer l'insensibilité d'origine du nazisme.

La plupart des mamans qui travaillent passent moins de temps avec leur enfant. Mais proportionnellement à leur absence, le temps qu'elles passent avec leur enfant ne diminue pas toujours beaucoup moins. En fait, un système d'autorégulation s'installerait chez plusieurs mères. Plusieurs recherches comparant les manières parentales des mamans et des papas qui travaillent avec celles des parents qui restent à la maison n'ont pas montré de différence significative quant au temps « de qualité » consacré à leurs enfants. Le tour de passe-passe est probablement féminin et la maman, comme toujours, prend plus de responsabilités sur ses épaules, multiplie les actions nécessaires, sacrifie un peu de sommeil et beaucoup de loisirs. De fait, d'autres observateurs se sont aperçus que les mamans qui travaillaient passaient plus de temps avec leurs enfants en dehors des heures de travail pour compenser. Certains travaux ont même montré que les mamans étaient particulièrement positives envers leur enfant au retour du travail. Des études menées dans les années 1980 en Allemagne par U. Bronfenbrenner ont révélé que le fait que la maman ait librement choisi sa situation, soit d'exercer un métier, soit de demeurer au foyer, avait des effets positifs sur le développement de l'enfant. Ces femmes reviennent de leur journée de travail avec un sentiment de plénitude. Elles lisent avec l'enfant, reconnaissent à tout le moins l'importance de lire avec lui. Ces mamans plus éduquées ont par ailleurs moins d'enfants et plus de revenus. Elles ont aussi toutes les chances d'avoir un conjoint qui partage un temps de qualité auprès de l'enfant. Les études rapportent que ces femmes croient également que leur emploi n'est pas préjudiciable au devenir de leur enfant. Comme elles aiment leur travail, elles en tirent généralement un bénéfice qui sera tout à l'avantage de leur rejeton retrouvé après la journée hors du domicile.

Les enfants des femmes aptes à rayonner professionnellement ne sont pas à l'abri, mais leurs mamans ne sont donc pas les plus susceptibles de créer de l'insécurité affective chez leurs bébés. L'âge de leurs enfants au moment de s'en départir pour le service de garde, la condition de santé de leurs enfants, leurs propres styles maternels, la qualité des installations où elles auront « abandonné » bébé viendront néanmoins influencer le bonheur éventuel de leurs enfants. Mais, d'une manière générale, ces femmes auront disposé de plus d'une solution dans leur sac pour améliorer leurs dyades parentales et amenuiser d'éventuelles difficultés.

Des éditorialistes réagissent à tort par l'ironie devant la réouverture du dossier de la légitimité de la garde non parentale des enfants de moins de deux ans. Toutes les femmes ne réagissent pas comme elles, toutes les réalités féminines ne peuvent pas permettre de passer l'éponge sur les réalités infantiles, notamment la réalité des mères démunies et de tant d'autres, les ouvrières, les petites travailleuses, les petites mains aux mauvaises conditions de travail, ni trop pauvres, ni assez riches. D'autres taxent les questionnements biologiques fondamentaux sur le devenir de l'enfant en situation de garde non parentale « d'indécrottable discours passéiste », ce qui est tout aussi ignare et éprouvant : la nouveauté n'est pas un gage de progrès, je me trompe ? « Non, je ne vois pas pourquoi garder des enfants poserait problème », m'a dit une autre figure à thèse, analyste politique réputée, réputée il est vrai pour ses analyses politiques, non pas pour son expertise en maternité.

Le féminisme ne s'intéresse-t-il pas aux petits salaires et aux « jobs » plates ? Toutes les femmes qui parlent, parlent-elles au nom de toutes les femmes ? Nathalie, à l'aide ! Toutes les femmes qui foncent tiennent-elles compte des femmes ambivalentes, anxieuses ou évitantes, de leurs enfants ambivalents, anxieux ou évitants ? Toutes les femmes qui ne parlent pas trouvent-elles des femmes pour défendre la pérennité affective de leurs bébés ? Je rouvre la parenthèse féministe parce qu'il s'agit aussi d'un territoire de mères, donc de pédiatre.

« Yé travaille de 7 h 30 à 4 h 00 », me dit Maria, la maman de Rosa, âgée de 13 mois et de Vasco, qui a 3 ans. « Pour arriver à temps à mon travail à l'usine sur Chabanel, yé doit mé léver à cinq heures, habiller les enfants à six heures moins quart, les laisser à la *Soleillerie* à six heures, prendre lé métro Longueuil jusqu'à Crémazie puis... » Je vous épargne la suite, mais ne peux rien épargner à Maria qui fait ensuite le soir le chemin inverse. À la fin de la journée, elle est fatiguée. Elle et son mari ne connaissent pas grand-monde. Leur réseau social se limite à quelques Portugais de deuxième génération et à deux ou trois voisins rencontrés par l'entremise de leur plus grand. Fernando va au café, elle va magasiner une fois par mois. C'est tout : le reste de leur vie est consacré aux enfants. Maria se sent très coupable de les abandonner à la garderie toute la journée. Elle n'a pas été élevée comme ça. Si sa mère apprenait qu'elle ne s'occupe pas de ses enfants, elle ne comprendrait pas. Elle le lui reprocherait. Maria en arrive à se demander si elle est une personne valable. Elle ne peut pas en parler à Fernando. Les hommes, a-t-elle appris, ne parlent pas de ces choses-là. Au bout du compte, pense-t-elle, elle aura passé toute sa vie à enfiler les vêtements des autres.

Beaucoup de travailleurs, professionnels ou non, hommes ou femmes, profitent de la stimulation intellectuelle, des rencontres et du sens à la vie que leur donne leur travail. Mais il arrive que les mères au travail se sentent coupables et en arrivent à douter d'elles-mêmes parce qu'elles sont éloignées de leurs enfants. Plusieurs chercheurs ont démontré que la qualité de l'expérience professionnelle de la mère et les attitudes de celle-ci avaient une plus grande influence sur le développement des enfants que des variables telles que le statut professionnel de la mère ou le mode de garde. Les mères insatisfaites professionnellement sont à risque de dépression ou d'angoisse, ce qui affecte les relations mères-enfants. On parle trop peu d'elles dans nos discours de convenance et trop peu de leurs enfants à travers elles.

Comme le précisait Sharon Landesman Ramey de l'Université d'Alabama dans un article fort intéressant sur « L'art de la parentalité », la question posée aux observateurs de la prochaine décennie ne sera plus : « À quel point les parents ont-ils une influence sur le développement de l'enfant ? », mais plutôt : « Quel amalgame développemental, parental et comportemental dans tel type de famille ou de communauté, augmente ou diminue la possibilité qu'un enfant performe bien ou mal dans un domaine précis de son développement, actuellement et pour le futur ? »

Devenir parents est indéniablement une des plus grandes sources de joie et un des plus fabuleux défis que la vie puisse offrir. On parle beaucoup de culpabilité parentale, mais on oublie trop souvent que chaque enfant ravive aussi en son parent un sens profond des responsabilités. À un problème aussi complexe que celui d'élever des bébés humains, aussi subtil devrais-je dire quand on vise la sécurité affective et qu'on tient compte des propres sécurités ou insécurités affectives des parents en poste, il ne peut y avoir de réponse simple. Les nœuds ne peuvent être dénoués qu'à partir du moment où on a pris la mesure de la longueur de la corde.

Bibliographie

Ahnert, L. et Lamb, M. *Infant-careprovider attachments in contrasting German child care settings II : Individual-oriented care after German reunification. Infant Behavior and Development* 2000, 23, p. 211-222.

Arsenault, M. *Un rêve pour la vie : une biographie de Lucille Teasdale et Piero Corti*, Montréal, Libre Expression, 1997.

Bronfenbrenner, U. *Recent advances on the ecology of human development*, dans Silbereisen, K. *et al. Development as action in context.* Berlin, Springer, 1986, p. 287-309.

Chicoine, J.-F., Sulmoni, M., Hallet, F. et Marinopoulos, S. *Méta-analyse interdisciplinaire sur l'attachement : approche psycho pédiatrique familiale à des fins cliniques et éducatives.* Société de pédiatrie internationale, Canada/Québec, Suisse, Belgique, France, 2005.

Chicoine, J.-F. et Teasdale, L. Correspondance personnelle, 1996.

Clark *et al. Length of maternity leave and quality of mother-infant interactions. Child Development* 1997, 68, p. 364-383.

Clarke-Stewart, K.A. I*nfant day care : Maligned or malignant? American Psychologist* 1989, 44, p. 266-273.

Cox, M.J. et Paley, B. *Families as systems. Annual Review of Psychology* 1997, 48, p. 248-267.

Egeland, B. et Hiester, M. *The long-term consequences of infant day-care on mother-infant attachment. Child Development* 1995, 66, p. 474-485.

Feldman, R. *et al. Parental leave and work adaptation at the transition to parent-hood : Individual, marital, and social correlates. Journal of Applied Developmental Psychology* 2004, 25, p. 459-480.

Fonagy, P. *et al. Maternal representations of attachment during pregnancy predict the organisation of infant-mother attachment at one year of age. Child Development* 1991, 62, p. 891-905.

Fonagy, P. *et al. The Emmanuel Miller memorial lecture,* 1992. *The theory and practice of resilience. Journal of Child Psychology and Psychiatry* 1994, vol. 35, n° 2, p. 231-257.

Fonagy, P. *et al. The relation of attachment status, psychiatric classification, and response to psychotherapy. Journal of Consulting and Clinical Psychology* 1996, 64, p. 22-31.

Hill, C.R. et Stafford, F.P. *Parental care of children : Time diary estimates of quantity, predictability, and variety,* dans Juster, F. T. et Stafford, F.P. (dir.). *Time, goods and well-being* (p. 415-438). Ann Arbor, MI, Institute for Social Research.

Hoffman, L.W. et Youngblade, L.M. *Mothers at work : Effects on children's well-being.* New York, Cambridge University Press.

National Institute of Child Health and Human Development Early Child Care Research Network. *Factors associated with fathers' caregiving activities and sensitivity with young children. Journal of Family Psychology* 2000, 14 (2), p. 200-219.

Oppenheim, D. et Sagi, A. *Infant-adult attachments on the kibbutz and their relation to socioemotional development 4 years later. Developmental Psychology* 1988, 24 (3), p. 427-433.

Une petite planète

Le stress, l'enfant et la garderie

Jean-François Chicoine

Tombe, tombe l'éducatrice,
Pique, pique ma colère...
Vite, vite la directrice,
La ministre dans le fourneau !

Chanson de nourrice

L'autre jour, j'interroge la famille d'une petite de 14 mois qui a de la difficulté à s'endormir depuis déjà quelques semaines. Les parents de Camille ont rencontré avant moi deux médecins, fait de nombreux appels à Info-Santé et même consulté à quelques reprises une psychologue du CLSC. On ne peut pas dire qu'ils n'ont pas été encadrés : la majorité des familles l'auraient été beaucoup moins.

Pour favoriser le sommeil de Camille, les intervenants impliqués se sont toutefois limités à prescrire des attitudes à respecter : la routine, la veilleuse, la porte entrouverte, le capteur de rêves, etc. Personne n'a informé ses parents de la cause la plus probable du processus affectif sous-jacent : une insécurité affective de leur petite fille causée par une rupture dans le style de soins qu'elle avait l'habitude de recevoir, et ce, à un moment crucial de son développement.

Les familles d'aujourd'hui ne sont pas bêtes, la majorité des intervenants non plus : ils sont juste trop préoccupés de trouver des recettes simples à des réalités complexes. Ils se tuent à ajuster les enfants à leurs exigences d'adultes au lieu de moduler leurs vies aux besoins biologiques des bébés humains. Quand le parent a la chance de comprendre l'état et le pourquoi des choses, il cesse d'être la victime et devient la solution aux transgressions comportementales de son enfant. Autrement, il multiplie les consultations et s'épuise de ne rien trouver.

Nous sommes à une époque où trop de soignants se contentent de prêcher des attitudes, en omettant concurremment de faire grandir les connaissances des familles à encadrer. Nous sommes à une époque où la recherche, fondamentale ou clinique, ignore presque tout des réalités quotidiennes. La plus grande partie des connaissances médicales n'est malheureusement jamais mise à la disposition de la communauté ni mise en pratique. Ainsi, des pans entiers d'information ne pénètrent jamais dans les lieux de consultation et par-delà, dans les bungalows. Tout le monde communique, personne ne se parle : c'est le principe des vases non communicants.

Cela fait des années que je suis consterné par l'information véhiculée sur les bébés à Info-Santé. Qui révise les protocoles adressés à ceux qui appellent en détresse ? Quelle est l'expertise clinique des intervenants au téléphone ? Ces conseils sont-ils aidants pour les familles ou ne portent-ils finalement qu'à la surconsommation secondaire de services ? Le principe est pertinent, là n'est pas la question, mais, pour être conséquent, il faudrait aller bien au-delà de l'infrastructure actuelle.

À la pharmacie, les eaux homéopathiques s'alignent sur les tablettes. En vedette l'hiver, on peut remarquer la promotion de la potion « contre l'agitation des bébés ». Le diagnostic importe peu, personne n'en revendique d'ailleurs la compétence. En médecine dite douce autant qu'en médecine scientifique, l'usage social est maintenant de savoir traiter le symptôme, non pas de comprendre la généalogie de la problématique qui fait souffrir : la toux fascine, pas la pneumonie qui pourrait faire tousser ; le mal de ventre fascine, pas la constipation qui pourrait donner mal au ventre ; l'agitation fascine, pas la détresse qui pourrait rendre agité. Il faut dire que la superficialité et le temps qui presse favorisent la poursuite des opérations commerciales : plus vous fouillez une symptomatologie, moins vous avez besoin de solutions médicamenteuses. Passer vite sur le diagnostic est une belle occasion d'affaires.

« Dans les centres de la petite enfance, nous mettons souvent l'accent sur le *comportement* comme source du problème : il s'agit bien d'une entrave au bon fonctionnement d'une salle de jeu. Cependant, nous devons aussi voir ce qui manque à l'enfant et pourquoi», écrit l'éducatrice ontarienne Sarah Uffelmann. «La science offre ainsi une explication de ce que les intervenantes savaient depuis longtemps : le fait de rester à l'écoute des enfants et de leur répondre en fait des êtres humains mieux adaptés et de meilleurs citoyens à long terme. Ce tableau paraît-il sombre? Il ne l'est pourtant pas si l'on tient compte de l'influence unique que les éducatrices de la petite enfance peuvent exercer sur la vie des enfants et de leur famille. Celles-ci ont en effet la possibilité de soutenir la réalisation d'interactions positives et réceptives entre les intervenantes et l'enfant, l'enfant et les parents, les parents et les intervenantes. Pour ce faire, elles doivent voir au-delà des simples modalités de la gestion du comportement. Certes, les techniques d'orientation du comportement sont importantes, mais se fier entièrement à elles pour régler les problèmes comportementaux isolément ne pourra que se révéler frustrant pour toutes les parties concernées.»

Je vois Camille et sa famille à l'occasion d'un nouveau rhume et de ce que je diagnostique comme une première otite moyenne chez la petite. Je ne me contente pas de prescrire des antibiotiques. C'est cependant ce que la société attend de moi : que je prescrive des antibiotiques. Cela fait rouler l'industrie et l'opinion anti-médicale qui alimentent tant de magazines de santé. Mais la médecine me permet de faire plus, d'être plus intrusif et, je l'espère, plus utile. Mon travail est un travail de service, d'utilité. Je me dois de renvoyer l'enfant à sa santé, mais aussi, ses parents à leur famille. C'est plus long, mais pas très compliqué, en acceptant de fouiller un peu dans les habitudes des adultes, celles des parents au départ, celles des éducatrices ensuite. Combien de professionnels osent questionner les familles sur les journées de garde des enfants qu'ils examinent? On interroge un adolescent à propos du port du condom, mais pas un parent sur sa façon de faire garder ses enfants. Le vrai tabou, c'est l'émotion, pas la sexualité.

En interrogeant les parents, j'apprends que le papa de Camille gardait sa petite à la maison depuis sa naissance, à la suite d'un arrangement entre lui et la maman, dont la sécurité d'emploi était plus précaire. L'enfant et sa famille ont filé le parfait bonheur jusqu'à ce que la petite ait un an. Au questionnaire en tout cas, les parents ne trouvent pas jusqu'à cet âge de quoi se plaindre ou s'inquiéter, ni rhume ni diarrhée, ce qui est toujours une surprise pour un pédiatre.

Depuis deux mois cependant, non seulement Camille a du mal à s'endormir, mais elle pique aussi des crises de colère répétitives et crache sa nourriture à table. Papa et maman ne reconnaissent plus leur petite. L'autre jour au centre commercial, ils ont été contraints de s'enfermer dans les toilettes, le temps qu'elle épanche ses ardeurs. Ils sont épuisés.

Vous aurez deviné que le papa est retourné au travail et que la petite est à la garderie depuis deux mois. Le couple parental est satisfait des services du centre de la petite enfance qu'ils ont choisi. Les installations sont jolies. Les éducatrices leur semblent adéquates. « Vraiment, on les aime beaucoup... Docteur, c'est nous, je crois, qui sommes très fatigués... », ajoute la maman de Camille.

Je vous ai tout dit, sauf un détail, celui que vous attendiez : ce qui se passe à la garderie. Cela a échappé à tous les intervenants. Les parents se doutaient bien que ce n'était pas agréable, mais n'avaient pas mesuré à quel point le détail pourrait avoir une influence vicieuse sur leur petite : nous sommes de fait fin juillet et depuis son entrée en garderie, l'enfant a changé quatre fois d'éducatrice. Quatre fois, pensez-vous ! La première est tombée malade. La deuxième est tombée enceinte. La troisième est tombée en vacances. La quatrième est en place, jusqu'à preuve du contraire. Mais elle peut toujours tomber.

Il est scientifiquement clair qu'une exposition chronique à trop d'éducatrices peut perturber la vie de l'enfant, son sommeil, ses repas, puis ultimement sa confiance dans tous les adultes, y compris ses parents. Les éducatrices, même les meilleures, ne peuvent pas se faire spontanément « uniques au monde » pour l'enfant en croissance. Il leur faut du temps, de la constance, de la présence. Des chercheurs italiens ont clairement démontré qu'elles ne pouvaient pas être d'aussi bonnes éponges anti-stress que les parents, même six mois après l'arrivée de l'enfant à la garderie. L'anxiété mal canalisée des enfants imprègne ensuite toutes les activités quotidiennes, notamment le sommeil.

Exposer un enfant, à cette période de la vie, à quatre figures complémentaires d'attachement, comme ça se fait pourtant trop souvent dans nos services de garde erratiques, c'est ne rien respecter des modèles en construction dans la tête de l'enfant en recherche de confiance intensive envers son parent ou celui qui a la charge parentale. Le tempérament de l'enfant a ici moins d'influence qu'on le pense. De nombreux travaux ont démontré que la qualité, la familiarité et la sensibilité continue des soignants étaient les meilleurs points de repère pour prédire l'adéquation émotive des enfants. Autrement dit, vous avez beau avoir d'excellents et solides parents, comme ceux de Camille, s'ils ne sont plus là pour la journée et que les bras étrangers se multiplient autour de vous, vous hésitez à faire confiance. Les garderies en milieu familial garantissent à ce titre ce que les meilleurs services en installation n'offrent pas : la figure stable de « la petite madame ».

Tous les gestionnaires, tous les fonctionnaires, tous les ministres qui ont conspiré un jour ou l'autre dans les coulisses du pouvoir pour départir nos sociétés de la stabilité de leurs services de garde en milieu familial n'ont donc rien compris à l'enfance, ni à la vie et méritent rien de moins que le pilori. « Qui t'empêche de massacrer toute la famille et de te mettre à leur place ? », recommande Mère Ubu à Père Ubu dans *Ubu Roi* d'Alfred Jarry, l'iconoclaste. Ce n'est pas d'hier que le pouvoir bafoue la famille et tout ce qui pourrait bien lui ressembler. Je suis avec vous, éducatrices des milieux familiaux.

Je le répète : l'attachement n'est pas que l'amour, ni que l'amour que l'on ressent pour l'autre, ni que l'amour des autres. Pour mieux comprendre le lien d'attachement qui s'inscrit entre un enfant, son parent et ceux qui comme ce dernier sont chargés de dresser des ponts de survie avec lui, il vaut mieux évoquer la notion de confiance que la qualité du sentiment d'amour, cette confiance en soi et en l'autre qui deviendra, avec l'âge, conscience de soi et conscience des autres. De la même manière qu'une femme peut aimer son mari sans jamais lui faire confiance, un enfant peut aimer et se sentir aimé de son parent sans totalement lui faire confiance.

Que la petite Camille s'endorme mal et se comporte mal n'est donc pas une surprise. Trop de personnes différentes et en trop peu de temps lui ont été soumises ou, pourrait-on-dire, imposées. Camille ne sait plus à qui s'en remettre pour sa journée, a perdu plus d'une image substitutive, a épuisé toutes ses stratégies d'action, pleure et finalement craque. La douleur de l'otite n'arrange rien à sa misère. À qui confiera-t-elle maintenant sa journée ? À la petite nouvelle ? Quelles sont ses garanties de durabilité ? À ce titre, la pile d'un lapin a plus d'endurance qu'une éducatrice.

Bien avant la naissance de leur enfant et durant ses premiers semestres de vie, tous les parents du monde devraient disposer de connaissances plus directives sur l'attachement afin de mieux trouver en eux les forces, les attitudes et la disponibilité leur permettant de devenir le camp de base sécurisant de leur futur explorateur. Les bénéfices seraient mille fois plus probants que les cours pré-partum traditionnels. Compte tenu du haut taux de séparation parentale que vivent nos sociétés modernes, les parents devraient également être doublement encouragés à sécuriser leurs bébés avant que la bise ne soit venue. Le fait de sécuriser les deux premières années de l'enfant donne ainsi une certaine latitude aux malheureuses libertés d'adulte. Il est reconnu qu'un enfant confiant sécurisé, pendant ses deux premières années, par des parents fourmis plutôt que des parents cigales, réagira avec moins de fureur à une éventuelle brisure parentale et continuera de chercher le réconfort de sa maman et de son papa, et ce, longtemps après le divorce.

Nos services d'État et ceux qui les confortent, journalistes et autorités de santé publique ou de politiques familiales, communiquent eux aussi à coup de discours, de politiques, de documents cartonnés séparés en trois couleurs, à force de stratégies et d'agences de communication. Dans leur frénésie de communication, les avez-vous déjà entendus nous informer sur le chiffre maximal d'éducatrices à offrir aux enfants ? Sur leur souci d'offrir aux familles une continuité intelligente à la parentalité ? Je ne parle pas de numérologie, j'invoque la science. Je ne parle pas d'amour, j'invoque la confiance. Faudrait-il engager les éducatrices à la seule condition qu'elles ne se déchargent jamais d'un enfant de 8 à 15 mois ? Des services français d'aide à l'enfance en difficulté engagent leurs éducateurs sous condition afin de protéger les enfants de futures ruptures. Devrait-on émettre des clauses de fidélité apparentées pour prévenir la sécurité affective de la « clientèle » ?

Après quelques semaines de retour à la maison, question de la requinquer un peu, la petite Camille a retrouvé le chemin de sa garderie. J'ai revu la famille à cette occasion. Il a fallu aux parents trois semaines pour venir à bout du sommeil impossible. La petite s'endormait difficilement, un parent couché dans ses draps. Pendant quelques soirs, à ma suggestion, les parents ont continué de coucher auprès d'elle, mais attention, pas dans son lit, à ses côtés, sur un matelas d'appoint pour assurer sa sécurité et tout en permettant la séparation ultérieure. On ne peut pas « casser » trop brusquement un enfant insécurisé par le monde des adultes et le laisser pleurer tout son soûl jusqu'à épuisement. On peut laisser brailler l'enfant qui a passé toute la journée avec son parent, mais pas celui qui se sent un peu abandonné. Après quelques jours de camping à côté du lit de Camille, les parents ont su éloigner le matelas pour se retrouver finalement sur le seuil. Aujourd'hui, ils sont assez fiers d'eux et font « chambre à part » de la petite. Pendant tout ce temps, ils ont réussi à être assez résistants pour ne pas la prendre dans leurs bras, ne pas lui offrir un biberon, ne pas lui proposer quelque substitut que ce soit durant la nuit. Ils ont fait preuve de fermeté, comme il faut faire dans « le livre ».

Le soir, avant de quitter Camille, ses parents lui répètent encore combien ils l'aiment. Ils savent qu'elle le sait, mais ils savent aussi qu'un enfant de cet âge a l'âge pour l'oublier et peut aimer l'entendre répéter. Les parents, cette fois, y sont allés prudemment avec la séparation le jour, comme ils ont fait pour la nuit, ayant obtenu la permission d'une immersion lente en garderie – « mollo, mollo », ont-ils convenu avec la directrice du Centre – et se sont assurés de la stabilité de l'éducatrice pour les prochains mois. Ça semble bien aller. « Vraiment ? », je demande. « Vraiment », répondent les parents.

En 2003, Watamura et son équipe de chercheurs rapportaient une élévation du cortisol sanguin chez les jeunes enfants élevés en services de garde quand on les comparait au taux des enfants qui étaient gardés à la maison. Cette découverte est fondamentale, et pour plusieurs raisons.

D'abord, on sait que le cortisol produit en excès dans la journée est le plus souvent un marqueur de stress accru. Des enfants comme Camille vivraient donc de l'anxiété, de la peur, de la solitude et une baisse éventuelle de leurs défenses immunitaires qui s'expliqueraient par une hausse de cortisol dans leur organisme.

Ensuite, si on se fie aux études animales dont j'ai parlé précédemment en traitant du cas des plus jeunes bébés, les mammifères auraient une sensibilité diminuée au cortisol pendant leurs premiers 18 mois, un peu comme s'il était prévu que les mamans encaisseraient à leur place le stress de leurs rejetons à des périodes de la vie où les enfants sont plus susceptibles de souffrir des effets néfastes de la peur. À défaut d'une constance de la figure d'attachement, l'exposition précoce à du cortisol en excès aurait non seulement un effet effrayant sur le coup, mais pourrait modifier fondamentalement les structures limbiques du cerveau du nourrisson, notamment les amygdales cérébrales et l'hippocampe où il est capté de préférence. Le fait est que le cortisol non endigué par la figure maternelle provoque un œdème de la paroi des cellules cérébrales qui, en gonflant, dilate les canaux. Les ions calcium qui normalement circulent au dehors des cellules s'y engouffrent et les font éclater. Paf! Résultat : les structures en croissance responsables de la motivation autant que de la régulation des émotions s'en trouvent à tout jamais altérées. Quelques années de stress quotidien et d'existence mal supportée, et le cerveau limbique se voit ainsi atrophié. Ici encore, la neurobiologie rejoint les sciences psychologiques. On sait depuis longtemps que les personnes avec une faible estime de soi réagissent moins bien au stress ou l'interprètent mal. On apprend aujourd'hui que si leurs réponses sont exagérées ou supranormales, si leurs comportements sont intériorisés et tout en tristesse ou, au contraire, s'ils sont extériorisés et mènent aux pires troubles de conduite, c'est peut-être parce que leur matière cérébrale a été endommagée à un âge où ils auraient eu besoin d'une protection accrue, pas d'un séjour prolongé en garde non parentale stressante. « La situation saine du cerveau doit donc éviter la sécurité totale qui engourdit la vie émotionnelle, autant que l'excès de stress qui en atrophiant les circuits de l'émotion et de la mémoire, paralyse la vie psychique », rapportent Gloria Jéliu et Dominique Cousineau. S'ils n'étaient intervenus auprès de leur fille et de la garderie, les parents de Camille auraient été éventuellement confrontés à de lourdes réalités.

Finalement, avec l'étude de Watamura et avec les résultats d'autres chercheurs depuis, on confirme que le stress se mesure assez aisément. Les échantillons de cortisol s'obtiennent tout simplement par la salive. Aucun prélèvement sanguin n'est nécessaire. On peut donc facilement imaginer que dans les bureaux de pédiatre on pourra bientôt mesurer biochimiquement les malheurs rapportés par les parents et les signes cliniques des enfants simplement en passant une petite tige dans leur gorge. Par exemple, dans le cas de Camille, on se serait retrouvé avec un niveau anormalement élevé de cortisol au moment de ses troubles de sommeil et un niveau abaissé quelques mois plus tard, après l'intervention de ses parents. Les applications cliniques futuristes d'une mesure aussi facile des détresses infantiles sont proprement déroutantes.

PÉDIATRE
Bonjour, j'aimerais parler à la directrice de la garderie, s'il vous plaît.

DIRECTRICE
Vous avez reçu nos nouveaux échantillons de salive, docteur ?

PÉDIATRE
Oui, la petite Camille a besoin d'un petit trois mois de congé, le temps que son cortisol baisse un peu. Dans quelques mois, son hippocampe sera achevé et elle pourra mieux gérer les débordements.

DIRECTRICE
Et Léo ?

PÉDIATRE
Le petit Léo va bien : 13 mois seulement, c'est jeune pour la garderie, mais son cortisol est bon. Bravo à votre équipe !

DIRECTRICE
Ses parents sont très disponibles également. Ils viennent le chercher vers trois heures. Et il fait du demi-temps.

PÉDIATRE
Mais qu'est-ce qui s'est passé avec Marina ? Elle a changé d'éducatrice ?

DIRECTRICE
Non, ses parents ont déménagé. Vous savez bien docteur qu'un petit rien modifie vos dosages de cortisol. Ce n'est pas toujours la faute de notre installation.

PÉDIATRE
N'empêche qu'il va falloir que le niveau de Marina baisse. Ils ont déménagé où, ses parents ?

DIRECTRICE
Sur Mars.

Bibliographie

Broom, B.L. *Parental sensitivity to infants and toddlers in dual-earner and single-earner families. Nursing Research* 1998, 47, p. 162-170.

Chicoine, J.-F. et Lemieux, J. *Les troubles de l'attachement en adoption internationale. Journal des professionnels de l'enfance,* Paris, 2006.

Clark *et al. Length of maternity leave and quality of mother-infant interactions. Child Development* 1997, 68, p. 364-383.

Cox, M. *Prediction of infant-father and infant-mother attachment. Developmental Psychology* 1992, 28, p. 474-483.

Fein, G.G., Gariboldi, A. et Boni, R. *Infants in group care : Patterns of despair and detachment. Early Childhood Research Quarterly* 1995, 10, p. 261-275.

Jéliu, G. et Cousineau, D. *Le cerveau et l'amour maternel, Prisme* 2003 n° 40, p. 118-125.

National Institute of Child Health and Human Development Early Child Care Research. *Child care and family predictors of preschool attachment and stability from infancy. Developmental Psychology* 2001, 37, p. 847-862.

Tout, K., De Haan, M., Campbell, E.K. et Gunnar, M.R. *Social behaviour correlates of cortisol activity in child care : Gender differences and time-of-day effects. Child Development* 1998, 69, p. 1247-1262.

Uffelmann, S. *L'attachement des enfants.* Interaction, Fédération canadienne des services de garde à l'enfance, vol. 14, n° 3, 2000.

Watamura, S.E. *et al. Morning-to-afternoon increases in cortisol concentrations for infants and toddlers at child care : Age differences and behavioural correlates. Child Development* 2003, 74, p. 1006-1020.

Les guerres non irakiennes

Les études étasuniennes sur l'attachement et la garderie

Jean-François Chicoine

The waitress was so dumb.
They don't learn to serve Big Mac at the daycare, don't they?

Entendu dans un sitcom étasunien

Je ne crois pas aux théories du complot pour expliquer la non-divulgation des données de pointe. La médiocrité est une constance humaine trop importante pour qu'on se permette de la détrôner par de la paranoïa. Je crois par ailleurs que la somme des connaissances partagées par les femmes et les hommes publics, les élus en Chambre, les rares professionnels qui prennent publiquement la parole ou les animateurs à la télé, est trop faible pour permettre un échange d'idées qui aille au-delà de la communication efficace. À trop vouloir sauver ses infrastructures de garde, le discours québécois a oublié de se mettre au parfum de quelques découvertes scientifiques internationales qui auraient pourtant apporté un éclairage de taille aux familles faisant un mauvais usage des garderies.

Il y a effectivement des particularités culturelles ou politiques à la distribution de nos services de garde au Québec, mais elles n'empêchent en rien le partage de trouvailles scientifiques qui dépassent largement toutes les frontières. À ce chapitre, des données étasuniennes passionnantes ne parviennent donc ni aux parents, ni aux dispensateurs de services. À peine un ou deux journalistes ainsi qu'une petite poignée de spécialistes, et encore, ont fait un étalage public des quelques résultats de recherche que je vous présente ici. Et c'est dommage, sinon symptomatique, car en matière de petite enfance et de gardiennage, il est difficile de trouver plus pertinent que ces travaux d'envergure qui m'aident personnellement à encadrer les familles que je rencontre.

Pour la petite histoire, je vous informe que depuis le début des années 1980, on assiste aux États-Unis à des bagarres épiques entre les chercheurs attelés à comparer la sécurité affective des enfants selon qu'ils ont ou non fréquenté un service de garde ; selon qu'ils l'ont fréquenté précocement ou pas ; selon qu'ils l'ont fréquenté longtemps ou pas ; enfin selon tout ce qui précède. Ces querelles de clochers ou d'argumentaires ne sont pas près d'arriver à leurs fins puisque trop de facteurs humains, culturels, pratiques et biologiques sont en cause. Mais après 30 ans de guerres savantes, on peut cependant dire que, depuis ses débuts, le sujet a enfin évolué. Plus que jamais, il permet de nous convaincre du caractère insécurisant d'une garde non parentale erratique. Et ce serait sadique de nous en priver.

La controverse chez nos voisins du Sud gagne de l'ampleur quand, dans la seconde moitié des années 1980, l'analyse des recherches sur les modes de garde du jeune enfant a amené l'Étasunien J. Belsky à la conclusion suivante : « Un mode de garde non maternel, non parental, à la fois précoce et prolongé risque d'augmenter la probabilité d'une relation bébé-parents insécure et d'un comportement agressif et rebelle avant l'entrée à l'école et durant les premières années du primaire. »

Pour Belsky et un groupe de chercheurs à sa suite, la situation est très claire : un bébé stressé et occupé à survivre en dehors de son milieu *cocoonant*, même avec des bonnes conditions de séjour, est happé par des considérations affectives qui pourraient bien ralentir sa confiance en soi selon ce que vous savez maintenant de la théorie de l'attachement. Dans les travaux d'origine de Belsky, les enfants exposés à la garderie présentent une plus grande proportion de comportements non confiants avec leur maman. Tous les enfants observés vivent du stress pendant les séparations, mais normalement les enfants qui se sentent en sécurité sont apaisés par le retour de leur mère, ce qui semble fondamentalement influencé par le séjour en garderie. Par exemple, plusieurs des enfants en garderie présentent pour les examinateurs des styles affectifs plus évitants que ceux qui sont élevés à la maison, confient moins leur détresse aux adultes aimés, n'entrent pas en relation avec leurs parents.

Les implications cliniques sont majeures : chez ces enfants qui ont tendance à s'isoler, les psychologues constatent en sus des signes de tristesse et de dépression ; chez les enfants qui font dans le style d'attachement anxieux, les nuits sont si chargées d'angoisse que la solution de fortune se trouve uniquement dans le partage du lit avec leurs parents. Bonjour l'autonomie !

À l'origine, ces travaux inquiétants de Belsky portent moins sur la qualité des services rendus à la petite enfance et sur le style familial que sur les effets du nombre d'heures passées en garderie. Beaucoup de chercheurs le lui reprochent d'ailleurs, criant à juste titre aux multiples autres influences positives que la garderie a dans la construction développementale de certains enfants, notamment en matière de compétences et de socialisation et qui sont à mettre dans la balance quand on prétend juger de l'effet global. Dans la foulée des années 1990, Belsky, dont l'essentiel des travaux sur les garderies s'articule autour de la solidité du lien d'attachement parent-enfant, s'est vite fait traiter de misogyne de garde-robe. En 1999, il a quitté la Pennsylvanie pour retrouver une université londonienne, qui sait peut-être pour se retrouver dans la patrie d'origine de l'attachement. On lui demandera.

Pour votre information, les Anglo-Saxons en général (Étasuniens, Anglais et Australiens), voire même ceux qui lisent des sciences humaines en anglais, comme les Danois ou les Néerlandais, ont toujours eu une longueur d'avance sur la francophonie européenne en ce qui a trait à leurs connaissances sur l'attachement. Ce qui ne veut pas dire qu'ils sont tous sur la même longueur d'onde, surtout pas quand il s'agit de mettre en pratique ce qu'ils savent dans les milieux de garde. Aux États-Unis, quand apparaissent ces premières recherches belskiennes, si je puis dire, sur l'attachement plus ou moins sécurisé des enfants envers leur maman, selon qu'ils ont été gardés à temps plein, à mi-temps ou pas un instant, il faut d'abord convaincre les écoles de psychologie cognitivo-motrice que l'attachement est partie prenante des déterminants du développement de l'enfant. Il faut ensuite s'enquérir d'une définition commune de l'attachement. Il faut aussi, et surtout, s'accorder sur les instruments de mesure pour mieux en apprécier la teneur. Le sujet plus ciblé des affects à la garderie se fait ainsi bon second. Il est abordé avec beaucoup d'embarras, trop de flous et trop de variables.

Pour certains auteurs disciples de Belsky, 20 heures de garde non parentale suffisent pour faire naître des comportements insécures avec les mamans et un déficit d'estime de soi facilement mesurable dès l'école primaire. Pour d'autres chercheurs, 40 heures et même plus ne changent rien au développement d'éventuelles difficultés socio-affectives et à la construction des adultes en devenir. L'influence d'une partie de la droite étasunienne qui considère encore les mères comme des « *housekeepers* » ainsi que la qualité douteuse sur le plan éducatif de la majorité de leurs installations en place, ces facteurs et d'autres compliquent les conclusions des meilleurs travaux sur la question. Les instruments expérimentaux de mesure de la sécurité affective, comme la fameuse « situation étrangère » de Mme Ainsworth, sont contestés ou entérinés quant à leur qualité ou leur emploi dans un contexte quotidien. Les styles parentaux, les configurations familiales, les classes sociales sont pointés du crayon comme facteurs éclairants des différences comportementales des enfants. Enfin la qualité des services de garde, la formation des éducatrices et des gardiennes ponctuent l'interprétation des résultats par la communauté scientifique et conduisent les *progressistes* à rejeter en vrac, mais à tort, les conclusions de Belsky.

Belsky lance ses premiers pavés dans la mare dans les années 1980 alors qu'encore aujourd'hui, aux États-Unis comme au Québec, la théorie de l'attachement et ses corollaires les plus utiles dans la pratique clinique avec les familles ne sont pas aussi connus ou mis en pratique qu'on serait porté à le croire. Si le grand public ou le monde politique tarde à reconnaître l'attachement comme un facteur déterminant de la personnalité de l'enfant, c'est parce que la thématique a aussi considérablement de retard dans les milieux de la recherche, de la prévention et des soins. Au Québec, le personnel des centres d'accueil dénonce notamment le peu de formation des équipes dans ces aspects particuliers de la santé mentale. J'ai eu l'occasion d'aborder la question dans le documentaire de Paul Arcand *Les voleurs d'enfance*. L'importance de l'attachement dans les relations humaines est lamentablement contestée par plusieurs spécialistes solides de la petite enfance, des cognitivistes autant que des psychanalystes, tous un peu bousculés dans leurs préceptes traditionnels. Sachez par ailleurs que le terrain d'entente de la majorité des spécialistes ne leur donne cependant pas raison : la théorie de l'attachement est, c'est généralement reconnu, le modèle le plus compréhensible pour saisir l'affect d'un enfant, sa confiance en lui-même ainsi que sa confiance éventuelle envers les autres dans toutes ses situations de vie, la garderie y compris. La théorie de l'attachement a également, on l'a vu précédemment, ses assises anatomiques et neurophysiologiques capables d'expliquer, mieux que toute autre découverte, la construction affective d'un enfant en croissance au moyen de l'anatomophysiologie du cerveau. La théorie de l'attachement permet des actions cliniques et préventives, notamment en thérapie familiale comme l'a suggéré notre rencontre avec la travailleuse sociale Johanne Lemieux. La théorie de l'attachement a des implications juridiques quand il s'agit de confier un enfant négligé par sa mère, et conséquemment fragilisé émotionnellement, à un milieu substitut comme une famille d'accueil ou d'adoption.

Les recherches qui s'intéressent à l'influence de la pompe à sodium sur la sexualité des mitochondries ne bousculent pas le public et assurent la pérennité d'une caste d'intellectuels exportables d'une université à l'autre. En revanche, des recherches universitaires sur le devenir de l'enfant comme personne risquent de faire des vagues, de provoquer des attentes immédiates, de précipiter ou de faire avorter la mise en place d'actions sociales influentes, sinon déterminantes. D'où la confusion possible, le chaos potentiel relié à l'interprétation et à la diffusion des résultats, et aux attentes de tous et chacun dans un domaine aussi sensible que celui de la garde d'enfant. Un *vrai* chercheur n'est pas un bon citoyen. Sa naïveté relative le range dans des univers séquentiels. Ses œillères de circonstance le rendent moins performant à nous éclairer sur une tendance de la recherche qui pourrait peser lourd dans la balance de nos choix politiques ou personnels. Ce qui explique, à mon sens, que le débat prend forme aux États-Unis dans le manichéisme peu porteur du pour ou contre la garde non parentale et que c'est cette orientation qui nous est depuis longtemps transmise au Québec, malgré une évolution intelligente de la recherche sur la question. La plupart des scientifiques se trouvent alors dans une position inconfortable de double inconstance : d'une part à cause de leur méconnaissance théorique ou pratique des avenues permises par la théorie de l'attachement, d'autre part en raison de leur méconnaissance des différents déterminants qualitatifs qui participent à la garde de l'enfant. Ces deux marivaudages potentiels font que les choses traînent et compliquent la qualité, l'interprétation et la transmission des résultats aux familles et soignants susceptibles de les mettre en pratique.

En matière d'action pour l'enfance, là réside une partie de la différence entre la recherche et le plaidoyer. La première se soucie de l'intelligibilité de ses travaux, le second va directement à l'intelligible. Les deux ne sont pourtant pas incompatibles.

Bon nombre des différends de ces années Clinton ont laissé conséquemment des marques dans les écoles de psychologie et de sociologie du Québec, des marques regroupées autour d'idées communes mais de mises en perspective différentes. « Les experts ont souvent des opinions différentes sur ce qui doit être fait avec les tout-petits, où, quand, par qui », écrit Richard Tremblay dont les travaux québécois sur la question sont nombreux et remarquables. « Nous commençons à peine à prendre au sérieux les premières années de la vie et les renseignements fiables manquent pour arriver à des certitudes. » Dès le début des années 1990, les Québécois vont ainsi souffrir d'un mauvais dédouanage des études étasuniennes dont ils dépendent, moins dans leurs politiques que dans l'ambiance de leurs universités qui se perdent un peu sur le sujet de la sécurité affective selon leurs intérêts en psychologie humaine. Des travaux comme ceux de Belsky, qui propulsent l'attachement aux premières loges, ne sont pas d'emblée proposés aux familles comme solution aux écarts comportementaux des petits Québécois. Par expérience personnelle, vous abordez encore aujourd'hui un tant soit peu le sujet dans les médias et vous voyez poindre les harpies.

C'est par ignorance qu'elles se permettent de sortir leurs griffes car depuis Belsky, ses équipes anglaises et étasuniennes n'ont de fait manqué ni de tonus, ni d'endurance, ni d'instinct. Face à des critiques et des arguments de taille de la communauté scientifique, dont plusieurs étaient justifiés, ils se sont remis à l'ouvrage pour mieux contrôler plusieurs variables, notamment l'âge de l'entrée dans le service de garde, le nombre d'heures par semaine passées à la garderie et la qualité des installations. Au moment où j'écris ces lignes, ces chercheurs sont encore sur le métier. Au risque de déplaire à certains, leurs conclusions paraissent de moins en moins contestables depuis l'évolution des connaissances des dernières années. Entre-temps, que d'enfances désespérées !

Pour bien comprendre les effets de la fréquentation précoce d'un service, il aura effectivement fallu pouvoir examiner les différentes facettes de l'expérience : la quantité, le type et la qualité du service, l'âge auquel l'enfant commence à fréquenter le milieu et la stabilité des services et de ceux qui les dispensent. De plus, les effets des services de garde non parentale vont dépendre des caractéristiques individuelles des enfants, dont leur sexe et leur tempérament, ainsi que des particularités des familles, leur revenu, leur attitude face au travail, leur qualité parentale, leur propre sécurité affective, leur propre attachement à leur maman. On imagine les difficultés.

C'est dans ce contexte, confondant pour les milieux savants autant que pour les responsables des politiques de la santé et pour les familles à informer et à servir, que les Étasuniens ont décidé, il y a quelques années, d'entreprendre la plus grande et la plus coûteuse des recherches multicentriques sur la question auprès de 1 350 enfants nés dans plus de 10 États différents et habitant en milieux urbains, ruraux ou de banlieue. Cette étude majeure des milieux préscolaires menée par le *National Institute of Child Health and Human Development (NICHD)* ponctue dorénavant d'une façon privilégiée les publications scientifiques intéressées au développement des enfants. Son intérêt principal est d'être longitudinale, en ce sens qu'elle permet de suivre des enfants de la naissance à l'âge adulte. Les résultats sont très révélateurs. « Cela va permettre aux scientifiques de préciser les conditions favorables ou défavorables des divers aspects du développement plutôt que de dire simplement que les services sont bons ou mauvais pour les enfants », affirme Jay Belsky, encore au poste et l'un des principaux chercheurs de cette étude, cité et ainsi traduit dans une publication québécoise du Centre d'excellence pour le développement des jeunes enfants.

Tous les aspects développementaux, toutes les variables sont enfin au programme de cette vaste recherche apte à confondre bien des sceptiques : le développement du langage, le salaire des parents, la socialisation des enfants, la qualité des services, le salaire des éducatrices. D'année en année, les publications dorénavant se multiplient à mesure que les enfants suivis grandissent. Les considérations affectives ne sont qu'une part de ce vaste ordre du jour. Mais elles y ont enfin la part du lion. En vertu de tous les facteurs pris en compte, il est donc permis de reposer la question sans risquer trop d'opprobre : la garderie porte-t-elle ou non atteinte à la sécurité affective des enfants ? Qu'avons-nous appris jusqu'à maintenant de cette longue investigation à l'américaine ?

Il faut d'abord préciser que les cohortes suivies par les chercheurs viennent d'accéder à l'école primaire. On ne peut donc pas encore tirer des *leçons de choses* sur garderie et sexualisation précoce et garderie et décrochage scolaire, ni sur garderie et expérience de travail. Mais on peut d'ores et déjà être orienté sur certains axes à prioriser.

Les données du NICHD nous renseignent d'abord sur l'importance du terrain familial de l'enfant comme facteur marquant de son évolution affective, peu importe qu'il soit en garderie ou à la maison. Cet aspect avait été négligé dans les premières publications sur la question. Il fallait y voir un nœud gordien. Sa famille, l'anxiété de ses parents, leur doigté, la monoparentalité comme facteurs d'influence, les raisons sociales qui ont favorisé tel ou tel type de garde non parentale vont directement influencer les chances de l'enfant de développer ou non une bonne confiance en lui et dans les autres. Plus une maman a un bon niveau d'éducation, moins l'enfant risque de souffrir de son absence diurne. Moins une maman est attentive, plus l'enfant risque de souffrir d'une garderie qui ne serait pas à la hauteur compensatrice attendue et de développer un style affectif insécure et une confiance en soi fragilisée. « *There's not enough ego there* », écrit ainsi sur la condition des jeunes générations le Dr Elmer Grossmann, un pédiatre développementaliste.

Dans la foulée de ces facteurs humains prédominants, les articles les plus récents du NICHD nous confirment à quel point les garderies de qualité peuvent non seulement protéger les acquis des enfants nés de familles en difficulté, mais aussi contribuer positivement à magnifier leurs progressions cognitives et langagières à deux, à trois, à quatre et à cinq ans.

Certaines données liées à l'enfant, comme le sexe ou son tempérament, auraient proportionnellement moins d'influence. Par exemple, les garçons ont l'agressivité plus facile, il faut en tenir compte, mais cette variable est chiffrée statistiquement comme moins éclairante sur son devenir développemental que la qualité de la garderie qu'il aura fréquentée.

À l'inverse, les conclusions des auteurs nous renseignent également sur la dangerosité d'exposer des enfants à risque dans des garderies dont la qualité est sous-optimale. Cette précision est particulièrement importante aux États-Unis, où les services sont ou erratiques ou coûtent très cher, mais doit aussi être prise en considération pour la protection de nos petits Québécois à risque dans nos services de qualité basse à ordinaire.

De toutes les analyses du NICHD, la plus éclairante pour un pédiatre et les familles est néanmoins celle-ci : non seulement la qualité de la garde non parentale importe, ou le type de service de garde, mais c'est la durée des soins prodigués à l'enfant hors de sa famille qui va avoir des effets sur l'ensemble de son développement. Parler d'un temps de qualité auprès de son enfant est décidément un leurre en l'absence d'un discours complémentaire sur la quantité. Les dernières publications de l'organisme sont très claires à ce sujet. D'une manière linéaire, elles suggèrent qu'à mesure qu'il passe du temps en garde non parentale, l'enfant parvenu à quatre ans et demi risque de présenter de l'agressivité à la maternelle et des comportements d'opposition face à ses parents. Ainsi, si, sur le plan social, les effets d'une garde non parentale ne sont pas trop évidents avant l'âge de deux à trois ans, dès l'âge de quatre ans les effets cumulatifs de la garde non parentale se traduisent par différents problèmes comportementaux se poursuivant à la maternelle et en première année. Cette affirmation, je le répète, demeure vérifiable indépendamment de la qualité des services de garde. Les styles et patrons d'interaction mère-enfant se font relativement moins harmonieusement, simplement en fonction du temps que l'enfant passe sans sa maman, surtout si la qualité éducative n'y est pas.

Il n'y a pas de seuil d'heures en garde non parentale précisé pour l'instant. On n'est pas dans le plus de 20 heures ou le moins de 20 heures; les chercheurs ont observé un continuum, simplement un ordre cumulatif capable d'expliquer à lui seul l'insécurité des enfants. L'insécurité affective deviendrait néanmoins mesurable à plus de 10 heures par semaine dans une première année de vie ou dans un contexte où l'enfant aurait été basculé dans plusieurs milieux de garde à la suite. Une grand-maman, à qui je parlais de l'importance du temps à consacrer à ses enfants et l'éclairage nouveau du travail magistral du NICHD, me répondit qu'elle aurait pu éviter bien des dépenses aux Étasuniens si on l'avait questionnée, elle, sur les frasques de son petit-fils : « Pas besoin des États pour me confirmer ça... Il est tanné, docteur, c'est toutte. »

À la lumière de ces données récentes, Belsky, pour sa part, a pu en revenir ces dernières années à l'hypothèse qu'il avait formulée plus de 20 ans plus tôt et que la poursuite des recherches à venir devrait encore mieux développer : « Un mode de garde non maternel, non parental, à la fois précoce et prolongé risque d'augmenter la probabilité d'une relation bébé-parents insécure et d'un comportement agressif et rebelle avant l'entrée à l'école et durant les premières années du primaire. »

Bibliographie

Ahnert L., Lamb M.E. et Seltenheim, K. *Infant-care provider attachments in contrasting German child care settings I : Group-oriented care before German reunification. Infant Behavior and Development* 2000, 23, p. 197-209.

Belsky, J. *Les services à la petite enfance et leurs impacts sur les jeunes enfants (0-2 ans)*, dans Tremblay, R.E., Barr, R.G. et Peters, RDeV. (dir.). *Encyclopédie sur le développement des jeunes enfants* (sur Internet). Montréal, Québec. Centre d'excellence pour le développement des jeunes enfants, 2004, p. 1-6. Disponible sur le site : http : //www. excellence-jeunesenfants.ca/documents/belskyFRxp.pdf

Belsky, J. *Developmental risks (still) associated with early child care. Journal of Child Psychology and Psychiatry* 2001, 42, p. 845-859.

Belsky, J. et Rovine, M.J. *Nonmaternal care in the first year of life and the security of infant-parent attachment. Child Development* 1988, 59, p. 157-167. Traduction Guedenay, France.

Gazelle, H. et Ladd, G.W. *Anxious solitude and peer exclusion : A diathesis-stress model of internalizing trajectories in childhood. Child Development* 2003, 74 (1), p. 257-278.

Greenspan, S.I. *Child care research : A clinical perspective. Child Development* 2003, vol. 74, n° 4, p. 1064-1068.

Howes, C., Galinsky, E. et Kontos, S. *Child care caregiver sensitivity and attachment. Social Development* 1998, 7, p. 25-36.

Lamb, M.E., Sternberg, K.J. et Prodromidis, M. *Non maternal care and the security of infant-mother attachment : A reanalysis of the data. Infant Behavior and Development* 1992, 15, p. 71-83.

Ladd, G.W. et Burgess, K. *Charting the relationship trajectories of aggressive, withdrawn, and aggressive/withdrawn children during early grade school. Child Development* 1999, 70 (4), p. 910-929.

National Institute of Child Health and Human Development Early Child Care Research Network. *The effects of infant child care on infant-mother attachment security : Results of the NICHD study of early child care. Child Development* 1997, 68, p. 860-879.

National Institute of Child Health and Human Development : *Child care and mother-child interaction in the first three years of life. Developmental Psychology* 1999 ; 35 : 1399-1413.

National Institute of Child Health and Human Development Early Child Care Research Network. *Parenting and family influences when children are in child care : Results from the NICHD study of early child care*, dans Borkowski, J.G., Ramey, S. et Bristol-Power, M. (dir.). *Parenting and the Child's World : Influences on Intellectual, Academic and Social-Emotional Development.* Mahwah, New Jersey, Lawrence Erlbaum Associates, 2001, p. 99-124.

National Institute of Child Health and Human Development Early Child Care Research Network. *Does amount of time spent in child care predict socioemotional adjustment during the transition to kindergarten ? Child Development* 2003a, 74, p. 976-1005.

Nelson, F. et Garduque, L. *The experience and perception of continuity between home and day care from the perspectives of child, mother, and caregiver. Early Child Development and Care* 1991, 68, p. 99-111.

Owen, M. T. *Les services à la petite enfance et le développement des jeunes enfants (0-2 ans)*, dans Tremblay, R.E., Barr, R.G., et Peters, RDeV. (dir.). *Encyclopédie sur le développement des jeunes enfants* (sur Internet). Montréal, Québec, Centre d'excellence pour le développement des jeunes enfants, 2004, p. 1-7. Page consultée le 5 juin 2005.

Warwick, L. *Le meilleur pour les jeunes enfants.* Bulletin du Centre d'excellence pour le développement des jeunes enfants, Québec, Canada, vol. 3, n° 1, mars 2004.

Pourquoi les enfants perdent-ils leurs aiguilles ?

La pédiatrie familiale et les services de garde

Jean-François Chicoine

« Je voulais la mettre à la garderie à 16 mois », me dit hier une maman venue pour la deuxième diarrhée de sa petite de la saison. « Il y a trois mois, ils m'ont dit que c'était tout de suite ou jamais. Comme je commence à travailler le mois prochain, ils ne m'ont pas donné le choix. J'ai maintenant le sentiment qu'ils ont abîmé ma petite. Qu'ils m'ont piégée. Quatre mois de plus avec mon bébé, qu'est-ce que ça lui aurait enlevé au gouvernement ? Une place vide dans le nid ? Ce sont des prédateurs, docteur ! »

Au Québec, les places sont limitées, il n'y a pas de guichet unique pour savoir où elles sont, le système est d'une rigidité crasse, alors il faut retenir prématurément sa place. À cette période du développement affectif de l'enfant, une dictature comptable risque toutefois de faire mal. À dix mois de vie, quelques mois en plus ou en moins avec son parent, c'est déjà toute une vie. Comment récuser quelque chose d'aussi affligeant ? Comment protéger l'enfant contre un pareil *imprimatur* de l'État ? Pourquoi ne pas respecter le temps que le parent entend consacrer à son enfant ? Comment éviter que le parent ait à regretter l'enfance qu'il aura servie à son enfant ?

La réforme de nos services de garde annoncée par le ministère de la Famille prétend corriger le tir en assouplissant le système. D'ici à ce que la réingénierie fasse ses preuves, le parent qui va à la chasse perd toujours sa place. Une famille téméraire opposée au calendrier national se priverait de toutes les ressources possibles de garde pour l'année suivante. Au Québec, sauver la place, c'est sauver la face. Vous n'avez pas idée de la misère clinique des enfants et de leurs parents attribuable à cette horrible tyrannie.

En contrecarrant le processus d'attachement des familles, l'État mine sa propre pérennité. Il coupe à blanc sa forêt. Il avorte le processus d'accordage sans lequel le parent se sent incompétent et l'enfant incompris. Il anéantit toute poursuite identitaire car il n'y a pas d'identité possible sans attachement préalable.

Qu'est-ce qu'on attend de vous comme pédiatre? Que vous sauviez un tant soit peu la mise? Non. On s'attend à ce que vous vous taisiez devant les injustices faites aux enfants; que vous continuiez à exécuter dans le silence vos prescriptions de crème pour les fesses et de salin physiologique pour le nez. Sans vous mêler des affaires de l'État. Dénoncer une situation civile ne vous appartiendrait pas : vous connaissez tout ce que vous connaissez sur le développement sensoriel, cognitif et affectif de l'enfant, vous avez envie de le communiquer, mais on ne s'attend pas à ce que vous interveniez activement pour défendre les enfants. On vous propose plutôt de focaliser vos actions sur les organes engorgés ou irrités. Un clystère, une saignée, pour le reste vous repasserez. À la question qui tue « Y a-t-il un programme de santé publique pour protéger ou promouvoir la sécurité affective des citoyens en herbe? », le fonctionnaire a prévu cette réponse qui tue plus encore : « Non! »

Au Québec, le travail, la condition financière, la situation du couple et la résistance des installations de garde contraignent de plus en plus de familles à ne pas agir avec leur enfant comme elles sentent qu'elles le devraient. Dans un contexte de garde non parentale, il vient donc un temps où les caractéristiques d'un parent combinées à celles d'un enfant en particulier et d'un environnement déterminé doivent interpeller non seulement le pédiatre, l'infirmière, l'éducatrice ou le médecin de famille, mais aussi une intervenante psychosociale. La pauvreté est une cause de détresse, mais l'insécurité affective des enfants n'en est pas nécessairement la conséquence. Le salaire n'est pas une garantie psychologique :

la fragilisation affective est une précarisation parmi d'autres qui nécessite des interventions apparentées de professionnels de la question. Vous ne pouvez pas imaginer le bien que vous fait le suivi psychologique ou social des familles étouffées par leur propre modernité.

Johanne Lemieux est travailleuse sociale à Québec. En Suisse, en Belgique, on dit assistante sociale. Nos travailleuses sociales québécoises assistent tout autant les familles, mais les meilleures d'entre elles outillent les parents en supplément, en fait elles les équipent activement pour mieux intervenir directement auprès de leur enfant anxieux, inhibé ou colérique. Véritablement, elles exercent du *coaching* auprès des familles, au même titre que le font plusieurs psychologues. Comme à la boxe, mais pour la vie. Le travail familial est donc utile dans de nombreuses réalités reliées à l'insécurité affective des nouvelles générations d'enfants, peu importe si leurs anxiétés ou leurs colères sont causées par leur nature, par leur relation avec leurs parents, par leurs séjours trop hâtifs en service de garde ou par une combinaison de tout ce qui précède. Dans le diagnostic psychosocial, toutes les réponses sont bonnes. Comme laboratoire d'observation, comme solution ou comme origine du problème, la garderie est ainsi de la partie. Ses effets secondaires concernent tout le monde.

Pratiquer la pédiatrie serait impossible sans l'apport du service social. Le terme « social », en traînant un peu sur le « o », comme dans « sooocial », est traditionnellement perçu exclusivement comme une aide aux pauvres, aux démunis, aux brigands et aux alités. Pour mieux faire valoir le rôle complémentaire de la travailleuse sociale auprès de l'ensemble des familles, qu'elles soient pauvres ou non, on emploiera donc le terme de pédiatrie familiale. Entre les visites médicales, beaucoup de familles contemporaines apparemment « normales » profitent effectivement d'un tutorat à la petite semaine ou au mois au sein d'équipes interdisciplinaires de pédiatrie familiale. Ces familles ne sont pas démunies, elles sont dépossédées de leurs instincts. Au-delà des finances, la pauvreté est bien souvent une affaire de dépossession. Mon amie Johanne Lemieux a accepté d'en discuter avec moi, pour vous.

JEAN-FRANÇOIS CHICOINE
On entend dire que les enfants de familles en difficulté deviennent agressifs parce que leurs parents étaient pauvres et que les enfants élevés dans le confort matériel deviennent agressifs parce qu'ils ont

de mauvaises fréquentations. C'est un peu étroit comme lien de causalité, non?

JOHANNE LEMIEUX
Les équations pauvreté égale insécurité affective d'une part, et confort matériel égale sécurité affective, d'autre part, sont des vérités reçues que peu de Québécois remettent ouvertement en question. Un parent stressé par un loyer non payé ou le manque de nourriture a un défi à relever qui force l'évidence pour la majorité des programmes sociaux. En comparaison, la misère des riches paraît effectivement moins gênante. La travailleuse sociale se voit ainsi confinée à une relation d'aide en milieu défavorisé tandis que le psychanalyste reste chargé de la relation d'aide pour l'intello angoissé. Dans les consciences, et en toute bonne foi, on se demande donc qu'est-ce qu'une travailleuse sociale peut bien venir fabriquer dans la baraque des familles de la classe moyenne ou « en moyens ». J'ai exercé ma profession dans tous les milieux, à domicile, en CLSC, en consultation privée. Je considère que les enfants parmi les plus souffrants que j'ai croisés provenaient justement de familles de classe moyenne ou aisée. Pourquoi? Parce que personne n'osait croire à leur détresse, ni les parents, ni les professionnels, ni la rumeur. Il y a de ces hypothèses affectives auxquelles on ne pense pas d'emblée chez un enfant bien nourri et bien fringué. Cette méconnaissance d'une réalité clinique contribue à rendre la question taboue, cachée, pas exactement à la mode. Les adultes normalement aptes à intervenir auprès de cet enfant ne lui renvoient pas d'empathie. Ils ne lui offrent aucun programme social adapté à sa situation.

Entre les chiens écrasés, à la télé, il y a toujours une petite nouvelle de banlieue où les voisins interviewés après le drame sont les premiers surpris : « C'était pourtant une famille heureuse, encore hier, ils paraissaient pourtant une famille si heureuse. »

En résilience, on explique que ce qui transforme une épreuve en trauma, c'est le regard et le jugement de l'autre sur la souffrance de la personne. Un regard empathique favorise la guérison, tandis qu'un regard méprisant ou négligent enfonce la blessure. Les enfants beaux, riches, pas pauvres en tout cas, et propres n'attirent pas spontanément l'attendrissement du réseau de soins. Certains petits souffrent en silence, d'autres nous crient leur détresse en adoptant un comportement arrogant, mais un petit nombre d'entre eux seulement voient leur « signalement » retenu. La sécurité affective est avant tout reliée à la présence ou non d'un lien d'attachement solide entre un enfant et son parent et pas aux ragots qu'on véhicule. Dans mon bureau, l'autre jour, une maman me fait une de ces scènes : « Voyons donc, madame Lemieux, mon fils ne peut pas souffrir d'attachement anxieux, car je l'aime, je sens qu'il m'aime... et il n'a jamais manqué de rien, je vous assure ! » Elle et son conjoint avaient choisi des années auparavant une garderie où on trouvait une excellente pouponnière avec des éducatrices formées et dévouées. D'ailleurs, la majorité des éducatrices sont formées et dévouées, là n'est pas la question. Ces parents, comme tant d'autres, n'avaient jamais eu l'intention de nuire à leur fils. Tous deux étaient avocats. Le papa avait pris quelques jours de congé après la naissance. La maman s'était réservé deux mois après l'accouchement. Ni le couple ni leur entourage n'avaient vu là quoi que ce soit de mal ou d'inacceptable. Leur fils a trois ans quand ils me consultent parce que leur vie est maintenant devenue un enfer. « C'est fort probable que votre garçon vous aime, là n'est pas la question, madame », que je réponds à la mère. « Vous l'aimez aussi, cela paraît dans vos yeux. Mais, vous savez, l'attachement n'a pas grand-chose à voir avec l'amour... Sans lien de confiance, un enfant ne peut pas se sentir en sécurité avec vous, ni physiquement ni émotivement. Sans accordage, le parent ne décode pas son petit. Il se sent incompétent et le petit ne se sent pas compris. La vérité est que vous n'étiez peut-être pas assez disponible pour lui à certains moments de son développement pour programmer dans son cerveau ce lien de confiance absolu avec vous. Il n'a jamais manqué de choses matérielles, mais il a probablement manqué de temps avec vous... et vous d'accordage avec lui. » C'est là le drame dont on entend trop peu parler : la quantité et la qualité de temps qu'un parent devrait passer auprès de son bébé dans les deux premières années de sa vie et qui se restreint aujourd'hui comme une peau de chagrin. Il faut retenir que les moments d'accordage ne se planifient pas : ils se fabriquent spontanément après chaque réponse adaptée à la détresse du bébé. Or, ces petites détresses quotidiennes d'un bébé ne peuvent pas se programmer uniquement, selon l'horaire du parent, entre 17 heures et 19 heures.

Le *happy hour* du bébé en quelque sorte !

L'après *nine to five* !

En consultation, j'aborde aussi ces rudiments de quantité et de qualité de temps avec les parents. Je comptabilise tout, voire même le temps qu'ils gagneraient en empruntant le transport en commun pour faire quelques petites affaires avant de retrouver bébé. Je le fais à ma manière, en fonction de différents modèles d'écoute parentale, en misant beaucoup sur le lien de confiance qui s'est déjà établi entre les parents et moi. Quand ça ne passe pas, Patricia Germain ou Sandra Caron, nos infirmières, récupèrent la sauce avant qu'elle tourne. D'où l'importance, pour un pédiatre, de travailler en consonance avec une infirmière.

Il me faut souvent beaucoup de temps pour réapprivoiser des parents en choc qui m'accuseront de vouloir les culpabiliser dans leurs rapports antérieurs avec leurs enfants. Un maudit tabou, cette culpabilité! On ne veut tellement pas culpabiliser qu'on s'empêche de poser certaines questions ou de dire certaines vérités. En faisant cela, nous contribuons à entretenir des mythes. Encore plus grave : nous manquons de respect envers le parent qui nous consulte. Parce qu'on l'estime trop fragile, trop dépourvu ou trop compromis émotivement pour saisir les nuances et faire la part des choses, on le laisse sans outils pour faire de vrais choix dans son merveilleux rôle d'éducateur. Ça me choque tellement, car tu sais quoi? Dans l'immense majorité des cas où on ouvre les écoutilles, tu devrais voir ce qui se passe : le lien de confiance entre les parents et moi se renforce, ils s'ouvrent à moi, parlent de plus en plus et me disent au bout du compte des choses qui font frémir. La maman avocate, avec qui mes rapports professionnels n'avaient pas été faciles, a fini par m'avouer qu'elle s'était sentie horriblement déchirée, voire une « mauvaise » mère, d'avoir livré son fils à des étrangères à la pouponnière du CPE quand il n'avait que deux mois. Elle souhaitait retourner au travail car elle pensait « terriblement s'ennuyer » à ne « rien faire » à la maison, mais son petit doigt lui dictait qu'il lui fallait rester encore quelques mois auprès de son petit bébé. Deux mois, tu penses, des plans pour que le bébé associe ses premiers sourires au départ de sa mère! Au lieu de l'accueillir dans ce sentiment qui voulait dire quelque chose de profond, de l'éclairer dans son « non digéré », tous l'ont culpabilisée de penser ainsi : son conjoint, sa famille, les éducatrices à la garderie, et même son pédiatre en passant... Pire, son petit protestait tellement lors des séparations qu'on a accusé la mère d'être trop anxieuse et de causer cette anxiété chez l'enfant. Tous les adultes en place, y compris la maman elle-même, furent rassurés lorsque le garçon arrêta finalement de protester. Il s'était adapté, la preuve : il était bien avec tous les adultes de la pouponnière ! Ça me dérange d'entendre ça en 2005, Jean-François, et de la part de professionnels de l'enfance payés par l'État ! Quelle ignorance du processus décrit par Spitz, puis par Ainsworth : séparation, protestation, désespoir puis détachement suivi d'un comportement d'hypersociabilité et d'hyperséduction dont tout le monde se félicite... Ce n'est pas parce qu'un enfant est adapté qu'il est heureux et reçoit ce dont il a besoin ! Cet enfant s'était en fait résigné à ne plus attendre la présence de sa mère qu'il continuait de désirer, mais à qui il ne ferait plus totalement confiance à force de désespérer. Quand ces parents juristes me consultent, leur petit Charles-Antoine est anxieux, insécure, pique des crises de nerfs à toutes les transitions « normales » de la vie. On est surpris ? Cette maman avait entièrement raison et elle aurait dû écouter son petit doigt. Maintenant, elle ne sait plus décoder ce fils qu'elle adore. Elle se sent dépassée, incompétente. Plus elle se sent incompétente, plus elle « organise la vie de son fils » afin d'éviter d'être trop souvent seule avec lui et de provoquer des confrontations. Quelle tristesse ! Un vrai cercle vicieux aurait été évité si cette maman avait eu le temps et le soutien nécessaires pour créer un lien d'attachement en vivant des milliers de moments d'accordage, les yeux dans les yeux, la peau contre la peau, pour répondre aux petites et grosses détresses de la vie quotidienne de son nourrisson. Jamais Charles-Antoine n'a eu l'occasion de remettre sa vie entre les mains de son parent. À trois ans et demi maintenant, le petit veut contrôler tous les détails de sa vie. En quelque sorte, il est devenu son propre agent de sécurité et il vit conséquemment au-dessus de ses capacités affectives : sa journée n'est que montagnes russes ! Je ne peux m'empêcher de penser, Jean-François, que dans les 25 dernières années on a dépossédé les parents de ce bon sens, de cet instinct qu'ils avaient.

Comme d'autres confrères pédiatres, je suis inondé de questionnements parentaux sur les troubles de sommeil, les crises de pleurs, voire les colères et les débordements d'agressivité ou la rage trop contenue de très jeunes enfants. À Sainte-Justine, on trouve maintenant des cliniques surspécialisées pour le sommeil, l'appétit ou l'encoprésie (note : quand les enfants retiennent leur caca en eux au lieu de le faire dans les toilettes pour finir par le faire dans leur culotte). Ces problèmes ont toujours existé. Jusqu'à un certain point, on les

reconnaît mieux, les tolère moins et les soigne peut-être mieux en tenant compte de tous les éléments biologiques ou affectifs en place. Mais il faut bien reconnaître que plusieurs de ces puzzles quotidiens vont apparaître ou encore perdurer à l'âge où les enfants se font garder. Autour de la construction des affects. Et c'est bien cela, le plus inquiétant. Souvent les parents ont simplement besoin d'une guidance enveloppante. Brazelton, un mentor depuis longtemps, appelle ça son système « Points forts » dans lequel il a prévu des interventions professionnelles pour les âges plus difficiles de la vie. Par exemple, trois ans et cinq ans, c'est plus facile que deux ans et quatre ans. Jusqu'à quel point, Johanne, tu te sens autorisée toi, comme professionnelle de la petite enfance, peut-être même comme femme, à intervenir auprès des familles à propos de la garde non parentale ? Si à deux ans, par exemple, l'enfant est indisciplinable, est-ce que tu proposes qu'on dispose de l'éducatrice et qu'on remette un parent à la maison ? La proposition est d'autant plus difficile à faire que généralement, on le sait bien, c'est la maman ours qui va écoper...

C'est comme en toutes choses : on ne voit que ce que l'on connaît. Mais une fois qu'on a acquis un certain savoir, qu'on a mis le doigt dessus, qu'on a étudié pour cela, qu'on a publié sur cela, qu'on a vu des enfants émerger grâce à cela, qu'on a suivi leurs familles transformées grâce à cela, on a le devoir de transmettre ces connaissances pratiques aux personnes les plus significatives pour le petit : ses parents. Pour convaincre les parents du bien-fondé d'une culture familiale qui ne s'inscrit pas naturellement dans un usage en vogue, j'utilise mon allégorie des mélèzes : quand tu ne sais pas qu'il existe une espèce de conifères qui perd ses aiguilles l'hiver, tu paniques et tu panses ton arbre que tu crois malade ; tu risques même de l'abattre en le croyant à tort mort ; mais quand tu connais mieux la nature de ton arbre, tu passes ton chemin et tu t'émerveilles le printemps venu de la repousse verte et tendre que tu vois. Tu t'en mets plein les yeux.

Les parents qui s'écartent de la trajectoire à la mode doivent être appuyés dans leur admirable décision et accepter une part de solitude. À ce sujet, la petite histoire de mon amie Simona à Monaco est éloquente. L'après-midi, elle se retrouvait seule maman au parc avec son fils Filippo en compagnie de centaines de nourrices et leurs bébés bourgeois à garder. Elle faisait littéralement rire d'elle : on la traitait

comme la pauvre petite Italienne nomade forcée de s'occuper elle-même de son enfant. Les parents doivent retrouver la force de décider ce qui leur convient à eux, nonobstant l'intervention de l'État, des voisines, de la famille et des amis. Cela prend beaucoup d'abnégation, beaucoup de patience.

Nous voyons des milliers d'enfants qui perdent leurs aiguilles. Les parents paniquent, consultent des spécialistes qui, pour la plupart, iront par ignorance dans le même sens pépiniériste que les nouvelles familles en croyant mordicus qu'il faut soigner cet arbre, qu'il n'est pas normal. Parents et réseau de santé et de garde cherchent alors par tous les moyens à faire pousser de nouvelles aiguilles à l'enfant mélèze, alors qu'il faut simplement le laisser tranquille à la maison avec son papa ou sa maman ou une personne très stable le temps que le printemps arrive après 24 mois. Ce qui est le plus difficile dans la pratique quotidienne, c'est d'avoir à justifier rapidement des suggestions pratiques et concrètes auprès des parents, sans avoir le temps suffisant pour leur expliquer les raisons sérieuses qui sous-tendent la « prescription de temps parental ». Souvent à l'annonce d'une anxiété ou d'une détresse quelconque chez leur enfant, ils ne sont déjà plus à l'écoute, un peu en état de choc, en déni, voire en panique coupable. Il faudrait faire davantage appel à l'intelligence des parents en leur faisant d'office un « petit cours » sur le développement du cerveau de leur enfant.

Comment pourrait-on blâmer les parents ? La seule chose que l'on puisse retenir d'eux est leur grande souffrance. Les familles n'apprennent pas l'anatomie du cerveau dans les cours de préparation à l'accouchement. Ils apprennent comment pousser, bref amorcer une première séparation d'avec le bébé ; c'est bien, mais on ne leur dit pas à quel point c'est important de retenir ensuite le bébé pour les deux prochaines années. (Pousser et retenir, on se croirait dans un film de Lelouch !)

J'ai un tableau dans mon bureau. Il représente le système limbique. Au cours de mes premières entrevues avec des parents, je passe beaucoup de temps à leur transmettre certaines connaissances clés sur le cerveau de leur enfant. Certains de mes collègues se plaignent de la prétendue « résistance du client » devant des démonstrations de ce genre. C'est parfois vrai que les familles en détresse ne sont pas emballées par mes dessins. Mais quand on se donne le temps et surtout la peine de leur expliquer simplement les concepts neurobiologiques qui sous-tendent les suggestions thérapeutiques ou les conseils éducatifs, ou encore la décision de retirer un enfant de tel ou tel milieu de garde pour en privilégier un autre mieux adapté à son individualité, les parents en sortent généralement grandis, éclairés, comme renforcés dans leurs compétences. Inutile de s'en prendre à qui que ce soit : on ne peut pas changer le temps qu'il faut ou raccourcir les délais nécessaires à la construction du solage physique, cognitif et affectif d'un bébé humain. Il y a des limites à vouloir ajuster la biologie des bébés à la modernité.

Les parents sont pourtant les premiers à se surprendre qu'un enfant veuille introduire une forme étoilée dans un trou rond. La structure d'un jouet, ils comprennent; celle d'un bébé, ils hésitent un peu.

À force d'encourager cette ignorance pour ne pas culpabiliser les parents, on arrache les ailes d'une génération de bébés. Je ne suis pas alarmiste, attention! Bien sûr, tous les enfants ne seront pas traumatisés, les plus forts et les plus résilients ne s'en tireront pas trop mal. Mais les plus fragiles vont souffrir. D'où l'importance de faire comprendre aux parents et aux spécialistes de l'enfance que ce qui peut être banal ou à peine déstabilisant pour un enfant de 3 ans peut être catastrophique – on a droit aux majuscules, au fait? – CATASTROPHIQUE pour le développement du cerveau d'un bébé de 11 mois! On se doit de tenir compte du « *timing* » des choses.

Toutes ces discussions vaines autour des garderies sont souvent le fruit d'une incompréhension de la temporalité nécessaire au développement du bébé. « On sait bien, vous, Dr Chicoine... » Moi? Mais qu'est-ce que vous me faites dire? « Vous, vous êtes contre les garderies. » Je suis contre les garderies, moi? Non. Je suis contre ce que vous en faites et vous avez beau me dire qu'il y a des améliorations au programme dans les installations, les horaires et les encadrements, je vous dis qu'en attendant, les enfants sont dedans.

De plus en plus de neurologues, de psychologues et de travailleurs humanitaires s'intéressent aujourd'hui au choc traumatique. C'est un domaine en plein essor sur le plan thérapeutique, et pas juste grâce à la visibilité que lui a donnée le général Roméo Dallaire. Les bases scientifiques qui sous-tendent ce traitement me reconfirment dans mon travail quotidien où j'encourage les parents à consacrer plus de temps, quantité comme qualité, à leur petit, particulièrement dans la toute petite enfance. On peut globalement distinguer deux sortes de traumatismes. Il y a une différence entre l'impact neurologique d'un traumatisme simple et circonscrit dans le temps, comme celui qu'ont connu un certain nombre de victimes du 11 septembre 2001 à New York, et ceux, beaucoup plus fréquents dans nos milieux, qui sont causés par de petits traumatismes qui s'inscrivent dans la mémoire ainsi empoisonnée par les stress trop quotidiens de la vie. Par opposition à un grand « T », ces multiples petits « t » drainent chroniquement l'enfant et minent ses relations affectives et ses stratégies d'apprentissage. L'enfant s'agite, se trémule, se contorsionne, se sent plus facilement envahi par un sentiment de danger, se retrouve plus éparpillé dans ses activités cérébrales, cherche sans y arriver à prendre le contrôle des détails de sa vie. Dans les cas plus graves, l'enfant développe des mécanismes de survie qui l'amènent à repousser tous les ponts que lui tendent les adultes.

Pourquoi obéir maintenant, alors que l'adulte n'était pas là pour répondre à mes petites et grandes détresses au moment où j'étais le plus vulnérable?

Ainsi, on s'attend à ce qu'une personne adulte ayant eu un « *good enough parent* » et pas trop de malheurs dans sa petite enfance, soit traumatisée lorsque survient un événement catastrophe style grand « T » parce que l'événement ne pourra pas trouver sa place dans ses archives cérébrales déjà établies. Après une psychothérapie ou une thérapie adaptée au syndrome post-traumatique qui attaque directement son système émotionnel, la personne traumatisée aura donc la possibilité de retrouver sa perception antérieure de l'univers. Mais la personne adulte qui aura subi un stress depuis sa tendre enfance, alors qu'elle était bébé ou jeune enfant, s'en sortira moins bien. Ses fameuses archives où sont inscrits ses petits « t », ses croyances, ses réactions, ses modèles de survie, ont précisément trop d'immaturité pour affronter le traumatisme. Son cerveau n'est que partiellement programmé, il décode de travers.

Une chercheuse israélite de l'Université de Tel Aviv, Miri Keren, a d'ailleurs pu démontrer que, même déchirés en lambeaux, les enfants qui avaient survécu à une bombe dans les bras de leurs parents ne souffraient pas psychologiquement comme on s'y serait attendu en pareille circonstance. C'est dire le potentiel de récupération quand

on a la chance d'être en confiance! Une blessure moins grave sans la présence d'une maman aurait causé plus de souffrance.

Quand un jeune enfant vit trop de stress, de petites et grandes détresses sans son parent proche de lui, le trauma n'est pas extérieur à ses archives mais devient une partie des archives de base de son cerveau. D'où l'immense difficulté à atteindre, des années plus tard, ces parties mal programmées, empoisonnées. Les fenêtres les plus importantes de cette programmation de base sont les deux ou trois premières années de vie. Quand on diagnostique de la souffrance des années plus tard, on se prive malheureusement trop souvent de retourner pareillement en arrière.

La recherche fondamentale s'empêche trop souvent de faire des liens. Les retours en arrière, les suivis prospectifs d'enfants sur des années, c'est vraiment le champ de l'intervention clinique, du diagnostic clinique. Pour plusieurs chercheurs, un diagnostic n'est qu'une impression, c'est pourtant plus solide que du béton. Il faut juste savoir se commettre et avoir la générosité de le dire aux familles.

Si seulement les personnes qui font le choix de placer très rapidement un bébé en garderie savaient cela. Je dis bien « le choix » car certains parents n'ont pas le choix, du moins dans l'état actuel des politiques sociales au Québec. Si seulement les parents savaient, savaient vraiment, je suis convaincue que la majorité assumeraient des choix différents. Ils prendraient plus de congé, plus de « sans solde », retarderaient le prêt pour l'achat de « la » maison idéale, placeraient au départ le bébé en milieu familial plutôt qu'en garderie, favoriseraient le temps partiel des deux parents pour qu'ils se partagent tous deux la semaine, quémanderaient leur héritage à l'avance, *name it*! Bref, je sais que si les parents étaient vraiment conscients que rester à la maison, ce n'est pas « perdre son temps et son intelligence », mais que bien au contraire c'est faire le seul geste qui compte pour bien programmer le cerveau de leur bébé, ils imagineraient leur vie de famille autrement. Mon Dieu, Jean-François, pourquoi la tâche parentale est-elle encore si mal perçue, si mal comprise, si contaminée par des phrases assassines des années duplessistes du style « Pas besoin de diplôme pour changer des couches! »? Réponds-moi, pourquoi? La tâche la moins rémunérée du monde est celle qui est la plus porteuse pour l'avenir du monde. Cette tâche, c'est celle d'être parent.

Bibliographie

Bowlby, J. *A secure base : Parent-child attachment and healthy human development.* New York, Basic Books, 1988, 205 pages.

Brodzinsky, D., Lang, R. et Smith, D. *Handbook of Parenting.* Mahwah, New Jersey, Lawrence Erlbaum Associates, 1995, p. 209-232.

Elicker, J., Noppe, I.C., Noppe, L.D. et Fornter-Wood, C. *The parent-caregiver relationship scale : Rounding out the relationship system in infant child care. Early Education & Development* 1997, 8, p. 83-100.

Grossmann, K.E. et Grossmann, K. *Développement de l'attachement et adaptation psychologique du berceau au tombeau. Enfance,* n° 3, 1998, p. 44-48.

Howe, D. *Attachment Theory for Social Work Practice.* Macmillan, 1995.

Keren, M. *Traumatisme précoce et jeune enfant : aspects cliniques et psychopathologiques.* Conférence du département de psychiatrie de l'Université de Montréal, 2005.

Lemieux, J. *L'adoption internationale : Démystifier le rêve pour mieux vivre la réalité.* Le monde est ailleurs inc. 2002,121 p.

Randolf, E. *Chidren who shock and surprise : A guide to attachement disorders.* Kittredge (USA), RFR Publications, 1997.

Spancer, N. *Caregiver-parent relationships in daycare : A review and re-examination of the data and their implications. Early Education & Development* 1998, 9, p. 239-259.

L'éducation au goût

La qualité des services de garde

Jean-François Chicoine

J'étais fier d'annoncer à des amis français que la compagnie Leclerc venait de mettre sur le marché des biscuits recouverts de chocolat qui imitent à s'y méprendre les *Petits écoliers* de Lu. Je trouve le prix plus démocratique et le goût, ma foi, tout à fait impeccable. Que demander de plus à un biscuit ? « Parmi les premiers biscuits au monde à ne pas contenir de gras trans », fais-je valoir. J'y vais aussi d'un nationalisme de pâtissier en indiquant à mes amis que le petit écolier gravé à même le chocolat a été remplacé dans notre version bas de laine par le profil du Château Frontenac. Mais à mon banc d'essai devant le frigo familial, les Français font la moue à la vue de la chose nationale. Le beurre du biscuit est remis en cause. Le chocolat les écœure et ils prétendent s'étouffer avec sa paraffine. Sommes-nous moins exigeants au Québec que d'autres cultures en matière de qualité ? Avons-nous la culture de la qualité ?

Tandis que des brasseurs d'idées nous décrivent comme trop peu exigeants, des économistes vont jusqu'à dire que nous n'avons plus les moyens de nous permettre l'excellence. Serions-nous trop endettés pour assumer nos idéaux en matière de santé, d'éducation, de culture et autres valeurs fondatrices pour l'enfance ? Décoration, gastronomie, architecture, coiffure, électronique, immobilier, rien n'indique pourtant que nous souhaitons faire fi de la qualité. Nous autoriserions-nous cependant à viser le beau mais à priver nos enfants en croissance du meilleur? Serions-nous en train de sabrer dans l'éducation pour multiplier les piscines hors terre? De verser dans le municipal pour s'éloigner de la morale? Tout pour améliorer l'état de nos routes, alors qu'un nid-de-poule n'est rien pourtant comparativement à un trou dans un cerveau. Incapables de prioriser le sort de nos enfants, serions-nous devenus un peu insignifiants? Du moins serions-nous devenus plus insignifiants que d'autres?

Des recherches scandinaves ont évalué leurs propres services de garde et les ont jugés excellents, tranchant ainsi avec les travaux des chercheurs étasuniens qui estiment que moins de 20 % des services de garde à l'enfance aux États-Unis seraient de bonne ou de grande qualité. Plusieurs des installations insatisfaisantes des États offrent des endroits sécuritaires pour les enfants, mais sans environnements suffisamment stimulants pour les apprentissages. Entre Stockholm et Baltimore donc, comment situer notre qualité de service de garde à nous? Comment comparer nos journées en garderies à celles des autres sociétés? Comment interpréter les écrits scientifiques obtenus dans telle ou telle culture de garde non parentale avec les réalités physiques ou humaines du Québec? Aux États-Unis par exemple, le manichéisme anti ou progarderies, le traditionalisme républicain, les inégalités sociales, la disette des communautés noires, tous ces déterminants sociaux ont tellement nui aux structures d'accueil qu'ils compliquent maintenant l'interprétation de leurs recherches sur le devenir de l'enfant en garderie. De fait, entre la maison et le service de garde, la marge de mesure en matière de qualité s'y fait parfois si importante qu'il devient difficile de juger de l'effet absolu des services pour en retenir une leçon de choses pour le Québec.

MIDDLE CLASS MOTHER
At home, he played with puppets and ate oranges. At the daycare center, he watches Oprah and eats Pogos.

Discuter de qualité des services, c'est aussi aller au-delà de la garderie proprement dite et aborder la question du parent dont le style et les compétences, on l'a déjà mentionné, vont s'exercer dans un continuum avec la qualité d'un service de garde. Différents types d'individus vont se retrouver au sein des familles : ils se distinguent par l'âge, l'éducation, les revenus, la compétence, l'intelligence, l'usage d'alcools à outrance ou de drogues, le réseau social et en fonction de leur propre histoire d'enfance. Ces variables posent plusieurs problèmes aux scientifiques et à ceux qui sont responsables d'appliquer et de mesurer les politiques. Quelle importance en effet accorder à l'âge du parent, à son éducation, au tempérament de l'enfant ? Qu'en est-il de l'ordre des naissances ? Du revenu parental ? Du style de maman ? De la disponibilité du papa ? Les conséquences de tel type d'environnement ne seront pas les mêmes pour tous les styles d'enfants, à tous les âges, à tous les stades de développement. De fait, l'étude des relations qui s'inscrivent entre l'enfant et son parent est infiniment complexe. Ce n'est pas par hasard que je me suis permis d'employer l'expression « nœud gordien » pour décrire l'intrication des influences en place. La seule chose dont on soit véritablement sûr, c'est que le comportement parental a des effets impressionnants sur le développement de l'enfant, et ce, surtout à certains temps précis de sa vie et peu importe la qualité des garderies. Chaque famille est unique, aucune recherche n'est absolue, la science éclaire plus qu'elle n'illumine.

Un service de garde n'est donc pas un objet, c'est une dynamique. Il s'utilise bien, mal, à outrance par des individus hors les murs qui sont les principaux tuteurs de l'enfant. À service de garde égal, il y a utilisation de services inégale. Comment ainsi mesurer les effets des garderies tout en pondérant les influences des parents ? Comment tenir compte des petits moments, enfiler les bottes d'hiver par exemple, et de toutes les occasions sensorielles, motrices, cognitives, langagières, affectives et sociales qui peuvent être, ou non, associées à cette nécessité ? Un papa pressé au sortir de la garderie dira : « Mets tes bottes, vite ! » Un autre, tout aussi pressé, mais qui aura pris le temps nécessaire, dira plutôt : « Papa aussi met des bottes l'hiver. Tu es allé jouer dehors avec Maxim aujourd'hui ? On commence par le pied gauche et on finit par le droit. Comme en bateau : bâbord, tribord. »

L'évaluation de la qualité a donc sa part objective et sa part ressentie. L'évaluation de la qualité est thème et sous-thème d'items observables, et dans le cas du biscuit, flaveur, consistance, mise en bouche. Mais la qualité est aussi affaire de vécu, de psyché individuelle ou de culture collective à laquelle personne, ici ou ailleurs, n'est en mesure d'échapper. La qualité du café « américain » ne fait pas de doute pour nos voisins étasuniens, alors qu'il est permis de sérieusement la remettre en question.

Imaginez la tête de mes amis français, déjà aux prises avec mes biscuits *Célébration*, devant leur tasse de jus de mitaines mouillées :

MIDDLE CLASS WAITRESS
Free refill, sir? Free refill, miss?

En 1994, à l'occasion d'un travail universitaire sur la spécificité des services de garde en milieu défavorisé, l'équipe québécoise du psychologue Richard Cloutier soutenait que pour offrir un service de garde de qualité égale à tous les enfants, et quel que soit leur milieu social, il semblait nécessaire d'accorder un soutien accru aux installations implantées dans des secteurs défavorisés. Les enfants qui ont souffert, pour toutes sortes de raisons allant des difficultés de naissance aux maladies intercurrentes, les enfants qui souffrent de négligence humaine ou de mauvaises conditions physiques, les enfants de la monoparentalité, ces enfants et ils sont nombreux deviennent au chapitre de la qualité de véritables baromètres. Autant ils sont susceptibles de profiter d'une garde non parentale veillant à combler les manques et les projeter vers le meilleur, autant les installations de garde peuvent être néfastes à leur cerveau déjà mis à rude épreuve si elles n'ont pas la qualité attendue. Des installations s'étaient développées, mais pas toutes comme il faut et elles tarderaient tellement à l'être qu'au cœur du rapport du vérificateur général du Québec de 1999, on retrouvait toujours cette préoccupation relative à la qualité des services de garde offerts aux enfants québécois. Des besoins pressants en services de garde avaient-ils précarisé leur qualité ? Avions-nous poussé aussi vite que des champignons ?

Dans un livre où elle traite de la culpabilité des mères françaises qui travaillent, Sylviane Giampino s'interroge sur les glissements entre la disponibilité et la qualité dans une culture où les services sont pourtant institués depuis fort longtemps : « La garde des enfants est un tel casse-tête en France en termes de possibilités, de choix et donc d'offres que l'on ne pose que secondairement la question de la qualité des modes d'accueil. Les mères sont prises en tenaille entre le manque de lieux et de personnes à qui confier les enfants, un congé de maternité trop court pour bien s'y préparer et la menace souvent brandie de l'insécurité professionnelle. La culpabilité de confier son enfant est accentuée par l'impression de ne pas avoir le choix du mode de garde. »

Au Québec, les directrices de garderies se montrent compatissantes, mais encore impuissantes à s'adapter à un programme familial individualisé qui pourrait pourtant s'inscrire dans une perspective de qualité. Dans leur jargon, les subventions gouvernementales justifient tout et rien. Elles ont tout juste de quoi payer une éducatrice et doivent se satisfaire, malgré la présence d'enfants handicapés par exemple, de gardiennes bien intentionnées. La concrétisation personnalisée d'un projet familial à la carte serait insoutenable pour l'unité démocratique. Une menace planerait alors sur la survie même de leur petite infrastructure qui risquerait ainsi de perdre ses subventions d'État. La loi force à ne pas faire autrement. On voudrait bien croire à l'ouverture des gestionnaires de la petite enfance sur le développement de l'enfant, c'est d'ailleurs vrai la plupart du temps, mais le parent informé et documenté sur les besoins du cerveau de son enfant finit vite par réaliser que les directrices ont aussi des tics de fonctionnaires du ministère du Revenu : « Nous comprenons votre détresse, mais nous ne pouvons rien faire pour vous. » Comme « nul ne peut ignorer la loi », le parent se range en-deçà de ses propres critères habituels de qualité. Il craint la déchéance, le bec à l'eau, l'itinérance.

« Les parents bricolent des solutions », ajoute Mme Giampino sur la situation en France. « Les statistiques parlent de solution familiale. Peut-on parler de solution, quand un bébé est laissé chez une voisine ou la gardienne de l'immeuble, qui ne peuvent pas s'engager pour longtemps ? Parfois un enfant aîné qui a quitté prématurément l'école prendra la responsabilité du bébé. Ailleurs, ce sera une grand-mère fatiguée par l'âge. Il arrive que toutes ces personnes soient sollicitées à tour de rôle et que le nourrisson soit confronté à une instabilité qui n'est pas bonne pour son développement. »

Pour un gouvernement, l'identification d'un besoin soulève des questions de faisabilité et d'évaluation des acquis. Dans la suite des recommandations formulées par le vérificateur général, notre ministère québécois de la Famille entreprenait donc avec le 21e siècle une enquête originale sur l'évaluation qualitative de nos services de garde. À un casse-tête en deux dimensions, tenant compte des besoins et des possibilités, l'enquête *Grandir en santé 2003* venait en quelque sorte apporter sa troisième dimension : une évaluation de la qualité des services offerts aux enfants en garde non parentale, aussi bien en Centre de la petite enfance (CPE), en milieu familial qu'en garderie à but lucratif. Pour une première fois avec tant d'ampleur, l'enquête soulignait les forces et les faiblesses de nos services de garde, le tout détaillé pour les enfants de moins ou de plus de 18 mois.

Afin de réaliser le travail, 905 groupes d'enfants de 650 établissements ont été visités. Le taux de participation des installations a été de 85 %. On pourrait critiquer plusieurs angles choisis pour évaluer la qualité, du genre « Est-il vraiment nécessaire que l'enfant de neuf mois soit autonomisé par son éducatrice ? », il reste que plusieurs points d'intérêt s'en dégagent. De fait, les données riches et détaillées permettent de saisir une bonne partie de la qualité de l'expérience quotidienne vécue par les enfants de moins de cinq ans fréquentant des installations éducatives officielles, notamment les caractéristiques de l'environnement de garde, les jouets, le respect des principes éducatifs, le nombre d'enfants à garder aussi bien que la constance à s'y laver les mains, le profil des éducatrices comme celui des gestionnaires. Les variables répertoriées impressionnent par leur minutie. Parmi elles, plusieurs d'ailleurs sont ahurissantes, tellement confondantes que le réseau a tout fait pour les étouffer. Un suicide en quelque sorte, puisqu'en la matière, le ministère était dispensateur et évaluateur, juge et partie.

L'empathie de l'éducatrice, les apprentissages particuliers à anticiper face à tel ou tel handicap, et les centaines de mesures individuelles et cliniques qui pourraient contribuer à décrire l'expérience journalière d'un enfant, et non pas des enfants en général, manquent évidemment à l'appel ou ne résistent pas totalement à l'analyse. Il faut savoir se rappeler que les détails d'une pareille étude statistique sont obtenus à partir d'une seule journée dans chaque installation. Les mesures de qualité supposent donc d'autres études, pas toujours faciles à concevoir sur le plan éthique, avec des populations cliniques d'enfants qu'on suivrait prospectivement sur de nombreuses années. Ces travaux existent ou s'organisent, aux États-Unis par exemple. Il y en a et en aura aussi au Québec où ils ne sont pas légion. Mais ces remarques mises à part, les auteurs de *Grandir en santé 2003* ont globalement livré une information généreuse sur la qualité des services offerts en installation au Québec.

Pour ce faire, ils ont utilisé un indice de qualité créé aux fins de l'étude. Cet indice permet de qualifier les services offerts selon six niveaux allant de très bas, bas, moyen-bas à moyen-élevé, élevé et très élevé. J'attire ici votre attention sur la cote globale donnée à l'ensemble des services offerts, car il y a aussi dans le rapport des mesures précises pour chacun des points évalués. Compte tenu des limites d'une mesure englobante, évaluant autant la planification quotidienne des activités que le matériel pour jouer, un jugement d'ensemble ne doit pas faire perdre de vue chacun des éléments pertinents en place. Les auteurs de l'enquête insistent sur ce point : chacun des éléments fait pencher à sa façon la moyenne, tendant ainsi à occulter les déviances éventuelles de chacun d'eux.

Tout en insistant sur ces biais méthodologiques et les nuances à apporter aux résultats, les auteurs rapportent des données plutôt bonnes sur la qualité d'ensemble des services offerts aux enfants de moins de 18 mois dans les centres de la petite enfance qu'ils jugent de qualité élevée par l'étude statistique. Dans leurs conclusions, ils suggèrent pour l'avenir une consolidation des acquis. Mais les analyses ne sont pas aussi satisfaisantes pour la garde des enfants de plus de 18 mois en CPE, pour les enfants en garderie familiale et pour ceux qui fréquentent les services privés, et qui plus est dans les quartiers pauvres, que l'analyse juge passables.

Plutôt bonnes, passables ?

Vous vous défoncez corps et âme pour vos enfants et vous devriez vous contenter d'une structure passable pour les abandonner dix heures par jour à l'ordinaire ? Citoyens, citoyennes, dites-moi que je rêve, ne me dites pas que vous êtes encore à genoux ? Des services majoritairement régis par l'État jugés « passables » par les propres critères d'évaluation de l'État, c'est-à-dire « qui satisfont généralement aux principes du programme éducatif sans que l'on puisse les qualifier de bons », ce n'est pas acceptable. Il est terriblement dommageable que nos services à l'enfance livrent aux parents une prestation qui est moins qu'extraordinaire. Pour avoir un impact sur le développement cognitif, langagier et social, il faut que la garderie réelle soit autant de qualité que la garderie de laboratoire utilisée à des fins de recherche. Un enfant de tempérament difficile ou issu d'un milieu non adéquat ne performera pas dans un milieu passable.

L'enquête *Grandir en santé 2003* n'a eu aucune retombée pratique ni pour les enfants, ni pour leurs parents, ni pour le milieu. Au départ, l'ensemble du travail a été reporté dans sa publication. Depuis lors, il n'a donné lieu à aucun resserrement des structures incompétentes ou insatisfaisantes ou à un quelconque investissement massif dans la formation, le salaire ou l'assouplissement du contexte de travail des éducatrices. C'est à se demander pourquoi on investit dans des études évaluatives pareilles si aucune action ne peut en découler ! Le ministère cherchait-il à se faire confirmer que le matériel pour jouer est formidable dans les CPE alors qu'il ne l'est pas ? À se faire dire que les éducatrices se lavent assez les mains, alors qu'à ce chapitre leurs performances sont décevantes ? À y voir des bambins en chaînettes s'aventurer dehors dans les parcs alors que dans les faits ils se retrouvent trop souvent enfermés en dedans ? Y cherchait-on une autocongratulation ? Y cherchait-on à se faire dire que non seulement le Québec avait été la seule province canadienne à être allée aussi loin, mais que du coup, elle l'avait fait mieux que toutes les autres sans investir outre mesure dans les équipements, la formation et la rémunération du personnel ?

« Les spécialistes sont d'accord : le développement à la petite enfance sert d'assise aux années qui suivront. » Richard Tremblay cite ici James Heckman, lauréat d'un prix Nobel d'économie qui estime « qu'il faut investir davantage dans l'éducation préscolaire que dans l'enseignement universitaire ». Alors, si on sait cela aujourd'hui, à qui la faute d'un tel dérapage, d'un tel sous-investissement dans la qualité, d'une aussi grande torpeur ? À une intention réelle de l'État, à notre porte-monnaie ou à de la négligence ordinaire ?

Des recherches suggèrent qu'offrir des services de bonne qualité coûte cher. Ils se doivent de fournir du personnel bien formé et bien éduqué, des ratios enfants-éducatrices bas, de faibles taux de roulement de personnel et de bons salaires aux éducatrices. Ils se doivent de fournir de l'excellence que la réalité ne semble pas vouloir permettre. Au Québec, une éducatrice a cinq bébés à sa charge. Pouvez-vous imaginer passer huit heures avec cinq bébés ? Biberon, régurgitation, couche, doudou, couche encore, caca, régurgitation, morve, sourire, jeux, biberon, dodo, multiplié par cinq. Vivement l'éducation !

À l'automne 2005, un nouveau rapport québécois dont Nathalie vous parlera vient attester cette tendance lourde : malgré tout ce qui peut être transmis comme bonnes nouvelles dans les journaux, malgré les travers de plusieurs journalistes, il faut bien le dire, prêtes à sacrifier mères et enfants pour la cause, malgré eux et tout ce que tout le monde en pense, nos garderies sont une fois de plus jugées passables. Cette nouvelle publication de l'Institut de recherche en politiques publiques de 2005 est le résultat d'une enquête réalisée dans 1 540 services de garde évalués entre 2000 et 2003. Elle confirme, à l'aide d'un instrument d'évaluation de la qualité déjà validé en pareils contextes, le ECERS-S, que le quart seulement des milieux de garde québécois offrent un niveau de qualité jugé bon, très bon ou excellent. Dans la majorité des cas, la qualité de nos services de garde est jugée minimale et dans environ un cas sur huit, elle est jugée inadéquate.

Passable, minimale, inadéquate ?

Y a-t-il un journaliste dans la salle ? Nathalie, au secours, le journalisme n'est-il pas un quatrième pouvoir ? Ne pourrait-il pas se porter à la défense des enfants ? J'ai besoin d'une petite leçon. Peut-être n'y a-t-il pas de public pour recevoir la nouvelle dans la salle ? Il y a un pédiatre en tout cas et, comme il va continuer à chahuter, il va falloir que vous le sortiez de force.

« Le niveau de qualité varie cependant selon le type de milieux », précisent incidemment les auteurs de cette dernière enquête, celle-là intitulée *Grandir en qualité.* « Parmi les milieux en installation, par exemple, plus d'un tiers des CPE obtiennent un score correspondant à une qualité allant de bonne à excellente, alors que moins d'une garderie à but non lucratif sur six offre une qualité jugée bonne. On observe le même phénomène dans les milieux de garde familiaux (...) Et bien que les CPE soient jugés de meilleures qualités que les autres types de milieux de garde, environ 1 CPE sur 15, en installation comme en milieu familial, n'atteint pas un niveau de qualité jugé minimal. »

Au bout du compte, on peut y comprendre que votre enfant a moins de chances de se faire avoir par le gouvernement que l'enfant du voisin, mais il a tout de même trois chances sur quatre de ne pas y trouver son compte. Y a-t-il quelqu'un dans la salle que la statistique dérange ? 2003, 2004, 2005, combien de rapports et enquêtes nous faudra-t-il pour qu'une action concertée puisse améliorer ça, sinon mettre un terme à tant de souffrances tacites ? Peuple d'évaluateurs, va ! Avant, vous construisiez, me semble ?

La marge de manœuvre des parents québécois est quasi inexistante en matière de choix et de particularités de services. À cheval donné, ils ne regardent plus la bride. Associations parentales, professionnelles, politiques, peu importe leurs propos, avis ou lobby, toutes sont également limitées pour encadrer ou conseiller des parents au chapitre du contrôle de la qualité. N'importe quelle autre association de consommateurs aurait plus de pouvoirs dans n'importe quel autre domaine que les pauvres professionnels chargés de conseiller les parents dans le domaine des services de garde. Ni la Société canadienne de pédiatrie, ni les médecins de l'Association des pédiatres du Québec, ni les responsables de l'Institut national de santé publique, ni les membres de l'Ordre professionnel des travailleurs sociaux ne peuvent accompagner d'une quelconque façon un couple parental qui cherche à savoir à qui confier son enfant. Comme médecins, notre pouvoir est nul à tenter de concilier les recommandations scientifiques avec la conjoncture de la qualité.

Récemment, par exemple, la section diététique de l'*American Academy of Pediatrics* y allait de ses recommandations nutritives afin que les pédiatres puissent les transmettre aux parents pour les aider à discerner entre les bonnes et les mauvaises garderies. Qu'est-ce que vous voulez que je fasse avec cela, moi ? Vous me voyez conseiller des parents sur le choix d'une garderie en fonction des menus qu'on y propose ? Vous y avez pensé, ils y prennent facilement trois ou quatre repas si on tient compte des collations ? Le hot dog, parce qu'il s'agit de cela, peut-il s'inscrire dans une perspective de qualité ? Sur la question, un nouvel entretien s'impose, celui-là avec mon amie la diététiste Hélène Laurendeau (qui est comme ma petite sœur). Toujours dans une perspective de qualité, je lui demande donc ce qu'elle pense du hot dog en garderie. Les parents doivent-ils s'en plaindre, même s'ils ne l'ont vu passer que de temps en temps ?

HÉLÈNE LAURENDEAU
Qu'il soit grillé ou « *steamé* », je crois que le hot dog n'a pas sa place dans un menu de garderie. Les raisons sont multiples : risque d'étouffement chez les jeunes enfants, teneur insuffisante en protéines, excès de gras, de sel et de nitrites, la liste est assez exhaustive, non ? Et que dire de la liste des ingrédients inscrite sur un paquet de « *wieners* » avec ses sous-produits de la viande, sa viande désossée mécaniquement et toutes les parties qui viennent avec... Entendons-nous : je ne condamne pas le pain-saucisse servi lors d'une foire ou du barbecue annuel offert par

la directrice. Mais j'aurais plein d'autres idées tout aussi amusantes à mettre au menu.

JEAN-FRANÇOIS CHICOINE
Justement. C'est quoi, un bon menu de garderie ?

C'est toujours un défi de composer un menu sur plusieurs semaines. Ça devient un *challenge* quand on a pour clientèle de jeunes enfants d'origines différentes, d'éducations différentes, de religions différentes, de milieux différents. Et c'est sans compter les différences individuelles telles que les allergies alimentaires, les intolérances, les préférences, les dégoûts, le degré d'appétit, le nombre d'heures passées en garderie, etc. Exit les noix et les arachides pour cause d'allergie grave, mais aussi le kiwi et les jus de fruits tropicaux qui peuvent en contenir, le porc sous toutes ses formes (jambon, saucisse) pour cause religieuse, le jus de légumes (parce que les enfants n'aiment pas ça, me suis-je fait répondre), les graines de tournesol et de soya grillées à cause des risques d'étouffement, le pain de blé entier (parce que ça ne fait pas de beaux *grilled cheeses*)... alouette ! Ahhhhhhh ! Tout ça pour dire qu'il y a quelques années, après avoir été témoin de quelques repas servis à l'heure du dîner, j'ai proposé à la directrice du CPE que fréquentaient mes enfants de revoir les menus afin de proposer quelques améliorations. Dans un milieu où l'on court après le beurre et l'argent du beurre, disons que mon offre de bénévolat a été plutôt bien accueillie. En gros, j'ai proposé certains changements en douceur dont un menu échelonné dorénavant sur cinq semaines, au lieu de quatre ; des efforts pour augmenter la variété des aliments proposés ; une source de protéines ajoutée à certains repas déficients ; des collations modifiées et diversifiées, les fruits n'étant plus offerts uniquement en après-midi, mais aussi en alternance avec la collation du matin ; des légumes servis aux enfants selon la saison. Sous le terme « crudités », l'enfant pourrait croquer dans des carottes, du concombre et du céleri mais aussi du chou-fleur, des tomates, des poivrons rouges, jaunes ou orangés, etc. Côté légumes cuits, des aubergines et des courgettes se cachaient parfois dans la lasagne et des feuilles d'épinard ont même été ajoutées *incognito* dans une salade verte surprise que les enfants adoraient ! Enfin, j'ai insisté sur les produits laitiers (fromages, yogourt), des potages et des desserts au lait ajoutés afin d'améliorer la valeur nutritive de certains repas ou collations. J'ai également fourni une liste des meilleurs choix de craquelins et de biscuits à offrir aux enfants pour calmer leurs petits ventres creux en après-midi.

Car petits ventres creux il y a. Les enfants ne savent pas écrire ni prononcer le mot « borborygme », mais ils ont déjà entendu des glouglou dans leur estomac. Et je ne te parle même pas de milieu défavorisé...

Aucune résistance au changement ?

Ce qui a été plus compliqué, ce fut de justifier mon ajout de lait au chocolat à 2 reprises sur les 40 collations proposées. Il a donc fallu que j'explique (par écrit, s'il vous plaît, car la directrice craignait un tollé de protestations de la part de certains parents) que « *Compte tenu de sa valeur nutritive élevée en protéines, en énergie, en calcium et en plusieurs autres vitamines et minéraux essentiels, le verre de lait au chocolat occasionnel s'insère très bien dans le menu équilibré du jeune enfant. Et il contient moins de sucre qu'un verre de jus de fruit... Soyez cependant assurés que le lait nature à 2 % M.G. demeurera la boisson de choix au moment du repas et de nombreuses autres collations.* » J'aurais pu ajouter aussi que les protéines et le sucre du lait au chocolat sont nécessaires pour soutenir l'enfant jusqu'à ce que son père, sa mère ou sa gardienne vienne le chercher à 18 heures, parce que ce même enfant ne soupera probablement pas avant 19 heures... Aussi bien recommencer le déjeuner à 16 heures si l'enfant veut être assez en forme pour jouer avec ses parents plus tard !

Dé-jeuner le matin, pour mettre fin au jeûne de la nuit. Déjeuner l'après-midi, si le jeûne parental se prolonge un peu trop. J'ai bien compris ? Hélène, est-ce que les Québécois reconnaissent à quel point les habitudes alimentaires s'acquièrent tôt ? La diversité et la qualité alimentaire comme on la recommande, l'éducation au goût comme c'est la mode en France, est-ce que ce n'est pas négligé au quotidien, dans les services de garde ou certaines familles ?

Là, tu marques un point. On n'a pas idée à quel point l'aventure du goût commence dès les premières bouchées du bébé. On sait que certains goûts – comme celui du sucre – sont innés. Mais l'environnement de l'enfant compte beaucoup dans le développement du goût et du dégoût. Si tel bébé a la chance de naître dans une famille où l'on célèbre quotidiennement les plaisirs de la table, il aura l'occasion de découvrir une foule d'aliments et deviendra probablement un grand épicurien. Si, au contraire, ses parents ou son éducatrice sont eux-mêmes très peu aventureux du côté des aliments, il risque d'être exposé à certains préjugés alimentaires du genre « Donnes-y pas du tofu, c'est pas mangeable... » ou encore « Du poisson ? Ça va empester toute la maison ! »

Dans un travail aux visées anthropologiques, la Française Isabelle Garabuau-Moussaoui a remarqué toute l'importance de la crèche et des cantines scolaires comme lieux complémentaires des apprentissages alimentaires. Ce que le hot dog donne en moins, d'autres aliments peuvent donc le donner en plus. Certains CPE ont des menus extraordinaires, amusants et équilibrés. Dans les garderies, des enfants peuvent découvrir des plats ou, au contraire, y constater l'absence des plats qu'ils mangent dans leur famille.

L'éducation du goût, ça n'est pas affaire de snobisme et ça ne doit pas le devenir. J'ai envie de te citer Jacques Puisais, un éminent chimiste et œnologue qui préside l'Institut français du goût et qui a écrit de nombreux ouvrages, dont *Le goût chez l'enfant*: « Le goût est un des plaisirs les plus simples et les plus riches de la vie. À bien y réfléchir, le caviar ou le foie gras sont intéressants, mais nous aurions tort de réduire la gastronomie à ces produits. Un rustique radis, avec du beurre, du sel et du bon pain peut causer une intense émotion. » À quand remonte ta dernière émotion de radis ?

~

« Pour les spécialistes de l'anthropologie alimentaire, prendre un repas en famille a des répercussions sur la vie émotive de la cellule parentale », précise le Conseil de la famille et de l'enfance au sujet de la conciliation travail-famille. Malheureusement, « Les choix sont de plus en plus déterminés par la rapidité et la facilité. Entre 1986 et 2001, la consommation de dîners précuits a augmenté de 470 %, celle des autres préparations d'aliments précuits a connu une hausse de 700 %. » Entre les repas à la maison et ceux de la garderie, les radis ne sont peut-être pas une idée si amère que cela.

Bibliographie

Bolger, K.E. et Scarr, S. *Not so far from home : How family characteristics predict child care quality. Early Development and Parenting* 1995, 4, p. 103-112.

Chicoine, J.-F. et Forcier, A. Scénarisation de *Némésis.* Correspondance 2005.

Cloutier, R. *et al. La spécificité de l'organisation des services de garde en milieu défavorisé.* Sainte-Foy, Université Laval, Centre de recherche sur les services communautaires, 1994, dans Institut de la statistique du Québec. *Enquête québécoise sur la qualité des services de garde éducatifs.* Québec, 2004.

Conseil de la famille et de l'enfance. *La conciliation famille-travail et l'action de l'État,* dans *Bilans et perspectives : le rapport 2004-2005,* Québec, 2005.

Halperin, C. *Comment se transmettent les pratiques alimentaires : Entretien avec Isabelle Garabuau-Moussaoui. Sciences humaines* hors-série, n° 45, juin-juillet-août 2004.

Howes, C. *L'impact des services à la petite enfance sur les jeunes enfants (0-2 ans),* dans Tremblay, R.E., Barr, R.G. et Peters, RDeV. (dir.). *Encyclopédie sur le développement des jeunes enfants.* Montréal, Québec, Centre d'excellence pour le développement des jeunes enfants, 2004, 1-4. Disponible sur leur site Internet, juillet 2005.

Howes, C. *et al. Thresholds of quality : Implications for social-development of children in center-based child care. Child Development* 2001, 72 (5), p. 1534-1553.

Institut de la statistique du Québec. *Enquête québécoise sur la qualité des services de garde éducatifs.* Québec, 2004.

Japel, C., Tremblay, R.E. et Côté, S. *La qualité, ça compte*. Institut de recherche en politiques publiques, vol. 11 n° 4, octobre 2005.

McCartney, K. *Recherches actuelles sur les effets des services à la petite enfance*, dans Tremblay, R.E., Barr, R.G. et Peters, RDeV. (dir.). *Encyclopédie sur le développement des jeunes enfants* (sur Internet). Montréal, Québec, Centre d'excellence pour le développement des jeunes enfants, 2004, p. 1-5. Disponible sur le site : *http : //www. excellence-jeunesenfants.ca/documents/mccartneyFRxp.pdf*

Peisner-Feinberg, E. *Services à la petite enfance et impacts sur le développement des jeunes enfants*, dans Tremblay, R.E., Barr, R.G. et Peters, RDeV. (dir.). *Encyclopédie sur le développement des jeunes enfants* (sur Internet). Centre d'excellence pour le développement des jeunes enfants, 2004, p. 1-8. Disponible sur le site : *http : //www.excellence-jeunesenfants.ca/documents/Peisner-FeinbergFRxp.pdf*

Puisais, J. *Le goût chez l'enfant*. Flammarion, Paris, 1999.

Société canadienne de pédiatrie/Mon enfant Châtelaine. *Les services de garde : Un guide pour les parents. Today's Parent*, Professional Publishing, 1995.

Symons, D.K. et McLeod, P.J. *Maternal, infant, and occupational characteristics that predict postpartum employment patterns. Infant Behavior and Development* 1994, 17, p. 71-82.

Tremblay, R.E. *Le casse-tête du préscolaire*, Bulletin du Centre d'excellence pour le développement des jeunes enfants, Québec, Canada, vol. 3, n° 1, mars 2004.

Warwick, L. *Le meilleur pour les jeunes enfants*. Bulletin du Centre d'excellence pour le développement des jeunes enfants, Québec, Canada, vol. 3, n° 1, mars 2004.

Freedom fries
Un regard sur la garde non parentale en France

Jean-François Chicoine

J'ai toujours beaucoup aimé les baby-sitters.
Mais à mesure que j'avançais en âge,
ma femme les choisissait de plus en plus moches
de façon à ce que je les zyeute de moins en moins.

Machiste français

J'ai toujours été frappé par la désinvolture avec laquelle les familles françaises acceptent de se séparer précocement de leurs nourrissons pour les caser à la crèche. Mon étonnement est humain et scientifique, mais aussi très certainement culturel. Je vous dirais sans ambages : « On n'a pas été élevés de même. »

Dans un document d'archives de la Société Radio-Canada intitulé « Madame au foyer ou à l'usine », et qui date de 1960, une gardienne pionnière du Québec répond aux questions de l'animatrice sur les premiers enfants qu'elle aura eu à garder :

ANIMATRICE
Quand vous avez commencé votre garderie, c'était que des enfants qui restaient la semaine avec vous ?

GARDIENNE
Oui, c'était des enfants de filles-mères ou des gens d'Europe qui arrivaient au Canada qui avaient cette mentalité-là de faire garder leurs enfants. Les Canadiens faisaient pas garder leurs enfants. Jamais.

ANIMATRICE
Et maintenant?

GARDIENNE
Maintenant, c'est tous des Canadiens.

Encore aujourd'hui, les Français sortent dans la rue pour les prisonniers en Iran, le prix du pétrole, les droits humains en Guyane, l'exportation du blé et, ça va de soi, pour colmater leurs *zones urbaines sensibles*. Ils détiennent le plus haut taux de fécondité en Europe, sont pleins d'idéaux tonitruants pour leurs enfants, ont des opinions bien arrêtées sur la fraternité humaine, mais ne font que rarement la guerre à la crèche. Comment déchiffrer cela? *Ça se discute*, ou non?

Les premières crèches parisiennes ont été créées vers 1850 pour les exclus et les miséreux de l'époque dans le mouvement du catholicisme social, d'où leur nom de « crèches », comme celle du petit Jésus. Mais elles sont maintenant moins exclusives et depuis 1960, elles font partie du quotidien des familles françaises. Il ne faudrait pas en déduire que les Français sont satisfaits de leurs crèches. En France, une question intolérable se passe parfois de discussions : en pédiatrie française par exemple, il en va ainsi des appartenances ethniques, de la mesure du quotient intellectuel, comme du placement en crèche des nourrissons. Le sujet est contourné, la réponse n'est pas obligée. Tout le monde n'en parle pas. C'est « culturel », comme on dit. Pourtant une enquête rapportée dans *Médecine et Enfance* mentionne que le mode d'accueil retenu répond rarement aux besoins exprimés initialement par les parents. Les financements sociaux des services de garde sont extrêmement importants, surtout si on les compare à ceux des Étasuniens qui sont souvent inexistants, mais en France, les besoins sont très grands, chroniquement insatisfaits et inadéquatement distribués.

À leur corps défendant, il faut dire que la conjoncture n'y est pas simple. Les Françaises détiennent le double record européen de pourcentage de femmes au travail et de fabrication d'enfants. À un moment ou à un autre de leur vie, 80 % des parents français sont donc confrontés à la recherche d'un mode d'accueil pour leurs familles. Vivre une double programmation, répondre aux besoins des enfants comme aux exigences d'une activité salariée, tout cela est globalement perçu dans la tradition française comme une gageure gratifiante. La crèche est extraordinairement hâtive, mais les politiques familiales, Nathalie vous le dira, y sont par ailleurs tout à fait progressistes.

Il y a bien, dans les écrits des pédiatres d'outre-mer, des mises en garde précises sur les écueils de la garde non parentale précoce ainsi que de l'information sur les alternatives à la crèche collective, comme l'assistante maternelle, les demi-journées de la halte-garderie, la jeune fille au pair ou la *tata*, mais les recommandations de la communauté de soins s'y inscrivent en général dans la culture instaurée plutôt que dans les percées récentes de la science des bébés. Entre les habitus et l'action, entre le dire et le faire, se joue probablement un match souterrain d'envergure, les scientifiques français étant par ailleurs passionnés par les connaissances neurobiologiques sur les cerveaux en croissance.

Je ne ferai pas ici de *French bashing*. J'aime la France plus qu'elle est capable de m'aimer. J'ai fait en France une partie de mes études, j'y retourne régulièrement et y travaille avec des chercheurs étonnants. Aussi j'y entretiens depuis des décennies des amitiés durables et autant de liens professionnels en matière de droits de l'enfance, ce qui, étrangement, n'est pas une coutume naturelle pour nos milieux universitaires médicaux québécois, plutôt portés à copiner avec l'ensemble de la pédiatrie nord-américaine.

Il y a déjà plus de 20 ans, je débarquais donc à l'hôpital Necker Enfants-Malades pour parachever mes études de pédiatrie. J'apprends à Paris un tas de choses en réanimation, en transport médical aéronautique, des tas de choses compliquées qui font de moi un urgentiste passionné et certainement un meilleur docteur. Mais au passage, je ne manque pas d'être étonné par les batailles de camemberts volants dans les salles de garde, par la sempiternelle salade de carottes de l'Assistance publique et, pour tout dire, par l'exercice au quotidien de la pédiatrie générale.

Il y a d'abord des kilos de médicaments à prescrire, entre le paracétamol et le décongestionnant, au moins quatre ou cinq dans le cas d'un simple rhume, alors qu'à Sainte-Justine, on m'a appris à m'abstenir devant l'encombrement nasal. Les médicaments en France sont remboursés, alors il est bien vu de prescrire. Il y a ensuite beaucoup d'ordonnances à faire pour des enfants qui ne dorment pas, qui sont anxieux, qui sont phobiques. Ces enfants sont-ils différents des nôtres ou sont-ils simplement éduqués si différemment des nôtres ? À ces suppositoires et sirops pour dormir se rajoute toute une panoplie de consultations à faire en psychologie, en psychiatrie et en psychanalyse infantile. La médecine sur le divan a en France une proportion délirante. À la FNAC, si je cherche un livre de pédiatrie, je le trouve au rayon « psychologie ». J'ai alors 23 ans et je n'arrive pas complètement à saisir. Je me révolte un peu. Je ne saisis toujours pas. Je l'écris, c'est déjà cela.

L'éducation est une priorité pour les Français, en commençant par le bon usage des mots. Les maternelles et les écoles primaires y font plaisir à voir. Je ne parle pas des services spécialisés, je parle de l'instruction offerte à la majorité et de la valeur qu'elle a pour leur société. Mais, dans la foulée formative, l'éducation à la sécurité affective y est-elle subtilement défavorisée ? L'instruction intelligente n'est-elle pas destinée en priorité à une culture gauloise qui s'est depuis beaucoup métamorphosée ? Les enquêtes menées dans les classes défavorisées et dans les cités dortoirs témoignent en tout cas d'éléments affectifs et sociaux qui auraient avantage à être mis de l'avant dans l'organigramme éducatif français pour favoriser le parcours scolaire de l'enfant dans son individualité. Par exemple, il est actuellement difficile de retarder en France la scolarité d'un enfant qui a déjà souffert d'hospitalisations ou d'abandon pour lui permettre de se requinquer un peu sur le plan affectif en lui donnant plus de temps pour jouer. Déroger au programme est une bataille pour les parents soucieux des caractéristiques uniques d'un enfant en particulier, alors qu'avec un peu de persévérance et des avis professionnels, la dérogation s'avère facilement réalisable au Québec.

On pourrait discourir des heures sur la sécurité affective des enfants français par rapport à celle des petits Nord-Américains, sur leur sens hâtif de l'opinion et sur leurs manières de confronter avec panache leurs estimes de soi aiguisées, mais on doit surtout retenir que 2,2 millions d'enfants de moins de 3 ans en France, de plus en plus bigarrés, de moins en moins homogènes, comparativement avec nos milliers de petits Québécois, c'est d'abord une gestion gouvernementale d'enfer proprement ingérable. Ce que les Français perdent en utilisant des techniques éducatives disciplinaires, parfois sévères et humiliantes, ou mal adaptées à des enfants migrants ou réfugiés, ils le gagnent probablement en brassage d'opinion et en temps partagé en famille, entre leurs allocations familiales, les vacances, les dimanches à la campagne, la semaine de 35 heures et leurs multiples congés fériés, ponts et week-ends prolongés.

Les Français se sont débarrassés des curés, mais ont conservé leurs fêtes religieuses. Au Québec, on s'est débarrassé des deux.

PARENTS FRANÇAIS
Hourra, les enfants, c'est la Pentecôte !

PARENTS QUÉBÉCOIS
La quoi ?

Le Conseil de la famille et de l'enfance du Québec soulignait qu'allonger la durée minimale des vacances serait une avenue à privilégier pour minimiser chez nous le conflit emploi-famille et augmenter le temps de qualité passé avec les enfants. « La Loi sur les normes du travail, précise le Conseil, prévoit que, sans autre contrat de travail, les travailleuses et les travailleurs ayant cumulé entre un an et cinq ans de services continus n'ont droit qu'à dix jours de vacances payées par année. En comparaison, l'exemple de nombreux pays européens peut faire rêver bien des parents du Québec : la durée minimale des vacances, pour tout travailleur, dès la première année de travail, est de 20 jours au Royaume-Uni, 24 jours en Allemagne, 25 jours en France et 30 jours en Autriche. À ce chapitre, le Québec se situe donc loin derrière ces pays. »

Malgré leurs vacances rallongées, les jours de métro-boulot-dodo, les familles françaises arrivent néanmoins à manquer de temps. Il suffit de les écouter pour les entendre s'en plaindre tout le temps. À part l'Espagne, c'est en France que les dîners familiaux vont se faire le plus tard. C'est en France que les enfants d'âge préscolaire dorment en moyenne une heure de moins par jour que nos enfants nord-américains. Quelle incidence cela a-t-il sur la régulation de leurs affects ? Cela va-t-il jusqu'à expliquer l'attitude fantasque du garçon de café ?

L'espace médiatique est toujours un bon révélateur des manières de faire et de penser. Répondant ainsi sur France-Inter à une maman d'un enfant de trois mois inquiète de voir des enfants si jeunes être confiés à la crèche, la grande Françoise Dolto répondait en 1977 : « Non, ce n'est pas ça : au contraire, on peut les y mettre très tôt. L'enfant prend vite ce rythme-là. Mais c'est un âge où sa mère va lui manquer beaucoup. Donc, il faut l'y préparer (...). L'enfant va s'y habituer en quelques semaines, mais il faudra qu'elle lui explique : « Je suis obligée d'aller travailler. Ça me fait beaucoup de peine de te laisser à la crèche, mais tu y trouveras d'autres amis, tu y trouveras des petits bébés. » Qu'elle lui parle souvent des autres bébés et qu'elle le conduise au jardin en montrant les bébés avec leur maman ; qu'elle les nomme : « les autres bébés », « les camarades », « les petites filles », « les petits garçons », etc. »

À trois mois ?

Je comprends ce qu'il y a de bon dans ce qui précède, mais malgré le respect considérable que j'ai pour Mme Dolto, sa réponse ici ne tient pas la route, et à bien des points de vue. Rendre le parent à l'aise avec sa décision ou sa contrainte est primordial, mais ne permet pas de fabuler sur l'organe cérébral du nourrisson. La socialisation est en émergence et, à trois mois, vous en conviendrez, on n'en est pas encore au stade des présentations. Mme Dolto nous a quittés avant la décennie 1990-2000 du cerveau. Que dirait-elle aujourd'hui ?

Ailleurs dans « Tout ce vous ne devriez jamais savoir sur la sexualité de vos enfants », le professeur Marcel Rufo, pédopsychiatre chéri des médias et de Mme Chirac, et je dois dire, très habile communicateur, va jusqu'à présenter le sein maternel comme une dépendance. « La très grande majorité des mères allaite entre deux et trois mois en moyenne, le sevrage s'effectuant au moment de la reprise du travail et de l'entrée en crèche. C'est un bon tempo, la règle sociale suivant une évolution naturelle. Dès 3, 4 mois, le bébé commence à se différencier de sa mère et accède peu à peu au stade de sujet ; il doit donc devenir autonome. »

Désolé, mais le professeur confond ici l'autonomie neurologique et l'autonomie affective. Si l'enfant accède effectivement à cet âge à une individualité nouvelle lui permettant, par exemple, de contrôler consciemment ses pleurs et d'abuser de son pouvoir en émergence, sa maturité affective n'en est qu'à ses premiers balbutiements. Quant à l'allaitement exclusif, il est recommandé jusqu'à six mois ; quatre mois, c'est bien, mais six mois, c'est déjà mieux. Pour reprendre l'évocation que fait le psychiatre Bernard Golse du *Petit Prince* de Saint-Exupéry, l'enfant à ce stade est dans une quête planétaire évanescente et pure qui le mènera du roi à l'aviateur, sans oublier le renard et la rose, dans le but insatiable de créer des liens affectifs. Le fait d'atterrir dans le désert de la vie n'indique en rien que le travail relationnel n'est plus à faire. Au contraire, le Petit Prince cherche encore à apprivoiser tout ce qui bouge. Pour Golse, la célèbre écharpe du Petit Prince « flotte au vent telle une émergence pulsionnelle en quête d'un objet introuvable, incapable, insaisissable ».

Il y a bien une manière de faire et de dire l'affect des enfants qui, au-delà de toute vérité scientifique, appartient à notre propre façon de concevoir au quotidien le développement affectif et à la manière qu'a la France de le conceptualiser dans toute sa noblesse. L'intérêt des lectures, brillantes il va sans dire, des spécialistes européens de l'affect infantile – je pense à Bernard Cramer, Wilfred R. Bion avec une pensée particulière pour le grand Serge Lebovici – est en ce sens, pour le Québécois que je suis, une expérience plus corticale qu'animale. Nous sommes formés et habitués comme pédiatres d'Amérique à tenir compte préférentiellement du cerveau limbique en croissance pour donner des conseils aux parents sur la gestion des peurs, des colères ou de l'inhibition de leurs enfants. Notre travail s'oriente principalement sur les moyens de soutenir la famille pour qu'elle en arrive à rétablir la relation consolante et de confiance avec l'enfant. À moins de pathologie grave, avec un enfant autiste ou souffrant de dépression majeure par exemple, il nous vient moins à l'idée de soumettre sa psyché d'enfant à un psychiatre plutôt qu'à un éducateur, qu'il soit orthopédagogue, psychologue, travailleur social ou psychoéducateur. Pour soulager un enfant de trois ans de sa détresse, il faut pouvoir amener ses parents à intervenir auprès de lui 50 fois par jour, quand il mange sa soupe (ou la recrache), quand il lit un livre (ou le déchire), quand il dort dans son lit (ou sur la corde à linge). L'imaginer s'étendre ou jouer devant un thérapeute me paraît utile pour le diagnostic mais trop tiède pour la récupération. Une visite par semaine ou par mois suppose que l'enfant ait déjà acquis une pensée plus mature. À ce jeune âge, il faut surtout pénétrer les émotions, les accompagner, les encadrer, les faire évoluer. Si l'enfant est en colère par exemple, il est appelé à pointer du doigt une figurine d'enfant en colère pour mieux se saisir de son sentiment, ce qui, à force de répétition, a un effet salvateur sur sa rage intérieure et l'amène à la dominer en quelque sorte. Quand l'enfant maîtrisera la parole, que son cortex aura grossi, pour employer des termes plus prosaïques, qu'il sera apte à se faire une idée de sa détresse, vers six ou sept ans, on pourra aussi soigner sa détresse par son langage, mais jamais, au grand jamais, il ne faudra oublier à quel point son cerveau limbique a ses influences souterraines. Ces secrets d'enfance inapparents sont capables d'expliquer son malheur et, avec l'aide professionnelle éducative offerte à la famille, de l'en soustraire. En deça de la parole : par l'action concrète.

En Europe, surtout en France, le débat fait tout juste son apparition, avec d'un côté ceux qu'on appelle les « attachementistes » et de l'autre les chantres de la psychanalyse. En bref, leurs prises de bec ont beaucoup d'assises épistémologiques, mais comportent aussi leur lot d'interprétations cliniques. Les psychanalystes s'intéressent en quelque sorte à *l'enfant rêvé*, l'observent et l'écoutent en espérant que lui et sa famille se reconstruisent pendant que, pour leur part, les spécialistes de l'attachement scrutent le développement de *l'enfant vrai* pour se faire une idée de sa représentation des autres afin de pouvoir intervenir sur son monde et le soulager de sa détresse.

Dès 1970, le psychologue français René Zazzo, mieux connu pour ses études sur la gémellité, brandissait ses premiers arguments à la défense d'une approche théorique subsidiaire centrée sur l'enfant et sur son milieu relationnel. « Il aura donc fallu, déclarait-il, le regard à la fois neuf et scrupuleux des éthologistes pour découvrir, à travers le comportement des choucas, des rhésus et autres bêtes, que nous sommes nous aussi, dès la naissance, un animal social, et qu'en nous l'affection précède la sexualité. » Il y a bien eu des ouvertures, mais globalement le pavé dans la mare d'une culture primordialement freudienne, et jusque-là à cent pour cent encodée aux fantasmes sexuels des premières années de la vie, a mis plus d'une trentaine d'années à faire son petit effet dans les cercles assez fermés du Tout-Paris (qui n'est pas la France, il va sans dire).

L'été dernier dans la Ville Lumière, un tout premier colloque international sur la question a enfin eu lieu avec les grands noms de l'attachement : Mary May, Daniel Stern et autres découvreurs. Il faut insister là-dessus : juillet 2005, c'est près de 50 ans après la formulation de la théorie de l'attachement par John Bowlby ! Il était temps. Cette incongruité France-Québec en matière de conception de la sécurité affective n'a pas que des incompatibilités. Elle présente beaucoup d'accointances constructives en matière de comparaison et de complémentarité des travaux. Dans le domaine de la garde non parentale des enfants, elle pose néanmoins une contrainte particulière que je ne pouvais pas ne pas soulever.

La théorie de l'attachement et ses bases anatomiques et physiologiques, de plus en plus vérifiables en imagerie cérébrale, posent clairement la question des difficultés reliées à la mise en crèche d'un enfant avant qu'il ait 18 mois, qui plus est s'il est né avant terme ou d'une mère déprimée ou dans une famille qui vit la séparation parentale ou face à tout autre obstacle à l'environnement affectif du cerveau en croissance. Le peu de temps protégé en France pour les nouveaux papas et les nouvelles mamans y est-il encore un souhait social ? La scolarisation hâtive des enfants à deux ans (qui est actuellement débattue là-bas) est-elle une manière de contourner un flou incompatible entre le travail des parents et le développement affectif des enfants ? La culture institutionnalisée de la crèche n'est-elle pas à repenser là aussi à la lumière des découvertes neurobiologiques et des incidences possibles des difficultés affectives sur l'avenir scolaire et comportemental de l'enfant à moyen et à long terme ?

Aldo Naouri, un pédiatre également fort médiatisé chez les cousins français, écrit ceci dans un livre paru en 2004 chez Odile Jacob : « Du côté du bébé, on a beaucoup parlé d'une mauvaise période pendant laquelle il se séparerait plus difficilement de sa mère, vers le huitième, neuvième mois. Elle n'existe pas. Ce qui se passe, c'est que le bébé s'exprime différemment selon son âge. » Pour l'auteur, toutes les périodes ont des contraintes, ce qui est vrai, mais cela ne soulage en rien cette période particulièrement difficile des 8 à 15 mois en raison de l'attachement sélectif à la maman ou à son substitut. Pas un mot là-dessus.

Dans un article grand public publié à l'été 2005, Antoine Guedeney, professeur de psychiatrie versé dans le virage « attachementiste » et organisateur du colloque parisien auquel je faisais référence plus haut, fait un petit tour d'horizon des ajustements à faire pour consacrer à l'attachement sa place dans la régulation émotionnelle de l'enfant français. C'est presque une première dans une publication vulgarisée en France. Faut-il en conclure que des pans déterminants de la pédiatrie francophone pourraient s'y voir enfin réaménagés ? Que le modèle français des crèches, qui s'accommode mal de la théorie de l'attachement, pourrait en être quelque peu ébranlé ? Les spécialistes français ne manquent pas pourtant ; ce professeur Guedeney et Hubert Montagner, notamment, sont maintenant des grands noms des connaissances en attachement, mais leur discours ne pénètre pas encore dans l'action clinique médicale ou paramédicale au service des familles. Le processus d'attachement n'est pas qu'une dynamique savante, c'est aussi une façon de mieux apprivoiser le sommeil, la discipline, l'entraînement à la toilette, les crises de colère et ainsi de suite.

Comme Québécois qui tentons toujours d'imiter ce qui semble triompher ailleurs, et qui nous inventons des garderies calquées sur des crèches, telles de grandes bibliothèques, serons-nous interpellés par les échanges constructifs qui pourraient émerger des vieux pays sur la sécurité affective des jeunes enfants de la garde non parentale ? Communications et nouvelles technologies précipiteront-elles un agir différent auprès des enfants, nonobstant les cultures individuelles ? Comprendrons-nous enfin pourquoi on nous traite de cousins ?

Dans sa cabane au Canada, le cousin n'a pas à être intelligent. On l'aime parce qu'il est à l'aise, qu'il a de grosses mains, qu'il bûche du bois pour faire un feu qui réchauffe les âmes, qu'il nous introduit à la guimauve fondue qui réchauffe les ventres. Un cousin est limbique, pas cortical. Un cousin est réel, il n'est pas imaginé. C'est un animal. C'est Roy Dupuis.

Pour la petite histoire, le cousin gardait ses enfants avec lui jusqu'à récemment. Il les promenait en *char* et en motoneige. Sa sécurité affective compensait ses insécurités politiques. À défaut d'être, il ressentait. Sur les plaques d'immatriculation de ses automobiles, ce n'était pas écrit « Je suis » ; on pouvait y lire et on peut encore y lire : « Je me souviens ».

Faudrait-il qu'il en soit dorénavant autrement ? Imaginez la chanson : « Ma crèche au Canada ».

Bibliographie

Chicoine, J.-F. *La pédiatrie des enfants retrouvés*, Formation au Ministère de la Famille de la communauté française /Wallonie, Belgique, mars 2005.

Dolto, F. *Lorsque l'enfant paraît*, tome I. Paris, Éditions du Seuil, 1977.

Dubouchet, F. *Les modes d'emploi des modes de garde. Médecine et enfance*, septembre 2002.

Golse, B. *Du corps à la pensée.* Le fil rouge, Presses universitaires de France, 2001.

Guedeney, A., Grasso, F. et Starakis, N. *Le séjour en crèche des jeunes enfants : sécurité de l'attachement, tempérament et fréquence des maladies*, dans *Psychiatrie de l'enfant*, vol. XLVII, Presses universitaires de France, 2004.

Guedeney, A. et Le Meur, H. *S'attacher pour mieux se libérer. La Recherche*, juillet-août 2005, n° 388.

Grasso, F. et Starakis, N. *Le séjour en crèche des jeunes enfants : sécurité de l'attachement, tempérament et fréquence des maladies. Psychiatrie de l'enfant* 2001 ; XI, VII, 1, p. 259-312.

Lebovici, S. *La théorie de l'attachement et la psychanalyse contemporaine. Psychiatrie de l'enfant* 1991, 2, p. 309-339.

Leroux, M.C. *Modes d'accueil des jeunes enfants en France. Archives de pédiatrie* 1999, 6, suppl. n° 661-4.

Montagner, H. *L'attachement, les débuts de la tendresse.* Paris, Odile Jacob, 1988.

Montagner, H. *L'attachement, des liens pour grandir plus libre.* Éditions de l'Harmattan, février 2003.

Naouri, A. *Réponses de pédiatre,* Paris, Odile Jacob, 2004.

Rufo, M. *Tout ce que vous ne devriez jamais savoir sur la sexualité de vos enfants.* Paris, Éditions Anne Carrière, 2003.

Rufo, M. *Détache-moi! Se séparer pour grandir.* Paris, Éditions Anne Carrière, 2005.

Société Radio-Canada. *Madame au foyer ou à l'usine.* 21 minutes 4 secondes, disponible sur le site Internet, 1960.

Zazzo, R. (dir.). *L'attachement.* Paris, Delachaux & Niestlé, 1974/1979.

L'enfance de force

La garderie et la séparation des parents

Jean-François Chicoine

— Ce n'est pas la question et tu le sais, affirme-t-elle.

— Alors quelle est la question? Pour moi, il n'y en a qu'une : nous avons décidé d'aller chasser.

— Je suis ta femme, déclara la fille. Et voici ton bébé. Elle est malade, ou tout comme. Regarde-la. Si elle n'avait rien, elle ne pleurerait pas.

— Je le sais bien, que tu es ma femme, dit le garçon.

Pour toute réponse, la fille se mit à pleurer, elle aussi. Elle reposa le bébé dans le berceau et les cris fusèrent. Alors, elle s'essuya les yeux à la manche de sa robe de chambre et, pour la nième fois, reprit son enfant dans ses bras.

What we talk about when we talk about love
Raymond Carver

Mathilde a neuf mois. Mais elle ne les fait pas. On lui en donnerait sept. Il faut dire qu'elle est née avec un peu d'avance, à 33 semaines de grossesse, presque échappée au travail, en milieu d'après-midi. Un pédiatre se donne jusqu'à deux ans après leur naissance pour assister à la reprise pondérale, staturale et développementale des enfants nés prématurément en vue de combler leurs retards pondéraux, staturaux et développementaux, du moins la part de leur retard attribuable aux semaines de croissance intra-utérine en souffrance.

Ainsi, Mathilde aura bientôt neuf mois, mais un âge corrigé de sept mois et demi. Ses cuisses sont fragiles, ses fesses un peu tristes; elle se tient assise, tout juste, comme un enfant de quelques semaines de moins. Ajoutez à cela ses régurgitations limites et sa gastro-entérite d'il y a deux semaines, vous comprendrez aisément qu'on a déjà vu plus en chair que la petite Mathilde. Correctement installée dans ses courbes de croissance, de poids, de taille et de périmètre crânien, on peut néanmoins considérer Mathilde « comme dans la normale ». Sous une courbe de croissance, entre les enfants petits et les plus grands, il y a une large surface médicalement acceptable. Mais plusieurs réalités individuelles, dont celle de Mathilde.

La mère de Mathilde fait 170 livres à l'œil et n'est pas très grande. Son père arrondit socialement son poids à 100 kilos. Les parents de Mathilde auraient donc eu du poids à perdre et elle, à en gagner, afin de mieux marier leurs phénotypes. L'autre jour au Costco, la mère de Mathilde a vu dans le regard de la caissière que sa fille ne donnait pas l'impression d'être née d'elle. « J'aurais eu une petite Chinoise... que ça lui aurait fait moins d'effet ! », me rapporte-t-elle.

Les parents de la petite se sont rencontrés sur le parquet de la Bourse. Leur histoire n'a rien d'inhabituel. Chacun de son côté rêvait d'avoir des enfants, mais jamais ensemble ils n'avaient eu l'occasion de faire part de leur désir. Vouloir des enfants et avoir le désir de faire ce qu'ils attendent de nous n'a pas de commune mesure. « Chez beaucoup de personnes, l'accumulation d'achats jamais utilisés témoigne de l'écart entre demandes et désir », écrit A. Bouregba que cite dans un de ses ouvrages mon amie Sophie Marinopoulos, « (...) la demande n'est pas la transposition consciente du désir. La demande d'enfant ne s'accompagne pas obligatoirement du désir d'enfant. »

Les enfants servent décidément à beaucoup de choses. Ils servent psychiquement à prolonger le corps des adultes, à le perpétuer, ce que mon collègue pédopsychiatre Michel Lemay appelle le *désir du corps*. Afin de satisfaire ce désir, les enfants s'inscrivent dans leur famille à travers leur génération et deviennent en conséquence « fils de », « fille de », « petit-fils de », « petite-fille de ». Les enfants servent aussi à reconstituer le corps, ce à quoi le Dr Lemay fait référence comme *le désir du passé*. Ils sont l'occasion pour les parents de donner le meilleur d'eux ainsi que – ce qui est plus égocentrique – de pouvoir s'assurer ainsi de recevoir de l'enfant en retour, *le désir du cœur*. Enfin, les enfants servent à donner un sens à la vie des parents, *le désir de l'âme*. Cela fait beaucoup de désirs au programme. À ce titre, les enfants comblent facilement l'offre et la demande, mais à condition de compter neuf mois pour la livraison et d'ouvrir toutes grandes les portes du ressenti et de la fibre parentale.

La nature a voulu que Mathilde arrive plus tôt, ce qui, pour ses nouveaux parents, a laissé caduque l'expression « se faire désirer ». La surprise a donc été totale. Quatre mois de relations sexuelles irrégulières non protégées n'avaient pas été pris en compte. Les psychiatres aborderaient la problématique sous l'angle de l'inconscient. Je suis pédiatre et me contenterai d'ajouter que Suzanne et Gilbert ne s'attendaient pas vraiment à avoir un bébé.

Au départ, le futur papa n'a pas très bien réagi pour ensuite vite se ressaisir. Gilbert est un homme superficiel, mais concret. La mi-trentaine, il investit beaucoup pour se tailler une place dans le milieu de la haute finance. Comme il dit : « On investit où on peut. » Il aime le golf, le cinéma, sortir après la journée, laisser choir des écailles de *peanuts* par terre dans les bars de la rue Crescent. Dans son petit condo du centre-ville, il a d'ailleurs toujours tout laissé traîner, pas juste les écailles d'arachides : la boîte de céréales, ses *boxers* de la veille, des documents importants, sa collection de *clubs*.

Suzanne et son Tiger Woods ont fait des affaires ensemble quand elle était à l'emploi d'une firme de courtage qui devait la remercier quelques mois plus tard. Elle ne se gêne pas pour verbaliser avec ironie : « Même pas eu le temps de leur annoncer que j'étais enceinte : j'imagine que ça leur aurait fait énormément plaisir… »

Comme tant d'autres mamans, et tel que suggéré dans le livre du ministère de la Santé et des Affaires sociales, Suzanne avait songé à allaiter. Mais quand elle a réalisé que sa fille née avant terme refusait le mamelon à répétition ou le lui bouffait une fois enfin accrochée, qu'elle lui faisait des crevasses à la faire hurler de douleur, elle s'est vite convertie au biberon. Le pédiatre de la maternité lui a d'ailleurs donné l'absolution.

Dans nos hôpitaux, les conseillères en allaitement sont fées, mais elles se font rares, trop rares pour mettre de l'avant l'essentiel des tétées. Pourtant, Suzanne en aurait bien profité. Je dis bien Suzanne, et pas bébé Mathilde. C'est une lapalissade de dire que le lait maternel est bon pour l'immunité du bébé. C'est moins pétant d'affirmer que la maman aussi se serait plus rapidement accrochée. À 20 centimètres du regard du bébé, la position d'allaitement – en madone, en madone inversée ou dite en football – est un gage d'éternité. Une fois blotti sur sa maman, engouffré dans le sein, le bébé, dans une sorte de routine synchronisée de l'ordre du dixième de seconde, va regarder sa mère, se saisir d'elle, et elle de lui, pour à eux deux enfin s'appartenir. Se lover. Se pénétrer. Se confondre. Faire du vert avec du jaune et du bleu. Les analystes vous diront que les nouveau-nés en appétit rêvent de dévorer et d'être dévorés. Que l'appétit des mères n'est pas en reste. Qu'elles anticipent la fusion de leur bébé avec le mamelon pour mieux le voir se perdre dans ses crevasses.

Toutes les mères? Non.

On a longtemps considéré que la relation mère-enfant allait de soi, qu'elle était fondée sur l'instinct. De nombreuses découvertes nous ont permis de nous rendre compte du contraire. De petites détresses et de vrais culs-de-sac sont possibles. Dans une perspective biologique évolutionniste, tous les nourrissons ne sont pas appelés à survivre, tous les bébés ne feront pas des enfants forts, toutes les mères ne sont pas bercées d'émotions vives, transférables. La main de l'accoucheuse, l'accolade du pédiatre, la pesée journalière sont autant de gestes précis qui vont défier ou se rallier à la survie de l'enfant né d'une mère hésitante, incapable de l'avouer, de se l'avouer, dans un monde qui ne fait pas de place à l'inavouable. L'idée que ce qui est le plus primitif – l'amour, la culture de l'amour, le *love is all you need* – est ce qui est le plus simple, le plus inégalé et le plus souhaitable pour un nourrisson est aussi naturelle pour l'ordre social que mortelle pour le bébé. Pour mettre un bébé au sein et accepter que sa maman y voie un appel d'éternité, il faut souvent agir contre la nature.

Suzanne a emménagé dans l'appartement de Gilbert quelques semaines avant la naissance de la petite. La vie n'a pas été facile : un séjour prolongé à l'hôpital à cause du faible poids de naissance de la petite, une visite trop brève de la grand-mère maternelle venue de la Beauce pour l'occasion et, bref, un été chaud, très chaud. La convention de copropriété stipulait que la climatisation était interdite. Mathilde avait quatre mois qu'elle pouvait déjà entendre ses parents se disputer. Il faut dire que les sujets de discorde ne manquaient pas : l'argent, l'argent, encore l'argent. Un revenu pour trois, 42 000 $ par année, aurait pu paraître suffisant mais ne suffisait plus à consolider la vision tiède de la petite famille en émergence. À sept mois, l'enfant devait trouver le chemin de la garderie et sa mère, celui du marché du travail, un emploi par ailleurs sous-payé sur le parquet de la Bourse, à aider les grosses légumes à finaliser leurs transactions.

C'est à ce moment-là, durant la journée, que Suzanne a commencé à s'ennuyer de sa fille. Elle n'avait jamais imaginé qu'un ennui pareil puisse l'envahir, elle. À l'évidence, ce n'était pas arrivé à sa propre mère qui avait toujours eu ses enfants accrochés à ses jupons sans pour autant avoir su en profiter. La mère de Suzanne avait eu six enfants d'un mari à peu près absent, elle avait déjà sept petits-enfants dont Mathilde, cette petite nouvelle qui lui avait apparemment fait moins d'effet que la visite du plateau Mont-Royal. La mère de Suzanne n'avait pas été une mauvaise mère; on pourrait dire qu'elle n'avait pas choisi de l'être, mais était encore aujourd'hui une mère insuffisamment bonne. Dans le film *Dogville*, le cinéaste Lars von Trier traduit mieux que personne l'idée de cette insuffisance en profondeur dans les relations humaines. Parce que les citoyens de la petite ville en question ne sont pas assez bons, en bout de course, l'héroïne les élimine. La scène est spectaculaire et déroutante.

Bien sûr, Suzanne n'avait jamais songé à trucider sa mère mais, constatant sa propre transformation, elle restait pantoise à l'idée qu'une mère puisse ainsi s'ennuyer de son enfant. Elle découvrait en elle quelque chose qui la portait, quelque chose que ni sa mère, ni l'infirmière ne lui avait montré. Quelque chose qui devait lui venir de la fée clochette.

Au travail, Mathilde manquait beaucoup à Suzanne qui n'arrivait plus à bien se l'imaginer, à faire du vert dans sa tête. Sa fille, elle l'aimait, assurément. Et elle réalisait d'autant plus son amour pour elle qu'elle ne s'était pas donné la chance d'être envoûtée par elle. Ou qu'on ne lui avait pas donné sa chance d'être envoûtée par elle. Elle n'aurait pas su si bien dire. La maternité heureuse, l'idée de nourrir un bébé, de le masser, de lui parler, de le serrer fort contre elle, dans l'axe, pour qu'il pousse droit comme un arbre, son arbre, cette idée-là elle n'y aurait jamais cru il y a à peine quelques mois. Une nuit que Gilbert rentrerait tard, elle irait coucher avec Mathilde. Coucher avec Mathilde contenterait tout le monde, à commencer par la petite qui la collait beaucoup ces dernières semaines, et en finissant par Gilbert, avec qui les relations de couple devenaient de moins en moins faciles.

Une vieille dame gardait Mathilde chez elle avec trois autres enfants un peu plus vieux. Madame Ouimet paraissait honnête, vigilante mais un peu fatiguée. Un mois après l'arrivée de la petite à la garderie, Suzanne avait compris qu'elle ne s'y était pas trompée. Mme Ouimet était hospitalisée pour un cancer du côlon et sa sœur était appelée à la rescousse. Elle s'appelait aussi Mme Ouimet, mais Mathilde comprenait déjà que ce n'était pas la même. Il y eut ensuite un épisode de gastro-entérite et finalement la petite, de force, fut extirpée de la garderie.

Pour colmater les journées, le couple parental fit alors appel à la mère de Gilbert. La situation se compliqua. Bébé Mathilde le sentait, elle était jeune, pas folle. La mère de Gilbert, qui est la maman de deux gars, essuyait le siège de la petite de l'arrière vers l'avant. Pour compléter la gastro-entérite, l'enfant attrapa ainsi une infection urinaire. Gilbert en voulait à sa mère. Suzanne en voulait à Gilbert. Je ne parle pas de violence, mais de misère. Une misère vicieuse qui fit que la table était mise lorsque Mathilde, qui ne dormait plus, ne mangeait plus, faisait de la fièvre et criait pour des riens passa en consultation d'urgence entre mes mains.

Une échographie des reins et une cystographie de l'arbre urinaire n'indiquaient aucune pathologie anatomique. Avec sa médication et des conseils dictés par tout ce qui précède, la petite et la famille furent renvoyés à leur vie. On intervient comme on peut, au maximum des possibilités qui est souvent un minimum dans les circonstances.

Trois mois plus tard, à l'occasion d'un contrôle, Suzanne s'est présentée seule au bureau avec Mathilde. Gilbert était parti. « Avec une autre ? » « Non, me répond Suzanne, chez sa mère ! »

La qualité des relations interparentales peut nous aider à prédire l'ajustement de l'enfant à sa famille, son comportement aux boires, la nuit, dans les bras. Des travaux étasuniens ont permis de relier l'insécurité affective des enfants âgés d'un an aux conflits intrafamiliaux ayant sévi entre les parents pendant les neuf premiers mois de leur vie. À six mois, un nourrisson est déjà amplement capable de réaliser que quelque chose ne tourne pas rond dans son environnement immédiat : son père hausse le ton, une porte claque, sa mère s'empare de lui avec brusquerie. Ajoutez à cela le contexte clinique des premiers mois, ainsi que la parentalité fragile de son père et de sa mère, et vous en avez assez pour comprendre l'insécurité qui s'est s'installée chez Mathilde, l'air de rien, dans une ambiance doucement terrifiante.

On n'a pas à chercher midi à quatorze heures pour tenter d'expliquer les phobies scolaires, les attentions évanescentes de l'enfant en classe, les timidités extrêmes, les écarts de conduite. Les réponses se trouvent dans le cerveau de l'enfant, dans sa nature de base, elle-même façonnée à travers ses premiers rapports quotidiens avec les adultes. Notre époque de garde non parentale, précoce ou pas, chargée ou pas, coïncide avec une augmentation prodigieuse des séparations parentales. Le doublé est explosif.

L'hostilité entre parents, la fatigue parentale, le détournement majeur des parents pour des préoccupations autres que celles de l'enfant en croissance font partie des facteurs qui intéressent les chercheurs en parentalité. Des formes constructives ou plus destructives de résolution de conflits entre adultes vaccinés sont répertoriées. Certains parents continuent de pouvoir partager un spaghetti au restaurant lors du changement de tour de garde, d'autres se rencontrent dans une aire de repos d'autoroute. Le téléphone cellulaire favorise les rendez-vous impersonnels en terrain neutre et glauque. Effectivement, la drogue s'échange de nos jours sous nos yeux, mais pas les enfants qu'on troque de plus en plus en cachette. Des formes productives peuvent parfois émerger du malheur. Par exemple, les deux membres d'un couple qui autrefois se haïssaient apprennent maintenant à redevenir amis. Mais en général, l'enfant souffre beaucoup de la séparation, beaucoup plus que ne peuvent l'imaginer ses parents.

Une des toutes premières données intéressantes de l'étude étasunienne du NICHD sur les garderies se penchait justement sur le rapport parental par opposition aux services de garde. On y apprenait que quel que soit le contexte, même avec des enfants gardés des temps records par des étrangers ou des éducatrices, les relations parentales continuaient d'avoir une influence majeure sur la sécurité affective des cerveaux en croissance.

Mathilde dort maintenant avec sa mère qui croit ainsi la sécuriser. Suzanne a beaucoup perdu : Gilbert, sa liberté et, encore une fois, son emploi. Elle a gagné une fille. « C'est ma soupape, Dr Chicoine, je ne pourrai jamais me séparer d'elle. » Je n'ai pas de difficulté à la croire : j'essaie d'examiner le ventre de la petite et Suzanne est déjà par-dessus moi à essayer d'étancher sa fille qui se répand.

Tous les enfants ne pleurent pas de la même façon quand on les examine. Il y a bien sûr des constantes d'âge, mais certains enfants hurlent à l'amour tandis que d'autres hurlent à mort. Leurs yeux sont exorbités, leur cuir chevelu est en sueur, leurs bras s'entortillent. Leur parent additionne à leurs anxiétés d'enfants des anxiétés d'adulte. Leur parent les vampirise.

Pour arriver à faire votre travail de pédiatre, vous faites asseoir le parent un peu plus loin, souvent la mère, l'Italie devenue mère, tellement il faut alors contenir les débordements de la maman autant que ceux de sa couvée. L'enfant se laisse alors ultimement examiné. Il pleure, pleurniche, puis finalement s'amuse presque avec vous. Sa mère lui a laissé un peu de vie à lui, a amorcé une petite séparation, lui a dit que c'était possible. Sa mère lui a autorisé le monde.

Johanne Lemieux, « notre » travailleuse sociale, appelle chimie des blessures ces anxiétés catalysées par une somme de ruptures chez l'enfant et son parent. La garderie hâtive participe au tableau d'ensemble. Elle s'inscrit donc avec ses effets fragilisants au sein des éléments en jeu : ici, la prématurité, la nouvelle parentalité, les disputes et finalement la rupture du couple parental. Comment allons-nous maintenant séparer Mathilde de sa mère alors qu'aucune des deux n'a eu la chance de s'attacher à l'autre en toute profondeur, en toute sécurité ?

C'est bien simple, si simple que personne ne le fait. Il faut impérativement donner à Mathilde et sa mère du temps de qualité ensemble, considérer qu'en raison de sa prématurité et de ses moments difficiles, Mathilde est émotivement plus jeune que son âge ; qu'en raison de ses antécédents et de sa cassure récente, Suzanne est émotivement moins forte qu'une autre maman de son âge. Il faut donner du corps à la relation entre les deux filles pendant qu'il en est encore temps. Sans ancrage préalable, il n'y aurait jamais de séparation possible pour elles dans le futur.

Il y a l'âge statural donc, celui de la taille. L'âge chronologique, celui qui correspond à l'anniversaire. L'âge osseux, qui s'accorde au développement physiologique du squelette. Mais il y a également l'âge du développement affectif, l'âge émotif, celui dont on tient rarement compte. Vous mettez cette petite Mathilde *ipso facto* à la garderie, et elle et sa maman en souffriront toute leur vie. Dans quelques mois, le travail sera contraire : il faudra séparer Mathilde de sa mère. Mais pour se séparer, il faut d'abord s'attacher.

« D'accord avec vous, docteur, ajoute Suzanne, mais comment on va faire pour vivre ? Je n'ai pas d'emploi, pas de protection sociale, une mère qui habite loin, dans les faits et dans mon cœur. »

C'est impératif : il faut faire cracher le père ! Faisons cracher Gilbert. La pédiatrie familiale n'a pas de limites.

Je lui téléphone.

Le travail contemporain des pédiatres n'est pas de réunir les parents dans un même lit, mais plutôt de réactiver leur projet commun : l'enfant. Des orientations se doivent d'être modifiées. Au-delà du professionnalisme, il faut souvent y aller d'audace, de perspicacité, de générosité. La séparation parentale doit conduire à une nouvelle perspective de vie suprafamiliale dans laquelle pourront se tricoter de nouvelles formes d'amitiés, de passages d'enfants et de garde non parentale. D'une situation terrible, l'équipe parentale reconfigurée doit pouvoir être dirigée vers un palier moins traumatique. Père et mère doivent être invités à approfondir le réel, à le confronter, pas simplement à le tolérer, à s'y condamner. La partie n'est jamais gagnée. Le grand psychiatre français Maurice Berger raconte à ce sujet l'histoire suprême d'un couple ayant longtemps préféré épargner tous et personne :

« Un couple de centenaires se présente chez un avocat pour divorcer. À ce dernier qui s'étonne qu'ils aient attendu un tel âge pour prendre cette décision, ils répondent : « Nous voulions attendre que nos enfants soient morts. » »

Bibliographie

Berger, M. *L'enfant et la souffrance de la séparation,* Paris, Dunod, 2003.

Carver, R. *Parlez-moi d'amour/ What we talk about when we talk about love,* Éditions Mazarine, 1981.

Cloutier, R., Filion, L. et Timmermans, H. *Les parents se séparent... Pour mieux vivre la crise et aider son enfant.* Montréal, Éditions de l'hôpital Sainte-Justine, 2001.

Cummings, E. M. *et al. Interparental relations as dimension of parenting,* dans *Parenting and the Child's World.* New Jersey, Lawrence Erlbaum Associates, 2002.

Lemay, M. *Famille, qu'apportes-tu à l'enfant?* Montréal, Éditions de l'hôpital Sainte-Justine, 2001.

Marinopoulos, S., Sellenet, C. et Vallée, F. *Moïse, Œdipe, Superman.* France, Fayard, 2003.

National Institute of Child Health and Human Development Early Child Care Research Network. *The effects of infant child care on infant-mother attachment security : Results of the National Institute of Child Health and Human Development study of early child care. Child Development* 1997b, 68, p. 860-879.

De la promiscuité

Les infections dans les services de garde

Jean-François Chicoine

Patricia. C'est pas vrai que j'ai renié mes origines!
Je l'ai toujours dit que je venais du Lac-Saint-Jean! Pis partout!
Comme Kiri a toujours dit qu'elle était Maori! (...)

Michel Tremblay
L'état des lieux

Quand on les compare aux enfants élevés à domicile, les enfants accueillis en garderie présentent un risque accru de contracter des infections, notamment des infections à répétition comme des rhumes et des otites moyennes. Le jeune âge des enfants, leur immaturité relative à entrer en contact avec des virus et des bactéries, le simple fait qu'ils portent des couches, leurs contacts multipliés, leur hygiène infantile, leurs doigts à la bouche, sur les jouets et puis au « derrière », enfin l'environnement dans lequel on les garde, tous ces facteurs et d'autres expliquent que personne n'est surpris de voir les tout-petits gardés en collectivité multiplier les infections de tout acabit. En termes de souffrance pédiatrique et parentale, en jours de maladies et en argent dépensé en antibiotiques et en consultations, on peut considérer la garde non parentale des jeunes enfants comme un investissement humain et économique majeur. Simplement sur le territoire nord-américain, vous pouvez facilement chiffrer la chose en milliards de dollars et en gallons de larmes pour les arroser.

Le nouveau-né sain, à terme, présente un déficit naturel de l'ensemble de ses fonctions immunitaires, tant d'un point de vue quantitatif que qualitatif. Et ce déficit va se poursuivre, dans une moindre mesure au cours des premières années de la vie. On peut donc dire que sa condition particulière rend automatiquement l'enfant vulnérable aux infections par des bactéries ou des virus. Il n'y a rien d'inattendu là-dedans, mais il nous faut expliquer pourquoi, en quoi et comment le risque se présente, surtout quand on persiste à le défier par de la promiscuité anticipée.

Les cellules qui s'accumulent au site d'une infection pour mieux la combattre sont constituées d'éléments sanguins appelés polynucléaires neutrophiles et macrophages. Durant les premiers mois de la vie, ces cellules ont une activité guerrière globalement réduite et sont vite dépassées par la mesure, ce qui a pour effet de contribuer au développement d'infections bactériennes. Tout un ensemble des composantes additionnelles servant à la défense contre les microbes appelé « complément » est également abaissé dans les 18 premiers mois de la vie, ce qui a pour effet d'amenuiser encore un peu plus la réponse immunitaire et de favoriser des infections par des bactéries qui remportent le combat haut la main. David contre Goliath, en quelque sorte, mais ici, c'est Goliath qui finit par gagner.

Parallèlement à cette réponse générale du corps aux microbes, s'installent aussi des réactions de défense plus subtiles, celles-là dues aux fameux anticorps. Ainsi, le risque de contracter plus facilement des infections virales ou bactériennes spécifiques, comme la bronchiolite ou la coqueluche, s'explique en observant attentivement les anticorps qui participent à la défense contre les agresseurs en en faisant une affaire personnelle. Cette défense « à la carte » est un peu le service secret d'une stratégie globale de survie du corps devant l'incursion de maladies potentielles. Le bébé est partiellement protégé par plusieurs des anticorps transmis directement par sa mère. Mais à mesure qu'il grandit, dans son deuxième semestre de vie, ce taux s'abaisse et l'enfant doit prendre le relais et en produire lui-même avec ses propres moyens du bord. Il ne faut pas voir le nourrisson comme un incompétent, simplement comme un individu qui fait ses armes. Très jeune, l'enfant est capable de sécréter ses propres anticorps, mais son répertoire immunologique n'atteindra celui de l'adulte que des années plus tard, on pourrait dire vers quatre ans. Malgré ses carences évidentes, la réponse immunitaire vis-à-vis des agresseurs est satisfaisante au cours des premiers mois de vie comme en témoigne la synthèse d'anticorps en réponse aux vaccins, notamment ceux qu'on lui administre contre la diphtérie, le tétanos, la coqueluche, la poliomyélite, l'haemophilus influenzae et l'hépatite B. En revanche, la réponse à d'autres agresseurs microbiens est particulièrement mauvaise avant d'avoir entre 18 et 24 mois. Lors de la disparition des anticorps maternels, il existe donc une susceptibilité particulière vis-à-vis de ces agresseurs. On pourrait dire que l'usine de production de l'enfant est comme endormie au moment où l'environnement le confronte de plein fouet à de nombreux virus et bactéries. Sans qu'on puisse le taxer de dangereux, le combat de l'enfant contre les microbes se livre néanmoins à armes inégales.

Si l'on tient compte des particularités du système immunitaire au cours des premières années de vie, notamment celles des macrophages, du complément et des anticorps, et si l'on considère que pour entrer en garderie, un enfant devrait être vacciné au minimum contre les maladies transmissibles pour lesquelles il existe une prévention, l'âge idéal en termes de risque et bénéfice infectieux pour entrer en collectivité serait donc de 18 à 24 mois. Que ce soit du côté de l'attachement, du cortisol, des amorces disciplinaires, et en ce qui nous concerne ici, du côté de la protection immunitaire relative, tout concorde dans la nature de l'enfant pour que nous appuyions encore notre manifeste dans la même direction (notre point *Oméga*, vous vous souviendrez).

Çà et là des titres de journaux sur la méningite ou l'hépatite B en services de garde vont inquiéter les parents, mais pour tout vous dire, c'est moins la dangerosité absolue des garderies à provoquer des infections mortelles rarissimes qui dérange le pédiatre que la chronicité et la répétition des agressions microbiennes. Pour prévenir les infections sévères, il y a plusieurs solutions qui passent par le travail de la santé publique, la vaccination et les mesures d'hygiène individuelles. En médecine, il n'y a pas de risque zéro. Pour l'enfant, il n'y a donc pas de risque zéro de contracter une infection grave en garderie, il y a au contraire une certitude absolue qu'il s'y retrouve plus fréquemment malade que dans son milieu naturel de vie : sa maison. Pour prévenir ces infections sempiternelles, il existe aussi des solutions, mais qui demeurent dans leurs applications nettement insatisfaisantes. Au chapitre des rhumes et des diarrhées, le facteur âge s'avère toujours plus influent que toutes les mesures mises de l'avant par les docteurs et les éducatrices. Le lavage des mains et des planchers, les changements de couches en bonne et due forme, la désinfection des surfaces : il ne faudrait surtout pas croire que la lutte est inutile, mais il est clair qu'elle n'empêche pas suffisamment les souffrances. D'un strict point de vue microbiologique, sa maison, avec tout ce qui vient autour, est encore ce qu'on peut souhaiter de mieux à l'enfant avant qu'il ait entre 18 et 24 mois. Entre les allers-retours entre la maison, le travail et la garderie, de nombreux parents savent donc qu'ils doivent aussi additionner à leur programme mensuel de fréquents détours par la clinique et la pharmacie. Ce n'est tout de même pas ça que l'on appelle un choix de vie ?

Depuis un quart de siècle, des centaines de publications scientifiques se sont penchées sur la question des infections en milieu de garde. En raison de tout ce qu'on vient de mentionner, le risque de contracter une infection respiratoire – pensons au rhume banal, à l'otite moyenne ou à la pneumonie – est effectivement de deux à trois fois plus grand en garderie, surtout chez les nourrissons. Par exemple, sur une saison de huit mois de garde, on croise cinq enfants enrhumés avec de la fièvre à la garderie contre deux seulement à la maison, deux otites moyennes à la garderie contre une chez les domiciliés. La saison d'hiver est la plus agressante au chapitre des infections respiratoires, ce qui donne à tous et chacun l'impression qu'un bambin de 18 mois est « toujours malade » en février alors qu'un autre de 18 mois n'est comparativement que « souvent malade » en juillet. Le risque de contracter une diarrhée au service de garde est également de deux à quatre fois plus grand que pour les enfants de moins de trois ans gardés à domicile. Et, en plus des maux qu'ils causent à la jeunesse, les microbes se communiquent parfois aux éducatrices.

J'ai choisi de poursuivre cette réflexion sur les infections en garderie à travers une rencontre avec le Dr Valérie Lamarre, pédiatre-infectiologue au service de maladies infectieuses du CHU Sainte-Justine, et ce, pour plusieurs raisons. D'abord, parce que Valérie est une consœur de travail extraordinaire. Ensuite, parce qu'elle est l'une de celles qui s'y connaît le mieux en prévention des infections en service de garde. Je ne vous ennuierai pas avec la liste de tous les comités auxquels elle participe à titre de consultante sur la question : elle serait la première à me le reprocher.

J'ai enfin demandé à Valérie de répondre à quelques-unes de mes petites questions parce que c'est aussi une maman qui croit beaucoup à la pertinence des centres de la petite enfance et qu'ensemble, nous nous autorisons d'ordinaire des discussions corsées sur la question. En médecine et dans la vie, c'est toujours un privilège de pouvoir discuter ouvertement, parfois à bâtons rompus, avec une autre personne qu'on respecte entièrement, au-delà d'un point de vue partiellement divergent. J'oserais dire que c'est une question d'attachement, de modèle opérant interne qui permet la relation à l'autre, même quand l'autre, comme Valérie, se vante d'être un bleuet.

JEAN-FRANÇOIS CHICOINE
Je ne veux pas savoir si « ton » lac gèle. Je veux savoir si tu penses que les hivers du Québec posent un problème particulier à la santé des enfants en garderie, un problème que les crèches européennes n'ont pas, du moins pas avec la même intensité ?

VALÉRIE LAMARRE
Certainement. Je pense que c'est très lourd pour les familles du Québec d'avoir à faire garder leurs enfants, peu importe le type ou le lieu des services. Partir le matin avec tout le bagage, après avoir enfoui l'enfant dans son habit de neige, le faire monter dans l'auto, ou encore prendre l'autobus, descendre dans la *slush*, c'est beaucoup de travail pour le parent. Revenir le soir, après avoir rhabillé ses petits, quand ce n'est pas glissant à mourir, tout cela prend plus de temps et d'énergie, et on ne se le cachera pas : cette énergie-là, c'est souvent de la sueur maternelle ! Même pour les enfants, l'hiver c'est fatigant. Mais au niveau infectieux, je ne pense pas que cela joue outre mesure. Les enfants français n'ont ni plus ni moins de rhumes et de diarrhées que les nôtres. Ce qu'ici on perd en enfermement obligé, là-bas ils le perdent peut-être en pollution.

Peu importe où ils sont dans le monde, il faut retenir que les enfants qui vont à la garderie font plus d'infections, un point c'est tout, et personne ne va contester cela. Je pense que c'est un aspect essentiel à reconnaître.

On n'est pas les seuls à se mettre d'accord là-dessus : les enfants sont plus susceptibles de contracter des infections que les adultes et encore plus quand ils sont dans des conditions facilitantes au partage des infections, comme les garderies. Il faut aussi considérer les raisons autres que l'immunité qui expliquent pourquoi les enfants font plus d'otites par exemple. Souvent les explications sont bêtement mécaniques et on aurait tort de les ignorer. La trompe d'Eustache qui relie le nez à l'oreille se bouche plus facilement à neuf mois qu'à trois ans, ce qui explique une bonne partie des otites moyennes. Quand ce n'est pas immunitaire ni une question de surexposition, c'est souvent pour des raisons essentiellement physiologiques que les enfants vont se retrouver malades avec les microbes de Pierre, Jean, Jacques.

Souvent les parents s'inquiètent de la constitution de leurs enfants qui sont malades à répétition. Ils pensent encore que si leurs enfants ont droit à deux ou trois prescriptions d'antibiotiques en six mois, c'est parce qu'ils sont plus malingres que d'autres. Ces enfants-là peuvent toujours faire de l'anémie ou être fréquemment exposés à la fumée passive, mais généralement, il faut simplement rappeler à leurs parents qu'un environnement à risque conduit invariablement leurs tout-petits à un plus grand nombre de maladies infectieuses ; que cela ne correspond généralement pas à un manque, à une incomplétude. C'est rassurant pour les parents de se faire dire cela, de mieux comprendre cela, de resituer leur tout-petit par rapport à d'autres du même âge.

Il y a heureusement un prix de consolation pour les parents qui auraient eu droit à des rhumes et des otites à répétition pendant les deux premiers hivers de leurs petits : les enfants de trois ans qui vont à la garderie depuis l'âge d'un an vont avoir moins de rhumes que les enfants de trois ans qui entrent à la garderie à trois ans cet hiver-là.

Ce n'est quand même pas une raison pour encourager les infections chez les plus jeunes, non ? Un article britannique récent avance même l'hypothèse que trop peu d'infections au cours des premières années de vie chez les enfants gardés à la maison par leurs parents pourrait favoriser l'apparition de la leucémie aiguë! Comme quoi dans l'adversité, on se console en voyant l'autre se casser le cou, disait Félix Leclerc. On ne va tout de même pas mettre des enfants à la garderie pour prévenir la leucémie, non ? Dans les grandes familles d'autrefois, les enfants se passaient très jeunes et allégrement des infections. Il faut bien le dire, ils en mouraient plus aussi et ils finissaient sourds comme nos grands-parents, mais ces infections étaient tout de même moins résistantes aux antibiotiques usuels que celles que l'on rencontre aujourd'hui, non ? Les parents autant que les pédiatres ont l'impression d'être dans une sorte d'escalade vers l'utilisation de médicaments de plus en plus complexes ou à doses de plus en plus majorées pour venir à bout d'infections survenant de plus en plus tôt dans la vie.

Les enfants en garderie font plus d'otites à répétition parce qu'ils font plus de rhumes. Est-ce qu'en plus ils sont colonisés avec des microbes un peu plus résistants parce qu'ils sont en contact avec des enfants qui eux-mêmes ont fait plus d'otites et ont consommé plus d'antibiotiques? En général, c'est vérifiable, on peut dire que les enfants en garderie sont colonisés avec des microbes plus résistants qu'ils ne l'étaient auparavant. Cependant, dans la plupart des cas, les infections qu'ils font avec ces microbes-là demeurent des infections quand même bénignes, notamment des otites moyennes. Tu vas être d'accord pour dire qu'il faut éviter toutes les paniques inutiles. On n'est pas certain actuellement que les données étasuniennes, françaises ou espagnoles, plutôt alarmistes, s'appliquent chez nous.

Ce n'est pas qu'une question de « mondialisation » à retardement?

Cela pourrait effectivement le devenir et il est possible que les bactéries rencontrées en garderie, comme ailleurs, deviennent de plus en plus résistantes, que ce ne soit qu'une question de temps. Mais actuellement, sur une base individuelle, un parent n'a pas à s'inquiéter des résistances pour son enfant. Cela ne le met pas globalement à risque d'infections graves multirésistantes contre lesquelles nous n'aurions pas de solutions thérapeutiques à offrir. Aussi, les vaccins antibactériens dont on dispose maintenant viennent certainement nous aider à sauver les meubles. Par exemple, les enfants en garderie ont un risque augmenté de méningites à pneumocoque et à haemophilus influenzae, deux organismes très virulents pour les jeunes enfants. Bien vaccinés selon le protocole d'immunisation du Québec, les enfants sont protégés à ce chapitre.

Au début de ma pratique dans les années 1980, l'hôpital était inondé d'épiglottites et de méningites à haemophilus. Comme tu le sais, le vaccin a quasiment fait disparaître ces infections-là dans les années 1990. Enfin gratuite au Québec, l'immunisation contre le pneumocoque est en train de changer le profil des méningites. Sans ces deux vaccins, et aussi celui du méningocoque dans une moindre mesure, on serait dans de sacrés beaux draps avec nos petits de moins de deux ans en CPE. La vaccination n'est obligatoire pour personne au Québec. Je suis contre la vaccination obligatoire – comme toi, j'imagine – parce qu'au bout du compte ça n'augmente pas le nombre d'enfants vaccinés, mais ma question est la suivante : est-ce qu'on devrait mettre

son enfant en garderie si d'autres parents ont refusé les vaccins pour leur progéniture?

La famille irresponsable qui n'a pas accepté les vaccins pour son enfant est quand même plus à risque d'occasionner une maladie à la garderie que la plupart des autres familles qui ont fait vacciner leur enfant. Mais comme la vaste majorité des enfants qui fréquentent la garderie sont vaccinés, on peut être globalement en confiance avec la garderie, même si certains enfants y vont sans être immunisés. Chose certaine, il est déplorable que des parents contre les vaccins comptent finalement sur tous les autres enfants pour protéger les leurs. C'est injuste, en tout cas pas très solidaire.

La prévention des infections gardées en communauté est d'abord une question individuelle. L'hygiène personnelle, fortement reliée à la proportion d'enfants porteurs de couches, représente un problème fondamental dans les services de la petite enfance. Il est important de rappeler que ce sont les petits gestes de la vie, ceux des parents d'abord, ceux des éducatrices ensuite, qui vont permettre à des enfants de présenter le moins d'infections possible. Avec la vaccination et la création de sous-groupes d'âge, on sait à quel point le simple lavage des mains ou des surfaces peut aider à prévenir la transmission des infections.

Le lavage de plancher, c'est bien, ça fait plaisir à tout le monde qu'il n'y ait pas de « minous » par terre. Mais au bout de la ligne ce qui est vraiment important, c'est le lavage des mains. Et le lavage des mains est étroitement lié au ratio enfants-éducatrice et à la disponibilité des lavabos. Pour l'éducatrice qui n'a pas de peinture ou de macaroni sur les mains, les solutions alcoolisées de type Purell^md pour se laver les mains permettent de se débarrasser des virus, ne serait-ce qu'en promenade.

Les études menées au Québec, *Grandir en santé 2003* et plus récemment une autre faite en CPE scolaires, ont toutes rapporté des conditions d'hygiène médiocres dans nos garderies. Quelles ont été les réactions de la santé publique face à cela, n'ont-ils pas trouvé cela déprimant?

Quand le rapport nous a été présenté au Comité de la prévention des maladies infectieuses, nous avons trouvé que c'était en effet un peu décourageant de voir que tous les efforts de la santé publique étaient ainsi couronnés. Tous ces dépliants, la gazette « Bye-bye les microbes ! », les publications du gouvernement du Québec, les affiches, bref tout ce travail, pour bien peu de choses finalement. Par contre, on peut se demander quelle serait l'incidence des maladies infectieuses dans les garderies si on n'avait pris aucune mesure. Est-ce que cela aurait été pire ? Je pense que la non-observance de mesures aussi simples que le lavage préventif des mains doit provoquer des questionnements. Les éducatrices ont-elles trop d'enfants à charge ? Cinq enfants par éducatrice avant 18 mois, c'est beaucoup. Le message du lavage des mains est-il livré de la bonne façon, est-il assez « sexy » ? Est-ce une question de bonne volonté ou de temps résiduel à la disposition des éducatrices pour bien faire les choses ? Un nettoyage avec de l'eau et du savon va diminuer le nombre de bactéries sur les surfaces. Mais nettoyer n'est pas désinfecter. Pour venir à bout de plusieurs virus, il faut plus que du savon : il faut une véritable désinfection. La solution désinfectante recommandée est toute simple à fabriquer. On ajoute une partie d'eau de Javel commerciale pour usage domestique concentrée à 4, 5 ou 6 % pour neuf parties d'eau et on lave, sans s'en priver, les planchers de la salle de jeu, les planchers du vestiaire et les planchers des toilettes, les planchers de la cuisine ; on lave sans s'en priver tout ce qui a transité par notre plancher, les jouets qui sont portés à la bouche, les sièges de bébé ; tout ce qui n'est pas trop loin du plancher : les poignées de porte, les électroménagers, le comptoir de cuisine, les miroirs. Entre-temps, les éducatrices doivent changer des couches, se laver les mains, inciter les plus grands à se laver les mains. C'est du travail, beaucoup de travail, c'est certain.

C'est à la santé publique d'édicter des normes au sujet des lavabos et des us et coutumes pour faire place à l'amélioration ou chaque garderie doit-elle y aller de ses propres convictions ?

Notre gouvernement demande aux garderies d'avoir une politique de santé et d'hygiène qui leur soit propre. À mon avis, ce n'est ni viable ni vivable : tu ne peux pas demander à une garderie de tout prévoir pour chacune des infections susceptibles de survenir. En effet, c'est au ministère de la Santé ou à la Santé publique de faire des suggestions, ce qui est fait d'ailleurs. Il y a vraiment toute une série de suggestions disponibles à propos de ce qui doit être idéalement fait dans la garderie. Il ne reste aux éducatrices qu'à mieux mettre en application ces différentes recommandations. Parmi les problèmes quotidiens à souligner à la défense de ceux et celles qui œuvrent dans les services de garde, il y a celui-ci, et il est de taille : quand la coordonnatrice de la garderie est confrontée à un problème de nature infectieuse, éventuellement un risque de contagion, et qu'elle ne sait pas quoi faire, qui est-ce qu'elle appelle ? En principe, elle doit appeler au CLSC, il est supposé y avoir là quelqu'un capable de lui répondre.

Ils n'ont généralement pas la compétence.

Ils n'ont pas la volonté dans plusieurs cas et pas la compétence dans plusieurs autres également.

Tu te rends compte de ce qu'on dit en ce moment ? C'est déprimant en diable !

La plupart des questions qui sont adressées aux milieux de soins ne sont pas si compliquées que cela. L'enfant a l'œil qui coule, cela fait trois cas de diarrhée en dix jours. Normalement, cela fait partie des mandats des CLSC de conseiller et de guider les services à la petite enfance. Ils sont supposés avoir quelqu'un pour répondre à ces questions, mais, dans les faits, ce n'est pas toujours le cas. La gestionnaire de la garderie se retrouve un peu infirmière, un peu doctoresse, à prendre des décisions sur des choses qui ne lui reviennent pas de droit finalement. Les liens garderie-CLSC devraient être établis bien avant l'arrivée d'un problème et être maintenus même si aucune infection n'est dépistée. On se doit d'accroître la visibilité des infirmières de CLSC dans les services de garde. Si on décide qu'on veut que les enfants soient gardés au Québec, du moins qu'ils le soient encore pour de nombreuses années, il faut que le réseau de la santé soit prêt à répondre à ces questions-là. Sinon, au-delà de tout ce que tu peux dire sur l'attachement, ce sont les infections qui vont triompher !

Les infectiologues sont narcissiques ! Est-ce qu'il manque de consultants pédiatriques ou en maladies infectieuses dans la première ligne ? C'est la moitié des CLSC maintenant qui n'ont plus de médecins en poste.

Je pense que la plupart des médecins, sans vouloir insulter personne, et la plupart des pédiatres non plus, ne sont pas capables de répondre à ces questions-là.

Décidément, ça ne s'arrange pas !

Ils ne savent pas comment répondre à des questions de santé communautaire relatives à la prévention des infections. Pour ma part, je pense que c'est au niveau de l'infirmière en santé communautaire que l'avenir va se jouer. Le médecin, dans la plupart des cas, ne prend pas le temps de s'occuper de « ces petites choses » de la vie, ne se dit pas intéressé par tout cela. Il nous faut donc trouver des ressources autres que médicales. Ce sont de nouvelles infirmières compétentes et allumées par la problématique de la transmission des infections que nous devons former.

En garderie en milieu familial, est-ce que les enfants font vraiment moins d'infections que dans des groupes plus importants d'enfants, comme c'est rapporté ? Par exemple, un enfant qui aurait des otites à répétition, imaginons qu'il a été soigné à quatre ou cinq reprises, qu'on a tenté de lui donner des antibiotiques en prévention, qu'il en a développé de la diarrhée, qu'il est maintenant menacé de se faire poser des tubes, est-ce que ça vaut la peine de se battre pour le faire passer « de la grosse gang » du CPE à une garde avec quatre ou cinq enfants comme c'est généralement recommandé ? Est-ce une bonne solution, est-ce même une solution ? Avec le nombre de places disponibles, on n'invite pas des parents à jouer à la chaise musicale pour rien.

C'est écrit partout qu'il y a moins d'infections en garderie en milieu familial parce que les groupes sont plus petits. La plupart des publications arrivent de fait à cette conclusion. Mais cela dépend aussi du contexte et d'une tonne d'autres facteurs. Par exemple, si tu as des plus vieux qui vont à l'école et qui reviennent à la garderie familiale avec leur rhume pour finir leur journée, ils font entrer tous les microbes dans la maison et le risque infectieux se rapproche de celui d'un grand CPE. En milieu familial, la gardienne ne suit pas obligatoirement les recommandations pour le lavage des mains.

Est-ce que tu comprends un parent qui voudrait mettre son enfant en garderie en milieu familial pour diminuer le nombre d'infections, du moins durant les deux premières années de vie de son enfant, pour ensuite penser à une installation où il y a plus d'occasions éducatives ?

C'est une excellente solution, surtout pour un enfant prématuré, de petits poids à la naissance ou qui serait vulnérable aux problèmes infectieux pour quelque raison que ce soit. Évidemment, pour l'enfant à risque, le mieux c'est encore de le garder à la maison jusqu'à un âge raisonnable. Au niveau infectieux, c'est clair que la garderie en milieu familial diminue les risques de rhume; toutes les études qui sont publiées vont dans ce sens-là. Entre nous – personne ne nous écoute au fait? – le problème de la garde en milieu familial est tout autre. Déjà que tu as l'impression comme maman de ne pas avoir le contrôle en garderie en installation, en garderie en milieu familial, c'est pire : c'est chez quelqu'un! Quelqu'un qui n'est pas toi! Je suis pédiatre infectiologue, je pouvais toujours me débrouiller avec ses otites, mais l'idée que ma fille qui allait en garderie familiale soit chez quelqu'un, je trouvais ça très désagréable. Tu cognes à la porte pour entrer et tu laisses ton enfant. Tu refermes la porte et tu ne peux pas la rouvrir sans cogner et que la dame vienne te répondre. C'est un sentiment injustifié, mais c'est comme ça quand même : c'est fini, ton enfant est dans une autre famille pour la journée, tu ne peux plus intervenir. Tu ne peux que te rassurer en te disant que c'est probablement mieux pour lui qu'en garderie en installation. Mais c'est insuffisant pour une maman, même quand tu aimes ton travail comme moi j'aime le mien. Le deuxième aspect qui me chicotait au niveau de la garderie en milieu familial était la sécurité. Ça va quand ils sont tout-petits, mais des fois après 18 mois les mesures de sécurité ne sont pas aussi respectées qu'en installation. Comme pédiatre, je pense que tous ces aspects reliés à la santé me grugeaient d'autant plus d'énergie! À la garderie, quelle qu'elle soit, rien n'est jamais comme dans une famille, c'est évident.

Le Dr Gilles Chabot, qui est aussi pédiatre « chez nous », me disait pas plus tard qu'hier en commentant les revues de presse sur les « combats » des garderies qu'entre la maison et les services de garde, c'était un peu comme la différence entre l'allaitement maternel et les préparations lactées pour nourrisson. Que l'imitation parfaite était humainement impossible.

Les garderies, je les ai toutes essayées et mes filles aussi quant à ça! J'ai testé le système de garde en milieu familial, j'ai eu une gardienne à la maison, on a fait de la garderie privée et la garderie publique. Sauf pour l'angoisse de voir se fermer la porte, la garderie en milieu familial, c'était fantastique. Ça revenait à peu près à 115 $ par semaine pour faire garder son enfant dans une garderie en 1995. C'était raisonnable pour plusieurs familles. Les gens qui voulaient choisir ce mode de garde-là pouvaient le faire tout comme ceux qui voulaient choisir autre chose. Quand tu mets ton enfant à la garderie, tu le mets à la garderie « une telle », tu ne le mets pas au « Centre de la petite enfance dirigé par le gouvernement du Québec », et tu fais confiance à Mme *Unetelle*. Ce n'était pas nécessaire à mon avis de venir tout réglementer cela par l'État pour donner autant de trouble aux familles sans même pouvoir garantir l'accès aux parents démunis. À vouloir tout contrôler, l'État en est venu à menacer les garderies en milieu familial qui ont pourtant toutes leurs raisons d'être. Tu ne peux pas demander à la coordonnatrice d'une garderie en installation d'être responsable de la madame dans sa maison. Tu ne peux pas tout réglementer, surtout pas la vie !

Au Québec, quand on veut faire quelque chose pour les enfants, on le fait d'abord et avant tout en pensant aux pauvres. Ensuite, on applique une solution de pauvre à tous les enfants et on prive ultimement les pauvres du service en question de sorte que ça finit par coûter plus cher pour beaucoup moins et que tous les enfants s'en sortent appauvris. Ça résume bien, non ?

Ma fille aînée avait cinq mois à son arrivée chez cette dame extraordinaire qui allait la garder à domicile. Cela s'est très bien passé, jusqu'à ce qu'elle ait 15-16 mois et que je me mette à m'inquiéter de la sécurité : je trouvais que le balcon n'était pas bien clôturé, que ma fille pouvait grimper sur la chaise et se défenestrer. La dame trouvait alors que j'étais un peu fatigante, alors on est passé à la garderie privée, où l'on a eu une place de dernière minute en fait. L'éducatrice qui était là était gentille, une seule éducatrice, qui d'ailleurs a suivi ma petite sur deux groupes : c'est chanceux ! Pour sa part, ma fille la plus jeune a commencé à la maison avec une gardienne vers cinq ou six mois. Elle est restée avec la gardienne jusqu'à 14 mois et ensuite, elle est venue à la garderie Sainte-Justine à 15 mois où ça s'est bien passé parce que les éducatrices y sont extraordinaires. Les premiers mois avec la gardienne à la maison, de mon point de vue, c'était extra : pour la mère dont les finances le permettent, c'est beaucoup plus facile que la garderie en milieu familial, c'est clair. Pas besoin d'habiller le bébé. J'aime mon travail aussi, il faut bien le dire, alors ce n'était pas un calvaire pour moi de laisser ma fille dans d'aussi bonnes conditions. Comme femme au travail, quand tu as l'impression de faire quelque chose d'utile et qui sert d'autres familles, ça facilite les départs et les retours à la maison. Tu laisses ton bébé derrière toi, oui, mais pour aller faire quelque chose d'utile. Puis tu sais que ta fille n'en souffre pas trop, qu'elle a passé la journée dans ses affaires, dans son quartier, avec sa musique, ses oiseaux.

On lit souvent que le stress chez l'enfant peut multiplier ou entraîner ou favoriser la longueur, la durée ou la répétition des infections. As-tu quelque chose à ajouter là-dessus ?

Je suis convaincue que chez l'enfant, chez l'adolescent, chez l'adulte, peu importe chez qui, il y a un lien entre le stress et la capacité de combattre les infections, comme il y a probablement un lien entre la qualité de l'alimentation et la capacité de combattre les infections, et entre la qualité du sommeil et la capacité de combattre les infections. C'est clair : le style de vie en général a une influence sur la capacité de se remettre d'une infection.

Un enfant malade, d'après toi, devrait-il rester à la maison ou aller passer sa journée à la garderie ? Qu'est-ce que tu suggères aux parents quand l'enfant fait de la fièvre, qu'il est moche. C'est pas un peu difficile d'aller se faire garder quand tu fais 39 °C ? Réponds comme je pense, je t'en supplie, Valérie.

Faut bien qu'on soit d'accord sur l'essentiel : un enfant qui n'a pas le goût de se lever le matin, qui a le goût de rester dans sa maison, qui a l'air malade, qui vomit, qui fait de la fièvre, etc., il est mieux de rester dans son lit ou dans ses petites affaires. Le problème, c'est que c'est difficile à définir, hein ! C'est quoi un enfant malade ? En général, mon seuil de tolérance est beaucoup plus élevé que le seuil de tolérance d'une autre mère. Mais quand l'enfant est vraiment malade, il faut le considérer comme tel et faire l'impossible pour lui. La garderie n'est pas un hôpital, c'est une garderie. Son mal peut être contagieux aussi.

Des fonctionnaires projettent d'organiser des garderies-hôpitaux pour isoler les enfants tout en permettant à leurs parents d'aller travailler. Qu'est-ce que tu en penses ? Encore une fois, réponds comme je pense, je t'en supplie, Valérie.

Adulte, quand on est malade, on veut être dans son lit, dans ses affaires. Je pense que quand l'enfant est malade, il veut être dans son lit lui aussi, dans ses affaires autant que possible. Je ne suis pas certaine que c'est le temps quand il fait 39 °C de fièvre de le mettre dans un endroit nouveau avec des gens qu'il ne connaît pas. La plupart des parents qui amènent leur enfant à l'hôpital restent avec lui durant son hospitalisation, alors j'ai de la difficulté à voir le bénéfice de le mettre dans une garderie-hôpital.

Dans ma pratique, les parents finissent généralement par trouver une solution quand l'enfant est malade. Une grand-maman, quand grand-maman il y a encore, c'est tellement juste ce qu'il faut !

Souvent, il y a de l'abus dans les services de garde à ce chapitre. Le bébé arrive en pleine forme à la garderie, puis on lui découvre trois boutons en le déshabillant et la responsable dit au parent : « Ah ! non, il faut que vous le rameniez à la maison jusqu'à ce qu'il ait un papier du médecin pour dire que ce n'est pas contagieux. » Quand le bébé n'est pas malade, les maladies à boutons pour lesquelles il faut rester à la maison, il n'y en a pas beaucoup. La fois d'après, ce sera pour un rhume. Puis après, les yeux seront jugés un peu collés. C'est souvent l'accumulation de toutes ces occasions, où le retrait n'était pas nécessaire, qui complique les choses pour les parents. Si bien qu'ils explosent la fois où on leur demande en toute légitimité de repartir avec leur petit qui est fiévreux.

Est-ce que nos éducatrices sont formées pour répondre à cela ? Est-ce qu'elles ont suivi des cours sur la question ?

Pour les éducatrices qui sont formées dans la technique au cégep, il y a une session sur la santé où normalement ces questions-là sont abordées. Mais, comme tu sais, ce ne sont pas toutes les gardiennes qui proviennent de ces programmes-là. Dans les documents qui leur sont remis, elles reçoivent entre autres « Bye-bye les microbes ! » où ces choses-là sont expliquées, mais je ne suis pas certaine que ce soit lu.

Ni lu, ni vu, ni entendu, mais gardé, gardé jusqu'à ce que vie s'ensuive.

Au-delà de la problématique des garderies, je pense surtout que les parents sont mal préparés à avoir un enfant et je considère aussi que les parents ne sont pas soutenus une fois qu'ils ont leur enfant. Au Québec, les mères ont des cours pré-partum totalement inutiles, où on leur apprend à contrôler leur accouchement qu'elles ne contrôleront pas de toute façon, à la suite de quoi on les plante à la maison avec une chose qui pleure, souvent toutes seules, sans amis, sans grand-mère, avec une ou deux visites sympathiques du CLSC alors que ce dont elles ont vraiment besoin, c'est de cours post-partum avec des groupes de femmes en congé de maternité par exemple et des professionnelles avec de vraies réponses à leurs interrogations.

Au lac, ils ont déjà institué cela ?

Au lac, ils n'ont pas besoin de cela : les enfants vont ramasser des bleuets à neuf mois.

Me semblait aussi. Merci beaucoup, Valérie.

Bibliographie

Collet, J.P. *et al. Type of day care setting and risk of repeated infections. Pediatrics* 1994, 84, p. 997-999.

Floret, D. *Incidence des infections en crèche-Comparaison des différents modes de garde. Archives de pédiatrie* 1999, 6, suppl. 3, p. 615-617.

Gilham *et al. Day care in infancy and risk of childhood acute lymphoblastic leukaemia : Findings from UK case control study. British Medical Journal,* 2005, 22 avril.

Johansen, A.S., Leibowitz, A. et Waite, L.J. *Child care and children's illness. American Journal of Public Health* 1988, 78, p. 1175-1177.

Lamarre V. *Les enfants plus vulnérables aux infections. Bye-bye les microbes !.* 5,3, 2002.

Lu, N., Samuels, M.E., Shi, L., Baker, S.L., Glover S.S.H. et Sanders, J.M. *Child day care risks of common infectious diseases revisited. Child Care Health & Development* 2004, 30 (4), p. 361-368.

Ministère de la Famille, des Aînés et de la Condition féminine. *Bye-bye les microbes !.* Québec, 2005-2006.

Tremblay, M. *L'état des lieux,* Montréal, Leméac, 2002

Vigneron, P. et Bégué, P. *Quel est l'âge d'acquisition de l'immunité contre les principaux agents pathogènes dans les premières années de vie ? Y a-t-il un âge idéal pour entrer en collectivité ? Archives de pédiatrie* 1999, 6, suppl. 3, p. 602-610.

Wald, E.R. *et al. Frequency and severity of infections in day care. Journal of Pediatrics* 1988, 112, p. 540-546.

LE BAIN

Point de presse sur les petits

Les enfants de 18 à 24 mois et la garde non parentale

NATHALIE COLLARD
Jean-François, tout le monde croit que tu es contre les garderies. À te connaître et à te lire, ta position est franchement plus nuancée qu'il n'y paraît.

JEAN-FRANÇOIS CHICOINE
Aurions-nous pu travailler ensemble s'il en avait été autrement ? Tu étais du dernier numéro spécial du magazine féministe québécois par excellence *La Vie en rose*. Tu te serais vue avec moi dans un livre manichéen à brasser le pour et le contre des garderies ? Toi comme journaliste, moi comme pédiatre, je crois que nous avons la responsabilité – et je ne dis pas la mission, qu'on me comprenne bien – d'approfondir un discours que les politiciens et les acteurs directement impliqués ont tendance à polariser inutilement. Et à fausser, il faut bien le dire.

On t'a pourtant entendu à quelques reprises – à la radio, à la télévision – déclarer que la garderie pouvait être nocive pour un enfant de moins de deux ans. Qu'est-ce qui t'inquiète fondamentalement ?

Je suis contre le contrôle de la famille par l'État. Les centres de la petite enfance décident actuellement du nombre de jours, de semaines ou de vacances qu'un parent peut se permettre de passer avec son bébé. Je suis contre le mépris des besoins fondamentaux des enfants : les enfants sont séparés trop jeunes de leurs parents, pour de trop longues journées, dans des conditions jugées au mieux correctes, le plus souvent moyennes, parfois médiocres. Je suis contre le discours comptable sur le nombre de places : les services et les supports à la famille sont financièrement insignifiants quand on les compare à d'autres types de dépenses. Une politique de l'enfance n'est pas une politique du nombre de places. Je suis contre le discours convenu de charité quand il s'agit d'aider la petite enfance. Au Québec, il est pratiquement devenu impossible de prendre publiquement la parole pour les enfants à moins d'en parler sous l'angle de la misère ou de la maladie. Une certaine intelligentsia veille au grain. Je suis contre le fait qu'on traite la population québécoise en abrutie.

La dernière décennie nous a transmis des découvertes étonnantes sur le développement cérébral de l'enfant en croissance qui nous permettent de faire des choses formidables pour son devenir émotif, cognitif et social. Il y a donc une somme de nouvelles connaissances à partager. Se priver d'un discours sur les besoins de l'enfance au profit d'un discours de grandes personnes affairées et détournées des besoins du vivant, c'est s'inscrire contre la Convention des Nations Unies relative aux droits de l'enfant. Je ne suis pas contre les garderies, tu le sais mieux que personne, Nathalie, je suis contre ce qu'on fait des garderies, contre l'âge auquel on y met des enfants, contre le nombre d'heures dont on en dispose ainsi, contre l'absence totale de contrôle de qualité que des parents peuvent en obtenir et contre le sort qu'elles réservent à nombre d'enfants. Les garderies n'offrent aucun avantage sur la garde parentale à la majorité des tout-petits de moins de 18 à 24 mois. Prétendre le contraire est un mensonge civique, un non-sens biologique et une atteinte morale à la famille.

En tant que pédiatre, je revendique la responsabilité professionnelle de pouvoir le dire aux familles, peu importe ce qu'en pensent certains politiciens, certaines féministes, certains chercheurs universitaires et certains groupes de pression. On peut aimer ou pas ma manière de communiquer l'information qui sous-tend ma prise de position, rester surpris d'assister à un activisme acharné en faveur de l'enfance, mais on ne pourra jamais nier que nos nouvelles manières de société portent directement atteinte au développement du cerveau des enfants. Comme société, on donne à des parents l'occasion de manifester pour le droit à des éducatrices, ainsi je ne vois pas pourquoi on ne donnerait pas à des enfants l'occasion de manifester pour le droit à des parents. Le rôle d'un pédiatre, c'est de parler en leur nom, pas à leur place. Il en va de l'avenir du Québec et il n'y a aucune pensée politique là-dedans; l'avenir passe d'abord par le respect de la dignité naturelle, partout dans le monde, au Québec comme ailleurs.

Donc 18 à 24 mois sont des moments clés pour toi?

Je l'ai écrit un peu plus haut : c'est pour permettre aux parents de craquer d'amour pour leur enfant; pour permettre aux enfants de s'attacher solidement à leurs parents; pour permettre aux enfants d'ajuster leurs réponses hormonales au stress de la vie; pour permettre à l'enfant d'incorporer l'image mentale de son parent; pour faciliter la discipline. L'évolution biologique se donne aussi 24 mois, pas moins, pour permettre à l'enfant de se faire une meilleure santé immunitaire; pour parfaire les fonctions de mémoire, de motivation et d'attention nécessaires à la permanence des choses; pour toutes ces opérations fondatrices enfin, l'évolution biologique se donne idéalement au moins de 18 à 24 mois de protection parentale.

Tu fais une exception pour les enfants à risque?

Les enfants qui ont des parents démunis ou précarisés par quelque condition que ce soit, comme une dépression maternelle ou de la violence familiale, tous les enfants des milieux à risque en fait, également ceux qui ont des difficultés développementales particulières, doivent se retrouver à la garderie avant d'autres. L'utilité des bonnes éducatrices a d'ailleurs été démontrée pour ces milliers d'enfants. Malheureusement, le Québec n'a ni priorisé les places pour ces tout-petits dans le besoin, ni même été capable de leur garantir un service de qualité qui puisse faire la différence. Intervenir sur le cursus développemental avant la maternelle a pourtant été prouvé économiquement et socialement rentable, c'est indiscutable. Déceler précocement quels enfants ont des parents aux compétences fragilisées ou quels enfants ont un retard de développement peut mener au traitement ou à une intervention familiale à laquelle participent les services de garde, minimisant ainsi l'impact sur le fonctionnement de l'enfant. Construire des méga-hôpitaux n'est pas tout : la protection de la santé passe aussi par une foule de petites choses qui, du coup, deviennent ainsi de grandes choses. Au cours de la dernière décennie, la coexistence d'une politique des services de garde avec un amaigrissement des services de dépistage pédiatrique et d'accompagnement parental de première ligne aura donc conduit de nombreux enfants sur une route non convenable. Les garderies peuvent changer des vies, mais encore faut-il y donner accès aux enfants qui en bénéficieraient.

Et après 18 à 24 mois, la garderie trouve-t-elle ses avantages pour tout le monde ?

Les services à la petite enfance doivent apporter sécurité, affection, encadrement et stimulation. Après l'âge de deux ans, ils commencent d'abord par perdre leurs inconvénients pour la majorité des enfants, notamment au chapitre des infections et de la sécurité affective. Et ils continuent à garder leurs avantages pour les tout-petits précarisés par leur vie familiale. De véritables occasions de stimulation et de socialisation « pour tous » ne vont s'inscrire que chez les plus de deux ans et demi à trois ans. Même à ces âges, les parents devront veiller à ne pas y laisser l'enfant trop longtemps, dans des conditions sous-optimales. L'imaginaire collectif est également à risque si on en arrive à croire que les enfants ont toujours besoin d'être stimulés ou scolarisés d'une manière de plus en plus hâtive. Les enfants se nourrissent d'émotions et se développent dans la confiance, pas dans les horaires stressants et alambiqués.

En général, dirais-tu que les enfants qui fréquentent la garderie s'en sortent plutôt bien ?

Oui. Il est clairement démontré que les compétences, la sécurité affective, les disponibilités, l'ouverture d'esprit et le bonheur au quotidien de leurs parents, travailleurs ou pas, sont des effets environnementaux extraordinairement marquants dans l'évolution développementale des enfants, plus encore que d'autres milieux d'exposition comme les services de garde. La garderie va donner des poussées aux enfants en difficulté ou qui n'auraient pas la chance d'avoir des parents et, quand elle est de bonne qualité, faire que nombre d'enfants s'en sortent ainsi beaucoup mieux dans la vie. Mais à ce chapitre, les effets sont très dépendants de la qualité : l'ordinaire n'est pas suffisant, il faut de la grande qualité. Les études et la clinique démontrent également que les enfants qui ont de bons parents vont être affectés, notamment sur le plan affectif et infectieux, par des garderies de qualité sous-optimale. Avant l'âge de 18 à 24 mois, selon la durée des journées de garde, selon le nombre de semaines de garde, selon certaines conditions de santé des tout-petits et selon le nombre d'éducatrices rencontrées au cours du gardiennage, et peu importe la qualité, un certain nombre d'enfants issus de familles de classes moyenne ou favorisée risquent néanmoins d'être affectés négativement par l'expérience de garde. Ils s'en sortent généralement plutôt bien, mais sans la garderie, ils s'en seraient sortis beaucoup mieux, que ce soit à l'école, avec leur estime de soi et leur rapport aux autres, peut-être bien en amour, au travail et dans leur sens moral en général. Peu importe l'adversité ordinaire, des enfants vont toujours se développer mieux que d'autres, mais beaucoup vont y perdre au change.

L'EAU
De la famille à la politique

JEAN-FRANÇOIS CHICOINE
Mon séjour à Tokyo se résume à un passionnant brassage neuronal intensif. Tu es allée toi aussi récemment au Japon, tu as visité une garderie japonaise, si je me souviens bien, qu'en retiens-tu ? Fait-on pour les sushis la même chose qu'avec les meubles Ikea : on les importe avec leurs manières de garder ?

NATHALIE COLLARD
Écoute, Jean-François, j'ai passé deux semaines au Japon, dont une semaine au sein d'une famille québécoise qui vit à Tokyo. Je suis loin d'être une spécialiste, je ne prétends même pas être une observatrice privilégiée. Mais il est vrai que j'ai eu la chance d'entrer dans une garderie japonaise et d'en apprendre le fonctionnement. Ce qui m'a frappée, outre la quantité astronomique de détails auxquels doit veiller le parent avant de quitter les lieux, c'est le suivi serré de l'enfant, la collaboration étroite entre la garderie et la famille. Tu sais qu'un petit livret accompagne l'enfant matin et soir. On y note des détails très physiques comme la température corporelle de l'enfant, le nombre de selles, la durée des siestes, l'appétit aux repas, etc. Mais on y note aussi son humeur, les faits marquants de sa journée, les petites disputes avec les

amis, les réussites, etc. Et on demande aux parents de faire de même à la maison, de noter les faits marquants de la soirée de l'enfant, de décrire le climat dans lequel il évolue. Ça m'a beaucoup plu. J'ai aimé cette idée de continuité entre la maison et la garderie plutôt que la cassure qu'on observe souvent, comme s'il s'agissait de deux mondes parallèles. Ici, il y a vraiment l'idée d'une équipe ou même d'une famille élargie qui aide l'enfant à grandir. Je ne dis pas que la société japonaise est exemplaire. Nous avons tous entendu parler de la pression terrible exercée sur les enfants dans les écoles nippones, et du poids de la hiérarchie dans les milieux de travail. Je dis seulement que pour les garderies, il y a là une vision intéressante du lien à établir entre la famille et le lieu de garde. Voilà, c'est tout. *Arigato !*

Une politique à nous

La politique familiale au Québec

Nathalie Collard

On entend souvent dire que la politique familiale québécoise est exemplaire. Au Canada, le Québec est considéré comme un chef de file en matière de service de garde, un exemple qui devrait être imité par les autres provinces. Il est vrai que lorsqu'on la situe dans le contexte nord-américain, notre politique est très progressiste et fait du Québec une sorte de Suède de l'Amérique du Nord.

On est pourtant bien loin des mesures adoptées en Suède où, depuis 1974, il existe une assurance parentale généreuse qui permet aux mères de recevoir 75 % de leur salaire durant 450 jours !

Il reste que chez nos voisins du Sud comme dans le reste du pays, les systèmes de garde sont chaotiques, difficilement accessibles et souvent fort coûteux. L'Alberta, par exemple, a complètement coupé ses allocations d'opération versées aux centres de garde en 2000. Et en 2005, la province de Ralph Klein – pourtant très riche – a ouvert toute grande la porte aux garderies commerciales à grande surface.

D'autres provinces essaient toutefois de nous imiter. C'est le cas de la Colombie-Britannique qui a adopté un système de garde avec des places à 7 $ par jour en 2000.

D'une province à l'autre, les services de garde sont donc différents et de qualité inégale. En ce qui a trait à l'investissement dans l'apprentissage et la garde des jeunes enfants, le Canada se classe d'ailleurs au 15e rang parmi les 19 pays membres de l'OCDE. Ce n'est pas pour rien qu'à chaque campagne électorale fédérale, on nous promet un système de garde pancanadien fortement inspiré du modèle québécois.

Au pays, les premières mesures de soutien aux familles ont pourtant été adoptées par le gouvernement central, au début du siècle dernier, sous la forme d'allocations aux familles.

Au Québec, il a fallu attendre la Seconde Guerre mondiale pour voir apparaître les premières mesures fiscales en faveur des familles.

Mais c'est surtout dans les années 1960 qu'on a esquissé les premiers contours de ce qui allait devenir la politique familiale actuelle.

Je pense entre autres à la création du Conseil supérieur de la famille, en 1962. C'est le sociologue et essayiste Philippe Garigue – auteur d'une réflexion québécoise autour de la famille dans le document « Les fondements d'une politique familiale » qui était en fait une annexe du rapport Castonguay-Nepveu – qui a pris les commandes du Conseil dès 1964.

Ce Conseil est en fait la première d'une longue série de structures censées veiller aux intérêts de la famille. Neuf ans après sa création, en 1971, il a été aboli et remplacé par le Conseil des affaires sociales et de la famille.

La même année, le premier congé de maternité est entré en vigueur. D'une durée de 15 semaines, avec un délai de carence de deux semaines, il assurait 60 % du salaire moyen de la mère.

L'année suivante, les gouvernements provincial et fédéral ont introduit les déductions pour service de garde. Puis, en 1975, l'Assemblée nationale adoptait la Charte des droits et libertés de la personne qui interdit toute discrimination à l'embauche et à la promotion pour des motifs reliés au sexe, à l'état civil ou à la grossesse.

Au fil des ans, plusieurs modifications ont été apportées au programme des allocations familiales et aux crédits d'impôt. On a également bonifié le congé de maternité et le congé parental.

Mais il faudra attendre jusqu'en 1987 – sous le gouvernement de Robert Bourassa – avant de voir le premier énoncé de politique familiale. Cet énoncé s'accompagnait de deux nouvelles structures : le Secrétariat et le Conseil de la famille.

Concrètement, cet énoncé faisait en sorte qu'à l'intérieur de chaque ministère, il y avait désormais un répondant qui défendait le dossier famille, question d'harmoniser les politiques gouvernementales.

Cette première véritable politique familiale s'est traduite, dans le budget provincial de 1988-1989, par une série de mesures qui comprenaient des allocations familiales universelles, une allocation universelle pour jeune enfant de moins de six ans, un crédit d'impôt pour tous les parents, une réduction d'impôt plus généreuse pour les familles à faibles et moyens revenus ainsi que les fameux bébés-bonus (500 $ versés pour les deux premiers enfants et 3000 $ pour chaque enfant supplémentaire, puis 1000 $ pour les deux premiers bébés et 8000 $ pour les enfants suivants, en 1992).

Est-ce que ces bébés-bonus ont eu un impact sur la fécondité des femmes québécoises ? Disons que les chercheurs ne s'entendent pas. D'un côté, des économistes estiment que ces allocations ont pu avoir un effet positif sur la natalité au Québec, un avis qui n'est pas partagé par certains de leurs confrères et consœurs démographes et sociologues qui prétendent que d'autres facteurs ont pu influencer le choix des femmes d'avoir un enfant à cette époque.

En 1996, le gouvernement péquiste, sous la gouverne de Lucien Bouchard, s'est engagé à réformer la politique familiale adoptée par le gouvernement libéral. Un des premiers gestes de ce gouvernement a été d'abolir les bébés-bonus, programme qualifié d'« échec lamentable ».

La nouvelle politique familiale québécoise est donc entrée en vigueur en 1997 et est devenue la responsabilité du ministère de la Famille et de l'Enfance.

Le point culminant est la création du système de garde et des services à la petite enfance tels qu'on les connaît aujourd'hui, basés sur le principe qu'une politique familiale doit offrir aux Québécois des services de garde universels et accessibles, de bonne qualité et soucieux du développement de l'enfant.

Le chiffre clé : 5. Pour maternelle à 5 ans et garderie à 5 $.

Est-ce parce qu'une nouvelle génération, plus soucieuse d'équilibrer vie professionnelle et vie personnelle, est arrivée à l'âge adulte et en âge d'avoir des enfants ? Toujours est-il que depuis le milieu des années 1990, le thème de la famille n'a jamais quitté l'actualité.

Dans les milieux communautaires, intellectuels, universitaires et même politiques – où on n'a pas pu faire la sourde oreille tellement ces préoccupations sont importantes pour les électeurs –, la famille revient toujours au cœur des discussions. Et avec elle, les problèmes de conciliation auxquels la plupart des familles québécoises doivent faire face.

Même les municipalités – qui voient là une façon d'attirer les jeunes familles sur leur territoire – se mettent de la partie et proposent, elles aussi, leur propre politique familiale.

Il faut dire qu'en 2002, lorsque Québec a déposé son Plan concerté pour les familles du Québec, il a provoqué une véritable onde de choc à travers la province. Aujourd'hui, plus de 200 municipalités ont pris le virage famille, c'est-à-dire qu'elles ont adopté des politiques familiales qui se traduisent en gros, selon la taille et la volonté des administrations municipales, par une politique de logement abordable, un meilleur service de loisirs, des heures d'ouverture plus flexibles, la proximité des services communautaires, etc.

Ce « plan concerté » – un ensemble de mesures qui avait pour but de coordonner tous les efforts profamille du gouvernement québécois – était ambitieux et devait aborder la délicate question de la conciliation famille-travail en sensibilisant, entre autres, les entreprises. Défendu par la ministre Linda Goupil, il n'a bien entendu pas survécu au changement de régime à l'Assemblée nationale.

En 2003, le ministère de la Famille a été remplacé par le ministère de l'Emploi, de la Solidarité sociale et de la Famille qui a été par la suite remplacé par le ministère de la Famille, des Aînés et de la Condition féminine. On dira que c'est un détail, mais ce changement continuel de nom n'est-il pas révélateur d'une incapacité à concevoir la famille dans notre société ? Comme si c'était une patate chaude que les ministères se renvoyaient d'un à l'autre...

L'arrivée au pouvoir du gouvernement Charest et de son jeune ministre Claude Béchard a donné beaucoup d'espoir aux familles québécoises ainsi qu'aux intervenants qui défendent leurs intérêts.

Père de famille moderne et impliqué auprès de ses enfants – du moins c'est l'image qu'il projetait – Claude Béchard semblait déterminé à faire du Québec un véritable paradis de la conciliation travail-famille en s'inspirant notamment des bureaux de temps européens dont j'ai parlé plus haut.

Or, la réalité l'a cruellement rattrapé. Au moment d'écrire ces lignes, M. Béchard était ministre de l'Environnement. Que reste-t-il du document produit à la suite de la vaste consultation menée auprès de la population québécoise ? On ne le sait pas encore. Les ambitions du gouvernement Charest en matière de conciliation travail-famille sont beaucoup plus modestes aujourd'hui qu'il y a trois ans. Annoncée pour 2004, puis 2005, la politique de conciliation travail-famille devrait nous être présentée en 2006 et se résumera sans doute aux mesures déjà annoncées jusqu'ici, soit le programme d'aide au devoir, la réforme des services de garde qui est loin de faire l'unanimité ainsi que le programme de soutien aux enfants.

L'élément le plus intéressant de cette nouvelle politique demeure le nouveau congé parental qui couvre désormais les travailleurs autonomes et qui allonge le congé de maternité à un an. Fruit d'une entente entre Québec et Ottawa qui a accepté de transférer une partie des cotisations de l'assurance-emploi, cette nouvelle assurance parentale se rapproche sérieusement de la politique suédoise.

Par contre, les bureaux de temps et les banques d'heures qui auraient par exemple permis aux parents de s'absenter lorsqu'un enfant est malade ont été sacrifiés. Un projet trop compliqué et, surtout, trop coûteux.

Ce recul aura-t-il un impact sur les actions entreprises dans les municipalités partout au Québec ? C'est ce que craint Réjane T. Salvail, première vice-présidente du Carrefour action municipale famille et mairesse de Sainte-Anne-de-Sorel, qui déclarait récemment que « le risque est grand que les municipalités qui ont investi dans des projets depuis 2003 abandonnent ces projets si le programme n'est pas reconduit. On fragiliserait une fois de plus la capacité des villes à garder et à attirer les familles en régions. »

De son côté, la présidente du Conseil de la famille et de l'enfance, Marguerite Blais, déclarait en octobre 2004, dans le cadre du Forum des familles : « 10 ans après l'année internationale de la famille, le forum fait l'heureux constat que des progrès ont été réalisés notamment sur la question de la perception des pensions alimentaires et sur l'accroissement des services éducatifs de garde. Toutefois, force est de constater que le soutien aux familles s'exprime encore principalement par une politique d'assistance aux familles à bas revenus. Or, la baisse régulière des naissances et les défis d'adaptation qu'imposeront les changements démographiques nous convient à revoir les approches à l'égard des familles, particulièrement la fréquence des mesures sélectives dont l'admissibilité est établie en fonction des revenus familiaux. »

Autrement dit, et comme pour faire écho à tes inquiétudes, Jean-François, la politique familiale du Québec doit être davantage qu'une série de mesures destinées aux familles pauvres ; elle doit être un projet de société qui touche tous les enfants et toutes les familles du Québec.

Notre nouveau premier ministre, Stephen Harper, ira de l'avant avec son projet d'allocation aux familles. Le Parti conservateur estime en effet qu'on doit subventionner les parents, et non les garderies, afin qu'ils aient la liberté de choisir la meilleure forme de garde pour leurs enfants. Ainsi, les mères et les pères qui choisiront de rester à la maison recevront une allocation – environ 100 $ par mois. Désir de renvoyer les femmes à leurs chaudrons ? Les propositions des Conservateurs ont été accueillies froidement durant la campagne électorale. Il faut dire que lorsque ces propositions ne sont accompagnées d'aucune vision, elles sont beaucoup moins convaincantes.

C'est bien beau les mesures comme les allocations et les crédits d'impôt, mais elles ne transforment pas les mentalités. C'est avant tout dans nos valeurs en tant que société qu'il faudrait pouvoir inscrire la famille. Or, il reste encore du chemin à faire. J'en ai parlé avec la sociologue Renée B. Dandurand de l'INRS Culture et société. Véritable spécialiste de la politique familiale québécoise, elle a non seulement étudié notre politique en profondeur, elle l'a également comparée à ce qui se fait ailleurs dans le monde. « C'est au tour des employeurs d'être sensibilisés, me dit-elle. Aujourd'hui, ils s'en lavent les mains et font comme si la famille ne les concernait pas. C'est ce qui est intéressant en France et en Suède, où on oblige les employeurs à cultiver un sentiment de responsabilité à l'endroit des obligations familiales de leur personnel. »

Il y a effectivement du pain sur la planche de ce côté-là. Il y a quelques années, le Conseil du statut de la femme avait mis sur pied, en collaboration avec le milieu syndical, les prix Iso-Familles qui récompensaient les entreprises offrant à leurs employés les meilleures mesures permettant de concilier travail et famille. Un coup de fil au CSF me confirme que ces prix ont été abolis et qu'on est « en attente » d'une nouvelle formule qui devrait être intégrée à la nouvelle politique familiale promise par le gouvernement Charest. On attend toujours...

« Depuis la création du secrétariat de la famille on parle de conciliation travail-famille, mais on compte très peu de réalisations, note la sociologue Renée B. Dandurand. Ça reste quelque chose de large, de flou. Quand on regarde dans l'histoire, les promesses concernant la famille sont très populaires mais rarement tenues. La famille ne viendra jamais en tête des priorités, mais elle pourrait prendre une meilleure place. Or, sans mesures incitatives en matière de conciliation travail-famille, on ne fera jamais avancer les mentalités. »

D'autres pays ont fait le pari de miser sur la famille, avec des résultats plutôt encourageants. Peut-être pourrait-on s'en inspirer pour améliorer notre politique ?

Bibliographie

Baril, Robert, Lefebvre, Pierre, Merrigan, Philip. *La politique familiale, ses impacts et les options.* Montréal, Institut de recherche sur la politique publique, collection « Choix, Les politiques sur la famille », vol. 3, n° 3, décembre 1997, 75 pages.

Dandurand, Renée-B. « Notre action auprès des familles est-elle adaptée aux réalités contemporaines ? » *Recherche sociale*, vol. 3, n° 4, janvier 1997, p. 1-2.

Pour une analyse comparative et contextuelle de la politique familiale au Québec, voir Renée-B. Dandurand et Marianne Kempeneers. *Les classiques des sciences sociales.* Université du Québec à Chicoutimi, 2002.

Descarries, Francine et Corbeil, Christine, avec la collaboration de Carmen Gill et Céline Séguin. *Travail et vie familiale : Une difficile articulation pour les mères en emploi. Rapport synthèse.* Montréal, Centre de recherche féministe de l'Université du Québec à Montréal, 1994, 31 pages.

Descarries, Francine et Corbeil, Christine. « La conciliation travail-famille », dans Dagenais, Huguette, (dir.). *Science conscience et action.* Montréal, Les éditions du Remue-Ménage, 1996, p. 51-71.

Gagnon, Katia. « Le modèle québécois ». *La Presse,* 3 septembre 2003.

Saint-Pierre, Marie-Hélène et Dandurand, Renée-B. *Axes et enjeux de la politique familiale québécoise.* Montréal, INRS - Culture et Société, 154 pages.

Tremblay, Diane-Gabrielle et Villeneuve, Daniel. *L'aménagement et la réduction du temps de travail (ARTT) : Les enjeux, les approches, les méthodes.* Montréal, Éditions Saint-Martin, 1998.

Paradis nordiques

Des pays européens et leurs politiques familiales

Nathalie Collard

J'ai déjà songé à déménager en Suède ou en Norvège. Pas pour la beauté des paysages ni pour le design des bibliothèques IKEA, mais plutôt parce que j'envie les politiques familiales mises en place dans ces pays nordiques. En comparaison, notre propre politique familiale – cet ensemble de mesures fiscales mises sur pied pour venir en aide aux familles – me semble bien désincarnée.

Peut-être que j'idéalise, mais il me semble que les politiques familiales de ces pays sont animées d'un principe qui me semble primordial : priorité aux enfants. N'est-ce pas là le cœur d'une politique familiale ? Même la France, qui est actuellement aux prises avec une grave crise sociale doublée d'une déprime généralisée, pourrait nous donner des leçons en ce qui concerne le soutien aux familles. Il y a dans ces pays une conception de la vie familiale – je parle bien entendu d'une vision collective et non individuelle – qui nous fait cruellement défaut.

On vante souvent l'avant-gardisme de notre système de garderies à 7 $ mais la perfection n'est pas de ce monde et les pays européens peuvent réellement nous inspirer et nous pousser à améliorer notre système.

Imaginons un instant un tour d'Europe comparable au tour de Gaule d'Astérix.

Allons visiter nos « cousins » et remplissons notre grand sac de spécialités régionales qui pourraient enrichir notre réflexion et nous donner des idées pour développer de nouveaux services destinés aux familles québécoises.

Ce n'est pas un hasard si la série *Un gars, une fille* de Guy A. Lepage connaît tellement de succès à l'étranger : au-delà des accents et de certaines différences culturelles, la situation des couples européens ne diffère pas beaucoup de la nôtre.

Depuis 1992, dans les pays membres de l'Union européenne, le pourcentage de couples composés de deux conjoints travaillant à l'extérieur est en croissance constante. Comme chez nous, les femmes sont de plus en plus nombreuses sur le marché du travail, une réalité qui ne se traduit malheureusement pas par une répartition complètement égalitaire du partage des tâches domestiques. Autrement dit, qu'on soit en France, au Portugal ou au Québec, les femmes qui occupent un emploi risquent d'être celles qui pensent au rendez-vous annuel des enfants chez le dentiste ainsi qu'à changer le rouleau de papier de toilette vide. Même en Suède, souvent citée en exemple parce que c'est là que les pères s'impliqueraient le plus, les femmes abattent plus de boulot que les hommes et souffrent, comme leurs consœurs nord-américaines, du syndrome de la double journée. Le boulot terminé, elles commencent un nouveau quart de travail : rien n'est parfait, disions-nous...

Autre point commun entre les pays de l'Union européenne et le Québec : là-bas aussi, la demande des parents pour une place en garderie y est plus élevée que l'offre.

C'est dans les pays nordiques que le nombre de places disponibles est le plus important, mais les systèmes de services de garde demeurent tout de même très développés en France et en Belgique. Faut-il s'en surprendre, c'est dans les pays méditerranéens que les services sont les moins adéquats ? En Grèce, en Italie, au Portugal, on n'investit pas beaucoup dans les services de garde. La *mamma* est un symbole encore tenace et la *famiglia* n'a pas encore disparu. Dans ces pays, on compte plus naturellement sur l'entourage immédiat pour soutenir les jeunes parents et garder les enfants.

Danemark : il fait bon naître au pays de la petite sirène et du cinéaste Lars von Trier. Premièrement, l'État veille sur nous. En effet, il existe dans ce petit pays d'environ 5,4 millions d'habitants un comité interministériel sur les enfants qui vérifie si les actions gouvernementales ne se contredisent pas, si elles favorisent bien les familles. Une autre instance, le Conseil de l'enfance (créé en 1998) s'assure que les conditions de vie des enfants respectent la Convention des Nations Unies sur les droits de l'enfant. Voilà pour le contexte général.

Si on compare les congés parentaux, là encore, le régime québécois semble plus intéressant. Les salariés ont accès aux congés parentaux payés à condition d'avoir travaillé au moins 120 heures durant 13 semaines (c'est à peine plus de trois mois) avant leur congé. Quant aux travailleurs autonomes, ils doivent avoir été actifs professionnellement durant une période de six mois au cours de l'année qui précède leur congé. Le congé de maternité, pour sa part, dure 18 semaines, dont 4 semaines avant l'accouchement. Il est suivi d'un congé parental de 10 semaines qui peut être partagé avec le père. À cela il faut ajouter un congé de paternité de 4 semaines, 2 semaines durant les 14 semaines qui suivent la naissance et 2 autres semaines après le congé parental, 24 semaines après l'accouchement. Au total, le petit Danois bénéficie donc d'une présence parentale de 28 semaines, c'est-à-dire un peu plus de 6 mois. Jusqu'ici les Québécoises, avec leur année de congé de maternité, n'ont rien à envier aux Danoises.

Là où l'approche danoise devient intéressante, c'est avec le congé de garde. Il s'agit d'une indemnisation qui équivaut à 60 % de l'assurance-chômage offerte au parent d'un enfant de moins de huit ans qui souhaiterait demeurer auprès de son enfant durant une période d'un an. La loi danoise accorde automatiquement un congé de six mois et le parent doit s'entendre avec son employeur pour le prolonger d'un autre six mois. Imaginez : votre enfant éprouve des difficultés à l'école, vous souhaitez l'encadrer plus étroitement lors de son entrée à la maternelle ou encore, vous aimeriez être à la maison pour l'accueillir le midi et donner quelques heures de votre temps aux activités scolaires... c'est le type de mesure qui vous le permettrait.

Au Danemark, le service de garde est administré par la municipalité. Subventionné par l'État, il se décline ainsi : la crèche pour les 0 à 2 ans, le jardin d'enfants pour les 3 à 6 ans, et le centre de loisirs pour les 6 à

10 ans, sans compter les services de garde qui, comme chez nous, sont rattachés aux écoles publiques. L'équivalent de notre garderie en milieu familial existe aussi, elle est gérée par les communes, au nombre de 271 dans le pays. (À noter qu'à compter de 2007, les communes seront remplacées par 100 structures de 20 000 habitants qui verront leurs responsabilités accrues.) Les parents déboursent des frais de garde, mais les familles démunies ont droit à une place gratuite ou à un prix réduit.

En 1999, les deux tiers (64 %) des enfants de six mois à deux ans étaient inscrits à la crèche et en 1997, plus de 80 % des enfants de trois à six ans fréquentaient un jardin d'enfants. (Source : Document du ministère de la Famille, juin 2004.)

Lors d'un échange qui a permis à un groupe d'éducatrices danoises d'effectuer un stage en Ontario à l'automne 2000, on a noté qu'une des particularités qui distingue vraiment le système danois du système québécois est le fonctionnement même de la garderie. Au Canada, les règles de la garderie sont établies par les ministères responsables. Au Danemark, les services de garde sont dirigés par les citoyens. Chaque centre est dirigé par un comité élu composé de parents de la garderie. Ils peuvent aussi être dirigés par une Église, une école, une entreprise, etc. Ce sont les parents qui gèrent et qui structurent le centre et qui déterminent la philosophie de la garderie, ses valeurs et ses objectifs.

Autre détail intéressant qui devrait nous inspirer : les services offerts aux plus vieux. Combien de fois, au Québec, a-t-on déploré la sous-utilisation des installations scolaires dans les communautés. Je me souviens d'un prof d'éducation physique particulièrement militant en faveur de l'exercice et des activités de groupe comme moyen de combattre l'obésité qui avait suggéré qu'on permette aux familles québécoises d'utiliser les gymnases d'écoles les soirs de semaine. Il déplorait le fait qu'après l'école, les plus jeunes sont au service de garde alors que les plus vieux sont souvent laissés à eux-mêmes.

Au Danemark, les gouvernements locaux sont obligés d'offrir des services de loisirs aux enfants de 10 ans et plus qui fréquentent l'école.

Résultat : les jeunes de 10 à 14 ans peuvent fréquenter un club l'après-midi tandis qu'en soirée, on accueille les adolescents âgés entre 14 et 18 ans. Au Danemark, on a compris qu'une bonne politique familiale, ça concerne tous les enfants, et ce, jusqu'à ce qu'ils atteignent l'âge adulte.

En Finlande, la maman et le papa finlandais sont des contribuables heureux. Outre le généreux congé parental dont ils bénéficient à la naissance de leur enfant, ils ont également droit à une allocation familiale non imposable ainsi qu'à une multitude de bénéfices qui n'existent pas chez nous.

Par exemple, la future maman a droit à une allocation de maternité, à condition de subir un examen médical. Ensuite, elle a droit à un congé de maternité de 18 semaines, dont 4 à 8 semaines seront prises avant l'accouchement. Durant le congé de maternité, son conjoint a droit à un congé de 18 jours. Depuis 2003, dans le but d'encourager les hommes à se prévaloir de leur congé, le gouvernement finlandais offre aux pères qui utilisent les deux dernières semaines du congé parental un congé de 12 jours supplémentaires. Quand l'enfant vient au monde, les parents peuvent se partager 158 jours consécutifs (26 semaines) qui feront suite au congé de maternité. (À noter que la mère de jumeaux a droit à 60 jours de plus, la mère de triplés à 120 jours de plus et ainsi de suite...) Les parents ont droit à une allocation parentale qui représente environ 70 % du salaire.

Ensuite, et c'est là que la politique familiale finlandaise prend tout son sens, un parent qui le souhaite pourra rester à la maison avec son enfant de moins de trois ans. La commune lui versera une allocation imposable. L'emploi du parent qui demeure à la maison est protégé pendant ce congé sans solde. L'un ou l'autre parent peut prendre le congé de garde, mais non les deux en même temps. Comme l'allocation est généreuse, on estime qu'environ 70 % des parents choisissent de rester à la maison.

Le gouvernement verse également une allocation à la gardienne ou à la garderie si les parents ont recours à un service de garde privé pour un enfant âgé de moins de sept ans. Enfin, la troisième option consiste à confier son enfant à une garderie publique, sous la responsabilité de la commune, ou encore, à une garderie en milieu familial. Ce service est offert à tous les parents, qu'ils travaillent ou non, et peu importe leurs revenus. En Finlande, 38 % des enfants de moins de sept ans sont gardés par leurs parents, 30 % dans une garderie en milieu familial et 17 % par un service de garde privé.

France : qui n'a pas déjà rencontré une Française qui lui a vanté les mérites de la politique familiale en France? Nos cousins ont beau être en crise, leurs institutions en faillite et leur classe politique en déroute, leur politique familiale mérite encore notre admiration. Mis à part leur obsession à envoyer leur enfant à l'école à l'âge de deux ans, ils ont construit au fil des ans un ensemble de services aux familles qui rend la tâche parentale beaucoup plus aisée. Des exemples : les crèches collectives destinées aux enfants de moins de trois ans, une aide financière aux mères qui restent auprès de leur enfant, une allocation parentale d'éducation à la maman de deux enfants qui souhaite rester à la maison.

Depuis 2001, le parent peut également se prévaloir d'un congé de quatre mois, renouvelable deux fois, si son enfant est gravement malade.

Mais nous sommes en France, là où rien n'est simple. Le congé de maternité n'échappe pas à cette règle. Ainsi, le congé est offert à celles qui ont travaillé au moins 200 heures au cours des 3 mois qui ont précédé l'accouchement, et ce congé varie selon qu'il s'agit d'un premier, second ou troisième enfant. Une mère a donc droit à 16 semaines s'il s'agit d'un premier ou d'un second enfant, à 26 semaines s'il s'agit d'un troisième enfant (ou plus), et à 34 semaines s'il s'agit de jumeaux. Le montant versé est imposable.

Une fois le congé de maternité terminé, un parent peut prendre un autre congé jusqu'à ce que son enfant atteigne l'âge de trois ans : c'est le congé parental d'éducation. S'il s'agit d'un premier enfant, le parent ne recevra aucune allocation, mais s'il reste à la maison aux côtés de ses enfants et que l'un d'eux est âgé de moins de trois ans, il aura peut-être droit à l'allocation parentale d'éducation.

Comme en Finlande, son emploi sera protégé durant cette période. Cette allocation est offerte aux parents qui ont travaillé au moins deux ans au cours des cinq dernières années précédant la naissance de leur enfant.

Passons en Norvège. Le 5 décembre 2005, au début de la campagne électorale fédérale, le Parti conservateur de Stephen Harper promettait que s'il était élu, il offrirait aux parents canadiens les mêmes avantages que ceux qui sont donnés aux parents norvégiens. Il leur offrirait une allocation s'ils désiraient demeurer à la maison pour veiller de plus près à l'éducation de leurs enfants. On l'a vu tout au long de ce chapitre, la Norvège n'est pas le seul pays d'Europe à offrir cette chance aux parents qui le désirent. Mais il est vrai que la Norvège, comme la Suède d'ailleurs, est souvent citée en exemple comme un pays où il fait bon élever une famille. Il faut dire que dans les deux cas, les politiques sociales ont été développées et adoptées dans une perspective d'égalité entre les sexes. C'est pour donner aux femmes les mêmes chances de s'épanouir que les hommes que les gouvernements norvégien et suédois sont aussi progressistes dans leur soutien à la famille. Les parents norvégiens reçoivent une allocation familiale universelle qui n'est pas imposable et des congés parentaux avantageux.

Il y a deux façons de bénéficier du congé parental en Norvège : on peut réclamer 80 % de son salaire durant 52 semaines ou encore, 100 % de son salaire durant 42 semaines. Les employeurs les plus généreux défraient la différence lorsqu'il y en a une. L'indemnité parentale est imposable.

Comme au Québec, les parents peuvent se partager le congé parental, à condition que la mère prenne au moins trois semaines avant l'accouchement et six semaines après. À noter que depuis 1993, il existe en Norvège ce qu'on appelle le quota du père qui est en fait un congé de quatre semaines réservé au père.

Les travailleurs autonomes, eux, doivent avoir bien travaillé s'ils veulent un congé digne de ce nom : en effet, le montant de l'indemnité parentale est calculé en fonction du revenu net des trois dernières années. Ils ont droit à 65 % de ce montant s'ils prennent 42 semaines.

Concernant la fameuse allocation parentale d'éducation, en Norvège elle permet depuis 1998 aux parents d'un enfant âgé d'un à trois ans, de recevoir durant deux ans un montant non imposable qui varie selon le nombre d'heures que l'enfant passera dans un service de garde. Les parents jouissent d'une totale liberté : ils peuvent utiliser cette somme pour eux-mêmes, pour payer une gardienne à la maison ou pour envoyer leur enfant dans une garderie en milieu familial. Garderies privées dans 49 % des cas ou garderies communales, elles accueillent les enfants âgés de moins de six ans.

Parmi les mesures secondaires intéressantes, notons l'existence d'une prime d'environ 235 $ pour les mères qui accouchent à domicile. On permet également aux mères qui allaitent de s'absenter du boulot une heure par jour (elles ne seront toutefois pas payées durant cette heure). Enfin, on offre aux parents de jeunes enfants la possibilité de travailler à temps partiel, avec l'accord de leur employeur, bien entendu, et ils ont le droit de demander qu'on les exempte des heures supplémentaires. Les communes ont en outre l'obligation d'organiser des activités périscolaires pour les enfants de six à dix ans.

Voyons maintenant la Suède. Ce pays existe-t-il vraiment ou est-ce un mythe, un mirage que les féministes et la gauche en général nous font miroiter lorsqu'ils rêvent d'un monde meilleur ? C'est dans ce petit pays nordique d'environ 9 millions d'habitants qu'on trouve les politiques les plus progressistes en matière de congé parental et de garde d'enfant, politiques qui devraient nous inspirer, nous, Québécois. Nous avons adopté leurs meubles en kit, pourquoi n'adopterions-nous pas leur vision de la famille ?

En Suède, la société en est venue à un consensus intéressant : avant un an, l'enfant est mieux gardé à la maison. C'est bien simple : les garderies n'acceptent pas les enfants âgés de moins d'un an. Il faut dire que les Suédois bénéficient d'un congé parental unique depuis son adoption en 1974. Le congé parental de 480 jours (16 mois !) peut être partagé entre les deux parents. Deux mois sont réservés au père et deux mois à la mère. Les parents aménagent le reste du congé comme ils le désirent. Ils peuvent même l'étirer jusqu'à ce que l'enfant ait huit ans ou encore, le prendre à temps partiel.

Autre incitatif intéressant, la prime accordée aux nouveaux parents est calculée sur le salaire avant la première naissance, et ce, même pour une seconde naissance si celle-ci a lieu dans les deux ans et demi qui suivent. Voilà une mesure qui vous incite à avoir vos enfants rapprochés.

Une fois le congé parental écoulé, l'enfant peut être confié aux services de garde collectifs. Ces services diffèrent des nôtres sur plusieurs points : ils accueillent des enfants âgés entre un an et demi et six ans et n'ouvrent pas plus de six heures par jour. Je vous entends crier : « Six heures par jour ?! Comment font-ils ? »

Il faut dire qu'en Suède, la plupart des mères travaillent souvent à temps partiel, et ce, jusqu'à ce que leur enfant soit âgé de quatre ans. Les Suédoises n'accusent pourtant pas un recul par rapport aux femmes des autres pays européens. Leur taux d'activité est élevé – autour de 80 %. En outre, la loi garantit l'accès aux services de garde à tous les parents actifs sur le marché du travail ou aux études.

Lotta Ek a donné naissance à son bébé en août 2004. Elle a repris le travail neuf mois plus tard, en mai 2005. Son congé de maternité a donc duré neuf mois. Ensuite son mari a pris la relève. Son enfant sera donc âgé d'environ 18 mois lorsqu'il entrera à la garderie qui est située à quelques minutes de chez eux.

« Le congé de paternité n'a même pas été un sujet de discussion chez nous, note Lotta. Mon mari savait qu'il voulait passer du temps avec sa fille. Mais il est, même en Suède, une exception. C'est d'ailleurs un sujet brûlant d'actualité chez nous de savoir comment développer des façons d'inciter davantage de pères à se prévaloir de leur congé de paternité. »

Lotta me rassure sur un autre point. Le système de garderies suédois n'est pas parfait. Les parents sont assurés d'une place en garderie municipale trois mois après en avoir fait la demande mais dans les faits, à Stockholm du moins, il arrive que, comme chez nous, le réseau déborde et qu'on manque de places.

« On peut alors se tourner vers les garderies privées qui gèrent leur propre liste mais qui offrent des services au même prix que les garderies publiques, soit jusqu'à concurrence de 180 $ canadiens par mois. » Ellen, la petite fille de Lotta, fréquentera quant à elle une garderie privée gérée par un groupe de parents.

Autre point intéressant : en Suède, les services de garde relèvent du ministère de l'Éducation et de la Science, et non du ministère de la Famille comme c'est le cas au Québec. L'enfant évolue donc dans une continuité. Après la garderie, il va à l'école, obligatoire à partir de sept ans. À l'âge de six ans, la majorité fréquente des classes préparatoires. Entre un et cinq ans, ils ont trois choix : ils peuvent fréquenter l'école maternelle, aussi appelée crèche collective. Deux institutrices et une éducatrice sont responsables d'un groupe pouvant compter jusqu'à 20 enfants. En 1998, on évaluait à environ 61 % le nombre d'enfants d'un à cinq ans qui fréquentaient l'école maternelle.

La crèche familiale, qui est plus populaire en milieu rural, est comparable à nos garderies en milieu familial. Elle accueille des plus petits groupes d'enfants. Les assistantes maternelles – employées par les municipalités à qui les parents paient des frais de garde – accueillent quant à elles environ 6 enfants âgés entre 6 mois et 12 ans. Ne s'improvise pas assistante maternelle qui veut. Leur embauche est supervisée par un éducateur et elles reçoivent en moyenne 100 heures de formation. La proportion d'enfants qui utilisent ce type de garde est évaluée à environ 12 %.

Enfin, ce qu'on nomme la maternelle ouverte ressemble aux *playgroups* ou aires de jeux mis à la disposition des parents qui peuvent venir y passer quelques heures en présence d'une institutrice de maternelle qui pourra guider leurs activités. Il s'agit en général d'un service gratuit. Il arrive que des parents aient recours à un service de garde privé – on embauchera une gardienne à domicile – en cas de pénurie, mais cela demeure une exception. Ces services ne bénéficient d'aucune subvention ni supervision.

Parmi les autres mesures qui facilitent la vie des parents suédois, notons que les parents d'enfants de moins de huit ans ont le droit de réduire de huit à six heures leur journée de travail sans compensation financière. Les parents ont aussi droit à une indemnité parentale de 60 jours par enfant par an en cas de maladie.

Notre tour du monde est loin d'être exhaustif et notre étude des différents modes de garde n'est qu'un survol des possibilités qui s'offrent à nous si nous voulons vraiment bonifier notre politique familiale en nous inspirant des pays dans le monde qui sont les plus avant-gardistes dans le domaine. On nous répondra que ces mesures coûtent cher.

Vrai, ces pays ont décidé d'accorder une priorité aux mesures pro-familles. C'est un choix qu'ils assument, et ce, même dans des petits pays moins peuplés que le Québec. À méditer...

Bibliographie

Bagavos, Christos et Martin, Claude. *Faible fécondité, familles et politiques publiques.* Rapport de synthèse. Institut autrichien de recherche sur la famille, 2000.

Croisetière, Pierre. *Portraits de politiques familiales. Situation dans onze pays développés.* Québec, ministère de l'Emploi, de la Solidarité sociale et de la Famille, 2004, 128 pages.

Swedish parental leave and gender equality : Achievements and reform challenges in a European perspective. Institute for Future Studies, 2005.

Périvier, Hélène. *Emploi des mères et garde des jeunes enfants en Europe. Revue de l'OFCE,* juillet 2004.

« État de la condition féminine dans le monde ». *Gazette des femmes,* vol. 20, n° 6, mars-avril 1999, p. 4-7.

Le rêve et la nécessité

Pour une politique familiale idéale

Nathalie Collard

Rêvons un peu.

« Les parents québécois attendent du ministère de la Famille et de l'Enfance un soutien dans leur désir de concilier famille et travail, un soutien pour réaliser leurs projets d'avoir des enfants et pour favoriser leur plein épanouissement. Les parents sont exigeants, mais cela est tout à fait normal, compte tenu du fait que les enfants sont notre plus grande richesse. »

Cette déclaration de la ministre de la Famille Linda Goupil, en 2002, résume assez bien les attentes des parents québécois en matière de politique familiale. Au-delà des mesures fiscales et des congés parentaux – si intéressants soient-ils –, la politique familiale idéale devrait aller encore plus loin et dégager une réelle passion pour les enfants, un intérêt pour la famille en général. Pour l'instant, on ne sent pas cette passion. Et c'est là que le bât blesse.

Comment fait-on pour inscrire la famille au sein des valeurs d'une société ? je me le demande. Pour l'instant, malgré le fait que tous les parents qui m'entourent adorent leurs enfants, j'ai souvent l'impression que nous considérons les enfants comme un obstacle à tous nos autres projets, une annexe à nos vies hyperchargées.

Le privé est politique.

Cet énoncé est devenu le cri de ralliement de toute une génération de féministes durant les années 1970. Cette déclaration avait d'abord pour but la reconnaissance du travail domestique des femmes mais aussi, par extension, les problèmes vécus entre les quatre murs de la maison : violence conjugale, contrôle des naissances, partage des tâches domestiques, etc. Le mouvement féministe a amené ces questions sur la place publique et a forcé les gouvernements à les considérer comme des problèmes de société, et non pas seulement comme des problèmes « de femmes ».

Aujourd'hui, ce serait au tour des familles de s'approprier cette déclaration. Les défis que doivent relever les parents au quotidien ne sont pas la conséquence de choix individuels, comme le prétendent certains groupes anti-enfants tels que *No Kidding* (un mouvement canadien fondé en 1984 à Vancouver), mais plutôt une responsabilité collective. Au début des années 2000, le mouvement *No Kidding* – l'incarnation cynique de l'égoïsme pur et dur – défendait une thèse ahurissante : avoir des enfants est un choix personnel que personne d'autre ne devrait assumer. Lire : mes impôts ne serviront pas à financer des services aux familles alors que je n'ai même pas d'enfant ! Ce mouvement mis de l'avant par des célibataires endurcis et des DINKs (*Double Income No Kids*) sans cœur n'a pas attiré des foules, heureusement, mais ses idées traduisaient tout de même un sentiment partagé par une frange de la population qui estime que les enfants des autres sont... eh bien, les enfants des autres. Bref, une vision très individualiste de la société.

À l'opposé de cette conception tout à fait égocentrique, on trouve la thèse défendue, entre autres, par la sénatrice Hillary Clinton quand elle était première dame des États-Unis. Dans *It Takes a Village* (titre inspiré du proverbe africain « *It takes a village to raise a child* »), un essai publié en 1996, l'avocate affirmait que même si la base première pour élever un enfant demeure une famille unie, la société dans son ensemble demeure responsable de former les citoyens de demain. Dans son livre, elle affirmait entre autres que notre société technologiquement évoluée s'était appauvrie sur le plan humain. Sans faire la promotion des valeurs familiales à la sauce républicaine, elle défendait l'idée que le gouvernement et les Étasuniens en tant que nation devaient s'impliquer davantage dans l'éducation et les soins prodigués aux enfants ainsi que dans l'élaboration de politiques axées sur la famille.

Que penser de notre village d'irréductibles Québécois ? Est-il en mesure d'accompagner les enfants et leurs parents ? Avons-nous réuni les « conditions gagnantes » qui font en sorte que les familles puissent s'épanouir ? Quelle image nous faisons-nous de la famille ? Est-elle aussi positive qu'on aimerait le croire ?

En 1978, le publicitaire Jacques Bouchard publiait un livre qui est devenu un classique par la suite : *Les 36 cordes sensibles des Québécois.* Dans cette analyse de la société québécoise, Bouchard voyait dans l'amour des enfants un trait distinctif du peuple québécois, trait qui serait issu, écrivait-il, de nos racines latines.

Tous ceux qui ont déjà visité un pays méditerranéen ne peuvent que lui donner raison sur ce point. Dans ces pays ensoleillés, on ne fait pas de drame avec les enfants. Ils sont là, un point c'est tout. Ils courent autour des tables dans les restos, ils accompagnent leurs parents dans les soirées, ils font tout simplement partie de la vie quotidienne.

Ce n'est pas le cas ici. Il suffit d'aller au resto avec une poussette pour s'en convaincre...

Au-delà de l'anecdote, si on veut être tout à fait honnête, force est de constater que la famille n'occupe pas une place de choix, mais plutôt une place rêvée dans l'imaginaire québécois. Autrement dit, il y a un fossé entre nos fantasmes sur la famille et ce que nous en faisons au quotidien. D'ailleurs, lorsqu'on poursuit la lecture du livre de Jacques Bouchard, on découvre que cet amour des Québécois pour les enfants était en fait décrit comme le plaisir qu'avaient les Québécois, à travers les messages publicitaires, à renouer avec l'enfant en eux.

C'est à se demander si le publicitaire d'expérience n'a pas confondu amour des enfants et immaturité. Je caricature, bien sûr, mais l'ombre de Ricardo Trogi et des Invincibles n'est peut-être pas très loin...

Revenons maintenant à nos pays méditerranéens. Il y a un paradoxe : d'un côté, les pays comme l'Italie et la Grèce sont parmi les endroits en

Occident où les politiques familiales laissent le plus à désirer et où la société compte encore beaucoup sur la mère et la famille élargie pour éduquer les enfants. De l'autre, ils réservent une place de choix à la famille et aux responsabilités qui en découlent.

Peut-on rêver un peu et imaginer une société où les rapports homme-femme seraient égalitaires et dans laquelle les enfants et la famille occuperaient tout de même une place de choix? La place des enfants doit-elle se tailler au détriment de celle de la mère?

Permettez-moi d'être un peu sorcière ou un peu fée et d'esquisser, d'un coup de baguette magique, les contours de la politique familiale idéale. À quoi pourrait-elle ressembler?

J'ai trouvé une partie de la réponse en consultant les actes d'un colloque qui a eu lieu le 24 mars 2003, à Trois-Rivières. Il s'agissait d'une réflexion sur la politique familiale et les idées exprimées dans le cadre de cette discussion résumaient assez bien, à mon avis, ce qu'on serait en droit d'attendre d'une politique québécoise améliorée.

Au-delà des structures – des répondants famille dans chaque ministère, une vision globale des dossiers famille –, il y avait dans les documents publiés à l'issue du colloque un discours autour des valeurs qui me semble intéressant.

On parlait entre autres d'une politique familiale globale qui considère la famille comme le cœur et le pivot de la société; qui reconnaît des droits aux familles; qui donne aux familles la capacité de faire des choix; qui s'appuie sur l'expérience des parents et favorise l'accomplissement de leur potentiel; qui vise toutes les familles et l'ensemble de leurs membres à toutes les étapes de la vie; qui interpelle l'ensemble de la société; qui englobe l'ensemble des domaines qui concernent la famille, soit la santé, l'éducation, le travail, l'habitation, les loisirs, l'économie, l'environnement et les milieux de vie, et favorise leur interaction.

Des vœux pieux? Non, car ce ne sont pas là des promesses creuses exprimées par des politiciens en campagne. Ces nobles objectifs ressemblent davantage à un projet de société. Projet auquel je me permets d'ajouter un peu de chair.

Tout d'abord, une politique familiale digne de ce nom devrait considérer les véritables besoins des parents. Pour l'instant, on a plutôt l'impression qu'elle répond aux besoins des employeurs des parents. En facilitant et étirant les services de garde de la sorte, n'est-ce pas l'entreprise qu'on aide plutôt que les familles ? Répondre aux besoins des parents, cela voudrait dire faciliter leur rôle d'éducateur, leur permettre de travailler un peu moins afin d'être plus présents auprès de leurs enfants.

Une politique idéale responsable pourrait en outre inclure, dès la grossesse, des cours de préparation à l'arrivée de l'enfant qui aideraient les parents à... devenir des parents. Contrairement à la croyance populaire, on ne devient pas parent dès l'expulsion du bébé. Au cours des dernières années, on a même remis en question le sacro-saint instinct maternel des femmes. Dans son essai *Mother Nature : Maternal Instincts and How They Shape the Human Species,* l'anthropologue Sarah Blaffer Hrdy nous livre une somme de connaissances sur le comportement des mères chimpanzés avec leurs petits qui remettent en question bien des certitudes à propos de la tendance naturelle des femmes à se sentir mères. Hrdy explique plutôt que cet instinct se construit brique par brique, autant sur le plan biologique que sur le plan comportemental, à mesure que le contact entre la mère et l'enfant s'inscrit dans la durée.

Au cœur de la politique familiale, il y a évidemment le congé de maternité et le congé parental. Bien que le Québec soit à l'avant-garde quand on compare sa politique familiale avec celle des autres provinces canadiennes et les États-Unis, il pourrait tout de même lorgner du côté des pays scandinaves, en particulier la Suède, pour arriver à offrir un minimum de 18 mois de congé parental ainsi que des mesures facilitant la vie des parents qui souhaiteraient passer les premières années aux côtés de leurs enfants.

Les nouveaux pères ont quant à eux besoin de mesures incitatives les invitant à passer de plus longs moments auprès de leur bébé. La paternité étant sans doute plus abstraite que la maternité, il a été démontré que le déclic se faisait beaucoup plus facilement et rapidement lorsque le papa était plongé rapidement dans le bain du bébé...

Il faut donc penser à des congés qui seraient offerts exclusivement aux pères, non transférables à la mère. Il faudrait également s'assurer que les employeurs ne pénalisent pas les pères qui désirent prendre le maximum de congés à leur disponibilité.

Selon la firme Watson Wyatt Canada, 71 % des employeurs au pays n'ont aucun programme de congé de maternité. Pire, plus de 90 % d'entre eux ne prévoient rien pour le congé parental. (Cela dit, il y a de l'espoir : en trois ans, la proportion d'employeurs bonifiant le congé de maternité est passée de 22 % à 29 %.)

Enfin, il faudrait prévoir des banques de congés parentaux payés afin de permettre aux parents d'accompagner leur enfant chez le médecin, mais aussi d'être bénévoles une journée à l'école, de rester à la maison lors d'une journée pédagogique, etc.

On nous répondra sans doute que le Québec n'a pas les moyens de s'offrir des politiques familiales idéalistes parce que c'est trop coûteux. Je refuse d'y croire. Quand une société peut se permettre d'offrir des paradis fiscaux à ses grandes entreprises et des crédits d'impôt au premier entrepreneur venu, elle peut se permettre d'appuyer les parents et d'assurer l'avenir de ses enfants. Soyons idéalistes, une fois n'est pas coutume.

Bibliographie

Beauvais, Caroline et Dufour, Pascale. *Articulation travail-famille : Le contre-exemple des pays dits « libéraux »*. Ottawa, Réseaux canadiens de recherche en politiques publiques (RCRPP), 2003, 14 pages.

Duxbury, Linda Elizabeth, Higgins, Christopher Alan et Coghill, Donna. *Témoignages canadiens : À la recherche de la conciliation travail-vie personnelle.* Ottawa, Développement des ressources humaines Canada, 2003, 104 pages.

Lamoureux, Jean-Pierre. « Pourquoi faire de la place à la famille dans la société ? » Le regroupement inter-organismes pour une politique familiale au Québec, *Pensons famille*, vol. 12, n° 65, juin 2001.

Ochette, Maude, Deslauriers, Jacques, Tremblay, Sabin et Institut de la statistique du Québec. *L'horaire de travail des parents, typique ou atypique, et les modalités de garde des enfants.* Volume 2, numéro 10, Sainte-Foy, Québec, Institut de la statistique du Québec, 2003, 67 pages.

Tremblay, Diane-Gabrielle. « Articulation emploi-famille et temps de travail ». *Recherches sur la famille : Bulletin de liaison du Conseil de développement de la recherche sur la famille du Québec*, vol. 4, n° 1, 2003, p. 2-5.

LE BÉBÉ
De 15 mois à 3 ans

NATHALIE COLLARD
Partout en Amérique du Nord, que ce soit aux États-Unis ou dans le reste du Canada, on admire le système de garde québécois qu'on qualifie d'universel, d'égalitaire, de juste et démocratique. Or, je crois que tu ne partages pas cet enthousiasme naïf, est-ce que je me trompe ?

JEAN-FRANÇOIS CHICOINE
La socialisation précoce du bébé est vaguement perçue comme un acte de solidarité citoyenne. Ce n'est pas dit comme tel mais, crois-moi, c'est bien ressenti par les parents qui consacrent ouvertement deux ans ou trois ans de leur vie à la garde de leur enfant et qui se voient confidentiellement catalogués comme une menace potentielle pour la démocratie ! Il y a, faut croire, quelque chose d'un brin rassurant pour les idéologues de voir des bébés attablés devant leur gamelle au service de garde. À la garderie, il n'y a apparemment pas de classes sociales même si, dans les faits, il y a des garderies de pauvres et des garderies de riches. Mais en apparence, tous les bébés sont gardés comme leur égal, ce qui semble rassurant pour une majorité d'observateurs. La nouvelle réforme des services de garde du Québec prévoit ainsi interdire que soient versés des suppléments en argent aux 7 $ par jour consacrés par l'État

pour faire garder et éduquer des enfants. Jusqu'à maintenant cette pratique « d'amélioration » des jouets et structures et repas était courante. Faudrait-il vraiment croire que dans des villes comme Westmount ou Mont-Royal, des enfants vont n'être dorénavant gardés que pour 7 $ par jour ? Que la hiérarchie existerait partout, sauf sur le territoire des garderies ? Imaginez le portrait : vous dépensez 80 $ pour manger le midi au Toqué avec un client pendant que votre fils d'un an coûte 7 $ à l'État, nourri, torché, diverti et abrité. Serait-ce cela, faire des affaires ?

L'ovule, le spermatozoïde et le comptable

Le travail des parents et la garderie

Jean-François Chicoine

Le patient vécut sa torturante colère contre sa mère, qui était une pédiatre réputée et n'avait pas su donner à son enfant une continuité dans leurs relations. « Je hais ces sales mômes perpétuellement malades qui t'ont toujours arrachée à moi, Maman. Je te hais parce que tu as préféré être avec eux qu'avec moi. » Ici la détresse, les sentiments d'impuissance se mêlèrent à la colère longtemps accumulée contre la mère non disponible.

Alice Miller, psychanalyste

Je vous parle maintenant de l'enfant, de ses parents, de leur travail et de ce qu'il en retourne pour leur famille. Dans une présentation *PowerPoint* que je donne aux étudiants en médecine sur l'enfant et sa famille, j'ai une diapo qui est de loin ma préférée. Elle montre deux sauterelles en amour piégées sous une cloche de verre. La lumière de fin d'après-midi éclaire l'image avec beaucoup de chaleur. J'ai pris l'habitude de sonder mes étudiants en formation sur ce qui leur apparaît le plus urgent à régler pour la survie de mes sauterelles. Quelques-uns répondent : « Il faut leur donner à manger. » Mais ce n'est pas la bonne réponse. Les enfants ajoutent toujours de l'herbe dans les bocaux des animaux qu'ils capturent, or, jamais les insectes n'en profitent pour se reproduire : elles meurent avant, par manque de temps et d'espace. Le « temps » et « l'espace », voilà par ailleurs de bonnes réponses qui conviennent autant au devenir de mes sauterelles qu'à celui des nouveaux parents.

La possibilité pour les parents de se définir un projet de famille à la carte qui puisse s'articuler à leur vie de couple est une transition primordiale à respecter. Pour ce faire, les parents ont besoin de latitude, dans la vie comme au travail, le travail étant ici un déterminant de taille. Les employeurs, les regroupements de travailleurs, les élus et leurs actions respectives se doivent donc de prévoir les aménagements protégés nécessaires à l'élaboration du projet de vie de ceux qui ont encore le mérite d'engendrer. Cela suppose pour les employeurs, les syndicats et les fonctionnaires des attitudes respectueuses et novatrices ainsi que des mobilisations profamilles. Donner à brouter à des sauterelles ne suffit pas : il faut les libérer de leur cloche de verre pour qu'elles se reproduisent en toute liberté; ensuite elles sauteront avec leurs bébés.

À ce chapitre du temps à protéger, le régime de congés parentaux du Québec est une grâce nouvelle pour les faiseurs d'enfants. Il y a environ 25 ans, le congé de maternité avait été créé pour permettre aux mamans de se remettre physiquement de leur accouchement sans craindre de perdre leur emploi. À cette époque, les objectifs étaient de répondre aux besoins des adultes et très peu à ceux des bébés. Fort heureusement, l'avancement des connaissances scientifiques sur l'impact de la qualité du lien d'attachement pour le bon développement physique et mental des jeunes bébés a fait, sinon changer, du moins évoluer les mentalités. Les nombreux mois de congé ont désormais pour objectif de répondre aux besoins des bébés et pas seulement à ceux de leur maman. Du premier avis du Conseil du statut de la femme au régime québécois d'assurance parentale, en passant par des différends juridiques pénibles entre les paliers gouvernementaux fédéraux et provinciaux, il aura fallu une quinzaine d'années de tergiversations pour que le programme soit enfin offert. À 70 000 naissances par année environ, pendant 15 ans, en retranchant les quelques milliers qui auraient eu droit à du plein temps parental de toute façon, vous pouvez donc compter près d'un million de Québécois et de Québécoises de moins de 18 ans qui n'auront pas pu bénéficier de temps protégé avec leurs père et mère depuis nos premières actions concertées en matière de droit au travail. Cela dessine en quelque sorte une facette du portrait de notre jeune génération. À qui la responsabilité d'une attente si longue? Pour arriver à cela, il aura fallu des millions de dollars de salaires à verser à des fonctionnaires, des millions d'heures de bénévolat, des millions de photocopies, des millions de courriels et plusieurs souris vertes.

Un congé parental est-il une menace plus ou moins inavouée à l'ordre économique et administratif? Qu'un ovule parmi tant d'autres gamètes rencontre un spermatozoïde parmi tant d'autres et que cela puisse compliquer autant de colonnes comptables est inconcevable pour le commun des économistes. Le bébé est interprété comme un gouffre financier, un « dans mon livre à moi, il n'y a pas une cenne à faire avec ça ». Je veux bien croire que nos caisses d'État sont à sec. Si c'est le cas, qu'on me transforme la Caisse de dépôt en arche de Noé !

Depuis janvier 2006, les parents québécois ont finalement droit *grosso modo* à un an de congé payé, et ce, dans certaines proportions de leurs salaires antérieurs, pères comme mères, selon leurs décisions. À faire baver de jalousie les Suisses, les Italiens, les Belges et les Français ! Une fois de plus sur la question, les *Ikéens* ne seront pas surpris. Nathalie vous l'a dit : les Suédois ont droit à des congés parentaux de ce genre depuis une vingtaine d'années et ils ont raison d'en être assez fiers.

Cette nouvelle mesure protectionniste pour l'économie familiale pourrait être interprétée comme une politique nataliste profitable à notre trop tiède fécondité. Elle est utile, nous disent les démographes. Mais qu'un tel soutien à la famille québécoise annonce ou pas un *baby-boom* productif digne des meilleurs verglas, l'essentiel pour moi c'est de voir qu'en moyenne, plus de papas et plus de mamans y retrouveront ainsi un plaisir naturel qui leur revient de droit : celui de s'occuper plus longuement, voire plus intensément, de leur enfant. Le confort familial ainsi que le soutien du réseau entrent en jeu conjointement pour interagir positivement pendant le congé maternel avec leur part d'influence sur la santé des parents et celle de leur bébé.

Alors qu'ils étaient petites filles ou jeunes garçons, les parents du Québec auront déjà eu une idée de leur volonté ou de leur rêve de se bâtir une carrière, une vie amoureuse, parfois même une unité familiale bourrée d'enfants, reproduisant ou s'opposant ainsi à leur propre vécu d'enfant ou d'adolescent. À ce chapitre des anticipations familiales, les filles sont d'ailleurs particulièrement bonnes. L'adolescent manque néanmoins de réalisme dans son argumentation, sur les conciliations familiales comme sur tout le reste. De fait, l'énergie atomique, les aigles, les pesticides, la faim dans le monde et les pandas sont à ses yeux des dossiers de prime et d'égale importance. L'ado vient tout juste de se libérer du réel de ses vertes années et prend plaisir à élaborer des théories abstraites sur des tonnes de sujets. « Quelques-uns parmi ceux-là élaborent des systèmes et des théories qui, ils en sont convaincus, transformeront le monde dans un domaine ou dans un autre », écrit Céline Boisvert, psychologue. « À mi-parcours ou à la fin de l'adolescence, certains jeunes surinvestissent l'activité de penser comme source d'un plaisir nouveau. Ils abordent des sujets aux connotations vaguement révolutionnaires, l'appauvrissement de la planète, les dangers de la mondialisation, les phénomènes parapsychologiques, etc. Certains se laissent tellement prendre au jeu qu'ils en négligent leurs études et les réalités du quotidien pour centrer leur énergie mentale à débattre uniquement de « grandes » idées. » Dès leur adolescence, on pourrait donc suggérer à ces futurs entrepreneurs et parents en puissance d'ajouter à leurs combats pour la forêt de Richard Desjardins et les Tibétains du « défunt » Tibet, une lutte active et fracassante, adolescente quoi, pour que les milieux de travail respectent l'enfance et la parentalité. Les entreprises de télécommunications style Telus et Bell misent d'ailleurs sur la communication humaine et pourraient peut-être les appuyer par des commandites. Déjà que les ados ont l'énergie de se réunir aux journées du pape pour les jeunes, leur déraison raisonnable n'empêcherait pas quelques manifs de plus en faveur des familles :

CONTRÔLEUR
Métro Bastille et Gare de Lyon : fermés.

USAGER
Pourquoi ? Un suicide ?

CONTRÔLEUR
Non, une manifestation étudiante.

USAGER
Pourquoi ? Contre le suicide ?

CONTRÔLEUR
Non. Les étudiants français exigent la parité avec les familles québécoises pour les familles françaises : un an de congé parental. Même pour les immigrants illégaux.

Une protection pour un congé parental d'une année n'est pas en soi une politique familiale de conciliation avec le travail. Mais c'est un bon pas dans la direction souhaitable, un des ingrédients essentiels d'un ensemble de mesures cohérentes visant à veiller à la protection des enfants par leurs parents. Malheureusement, les recherches d'impact sur les vies de famille et sur les conséquences dans les milieux de travail manquent à propos de la question du congé parental. À mesure qu'on en aura, on pourra, j'en suis certain, multiplier les ressources permettant de garnir cet espace-temps de programmes soutenants, notamment pour favoriser l'allaitement maternel ou pour permettre la réintégration lente au travail. Par exemple, les nouvelles technologies ne doivent pas servir qu'au télémarketing, elles peuvent aussi permettre d'établir des contacts graduels entre le travail et le domicile. Quelques mois supplémentaires engoncées dans le coussin d'allaitement pourraient avoir des résultats surprenants dans de nouvelles parts de marché. Une souris à droite, un bébé à gauche, un monde dans le milieu, vis-à-vis des seins, les seules véritables mamelles de l'économie.

Tous n'ont pas encore accès aux programmes de protection : les familles immigrantes dont les enfants peuplent maintenant le Québec, les étudiantes qui n'ont pas travaillé dans l'année de leurs études, des mères à la maison comme les nôtres « dans le temps », sans parler des parents adoptifs pour lesquels le régime a prévu un système d'exception, à la baisse naturellement. Ces exclusions mériteraient d'être chiffrées et leurs dyades parentales mieux encadrées. J'ai assez vu, soigné et encadré de familles immigrantes pour insister sur la question. Entre le cofi, la formation professionnelle, les visites de santé et de sécurité sociale, sans parler des adaptations nutritionnelles et environnementales, certains bébés de familles réfugiées ou nouvellement débarquées sont à risque d'avoir gagné un pays pour être venus y perdre une mère. Maudit hiver.

Au Québec, le nouveau régime de congés parentaux donne par ailleurs toute la place aux mères assurables ainsi qu'une place réinventée aux pères qui peuvent ainsi profiter du congé pour devenir la figure principale d'attachement de l'enfant selon les ajustements respectifs du couple. La protection de la première année de vie donne ainsi des bases incontournables à l'émergence du vivant : le respect des quatre premiers mois fusionnels entre le nourrisson et son parent, la découverte interactive de toutes les composantes sensorielles de l'enfant, l'émergence en direct de son individualité, ses premiers demi-tours ventre-dos et dos-ventre, et surtout, vous me devinez, toute la déférence possible envers les premiers mois d'attachement sélectif, à partir de sept ou huit mois. Il en va ici de la relation de confiance ultérieure que l'enfant entretiendra avec tous ses amis, amoureux et confrères de classe, sans oublier la part de ses rapports éventuels avec ses employeurs ou employés. Il n'y a pas à s'en sortir, sinon par une ellipse d'adulte éploré : les effets négatifs du travail de la mère au cours de la première année de vie sont plus importants encore que trois décennies de Québécois l'auront imaginé. Il n'y a pas de mal à l'admettre, mais ce serait suicidaire de le nier. Tout au moins ridicule.

Des employés, voire des patrons, voudront aller au-delà des 12 mois prévus aux prestations d'État. C'est leur droit et tout à leur honneur s'ils sont prêts à sacrifier un salaire pour au moins six autres mois. Entre 12 et 18 mois, le bébé vit une période charnière. Il apprend alors à se séparer des figures aimantes avec lesquelles il a tissé des liens privilégiés. Mais pour bien se séparer, au-delà de 12 à 15 mois, il aura fallu être bien attaché. Le père ou la mère qui n'a pas pris la première année de congé parental est le mieux placé pour amorcer la séparation de l'enfant de sa principale figure d'attachement. Vivre des ruptures et des frustrations auprès d'un proche en qui on a confiance, ce n'est pas comme avoir à le faire dans un lieu nouveau, et ce, malgré toutes les précautions utiles d'immersion qu'on peut ou doit faire avec la garderie. On mesure ici l'intérêt des services de garde en entreprise ou sur les lieux de travail qui, non seulement simplifient les horaires, mais permettent en quelque sorte une séparation toute en proximité. Il ne faut pas voir dans la théorie de l'attachement qu'une séance de collage extrême qui empêcherait l'enfant de se confronter à la vie. L'attachement contient son contraire, la séparation, et en est totalement indissociable.

Il n'est pas facile, soyons réalistes, de se faire remplacer pendant 18 mois quand on est un employé modèle. Comment l'associé d'un grand bureau pourrait-il justifier six mois de congé, un an après la naissance de son enfant, pour aller prêter main-forte au foyer familial ! Un simple congé paternel fait mauvaise figure dans certains milieux où, notamment, la capine fait mauvais ménage avec le camionnage. Difficile pour une famille de s'ajuster aux contraintes du marché et des commerces :

MÈRE DE FAMILLE
Depuis que le magasin ouvre le dimanche, mon mari garde.

MÉDECIN DE FAMILLE
Il aime ça ?

MÈRE DE FAMILLE
Pas trop. Ça le fatigue, déjà qu'il travaille le samedi, lui.

MÉDECIN DE FAMILLE
Et vous, vous aimez votre travail ?

MÈRE DE FAMILLE
Non. Déjà que c'est juste passable la semaine. La fin de semaine, on s'en passerait.

MÉDECIN DE FAMILLE
Sortez-vous souvent, votre mari et les deux enfants, tous les quatre ensemble ?

MÈRE DE FAMILLE
À Noël, mais j'haïs ça : on va chez mes beaux-parents en Beauce.

MÉDECIN DE FAMILLE
Jamais à part cela ?

MÈRE DE FAMILLE
Jamais. Mais de toute façon, va falloir tout réviser cela parce que mon mari aussi va devoir travailler le dimanche.

MÉDECIN DE FAMILLE
Et qui va garder les enfants ?

MÈRE DE FAMILLE
Le curé !

Au lieu de multiplier les formations d'entreprises en motivation et méditation et les livres ou cassettes du genre « *How to use my time* », « *Perform now and tomorrow* », « *The power of progress* », les employeurs auraient avantage à se soucier de la théorie de l'attachement, pour leurs propres bénéfices personnels et professionnels et pour ceux de leurs employés. Ils pourraient y aller de conférences, de services aux employés en matière de famille et de congés payés supplémentaires pour des absences en raison d'obligations familiales. Comme le suggère le Conseil de la famille du Québec, l'État serait en mesure de donner plus qu'une tape dans le dos et d'offrir ainsi des crédits d'impôt aux petites et moyennes entreprises qui adopteraient des attitudes profamilles. Les milieux de travail qui procéderaient à des ajustements humains pourraient même être félicités par un petit mot d'encouragement :

MOT POUR L'EMPLOYEUR
Cher boss, merci pour ce congé prolongé. J'aimerais vous rassurer tout de suite : pour votre entreprise, ce manque à gagner n'est qu'une souffrance à court terme. Vous en tirerez rapidement un bénéfice. Famille rime avec productivité, sachez que je reste disponible pour finir de vous en convaincre. Le lien profond qui s'instaure entre le parent et l'enfant s'inscrit dans sa mémoire à long terme, lui apporte confiance en lui, estime de soi et conscience de l'autre, pour toute la vie. On voit que vous avez l'œil, boss, et que vous n'êtes pas le patron pour rien : vous retrouvez effectivement dans le lien d'attachement parent-enfant les ingrédients nécessaires pour le leadership et l'entrepreneuriat. Bébé deviendra le meilleur employé du monde, boss, vous pouvez même lui laisser votre place. Bye, bye, boss !

« Le mythe de Narcisse dépeint la tragédie de la perte du Soi, ce qu'on appelle le trouble narcissique », écrit la fameuse Alice Miller, philosophe et psychanalyste. Nombre d'entreprises souffrent d'un même ravissement trompeur en multipliant leurs actifs, leurs immobilisations et leurs chiffres d'affaires. Derrière cette image performante qu'elles contemplent d'elles-mêmes, plusieurs de leurs employés se sentent exclus, ne retrouvant pas dans leur travail ou institution la continuité d'une grande famille. « Narcisse est amoureux de son visage idéalisé... », ajoute Miller : « ...Son culte du faux-Soi ne lui interdit pas seulement d'aimer un autre être, mais aussi, en dépit de toutes les apparences, d'aimer le seul être qui soit entièrement entre ses mains : lui-même. » *Business as usual.*

Pour le monde du travail, on pourrait donc fortement suggérer un nouvel environnement de travail sous le concept : *Attachement inc.* ! Qu'est-ce que vous pensez de ce *branding* ? Si vous êtes d'accord, je vous fais la présentation *PowerPoint*, mais pas seulement avec deux sauterelles amoureuses : j'en capture une troisième pour les protéger.

Dans le bocal, je rajoute le patron.

Bibliographie

Boisvert, C. *Parents d'ados – De la tolérance nécessaire à la nécessité d'intervenir.* Montréal, Éditions de l'hôpital Sainte-Justine, 2003.

Conseil de la famille et de l'enfance. *Bilans et perspectives : Le rapport 2004-2005.* Québec, 2005.

Farel, A.M. *Effects of preferred maternal roles, maternal employment, and sociodemographic status on school adjustment and competence. Child Development*, 51, p. 1179-1186.

Hock, E. et DeMeis, D.K. *Depression in mothers of infants : The role of maternal employment. Developmental Psychology*, 26, p. 285-291.

Lero, D.S. *Recherche sur les politiques concernant les congés parentaux et le développement des enfants : Implications pour les décideurs politiques et pour les prestataires de services,* dans Tremblay, R.E., Barr, R.G. et Peters, RDeV. (dir.). *Encyclopédie sur le développement des jeunes enfants* (sur Internet). Montréal, Québec, Centre d'excellence pour le développement des jeunes enfants, 2003, p. 1-10. Disponible sur le site : *http : //www.excellence-jeunesenfants.ca/documents/LeroFRxp.pdf*

Miller, A. *L'avenir du drame de l'enfant doué.* Le fil rouge, Presses universitaires de France, 1994.

Ruhm, C.J. *Incidences de l'emploi des parents et des congés parentaux sur la santé et sur le développement des enfants,* dans Tremblay, R.E., Barr, R.G. et Peters, RDeV. (dir.). *Encyclopédie sur le développement des jeunes enfants* (sur Internet). Montréal,

Québec, Centre d'excellence pour le développement des jeunes enfants, 2003, p. 1-6. Disponible sur le site : *http ://www.excellence-jeunesenfants.ca/documents/ruhmFRxp.pdf*

Warwick, L. *Le meilleur pour les jeunes enfants.* Bulletin du Centre d'excellence pour le développement des jeunes enfants, Québec, Canada, vol. 3, n° 1, mars 2004.

Étapismes

Le développement de l'enfant et la garde non parentale

Jean-François Chicoine

La conception classique des acquis de l'enfant nous renseigne sur sa merveilleuse émergence par étapes à suivre : il sourit à un mois, se tourne à quatre, pratique la corde à danser cinq ans plus tard. Aux différents âges de la vie, s'alignent différents temps forts qui mèneront jusqu'à l'âge adulte. Pour les parents, il suffit de se conformer à l'itinéraire développemental, sachant qu'il est discontinu et jamais linéaire. Suivre un plan permet de bien s'ajuster aux progrès de l'enfant. Autrement, il faudrait toujours transporter belle-maman.

Grands-parents, frères et sœurs, bons copains et bonnes amies, gardiennes et éducatrices sont tour à tour du voyage et participent activement à l'essor harmonieux de l'enfant. Comme il n'est pas encore à même de faire la différence entre fantaisie et réalité, l'enfant est le moins surpris du monde de voir toute cette galerie de personnages s'activer autour de lui. Le siège d'appoint de cette petite communauté humaine est éjectable, seul celui des parents est ancré à son boulon. Un voyage au pays des *Looney tunes* paraît effectivement impossible sans la présence des *Bugs Bunny* et *Road Runner*.

La norme développementale est un guide : pour arriver à destination, il y a des chemins de travers. Un feuillet à l'intention des parents, un appel de l'infirmière, l'avis des grands-parents, les conseils d'un livre de pédiatrie appliquée, une consultation à l'occasion d'un vaccin, le coup de pouce averti de l'éducatrice, toute cette information acquise ou réconfortante fait partie du plan. Mais elle n'est pas la route. Si je dis, par exemple, que 99 % des enfants font comme ceci, qu'advient-il de la route du 1 % qui fait comme cela? Le chemin le plus fréquenté perd ainsi en importance pour le tout-petit restant. Il faut se rappeler qu'une statistique est valable pour une population d'enfants, pas pour un individu. Tel un exercice pictural qui ne prendrait forme que sous le regard de celui qui le contemple, la route développementale n'existe donc que parce qu'elle est empruntée par l'enfant et sa famille. À l'instar des acteurs et personnages qui défilent, l'éducatrice peut participer, faire mieux, pareil ou moins bien sur le chemin amorcé, mais doit à son tour s'arrimer aux caractéristiques du bébé à garder, à ses secrets de famille en quelque sorte.

Imaginez un point A et un point B. Tracez au crayon une ligne entre les deux. Vous verrez bien que sous son apparence bien droite, un graphologue ne s'y laisserait pas prendre et distinguerait une façon personnelle de cheminer dans le tracé. Les enfants font pareil sur la route de leur développement, qu'ils soient gardés par leurs parents ou par des éducatrices. Pour les bons parents et les bonnes gardiennes, il n'y a pas une façon de marcher : il y en a plusieurs.

Les repères scientifiques, mais naturels, nous permettent néanmoins de nous attarder en chemin à l'essentiel : si une étape majeure s'est mal déroulée, il nous faut y revenir, trouver le courage de faire demi-tour, au prix de stopper la grande marche en avant. L'enfant n'est pas prêt ou n'était pas prêt, alors il a besoin de temps ou il faut lui donner plus de temps ou des services pour l'accompagner, lui et ses parents, notamment une orthophoniste ou des ateliers éducatifs dirigés. Les projets à court terme que ses parents avaient pour le tout-petit doivent être repensés, réalignés en fonction de ses caractéristiques individuelles. Qui aurait pu croire que l'enfant réagirait ainsi à son hospitalisation lors d'une crise d'asthme ou au voyage d'affaires de sa maman? La plupart des éducatrices sont merveilleuses et savent reconnaître la petite faille qui déchire silencieusement le cœur de leurs *petits trésors*. Elles sont cependant démunies devant les interventions qui s'imposent et qu'elles se doivent d'annoncer aux parents qui ont pris le volant et « pesé sur l'accélérateur », mais sans suffisamment tenir compte de la route. L'enfant était-il en âge de... ? L'enfant avait-il la santé pour... ?

Éliot, âgé de 15 mois, a appris à marcher depuis deux mois, il est vif, dit « papa », « maman » et « clé » et sait montrer du doigt son chien ou son biberon, mais pleure encore à se fendre l'âme aussitôt que ses parents l'assoient à table. On pourrait dire que son chien s'appelle Achille, et son talon aussi. Impossible de passer outre, il faut s'arrêter ici, réévaluer les facteurs en cause et les corriger. Face à des repas pareils, les parents d'Éliot ont besoin d'être guidés, c'est normal, mais ils sont les mieux placés pour intervenir sur les comportements quotidiens au cours des semaines qui viennent. À moins de détresse parentale, Éliot a besoin de tout, sauf de se voir offrir une garde non parentale. Ce n'est tout de même pas la lune.

Nos services de garde auront beau développer les plus beaux programmes de stimulation pédagogique au monde, s'ils ne tiennent pas compte des différences individuelles des enfants dans une continuité avec l'exercice parental, avec les ajouts ou ralentissements contributifs des familles, ils s'avéreront à l'usage vains ou trop peu réconfortants pour l'enfant en développement. Garder n'est pas un passe-temps, c'est un acte lucide et subtil qui change des vies.

À la garderie, Martin, qui a deux ans, utilise moins bien un jouet que Rosalie, sa jumelle. « C'est parce que c'est un garçon », je vous entends déjà avec vos raisons et, je dois le reconnaître, des raisons qui ne vous donnent pas complètement tort : il y a effectivement des acquisitions qui viennent plus précocement chez les filles. Mais encore ? Vous savez bien que ce n'est pas que cela. Martin souffre peut-être d'une anomalie physique ? Est-ce qu'il entend mal ? Est-ce que son bras fonctionne comme ce qu'on est en droit de s'attendre d'un bras ? À la naissance, Martin était peut-être le plus petit des deux jumeaux ? Il a sans doute besoin de plus de nourritures affectives que Rosalie pour arriver à bien se représenter le monde, son jouet et toutes ces petites et grandes choses de son quotidien, au-delà de l'émotion fruste qui est la marque de commerce du petit bébé.

Martin, vous le constatez bien, est sur un chemin de travers. Pour qu'il puisse se construire l'image mentale de l'univers qui convient à celle qu'on se fabrique d'ordinaire à son âge, il va lui falloir un peu plus de temps, d'encadrement et d'investissement affectif de la part de ses parents d'abord, et éventuellement de son éducatrice. L'autoroute, c'est décidément pour sa sœur. Lui a besoin de l'exaltation d'une route de campagne ou de ses arrêts obligés pour bien se faire une idée du paysage. L'équivalent d'une route 66. En petite enfance, la destination a toujours moins d'importance que le chemin. C'est un « *work in progress* », dirait Robert Lepage, notre créateur de génie et de travers.

On ne pousse pas sur les enfants, on leur donne de petites poussées. Chacune de leurs petites avancées fournit le nécessaire pour faire de leurs émotions une pensée. Le travail parental des premiers 18 à 24 mois, ce n'est que cela, et déjà un monde en soi : transformer, de seconde en seconde, de minute en minute, d'heure en heure, de la fibre humaine en fibre neuronale pour que le réseautage cérébral des bons sentiments en arrive à un degré de maturation tel que la fibre de l'enfant puisse vibrer avec celle de l'adulte, et ce, simplement en se la représentant. Avant 18 mois d'âge, il ne faut pas y compter : le développement du cortex cérébral est trop inachevé pour que l'enfant acquière une solide permanence du monde. Il est un peu saint Thomas : il doit voir pour croire, voir son parent ou, à défaut, son éducatrice attitrée, jusqu'à ce que son développement soit assez mature pour les retenir en lui, peu importe leur présence ou leur absence dans son champ de vision. Privés prématurément de leur principale figure d'attachement, ballottés à un trop jeune âge d'une éducatrice à une autre, à une amie ou une voisine, certains enfants finissent par ne jamais retenir en eux l'image de leurs parents et par en porter des stigmates leur vie durant.

Dans *Pinocchio*, Jiminy le criquet fait figure de conscience pour la marionnette. Il accompagne Pinocchio dans toutes ses frasques. Quand Pinocchio devient un vrai petit garçon, Jiminy repart. Plus besoin d'une représentation réelle de la conscience quand la conscience a l'âge d'être réelle, mature, permanente. Sans Jiminy, il n'y aurait cependant pas eu de transformation humaine possible. Sans le parent ou la figure de confiance, l'enfant se déconstruit, trop immature encore pour se ressaisir seul. Comme Pinocchio, il risque le mauvais sort : être transformé en âne.

Après 18 mois néanmoins, les apports contributifs de l'éducatrice sont susceptibles de mieux magnifier certains acquis à consolider. Dans les moments présents, l'enfant socialise plus naturellement avec cet adulte non parental dont il dépend. Au départ, il joue seul ou en parallèle avec d'autres enfants, mais tolérera graduellement, et de mieux en mieux, la présence de ses pairs. À mesure qu'il approche de ses deux ans, il commence à s'amuser de l'atmosphère qui règne à la garderie, des chansons qu'on y chante, de l'heure du conte, des jeux au parc. À cet âge, il nous arrive souvent, nous les pédiatres, d'avoir à forcer un peu la garde non parentale pour veiller à la stimulation continue de l'enfant, notamment dans un continuum entre parent et éducatrice. Si les garderies en milieu familial ont eu jusqu'à maintenant des avantages consistants pour la construction émotive de l'enfant, elles perdent maintenant un peu au change devant des gardes en installation, souvent plus équipées matériellement ou pédagogiquement pour servir les besoins de l'enfant parvenu à cet âge. À ce chapitre, il est par ailleurs impossible de généraliser. Au-delà du principe directeur, vous trouverez des garderies en milieu familial assez bonnes et assez soutenues en besoins éducatifs pour bien servir les enfants jusqu'à leur maternelle, comme vous trouverez des centres de la petite enfance insuffisamment pourvus d'éducatrices compétentes.

Pour ma part, j'ai l'habitude de transmettre aux parents des enfants de deux à trois ans une petite prescription de circonstance pour tenter de forcer le mur des places disponibles en service de garde : « éducatrice en installation, au moins deux à trois jours/semaine. J.-F. Chicoine, M.D. » suivi de mon numéro de pratique. Cela fait toujours son petit effet auprès des milieux qui pensent hyperboliquement que je suis contre la garderie alors que je ne préconise qu'une utilisation plus sensée, en termes de temps et d'âge. L'intensification des acquis avec l'aide du Centre de la petite enfance a l'avantage de soutenir la charge parentale à un moment où les émotions ne suffisent plus à la tâche. C'est une question de maturité neuronale et de tuteur à favoriser à un moment clé de la maturation : les émotions d'abord, les compétences ensuite, les deux dès le départ, les deux pour la suite.

À travers tous les moments de la vie quotidienne, il faut se rappeler que le parent est le mieux placé pour rappeler l'étapisme nourricier au premier intéressé. Par exemple, il paraît inutile d'applaudir exagérément aux prouesses émergentes de Marie qui ne pense qu'à marcher : elle n'a pas encore assuré l'ensemble des muscles qui lui permettent de se traîner par terre. Toutes les actions sont constructions. Leurs charpentes sont impossibles sans joies telluriques. C'est parce qu'ils sont tombés et se sont relevés que les frères et sœurs de Marie sont venus à bout de milliers de petites frustrations. Chacun avec sa propre vitesse d'exécution. Marie a la sienne qui ne peut qu'être respectée par ses parents d'abord ou dépistés ou entérinés par son éducatrice ensuite.

Pour déceler les petites et grandes différences, les pédiatres utilisent leur science clinique appuyée ou non d'instruments de mesure validés, comme le test de Denver, qui permettent de resituer l'enfant dans un programme d'acquis attendus en moyenne à son âge. Il ne s'agit pas d'un test pour dire que l'enfant est normal, ni d'un test pour évaluer son intelligence : il s'agit d'un guide, d'un plan plus spécialisé, plus objectivable si vous préférez, pour mesurer la route à venir. D'autres tests, comme le Brigance ou celui du Dr Greenspan, permettent d'établir des scores développementaux, testant ainsi plus directement les aptitudes de l'enfant. Ces derniers n'évaluent pas que les acquis moteurs ou les performances intellectuelles, ils précisent le niveau global de fonctionnement permettant d'ajuster les attentes des adultes à l'individualité de l'enfant. Ils ne sont pas faciles à utiliser et requièrent une expertise précise.

Trop peu d'enfants ont actuellement droit à un suivi développemental qui permettrait de mieux déceler leurs forces et leurs faiblesses et les décisions adaptées en matière de garde. Une révision des travaux étasuniens sur la question rapportait que mes confrères pédiatres y omettaient l'examen développemental de routine dans une bonne proportion des cas. Aux États-Unis, on prétend que la moitié des troubles développementaux ne sont pas dépistés avant l'âge scolaire. Il n'y a pas de statistiques là-dessus au Québec, mais mon impression est qu'on ne fait pas autrement. C'est vous dire à quel point on ne sait plus à quel saint se vouer !

Dans un pareil désert de services d'évaluation, comment un seul programme développemental en garderie pourrait-il satisfaire les individualités des enfants ? Stimuler et encadrer les étapes de l'enfance, ce n'est pas obligatoirement forcer la note. Une moyenne d'enfants y trouvera éventuellement son compte, mais combien d'autres s'y trouveront bousculés dans leurs acquis ? Comment tolérer un discours sur la garde non parentale sans aborder concurremment celui de l'encadrement éducatif préalable des parents et celui, subsidiaire, des éducatrices ?

Comment permettre le discours sans aborder les services à la parentalité ainsi que la formation et le salaire des éducatrices ?

Intervenir sur le cursus développemental avant la maternelle a été prouvé économiquement et socialement rentable chez nos voisins du Sud. Identifier précocement les enfants ayant un retard ou un trouble de développement peut mener au traitement ou à une intervention pour ce trouble, minimisant ainsi l'impact sur le fonctionnement de l'enfant. Au Québec malheureusement, la coexistence d'une politique des services de garde avec un amaigrissement des services de dépistage pédiatrique de première ligne aura conduit de nombreux enfants sur une route non convenable.

L'enfant doit avoir tout son temps. S'il ne l'a pas pris ou si on l'en a privé, on doit le lui restituer avec des services spécialisés, pas avec de nouvelles occasions de fragilisation affective comme la garderie précoce. Parfois, pour toutes sortes de raisons familiales, le service de garde est au centre des recommandations, mais il n'y est pas d'office. L'expression utilisée entre adultes consentants « Va donc jouer dans le trafic » dit bien à ce chapitre ce qu'elle a à nous dire : au lieu de supporter l'intimé plus longtemps dans son insistance à nous demander ou à vouloir faire quelque chose, on lui propose sans ménagement de retrouver des joies plus primitives susceptibles de l'occuper, de le faire réfléchir ou du moins lui permettre d'aborder le monde bien autrement. L'adulte revient ensuite à de meilleures dispositions. Il s'abreuve à « son enfant intérieur ». L'enfant mérite un régime pareil. Les structures destinées à le faire grandir ne peuvent pas nier son droit à faire le tout-petit, d'autant plus que le monde des grands n'a souvent rien d'extraordinaire à lui offrir.

Quand la ministre de la Famille du Québec annonçait en novembre 2005 des bureaux de coordination des garderies en milieu familial par des centres de la petite enfance mandatés, qu'annonçait-elle au juste ? J'avais beau me coller sur les infos, je n'arrivais pas à savoir si on allait ajouter des compétences en éducation. Je n'arrivais pas à savoir si des gratte-papier conseilleraient maintenant les gardiennes d'enfants. Je n'arrivais pas à entendre madame la ministre sur les professionnels qu'elle avait l'intention, ou pas, de mettre au service de la communauté des services de garde pour assurer le respect de l'enfant dans son intégrité physique, psychologique et morale. Ce n'est pas rien : une ministre de la Famille qui vous parle de structure sans jamais être capable d'aborder le contenu qu'elle a à mettre dedans ! Et l'opposition en Chambre et les associations de centres de la petite enfance qui répliquent en contestant les structures, mais sans pour autant mobiliser leurs parents dans le sens du contenu à servir aux enfants ! Je devrais trouver ça intéressant, moi ? Nathalie, gardons-nous de parler de politique dans ce livre, il y a tant de politiques à bâtir !

Nous n'en sommes pas cependant à chipoter sur les détails. Des petits ajustements développementaux se fondront à la masse, récupéreront sous les bonnes actions concertées des parents et des éducatrices, pourvu qu'on dépasse le gardiennage pour offrir une véritable qualité éducative. Seules les observations contraignantes doivent être prises en charge. Par exemple, les trois quarts de ce que l'enfant dit est compréhensible à trois ans, mais cela peut se produire un peu avant ou un peu après. Il paraît alors inutile de les dépêcher chez l'orthophoniste. Des enfants exerceront préférentiellement leur motricité, d'autres auront plus de talents que la moyenne pour la conversation. Mon père prétend que j'ai parlé avant de marcher et il n'a probablement pas tort. Il faut toute sorte de monde pour faire un monde : des athlètes, des poètes et des êtres d'exception qui savent être les deux.

En conférence ou dans l'intimité, l'alpiniste et aventurier du froid Bernard Voyer étale toujours les centaines d'éléments qui composent son camp de base avant de nous trimballer dans ses joies de cordée. L'autre jour, au moment où il tentait de me convaincre de la transcendance de la glace, je chipotais sur quelques détails de la tente à planter. Nous sommes différents, j'ai personnellement plus d'aptitudes pour la mousson que pour le frimas. Bernard et moi n'aurions pas été évalués de la même manière. Nous avons pourtant poursuivi nos routes, chacun avec ses travers.

Des signes et des symptômes d'apprentissages retardés ou inappropriés vont apparaître quand des étapes importantes du développement de l'enfant se réalisent dans le désordre ou de façon non optimale. Mais pour qu'ils apparaissent, il faut d'abord que les parents et les éducatrices aient accepté de voir. Aux manifestations de l'automne dernier organisées pour contrecarrer le projet de réforme des services de garde, des parents, « le parka ouvert », manifestaient avec des petits bébés, « la fale à l'air », qui auraient eu avantage à être mouchés et emmitouflés avant de parader. Pourquoi faut-il qu'au Québec l'image de la famille ait toujours des relents de prise de la Bastille ?

Les signes et symptômes de carences ou de retards développementaux ne sont pas obligatoirement évidents : l'obésité, la calvitie, l'amygdalite sont plus facilement repérables. Mais la résultante d'un signe développemental négligé par les parents, l'éducatrice ou le docteur n'en est que plus précaire. Il y a matière à s'inquiéter par exemple quand Philémon, à un an, fuit le regard de son parent au moment où il s'apprête à faire quelques pas sur ses pattes. Le développement qu'on dit sensoriel se réalise en grande partie avant celui de la motricité. L'enfant qui marche et qu'on est incapable de saisir du regard est un enfant à risque. Vous ne pouvez pas lui interdire l'escalier : il se défile sans vous toiser. Vous avez beau crier, l'ouïe n'est qu'un sens parmi d'autres et son audition, une perception parmi des circuits cérébraux en pleine cavalcade. Pour contacter un petit frondeur comme Philémon, il vous faut de la voix, certes, mais aussi pouvoir user de la vue et du toucher, de toutes vos armes quoi. Philémon doit être invité à aller à la rencontre de son parent avant d'être partagé avec des éducatrices. Sans un enveloppement sensoriel externe garant d'une protection physique et morale, un enfant pareil insuffisamment consolidé dans ses acquis internes va chuter dans l'immédiat, sinon un peu plus tard ou demain matin. Le travail du pédiatre consiste ici à outiller ses parents afin qu'ils puissent mieux revoir les étapes bousculées et agir pour les panser. Pour sa part, la mère d'Amélie, âgée de 16 mois, n'est pas à bout, mais arrive au bout de ses moyens :

MÈRE D'AMÉLIE
Ma fille ne m'écoute pas.

PÉDIATRE D'AMÉLIE
Elle vous écoute, mais je pense que vous n'employez pas le bon langage avec elle. Avant les deux ans de l'enfant, il faut toujours que les mots qu'on lui adresse s'accompagnent d'éléments en rapport avec la vue et le toucher. Le simple ordre verbal est insuffisant. Ne parlez jamais à votre fille sans avoir capté son attention du regard. Dites-vous que vous êtes transperçante comme un rayon laser dans un film de soucoupes volantes ! Exagérez vos expressions faciales. Touchez-la en même temps, elle ressentira mieux que vous êtes un incontournable. Elle a de l'énergie à revendre, mais des failles à corriger. Vous allez y arriver. Pour cela,

retrouvez le plaisir que vous aviez à être avec elle quand elle était plus petite. En fait, vous agissez avec elle comme avec un enfant de son âge, sauf pour les aspects émotifs où elle a ses petites carences. Vous lui retranchez quelques mois, comme si elle n'en avait que 12. Il est essentiel que vous puissiez mieux communiquer ensemble avant qu'elle se mette à parler. On se revoit, et si ça persiste, on demandera l'aide de l'ergothérapeute. Les ergos vous aident à jouer plus intelligemment.

MÈRE D'AMÉLIE
J'ai été hospitalisée pour une pyélonéphrite. Ma fille avait alors huit mois. Ma sœur s'en est occupée pendant un bon trois semaines. Mon chum m'avait déjà quittée. J'ai fait ce que je pouvais. Ça allait à peu près. Depuis qu'elle fréquente la garderie, on dirait qu'elle régresse plus que jamais.

PÉDIATRE D'AMÉLIE
C'est beaucoup de ruptures pour vous et votre petite Amélie, mais ce sont là de bonnes nouvelles que vous m'annoncez.

MÈRE D'AMÉLIE
Mais encore ?

Un flottement, une contrainte, un abandon, une anxiété, peu importe l'ampleur de la déchirure, une ou des étapes n'auront pas été réalisées au bon moment ou de la bonne manière. Le dérèglement des acquis n'indique pas obligatoirement une pathologie d'organe, une maladie terrible, ce qui est en soi une bonne nouvelle, l'espoir d'une solution. Quand la vie des enfants est difficile, les soignants comprennent mieux leurs retards simplement en fouillant un peu leur histoire quotidienne. L'annonce de beaucoup de ruptures, les contraintes associées à la monoparentalité en disent long au pédiatre, qui évacue ainsi en deuxième ligne toute une série de diagnostics organiques possibles. Son travail est d'interpeller spécifiquement le fait humain et ses possibilités de résilience, les possibilités d'Amélie d'émerger, malgré l'adversité environnementale. Cet espoir est en soi une porte ouverte, une possibilité d'intervenir avec la famille, de l'outiller, à condition de se soucier de la contrainte dictée par les besoins de l'enfant. Les familles ont moins besoin de psychologie que de préceptes en matière d'éducation des enfants.

Pour Amélie, comme pour des milliers d'autres enfants, il ne peut pas y avoir de programme global sans programmation : à l'heure qu'il est, des enfants se trouvent projetés dans nos services d'élevage, sans que soit reconnu pour autant leur besoin particulier. « On engraisse bien les cochons à... » Une organisation béton n'est jamais bonne. Le matériau a de la résistance, mais manque de souplesse. C'est comme si le logiciel *Office* était installé, mais que personne ne faisait les mises à jour.

Dans le Québec que je connais, les responsables de ces négligences sont nombreux. Les programmateurs de garderies à 7 $ n'ont prévu aucune adaptation possible. Les parents manquent de temps pour observer les différences éventuelles de leurs enfants sur l'échelle de la petite enfance. Pensez-y, un État qui dicte à des parents combien de temps ils ont le droit de prendre des vacances en famille ! Également, les médecins de famille se font denrée rare et la pédiatrie ne glorifie plus le praticien généraliste. Nous formons à présent des pneumologues pédiatriques, des cardiologues pédiatriques, des neurologues pédiatriques, mais nous formons de moins en moins de pédiatres tout court. « Coûtent trop cher. Que les familles se trouvent un bon médecin de famille ! » Les médecins de famille aussi se font rares. Et si beaucoup de médecins ont des compétences et un intérêt en pédiatrie, plusieurs n'ont eu droit qu'à deux mois de formation pédiatrique au cours de leurs études. Le dépistage des problèmes fins et subtils inhérent à la pédiatrie contemporaine ne se fait donc pas routinier. Aux occasions de dépistage ratées par des parents relativement absents, s'ajoutent ainsi des occasions de dépistage ratées par la communauté médicale.

Nous sommes dans une civilisation qui se donne l'apparence d'être en route, l'air de rien comme l'auto d'une pub télévisée. Les seuls arrêts obligés se doivent d'être spectaculaires : une leucémie sauvée, une greffe du foie, un bébé qui respire malgré ses 400 petits grammes. L'enfant en voiture qui a besoin d'une pause pipi excédentaire doit se le tenir pour dit. La culture sociétale n'a pas prévu d'arrêt pour lui. On le force à prendre l'autoroute sans halte. « Qu'il pisse dans ses culottes, c'est tout ! »

Si un parent, un acteur ou un docteur s'avise de dénoncer le trajet obligé, le mot d'ordre est la consternation. Quoi ? On a une si belle autoroute. Il ne faudrait pas revenir en arrière, notre civilisation est si belle à voir sur la route de l'avenir ! Pour quelques « cons » d'enfants qui pourraient ne pas suivre, pour leurs « cons » de parents qui prétendraient qu'il existe des chemins de campagne, faisons les indignés ! Brandissons nos recherches sociales, *fleurdelisons* la grandeur de nos services et montrons la voie, la seule voie possible, la seule voie d'avenir. On n'arrête pas le progrès.

PÉDIATRE D'AMÉLIE
Jusqu'à preuve du contraire, si Amélie ne regarde pas ou n'écoute pas sa mère, ce n'est pas à cause de la santé de ses yeux et de ses oreilles. On pourra toujours s'enquérir de leurs bonnes intégrités respectives par un examen ophtalmologique et un audiogramme, mais on le fera plus tard, à l'occasion d'une prochaine consultation. On peut imaginer ici, pour expliquer le problème, la fatigue contributive, voire la dépression de la maman qui retourne au domicile après son hospitalisation.

INFIRMIÈRE D'AMÉLIE
A-t-elle bénéficié de la disponibilité souhaitée ? Quel aurait été son style parental en dépit des événements de sa vie ?

PÉDIATRE D'AMÉLIE
Est-ce que la maman est une femme chaleureuse et empathique ? Est-ce qu'elle en fait trop, s'inquiète et papillonne ? Souffre-t-elle encore beaucoup ? Sa souffrance apparaît-elle plus dominante que celle de sa fille ? L'ergothérapeute au programme devra-t-elle être assistée d'une aide psychologique ? Entre la fille et la mère, qui suit qui ? Qui fait figure d'oie ?

INFIRMIÈRE D'AMÉLIE
Qu'arrive-t-il du père ?

PÉDIATRE D'AMÉLIE
On l'attend. C'est Godot ?

L'étapisme qui permet le diagnostic médical et la remise en contexte du petit à soigner est donc largement dépendant d'une certaine marche à suivre. Le grand pédiatre Robert Debré prétendait que le diagnostic était la révision à raison de 24 images à la seconde d'étapes cliniques antérieures et se déroulant comme un film continu dans la tête du soignant et lui permettant de conclure après le visionnement mental de quelques séquences choisies : « C'est une rougeole ! » La conception classique des étapes développementales est ainsi utile à tout le monde, à condition que tout le monde ait la chance d'en évaluer la teneur, que la révolution des garderies ne sacrifie pas les enfants à l'histoire.

Dans le cas présent de cette maman qui arrive mal à communiquer avec sa petite fille, un accompagnement professionnel se sera avéré nécessaire. Comme la maman se sentait assez forte pour participer au resserrement des acquisitions à longueur de journée, le médecin et l'infirmière auront aussi retardé la garderie au programme pour permettre la consolidation du lien mère-enfant, notamment par de bien belles promenades au parc. Parfois, il faut faire autrement, prescrire des ateliers spécialisés où, avec d'autres enfants, profiter des qualités régénératrices d'une bonne éducatrice. C'est une question d'âge ou de compétences en place, j'y reviens : il faut au départ travailler avec l'émotion parentale, ensuite avec les structures béquilles ou l'environnement social.

« Il avait juste à pisser avant de partir. » Encore faut-il avoir une maison et assez de temps à la maison pour y trouver une toilette où pisser avant de partir. Si on ne prend pas le temps nécessaire, le temps de faire cela, si on n'autorise pas les parents à faire cela, on revient ensuite difficilement en arrière. L'accident attend sur l'autoroute. « Tabarouette, il a pissé dans ses culottes, as-tu apporté du rechange ? »

Prévention, faites-moi rire : tout le monde en parle, peu sauraient bien définir ce que c'est. Il faut revenir à la biologie du bébé pour prétendre à l'acte préventif, pas à l'élongation de nos petites morts d'adulte : suppléments vitaminiques, *milk shakes* énergiseurs, losanges de zinc, quelqu'un ne s'intéresserait-il pas à la prévention affective dont ont besoin les bébés ? Il y a une vie au-delà de la bêta carotène, des vies en devenir. Holà ! prévenir ce n'est pas gober des pilules de carottes ! Prévenir, c'est mieux savoir comment les faire pousser ou regarder un peu en arrière pour savoir comment il se fait qu'elles ont poussé de travers.

Déjà dans la deuxième année de sa vie, l'enfant a intégré ou non, ou mal, les différents acquis sensoriels, moteurs, cognitifs et langagiers qui se sont articulés les uns aux autres pour mieux le définir.

Pendant les jours qui défilent au cours de la vie utérine, s'est mise en branle la construction organique, dont celle de la peau, des oreilles et les fondements du système nerveux. Cette maturation biologique va permettre le développement ultérieur des sens. Le point de départ est ici. Sans lui, il n'y a pas de partance possible. Dans les premiers mois de sa vie, l'enfant va ensuite user de tous ses sens pour se faire une idée personnelle du monde. C'est ce qu'on appelle la perception, ce qui est déjà un appel à l'intelligence, à la cognition. C'est par l'intégration des sens, par la faculté du bébé de leur porter attention, de les découvrir, de les discriminer, de les ignorer quand ils lui apparaissent non pertinents, de se les approprier selon ses envies, que se bâtit le commencement de son intégrité développementale. Cette progression perceptuelle n'est pas lente, elle est fulgurante. Au départ, par exemple, les jeunes bébés voient surtout des contrastes, du type contour noir sur blanc, mais déjà entre trois et sept mois, ils se débrouillent beaucoup mieux avec les couleurs. Ils se concentrent sur elles, sans perdre le contrôle. Ils reconnaissent d'emblée la voix de leur mère, mais il n'en faut pas long, avant six semaines, pour qu'ils soient sensibles à celle de leur père. Ils ne goûtent pas le salé, mais ne perdront pas de temps, à peine six ou sept mois, pour devenir, si on leur en donne l'occasion, de véritables salières.

Le grand pédiatre américain S. I. Greenspan a su démontrer que certains enfants plus sensibles au bruit que d'autres pouvaient souffrir d'un environnement tapageur. Un enfant aux capacités auditives diminuées, un enfant adopté, un enfant prématuré, bref un enfant nécessitant une prise en charge accrue pour mieux mettre en relation ses yeux avec l'espace et ses perceptions sonores avec le langage des adultes voit son risque de trouble développemental majoré par la garderie. Si pour des raisons sociales, il doit être confié à un service de garde, il faut que le personnel en charge se préoccupe de le mettre au calme. Un jeune enfant n'a pas acquis la notion du temps ; une journée de 8 heures en garderie peut lui en paraître 6 ou 20. Imaginez : 20 heures de cris ! Certains hôpitaux offrent à cet effet des écouteurs pour nourrisson. Prévenir les incidents sur la route du développement, c'est avoir un souci constant de l'univers sensoriel des tout-petits.

Le développement des sens s'accompagne, dans la construction de la petite personne, du développement moteur, en commençant par la tête, en finissant par les pieds. À trois ou quatre mois, l'enfant va tenir sa tête, puis apprendre à se tourner, à quatre mois du ventre au dos, puis plus tard du dos au ventre. Il grouille tellement qu'on dit de lui qu'il est comme un petit ver. En fait, il cherche aussi à se rapprocher des autres. C'est comme au club sportif ou lors de la promenade du chien où l'activité physique sert aussi à dynamiser les rencontres.

À sept mois, l'enfant se tient assis. Entre sept et neuf mois, il se tient debout, appuyé sur une boîte ou un tabouret pour faciliter ses déplacements. Il chancelle et tombe. Son crâne n'est pas rigide, tant mieux, sa fontanelle encore ouverte lui permet d'encaisser quelques contrecoups. Son désir est mouvement. Son anticipation d'une séparation graduelle est plus forte que tout. Mais elle est contemporaine de sa construction sensorielle. La façon savante de transmettre l'information développementale par étapes ne doit pas nous détourner de la complémentarité des acquisitions naturellement en place. Quand il se déplace, l'enfant apprécie communiquer sa joie et être interpellé par celle dont il reconnaît l'odeur et le grain de peau. Le développement sensoriel, le développement sensorimoteur, le développement perceptivo-cognitif, le développement social, toute cette progression étapiste est en réalité une composition d'ingénieries parallèles plus ou moins apparentes selon les différents âges de la vie. Le quotidien des adultes doit aussi pouvoir respecter l'essence de ce qui est en train de se construire à des niveaux qui défient l'entendement usuel.

Qui se douterait qu'un bébé de quatre mois est capable de faire des mathématiques ? C'est pourtant vrai, les travaux de Karen Wynn et ceux d'Olivier Houdé en France soulignent, pour avoir inlassablement agité de petites figurines de *Mickey Mouse* devant des bébés de quatre mois, que les nourrissons perçoivent les erreurs de calcul et ont ainsi le sens des nombres bien avant celui des mots. Les acquis développementaux, apparemment dans un ordre implacable, se répondent en fait secrètement les uns aux autres pour se fondre à un âge ultérieur d'une manière plus apparente. Comme d'habitude, c'est Boris Cyrulnik qui illustre, mieux que d'autres, ces apprentissages en échos :

« Lorsqu'un enfant est privé d'entourage, la poussée sur les jambes reste un acte moteur et ne prend jamais de valeur relationnelle. Un enfant sans milieu humain n'attribuera jamais à cette poussée sur les jambes une fonction de relation. Il possède pourtant toutes les compétences pour marcher, mais privé de la force façonnante de l'émotion des autres, dépourvue de sens, pour lui, dans ce contexte-là. D'autres enfants tentent laborieusement l'aventure de la bipédie, parce que l'environnement absent, dépressif ou malade n'a pas la force d'injecter de l'émotion dans cet acte moteur, le privant ainsi de sa signification. »

Le stade moteur n'aurait donc pas de permissivité sans l'apport des sens. De la même manière, il n'aurait pas de finalité sans l'apport de l'intelligence. Jean Piaget, qui a passé l'essentiel de sa vie à s'intéresser au développement de l'intelligence, voyait d'ailleurs dans le développement sensorimoteur une sorte d'intelligence de l'action qui permet à l'enfant de se mesurer dans l'espace et dans l'environnement avant d'avoir à tempérer avec lui-même à un stade ultérieur de maturation.

Daphnée découvre ainsi qu'en tirant sur un cordon, les personnages colorés d'un mobile vont se mettre à bouger. En combinant différentes sensations puis différents mouvements, la petite, telle une équilibriste, apprend à ne pas perdre pied dans le réel et à tenir compte de la physique et de la mécanique de sa vie de tous les jours. Cette prise en compte de la réalité est un prérequis à l'évolution éventuelle des concepts abstraits et de sa conscience comme personne.

« L'enfant ne peut accéder à un stade ultérieur sans avoir intégré l'étape antérieure », écrivent Marie-Christine Tréca et Hélène Bidault à propos de la théorie piagétienne. « Toute genèse part d'une structure et aboutit à une autre structure. » Ainsi, le développement de l'intelligence consiste en une mentalisation progressive des actions dans la continuité des premières sensations : « Tu me touches, je le sens, tu bouges, je bouge, mais où donc est passée ta main ? »

Vers l'âge de six mois, l'enfant distingue le jour de la nuit. C'est déjà un signe d'intelligence quand il en profite pour ne pas laisser dormir ses parents. Il expérimente un monde auquel ses parents donnent du sens et qu'il arrive de mieux en mieux à se représenter grâce au développement de ses facultés et de ses interactions avec les autres. À la vérité, ce n'est qu'un peu plus tard qu'un parent pourra s'attendre à ce que son enfant ne se réveille pas régulièrement la nuit.

En attendant, il ne faudrait pas confondre le désir de communiquer avec ses parents avec celui de venir coucher avec eux. Si les deux parents se sont déjà privés du bébé pendant sa journée, ils ne devraient pas essayer de compenser la nuit pour leur absence diurne. La garde non parentale est confondante. Elle oblige à des compensations qui sont autant de non-lieux.

PARENTS
Pourquoi on ne devrait pas coucher avec lui ?

PÉDIATRE
Parce qu'il est assez intelligent pour distinguer le jour de la nuit, qu'il vous aime et voudra vous le communiquer. Vous ne pouvez tout de même pas travailler le jour et jouer à communiquer la nuit?

PARENTS
On ne communique pas ensemble, docteur, on dort ensemble...

PÉDIATRE
Et vous allez dire ça jusqu'à quel âge que vous ne communiquez pas avec votre enfant mais que vous souhaitez dormir avec lui?

PARENTS
Vous ne comprenez pas.

PÉDIATRE
Quand le pédiatre ne comprend pas, on peut supposer que le bébé pourrait ne pas comprendre. Si je ne comprends pas, votre bébé ne comprendra pas.

C'est la seule prétention à laquelle le pédiatre aspire : fonctionner à la hauteur du bébé, par étapes décisives. Pouvoir reconnaître les étapes à réévaluer quand l'enfant ne marche pas à l'âge attendu ou ne parle pas à l'âge attendu est d'une extrême importance. Ce qui n'était peut-être pas flagrant chez le jeune bébé devient souvent de plus en plus évident à mesure que s'écoule la deuxième année de sa vie. Les parents, comme les soignants, doivent à cet âge se faire grands observateurs. Comment était-il jusqu'ici? Comment est-il? Comment se prépare-t-il à sa deuxième année?

Un réseautage élargi de politiques intelligentes, de services adaptés à la famille, à la garde et à la scolarisation donneraient entre-temps des aires de repos à des parents en manque de ravitaillement ou en questionnement. Mais personne, ni une structure, ni une réforme, ni une association de droit, ni même une révolution, personne, je dis bien personne ne pourra faire quoi que ce soit sans le respect fondamental de la merveilleuse évolution biologique du bébé humain.

Étape par étape.

Bibliographie

Anctil, S. *Développement psycho-moteur : Dépistage et surveillance.* HSJ, 2004.

Cyrulnik, B. *La naissance du sens.* Collection Pluriel, Hachette littérature, 1995.

Dolto, F. *Les étapes majeures de l'enfance.* Folio essais, Gallimard, 1994.

Glascoe, F.P. *Early detection of developmental and behavioural problems. Pediatrics in Review*, août 2000, 21, p. 272-280.

Greenspan, S.I. *Child care research : A clinical perspective. Child Development* 2003, vol. 74, n° 4, p. 1064-1068.

Tréca, M.C. et Bidault, H. *Jean Piaget,* dans Golse, B. *Le développement affectif et intellectuel de l'enfant.* Masson, 2001.

Winnicott W.D. *L'enfant et sa famille.* Paris, Éditions Payot & Rivages, 2002.

La permanence du schtroumpf

La permanence de l'objet et la garde non parentale

Jean-François Chicoine

C'est tellement incroyable qu'on évite d'en parler : ce n'est qu'entre 18 et 24 mois qu'un enfant arrive à se représenter mentalement son père ou sa mère parti pour la journée. Avant cet âge, son parent n'existe plus au-delà du sas d'habillage. L'effet de ses bons soins existe, le modèle opérant interne positif que son parent lui a inculqué existe, la possibilité d'entrer en relation avec d'autres existe, comme celle de se développer comme personne qui marche, qui parle, qui joue existe. Tout peut exister en fait, ou rien si l'enfant a été négligé ou abandonné, mais jamais le parent parti pour la journée n'est susceptible pour lui d'exister. Nous allons voir pourquoi, mais pour ce faire, il nous faut remonter brièvement en arrière, question de mieux saisir l'extraordinaire continuité du vivant. En matière de représentation mentale, le passé est massivement garant du présent.

Vers sept à neuf mois, si l'enfant échappe un jouet de sa chaise haute, il commence à s'en soucier, à s'enquérir de savoir où il est passé. « Il faut le trouver », se dit-il. Le concept dit de « permanence de l'objet » permet de mieux comprendre que l'enfant, parvenu à un certain âge, continue de croire à l'existence du monde au-delà de ses propres sensations.

Même s'il ne voit plus l'objet échappé par terre, cet objet est dorénavant susceptible d'exister pour lui. Vous avez avantage à le ramasser.

À des fins démonstratives, j'avais le choix de plusieurs figurines pour illustrer la chose : j'ai choisi le schtroumpf. Vous êtes libre de m'en vouloir. Vers sept à neuf mois, si l'enfant échappe un schtroumpf de sa chaise haute, il commence à s'en soucier. « Il faut trouver le schtroumpf », se dit-il. Il faut trouver le bleu. Légitime, n'est-ce pas?

Cette faculté qu'a l'enfant de croire à la permanence du schtroumpf existe probablement bien avant que le parent la constate. Des recherches récentes démontrent que des fibres cérébrales inhibitrices empêcheraient le bébé de mieux reconnaître l'objet extérieur à sa personne et ainsi croire à l'existence de ce qui l'entoure. Autrement dit, la capacité de comprendre le monde serait antérieure au compris. Pour mieux profiter de notre intelligence, nous serions donc une espèce exhortée à obtenir un meilleur contrôle de ses inhibitions. L'hypothèse n'est-elle pas séduisante?

Dans cette perspective, on pourrait concevoir l'enfant mal aimé ou insécurisé dans ses rapports avec les adultes comme porteur d'inhibitions permanentes capables de contrecarrer sa faculté de croire à la beauté du monde. Rappelez-vous ce que j'écrivais au sujet de l'élagage neuronal : le cerveau doit se débarrasser de millions de neurones pour permettre l'éclosion au monde. L'apoptose, c'est ainsi que ça s'appelle, est la capacité innée, génétiquement programmée, de certaines cellules à mourir pour permettre l'émergence d'autres neurones en réponse aux stimuli de l'existence. Les enfants stressés ou négligés qui n'auraient pas eu droit à la purge cérébrale auraient donc moins de capacités de se représenter les objets et les personnes parce qu'ils vivraient les contrecoups de leurs circuits surchargés. Ils auraient également moins de capacités d'écouter leurs parents, leurs éducatrices, leurs professeurs ou leur conjoint. Vous voyez à quel point les comportements, notamment le vol, le mensonge ou la colère, peuvent aussi s'expliquer en neurosciences par une intrication biologique de l'inné et de l'acquis, en complémentarité, et jamais plus en opposition comme on l'a trop longtemps cru. Des modèles génétiques sont de plus en plus développés pour une foule de constatations médicales; ils sont d'une grande importance (« C'est l'avenir », entend-on dire), mais ne doivent pas laisser pour compte les effets précis et importants de l'environnement dont témoignent les études faites dans les milieux carencés. Avec une telle conception, un enfant souffrant et insatisfait dans ses besoins primaires est un enfant si encombré de neurones qu'il en devient incapable de voir le schtroumpf au bout du tunnel.

À neuf mois environ, l'enfant va appliquer aux personnes cette nouvelle capacité de pouvoir faire disparaître les objets. Quand le papa vient le chercher pour l'amener dans la chambre des parents, sous les draps, sous les couvertures, l'enfant est maintenant capable d'imaginer que s'y trouve sa maman. Apparitions, disparitions, au-delà du jeu du coucou, la magie quotidienne l'amuse énormément. L'expérience est parlante : sa maman change de pièce, mais elle va finir par réapparaître. L'enfant peut alors la redécouvrir. À cet âge, le tout-petit n'est cependant pas encore capable de se représenter sa mère hors de la pièce bien longtemps. Cette faculté symbolique d'imaginer maman quand elle n'est plus là, il ne l'acquerra qu'autour de ses 18 mois. Ses prochains 14 à 18 mois lui serviront d'ailleurs à développer une conscience de soi au-delà de l'objet et de sa signification.

À la consultation de 9 à 10 mois, quand je dépose un schtroumpf en plastique sous un mouchoir, l'enfant cherche à le retrouver. À six mois, il ne s'en soucie absolument pas. À six mois, il n'a pas acquis la permanence. À neuf mois, il s'inquiète pour le schtroumpf. Mais c'est à 18 mois seulement que l'enfant va réaliser que le schtroumpf est possiblement sous le mouchoir sans m'avoir vu mettre quoi que ce soit dessous, simplement en découvrant le mouchoir et ce qu'il est susceptible d'abriter en raison de ce qu'il représente. C'est ce qu'on appelle la pensée symbolique. Vous pouvez sans mal faire l'expérience à condition d'avoir les ingrédients nécessaires : un bloc, un mouchoir et un bébé.

Le tableau « Ceci n'est pas une pipe » de Magritte fait exactement appel à cette maturation du cortex cérébral qui permet la pensée symbolique. En observant l'œuvre, vous savez très bien que ce n'est pas une pipe, mais simplement sa représentation. Si vous êtes du style à fumer du bon tabac, vous pourriez même en ressentir une certaine émotion. Avec les années, la pensée symbolique fait place à la pensée concrète puis, à l'adolescence, à la pensée abstraite, propulsant ainsi la pipe vers d'autres significations possibles.

Quand un parent se rend dans la chambre à coucher et qu'il laisse l'enfant jouer par terre au salon, celui-ci expérimente la permanence de l'objet : selon son tempérament et son degré de développement sensoriel et selon ses compétences affectives, il a la capacité de croire que son parent va revenir. À condition que l'absence ne se prolonge pas. D'où l'idée de chanter ou de turluter quand on est dans une autre pièce pour parfaire notre permanence auprès de l'enfant qui a cessé de nous voir. Selon leurs possibilités individuelles et leurs expériences positives ou négatives du monde, tous les enfants à ce stade ne réagissent pas de la même façon, car tous les enfants n'auront pas réalisé toutes les étapes contributives à ce devenir avec la même cadence, avec la même assurance. Aux enfants qui se traîneront par terre pour aller vers l'autre pièce, s'en ajouteront d'autres qui ignoreront cette disparition soudaine, enfin d'autres qui feront comme on a dit et anticiperont le retour de l'être cher sans être inquiétés outre mesure par l'attente. « Bonjour, maman était dans la chambre à coucher », lui dit sa mère. L'enfant rit. Il rit d'avoir eu raison. Le retour de sa maman est une récompense. Aussitôt partie, aussitôt revenue. Décidément, un parent est tout aussi amusant qu'un schtroumpf sous un mouchoir.

À la garderie, l'enfant de sept mois qui voit disparaître son parent ne s'attend pas à ce qu'il revienne. Il le sent, le perçoit, le vit comme une petite ou une grande rupture, mais n'associe pas rationnellement son dérèglement à une causalité situationnelle. Il cherche à ce stade à être contenu émotivement, comme le petit singe. Il s'attend d'ailleurs à être entouré dans une continuité affective et il trouvera à cet effet une équivalence de circonstance dans les bras d'une excellente éducatrice. Mais il n'a pas encore la maturité neurologique pour songer au sort que le moment lui réserve en termes de cause à effet. C'est un petit animal. Son parent devrait néanmoins lui expliquer ce qui se passe et ce qui l'attend, moins pour une question de sens que de ton. Avec le temps, c'est exactement comme ça que se bâtit la confiance : « Je pars, mais je vais revenir, je te laisse entre-temps à Stéphanie. » Et dix heures plus tard : « Tiens, je reviens tel que promis. Stéphanie a été gentille avec toi ? »

À neuf mois déjà, l'enfant est susceptible de continuer de farfouiller sous le mouchoir et de chercher à revoir son parent parti pour la journée. Ce sont des minutes difficiles pour toutes les parties. À 11 ou 12 mois, les départs deviennent souvent pénibles et déchirants. L'éducatrice, à laquelle il se doit d'être familier, en remet sur la contenance tellement le petit pleure. Rapidement, elle le conduit vers un autre objet pour le détourner de son parent. « Regarde par ici », dans la direction contraire du parent qui s'éloigne, « regarde comme c'est rouge, que ça bouge, que ça fait du bruit, vas-y, tu peux le prendre. » Le prochain quart d'heure est incertain, anxiogène, terrible, glaçant. Tu viens de perdre ta mère et on t'offre quelque chose de rouge, yé !

Pendant qu'il quitte la garderie, le parent se rassure à sa façon, satisfait d'avoir déniché une si bonne éducatrice ; ou heureux de voir que l'éducatrice peut l'accompagner dans la difficile aventure de la parentalité ; ou encore le parent quitte la garderie, rongé de désespoir de devoir quitter bébé pour un travail si peu rémunéré, si peu gratifiant : dévasté, coupable, des fois insatisfait de la gardienne autant que de sa vie de famille.

De 8 à 12 heures plus tard surviennent enfin les retrouvailles, mais là, le jeu du mouchoir ne fonctionne plus. Le matin même, l'enfant a tôt fait de s'en désintéresser. Son cerveau n'a pas la maturité pour faire autrement. Devant la disparition de son parent, il aura d'abord essayé de regarder vers la sortie, s'en sera détourné, se sera retourné à quelques reprises vers le cadre de porte, pour finalement ne plus revoir son parent disparu. Plus de schtroumpf sous le mouchoir.

Des recherches menées en Allemagne ont démontré que les premières semaines des enfants enrôlés à la garderie entre 12 et 18 mois étaient plus difficiles en termes d'adaptation que celles des enfants de 12 mois et moins. Les tout-petits pleuraient plus, paraissaient plus tristes aux investigateurs. L'interprétation est facile : ces enfants ont connu l'attachement sélectif pour leur famille, mais n'ont pas la maturité nécessaire pour porter assez longtemps leur parent en eux. Notre interprétation de l'observation ne doit pas y voir une raison de devancer la séparation parentale avant la première année pour ménager des pleurs et des grincements de dents. Les difficultés d'adaptation des enfants de 12 à 18 mois apparaissent ici comme une excellente nouvelle : ces enfants se sont attachés à leur parent et protestent à la séparation. Les poupons jugés tranquilles et « qui font bien cela » sont à ce titre plus inquiétants que ceux qui paniquent. Méfiez-vous de tout ce qui dort : l'enfant qui a réussi à s'adapter et s'ajuster au train-train de la garderie en moins de quelques semaines n'est pas d'office attaché à un nouvel adulte significatif. Il a choisi de ne pas s'en plaindre, c'est tout, de ne pas déborder, comme bout une marmite quand le couvercle est fermé.

On peut néanmoins retenir de cette expérience clinique qu'une gardienne significative, à la maison ou en milieu familial par exemple, qui aurait eu l'occasion de faire son entrée dans la vie de l'enfant avant sa permanence de l'objet, pourrait ainsi lui éviter les déboires associés à la rencontre de deux ou trois éducatrices étrangères au-delà de la première année de sa vie en devenant un véritable référent affectif. Les enfants de parents démunis affectivement ou cognitivement gagnent d'ailleurs des jalons développementaux en s'attachant tôt et favorablement à une éducatrice.

Si j'avais une période de la vie des terriens à réaménager pour changer le sort du monde, je choisirais sans hésiter celle des 8 à 15 mois. Pour deux raisons : d'une part, une raison cognitive, pour ne plus exposer les enfants à « ne plus revoir » la personne aimée ; d'autre part, une raison émotive, parce qu'à cette étape développementale, l'enfant ne doit pas s'attacher à n'importe qui, n'importe comment et qu'il lui faut du temps.

Contrairement à ce qui est écrit dans les livres de « mise en garde », un enfant de 12 mois qui proteste encore de sa présence à la garderie est un enfant normal. Il pense « ne plus revoir » ses parents et n'a pas encore eu les mois nécessaires pour établir un nouveau pont de confiance avec l'éducatrice. Une garderie en milieu familial ou une éducatrice stable dans un CPE sont un moindre mal. S'il y a des petites crises, des refus alimentaires, il ne faut pas faire les surpris. La bonne santé affective se mesure ici en termes de pleurs, non pas de silence.

Chez l'enfant, le jeu cognitif de cause à effet commence à se préciser dans les semaines qui suivent la permanence des objets et des personnes. En témoigne, entre 9 et 12 mois, le contentement de l'enfant quand l'éducatrice lui montre un biberon dans l'espoir de le distraire de son chagrin. Il sait que le lait est là et que le lait lui donnera compensation et satisfaction, selon que l'on se positionne du côté du cœur ou du côté du ventre. En comprenant la relation de cause à effet, l'enfant acquiert l'aptitude à résoudre ses contrariétés. Il y mettra parfois toute la vie ! On devine ici la solitude du bébé né avant terme qui fait son entrée à la garderie. Non seulement à cet âge, il souffre émotivement du départ de sa figure d'attachement, mais il n'a pas acquis de compensation cognitive pour supporter sa contrariété. La crise est double. Il peut se faire insupportable. De fait, il aurait toutes les raisons de l'être. S'il fait trop bien les choses, il faut alors s'inquiéter de sa santé affective ou intellectuelle.

Un an, c'est l'âge où plusieurs étapismes émergent, ce qui ne facilite la tâche d'aucun parent. Si au cours d'une conférence je demande à un groupe qu'est-ce qui selon eux représente le mieux le tournant de cette première année, ils me répondront sans hésiter : « C'est l'âge où on commence à marcher ! » Ils n'ont pas tort, mais n'ont pas indiqué en répondant de la sorte ce qui risque le plus de compliquer leur parentalité moderne : non pas le développement moteur qui dépeint traditionnellement cet âge, mais plutôt le style affectif en émergence de l'enfant et ses compétences cognitives nouvelles.

Imaginez qu'un enfant a les jambes paralysées à la suite d'une blessure à sa colonne vertébrale. Imaginez tout ce qui lui reste. L'âge de la marche n'est pas l'âge de la machine. Un an, c'est plutôt l'âge où on s'attache à son schtroumpf dans le mouchoir, c'est l'âge où on a encore espoir de le retrouver. Que l'enfant marche ou pas et qu'il aille se faire garder ne change pas substantiellement le déroulement de sa journée. Deux coïncidences développementales attribuables à la maturation cérébrale risquent cependant de compliquer sa journée à la garderie : le développement du cerveau limbique et l'attachement sélectif pour le parent d'une part et d'autre part le développement du cortex cérébral et la capacité cognitive d'anticiper l'espace d'un instant que le parent n'est plus là et qu'il pourrait revenir ou pas. Ce combiné affectif et cognitif détermine mieux que l'âge de la marche le passage à la deuxième année et ses conséquences sur l'enfant, le parent et la gardienne. Les matinées de garderies, l'enfant d'un an part entraîner sa musculature et son assurance à rester debout certes, mais aussi et surtout sa maîtrise à se séparer définitivement à un âge où il n'est pas encore approprié de le faire.

Entre 8 et 15 mois, l'enfant se fond et rompt avec son parent, en petites alternances. Une régulation neurophysiologique est à l'origine de cela. Ce serait une erreur de ne permettre à l'enfant que de se fondre à son parent, par exemple de le garder toujours sur soi, de l'empêcher de trébucher dans l'herbe, de coucher avec lui la nuit durant. Mais c'est aussi une erreur non généralement admise que d'accepter de rompre avec lui pour une trop longue journée.

Il faut donc attendre ses 18 mois pour que l'enfant commence à travailler à un niveau symbolique et à se représenter le monde en dehors de la réalité physique. À cet âge, il voit le mouchoir et sans m'avoir vu mettre un schtroumpf dessous, il est capable d'imaginer qu'il s'y trouve. Qu'est-ce qu'il découvre ? La Schtroumpfette éducatrice. S'il connaît la figurine, c'est déjà cela, sinon il crie pour une vraie figure avec laquelle il peut se sentir confiant : son papa ou sa maman.

Qu'est-ce qu'on fait avec cela ?

On s'organise d'abord, comme famille, pour garder et éduquer l'enfant avec un parent jusqu'à ses 18 mois. Le temps que le mouchoir lui fasse l'effet d'un schtroumpf.

On s'organise ensuite, comme société, pour assister le parent dans le besoin de garder et éduquer l'enfant auprès de lui. On s'organise, toujours comme société, pour garder et éduquer, voire contraindre à la garde et l'éducation l'enfant dont le parent doit aller au travail. Pour s'assurer que le mouchoir lui fasse l'effet d'un schtroumpf et qu'il désire le schtroumpf sous le mouchoir.

On se rassure ou on s'inquiète devant la possibilité d'avoir bousculé l'étapisme, pour une mauvaise ou une noble cause. Tous les enfants ne souffriront pas d'avoir vu prématurément disparaître leur parent. Mais tous les enfants vont souffrir d'avoir manqué longtemps des talents d'éducateur d'un bon parent. Le séjour quotidien dans un service de garde peut faire pour l'un et défaire pour l'autre. Il nous faut simplement réaliser que nombre d'enfants de bonne famille souffrent maintenant inutilement de leur journée de garde. Il nous faut prévoir leurs problèmes, prévenir en amont, panser en aval. Il nous faut adapter chacune de nos actions auprès de la petite enfance, moins comme les préceptes d'un petit livre rouge, mais comme un service à la carte respectueux des fondements d'étapes de la biologie et des sciences développementales.

Au-delà de ses 18 mois, l'enfant est de plus en plus capable de se représenter mentalement ce qu'il évoque. On lui montre la photo de sa mère à la garderie, il va la reconnaître, puis éventuellement la nommer. Il n'a plus besoin d'être pris dans ses bras pour s'imaginer dans ses bras. Il peut ou non en ressentir plus ou moins de souffrance, selon son intériorité à lui, selon ce qu'a été sa mère, son père, selon la connivence qu'il a avec sa gardienne, mais là n'est pas tout à fait la question. L'important est de retenir qu'il a maintenant la capacité de pouvoir intégrer mouvement, émotion, pensée, parole, mémoire, capacité de se représenter et de prévoir.

Piaget parlait d'intelligence préopératoire pour décrire ce stade. Rygaard, en continuité avec l'organisation physique, sensorielle, sensorimotrice, parle ici des débuts d'organisation de la personnalité. Pour ce psychologue danois, l'enfant incorpore graduellement l'environnement physique, temporel et relationnel à ses actes. « Il apprend à surmonter le fait d'être seul, sans sa mère... » Il porte en lui sa propre capacité de résoudre le monde. Certains praticiens disent ici que l'enfant arrive à abriter son parent intérieur.

Des enfants auront acquis leur « parent intérieur », d'autres pas. Un enfant de trois ans qui répète ce que son parent ou son éducatrice lui dit mais fait, la minute qu'il ou elle a le dos tourné, l'inverse de ce qui a été suggéré ou autorisé n'a pas atteint la constance attendue. Il fonctionne comme un enfant d'un an à un an et demi de moins. Soit il n'est pas intelligent, soit il n'entend pas, soit il a été privé de sensorialité, soit il n'a pas eu la chance de se libérer, soit il ne fait pas confiance aux adultes qui prennent soin de lui. Vous en connaissez des enfants comme cela ?

Il peut s'agir d'un écart, même de quelques incartades. Il est malade, il vient d'avoir une petite sœur, autre chose l'intéresse. Il peut aussi être question de quelque chose de plus grave, de quelque chose qui lui a manqué, comme sa mère, de quelque chose dont il a été privé au moment où l'étape aurait voulu qu'il puisse l'incorporer, la visualiser, la mentaliser comme on dit en psychologie, bref la retenir en lui, même quand elle s'éloigne.

Plusieurs enfants qu'on croit indisciplinés, qu'on juge turbulents, colériques ou brise-fer, plusieurs enfants qu'on dit drainants, qu'on juge braillards, toujours insatisfaits sont plutôt des enfants indisciplinables. Ils n'ont pas manqué obligatoirement de discipline, leurs parents n'étaient pas plus bêtes que d'autres. Ils ont manqué de constance externe, n'ont pas intériorisé assez d'images d'amour, ont trop souffert en attendant leurs parents. Ils n'ont pas eu assez de disponibilité, ont été trop stressés pour s'occuper de leur développement, mais ont grandi tout de même. Ils sont grands, mais ils sont vides ; pas toujours complètement vides, mais en tout cas insuffisamment remplis. Quand arrive la suggestion ou la demande du parent ou de l'éducatrice, ils ne se sentent tout simplement pas concernés. On ne parle plus d'un écart ou deux, on parle de 40 ou de 50 réprimandes ou de haussements de ton par jour qui s'avèrent nécessaires pour les contenir. On parle de colères, de difficulté à dormir, d'agressivité ou d'isolement anormal. On parle d'intériorisation de l'altérité difficile en raison d'une mauvaise intériorisation de soi.

Peut-on parler de difficultés avec son schtroumpf intérieur ?

Bibliographie

Greenspan, S.I. *Child care research : A clinical perspective. Child Development* 2003, vol. 74, n° 4, p. 1064-1068.

Greenspan S.I. *et al. The child with special needs : Encouraging intellectual and emotional growth.* Reading MA, Perseus, 1988.

Houdé, O. *La psychologie de l'enfant.* Coll. « Que sais-je ? », Paris, Presses universitaires de France, 2004.

Maccoby, E.E. *Parenting effects : Issues and controversies,* dans *Parenting and the Child's World.* Londres, Lawrence Erlbaum Associates, 2002.

Rygaard, N.P. *L'enfant abandonné.* Traduction de Françoise Hallet, Belgique, De Boeck, 2005.

Le retour des Papous

La socialisation précoce des enfants en service de garde

Jean-François Chicoine

Vous verrez, dit le matelot Petit, que nous serons tous cuits (...)
et que lorsque nous l'écrirons à nos pères et mères, nous ne serons pas crus.

Jacques Arago, aventurier, 1868

Deux types d'enfants vont chuter, j'entends par là capoter au centre commercial, échouer devant un devoir de maths, se perdre en amour, craquer au travail, bref chuter dans la vie. C'est une question de balancier, on pourrait dire de balancier parental. Être capable de tout donner un jour et de tout abandonner un autre, telle devrait être la devise yin-yang de la parentalité équilibrée. Telle est, en tout cas, la devise de la parentalité aboutie. Le contrepoids arrive à manquer quand le parent néglige ou force la mesure : les attitudes du type « Je m'en départis dès ses premières bouchées » enfantent une jeunesse trop vide, tandis que les « Je le garde avec moi jusqu'à sa première année d'école » fabriquent une progéniture trop molle. Incapable d'être en lui ou incapable d'aller vers l'autre, c'est selon, l'enfant amorce alors une série de chutes. Les blessures atteignent le petit doigt ou bien la tête, avec des conséquences personnelles ou sociales à la mesure.

Les garderies ont la prétention de détenir la solution préventive à la mise en société. Elles n'ont pas tout faux. Elles favorisent vraiment les relations avec les pairs et nombre de gains sociaux, mais elles sont aussi une part du problème quand elles interviennent trop tôt dans la vie du bébé. Il existe un contentieux sur le sujet. La prétention de certains chercheurs explique partiellement le tâtonnement idéologique : le trop-plein social en arrive ainsi à désavouer l'importance de la sécurité affective de l'individu en construction. À force de prendre le pouls de larges populations, nombre d'intellectuels passent carrément à côté du diagnostic au quotidien.

Cette chercheuse-ci, par exemple, elle s'appelle Erlicia Palacio-Quintin, n'est ni pire ni meilleure qu'une autre, juste en dehors de ses pompes comme d'autres : « Les enfants qui fréquentent des garderies présentent un développement moral plus évolué (...) En outre, observés en situation de jeu, les enfants qui fréquentent une garderie manifestent plus d'affection et ont moins de comportements négatifs que les enfants sans expérience de garde. » Pour l'apologie de la famille, on repassera. La pseudoscience est décidément capable de tout, voire de cette sorte de racisme parental. Comment peut-on conclure des choses pareilles à partir d'observations pareilles ? Pourquoi, de quel droit, servir la morale de cette drôle de science pour ainsi surseoir à celle des parents ? Les chercheurs écrivent-ils des conclusions idéologiques trafiquées d'avance ou fouillent-ils des données ouvertes à l'analyse ?

La prévention des déséquilibres est pourtant un territoire connu. Des cliniciens autant que des chercheurs sensibles savent heureusement documenter moins démagogiquement le vécu de l'enfant, et ce, en tenant compte des connaissances biologiques qu'ils ont de lui. Vous appelez ça selon votre jargon professionnel la démarche, le modèle, la méthodologie, la théorie, le paradigme, la manière, peu importe, vous tenez compte de l'enfant et c'est ce qui ultimement va faire la différence. En focalisant sur le développement du tout-petit autant que sur les observations qu'on peut en faire, à condition de les recadrer dans une perspective enfantine, on en arrive à une guidance plus lucide des carences de l'enfant ou de ses trop-pleins en matière de socialisation. L'expérience de garde n'est pas exclue des solutions, bien au contraire, elle n'y est que repositionnée dans une perspective plus humaine. Forcer l'autonomie est de fait une voie extrêmement inhumaine. Les avez-vous vus, ces nourrissons contraints de socialiser entre deux régurgitations ? Les avez-vous vus, ces petits bouts forcés au jusqu'au-boutisme ?

Une thérapeute québécoise, Claudette Rivest, dont les livres sont remarquables, mais encore trop peu connus, ose écrire à propos des états dépressifs cachés de la petite enfance : « J'ai la conviction que l'autonomie prônée par notre société oblige trop rapidement les mères à laisser leurs enfants en garderie et qu'un enfant poussé trop précocement à l'indépendance est perturbé et a de la difficulté à fonctionner en groupe. Avant ses trois ans, ce que le petit être humain désire avant tout n'est pas d'être en présence d'autres enfants, mais bien d'être materné ; aussi, ne peut-il qu'avoir l'humeur triste. Il est impensable de séparer un enfant de sa mère avant qu'il ait pu s'attacher à elle. »

On serait en droit de s'attendre que les milieux de soins, de gardiennage et d'éducation, voire les valeurs sociales en général, puissent conseiller ou encadrer les parents dans les ajustements nécessaires au balancier : à quel âge est-il préférable de se séparer de son enfant pour lui garantir des relations sociales harmonieuses ? À quel âge est-ce vraiment trop tôt ? À quel âge est-ce vraiment trop tard ? Comment s'y prendre, compte tenu des caractéristiques physiques ou émotives de tel ou tel enfant en particulier, par exemple de celui-ci qui a été malade ou encore de celui-là dont les parents se cassent de la vaisselle sur le dos ?

À ces questions légitimes, les parents les mieux intentionnés ne trouveront cependant pour réponses que des préceptes flous et des intimations de convenance. La prévention des déséquilibres est un territoire connu, mais insuffisamment mis en pratique et imparfaitement enseigné au personnel de première ligne. Les cours post-partum, les milieux de soins, de gardiennage, d'éducation et nos valeurs sociales privilégiées soupèsent les pour et les contre d'un tout autre balancier, celui-là en faveur des adultes : l'horaire des adultes, les contraintes des adultes, les besoins des adultes. Au ministère de la Famille, on appelle ça « la satisfaction parentale ». On croirait voir la toile de Goya : Saturne dévorant son fils à belles dents. Toute considération pédiatrique recherchant un autre équilibre à prioriser est perçue comme une menace au monde des grands et une culpabilisation parentale potentielle. Les meilleures familles s'en trouvent ainsi confondues et, craignant l'isolement, s'installent plutôt à table pour dévorer leur progéniture.

Dans une société égalitariste où il faut à tout prix éviter le mieux-faire-que-d'autres, les parents les mieux intentionnés se trouvent ainsi privés du modèle du faire-comme-ça-leur-vient ou du comment-mieux-faire et s'assimilent de force à une hauteur standardisée par l'État et sa rumeur assassine. « Des morts-vivants », m'a déjà crié Paul Buissonneau dans les oreilles pour dénoncer « les appauvris de l'âme » qui écoutent tout et n'importe quoi, sauf leurs pulsions infantiles, de vie et de nourriture.

En consultation à l'hôpital ou lors d'une période de questions en conférence, c'est d'ailleurs ce qui me frappe chez les jeunes parents : leur ambivalence. D'une part, ils voudraient bien suivre leur instinct, faire l'impossible pour leur bébé, se tuer pour lui ; d'autre part, rien ne les porte à croire qu'ils seront appuyés dans leur pulsion de parentalité. Socialisation tardive ou socialisation précoce ? Entre les deux, leurs cœurs balancent, sans que jamais ils soient éclairés par une véritable guidance professionnelle ou une authentique politique familiale.

Spontanément, on pourrait dire que la tradition porte encore les parents vers la socialisation tardive de leur enfant. Leur intention naturelle n'est pas « d'abandonner ». Tous les parents n'ont pas encore fréquenté la garderie quand ils étaient jeunes, et d'aucuns prétendent déjà en avoir souffert. Par ailleurs, le travail, les politiques de garde et la vie trépidante forcent les parents à retomber sur le plancher des vaches, notamment à socialiser précocement leur bébé : « Je l'aurais bien gardé jusqu'à 18 mois, mais, compte tenu des places, on m'a fait savoir qu'à 14 mois, c'était tout de suite ou jamais. » Le pouvoir, lorsqu'il est tyrannique, commence par se construire une représentation de ce qu'il veut asservir. C'est ainsi que le modèle de l'enfant gardé se bâtit ces temps-ci une véritable iconographie d'époque.

Pour nourrir l'image d'Épinal de l'État, le photographe type se place dans un coin de la salle de jeu d'un service de garde et utilise son grand angle. Sur la droite, sa photo permet de découvrir des étagères remplies de jouets ; sur la gauche, on découvre des éducatrices souriantes qui portent des piles de livres sur leurs genoux. Au milieu, des enfants gardés, mais heureux, jouent par terre « à des fins éducatives ». D'un périodique à l'autre, c'est toujours la même photo que sera appelé à faire le photographe : l'image de l'histoire officielle. Il faut croire que l'image nourrit la conscience collective et diminue indirectement le bassin de questions à gérer. À la question « Lorsque vous photographiez un temple grec à proximité d'une pile de détritus, éviterez-vous de prendre les détritus en photo ? », Léni Riefenstahl, l'inimitable cinéaste du Troisième Reich, répondait : « Absolument, je ne m'intéresse pas à la réalité. »

Il existe pourtant une réponse aux questionnements parentaux sur l'âge songé et réaliste pour se séparer. Dans un monde qui carbure aux incertitudes, l'équilibre se trouve souvent réconforté par un balancier infantile. C'est simple : il suffit de viser l'intérêt de l'enfant. En ne visant que l'intérêt supérieur de l'enfant, on éclaire indirectement les vies des adultes qui en ont la charge. Au même titre que l'intérêt de l'enfant est tributaire de son contexte, par exemple les parents ont besoin d'un deuxième salaire, le contexte est tributaire de l'intérêt de l'enfant, par exemple le jeu n'en vaut pas la chandelle, entre les otites, les crises d'asthme et ces heures de voiture passées à réchauffer la planète.

Dans les faits, les chercheurs en sciences sociales n'ont malheureusement pas de meilleures solutions à offrir que la pédiatrie. Bien entendu, ils ne se vantent pas de cette conjoncture, mais ils l'admettent. Le cerveau gauche, havre de la perfection, doit parfois céder la place à l'hémisphère droit qui, dans le doute, ne se prive jamais d'une bonne action pratique. C'est là toute la différence entre savoir acheter une bonne tente et savoir installer n'importe laquelle. Au risque d'attraper la pluie, il vient un temps dans le travail avec les familles où on ne doit pas se priver de bon sens.

Dans une lettre parue dans *Le Devoir* et intitulée « Les CPE peuvent-ils nuire ? », Mme Sylvana Côté, chercheuse à la même institution universitaire que moi, écrit : « Ainsi, la seule chose que nous puissions conclure dans l'état actuel de la recherche est que la fréquentation des services de garde peut avoir des effets positifs ou négatifs à moyen terme : tout dépend de l'enfant lui-même... et des caractéristiques des familles. Certaines études montrent même un lien avec l'intensité de l'expérience en garderie. Pour bien préciser ces « ça dépend », nous avons besoin d'études qui se penchent sur la qualité des services reçus avant l'âge de 12 mois ainsi que d'études qui examinent à long terme si les effets augmentent, diminuent ou disparaissent. » Mme Côté et moi, nous ne nous connaissons pas. Même université, n'est-ce pas que c'est symptomatique d'un dialogue difficile entre la recherche et la clinique ?

Quand les opinions se bousculent ou tatillonnent, la réponse à favoriser se trouve naturellement du côté du plus petit à protéger. Dans le doute, il ne faut jamais s'abstenir de rendre service à sa famille. Les faits, tels que déifiés par les chercheurs en laboratoire humain, ne doivent donc pas s'inscrire en porte-à-faux avec nos connaissances du développement de l'enfant, ni contre le diagnostic clinique dont sont maintenant privées trop d'enfances et leurs familles. Devant l'absence de certitudes et relativement aux contingences de la recherche sociale, le champ clinique peut se permettre d'éclairer la vie des familles, notamment en se basant sur les acquis d'autres groupes de chercheurs s'intéressant au cerveau humain. Négliger le réel biologique pour surinvestir l'analyse sociale, ce serait porter préjudice au vivant. Comme un pissenlit qui dépasse pendant que le propriétaire soigne la pelouse, les enfants poussent, malgré les études sur les groupes d'enfants. Savoir ce qui fait des fleurs est finalement la seule botanique qui compte.

Socialisation précoce ou socialisation tardive, tout se joue dans une perspective développementale autour des 18 à 30 mois. Plus précisément, tout devient jouable à partir de 18 mois. Trop précocement ou trop tardivement faites, les socialisations conduisent sommairement à deux types d'enfants malheureux d'être avec d'autres, malheureux de ne jamais les avoir connus ou malheureux de trop les avoir fréquentés.

Socialisation précoce : certains enfants types ont « mal à leur mère » (l'expression est du Dr Michel Lemay). Ils résistent à leur entourage, moins pour le dominer que pour en tester les limites. Ces enfants de la socialisation précoce ont été trop rapidement coupés de leurs racines nourricières. Dans leurs portraits-robots, on apprend que leurs référents principaux ne les ont pas accompagnés assez longtemps dans leurs expérimentations à distance. Ce sont des enfants guerriers qui trébuchent à la moindre contrainte. Quelque part dans leur passé, ces enfants devenus adultes se sont sentis seuls, abandonnés et n'ont aucune envie de revivre les ruptures relationnelles qui ont marqué leur cerveau en construction. Ils sont vulnérables, opposants, inhibés ou anxieux à l'excès. En automobile, on peut les repérer : ils ne portent pas leur ceinture de sécurité. C'est sans la sécurité parentale ou avec des fissures constantes dans la présence parentale entre 6 et 18 mois d'âge que des enfants sont condamnés à se détacher. Ils sont libres, mais leur liberté ne leur sert qu'à provoquer, à vaquer ou à faire de la vitesse.

ENFANT GUERRIER
Allez, plus vite, écrase-le !

Un enfant socialisé trop vite, mal sécurisé dans ses besoins primaires par sa mère, son père ou son éducatrice est préoccupé par sa survie, et non pas par ses relations avec l'autre. S'il n'a pas rencontré un visage généreux et compatissant pour soulager ses colères, s'il vit un stress chronique, son niveau d'ajustement au monde risque d'autant plus d'être perturbé. Son niveau de stress est mesurable cliniquement, chimiquement on l'a vu. Toute son énergie de vie s'en trouve ainsi canalisée autour de besoins primaires. L'impossibilité de confier sa survie à un adulte l'aura conduit dans une insécurité émotive qui s'exprime généralement dans l'évitement et l'ambivalence, le «*flight*» ou le «*fight*». À la moindre contrariété, son amygdale cérébrale réagit intensément dans le registre de l'isolement ou de l'agression. À trop peu s'occuper de se développer normalement, il devient ainsi l'enfant terrible, l'évacué de la maternelle, le cancre de service, le taxeur de la cour d'école, l'adolescent casseur de *party*, l'étudiant décrocheur, le querelleur de l'ombre, l'amant infidèle. L'enfant qui a eu des années malheureuses est à risque de petits délits, de psychopathologie, de criminalité.

Toutes les rages au volant ne supposent pas des parents toxiques ou des éducatrices peu réceptives, mais plusieurs d'entre elles trouvent effectivement dans des relations pathologiques de la petite enfance une explication *a posteriori*. Les chercheurs ont démontré que les enfants devenus agressifs dès la maternelle avaient eu des contextes de soins et d'amour inadéquats. Quelques psychologues et sociologues ont pu fouiller encore plus prématurément dans le passé des enfants appelés à chuter. D'autres ont accompagné des enfants de familles à risque pour découvrir ce qui pouvait précipiter leurs quatre cents coups.

Socialisation tardive : pour leur part, d'autres enfants types en auront «soupé de leur mère», sans nécessairement en prendre conscience. Ces enfants de la socialisation tardive se retrouvent trop peu exposés aux aléas du monde. Leurs référents principaux ne leur ont pas laissé la liberté nécessaire pour expérimenter à distance. À 30 mois, ils ne fréquentent pas encore d'enfants «étrangers». Ce sont des enfants rois qui trébuchent à la moindre frustration. Leur statut très fort les conduit à tyranniser leur entourage pour exercer le plein pouvoir du plaisir immédiat. L'autre jour, j'en rencontre un qui me barre la route. Le chemin principal est son terrain de jeu. Il a huit ans, à peine. Il tient son ballon dans ses bras et me nargue. Il sait que je ne vais pas l'écraser. D'ordinaire, un pédiatre n'écrase pas les enfants.

ENFANT ROI
Allez, essaye rien que pour voir, écrase-moi ! (D'ici à ce que je tombe !)

« Lorsqu'il grandit, affirme le psychologue Didier Pleux, cet enfant tyran a du mal à créer des liens avec les autres, si ce n'est pour son intérêt propre. Il reste centré sur lui et cherche à manipuler les autres pour son bénéfice personnel. » Comme l'Émile de Jean-Jacques Rousseau, il est incapable de composer avec le principe de réalité. À la moindre frustration, un jouet qui lui échappe, un examen qu'il rate, une amourette d'été qui l'aura larguée pour un plus beau, il s'écroule. L'impossibilité de survivre sans un adulte l'aura conduit dans une insécurité émotive qui s'exprime généralement dans la résistance, le « *freeze* ». La moindre contrariété et son amygdale cérébrale réagit intensément dans le registre anxieux. À trop peu s'occuper de se développer normalement, il devient l'enfant phobique, maniaque, angoissé, « énarvé », « énarvant ».

Les parents de ces enfants rois auront souvent cédé en tout et partout, craignant autrement de précipiter des « bouleversements psychologiques ». Souvent, ils n'auront jamais mis l'enfant en contact avec une éducatrice. Plusieurs auront même refusé d'envoyer leurs enfants de cinq ans à la maternelle à temps plein, considérant que l'intégration graduelle dans une société qui déborde le cadre de sa famille et du voisinage immédiat ne pouvait se faire qu'à la première année d'école.

Pour éviter de produire des enfants rois, des parents poussent prématurément sur le partage. Plusieurs spécialistes de la question leur donnent raison. Mais ils ont tort et ne s'attaquent ainsi qu'au symptôme social, pas à l'origine de la détresse, et ils risquent ainsi de produire des enfants guerriers. Ce sont souvent des sociologues, celle-ci est infirmière :

« En regardant des bébés installés sur un tapis lors d'activités communes spontanées, nous pouvons noter très tôt certains types de relations où le lien entre participants n'a pas seulement la forme de l'action-réaction, mais celle d'un comportement empreint d'un contenu affectif supposant la conscience de l'autre. » Comme tant d'autres professionnels de l'éducation, Hélène Gayne, dans un court texte sur les *rencontres* à la crèche, interprète ici la relation sociale comme un besoin accru de contacts sociaux. « Des nourrissons de six mois, poursuit-elle encore, couchés sur le côté le visage tourné l'un vers l'autre, se touchent les mains en se regardant, ou alors se regardent les mains en même temps, se sourient et gazouillent ensemble. Ces phénomènes pourraient sûrement être observés plus souvent s'ils ne nécessitaient des positions optimales pour des enfants ne pouvant pas encore se déplacer. » Un peu plus et on s'attendrait à voir les enfants « *se* caller *une bière* ».

À l'opposé, pour s'éviter des enfants guerriers, d'autres parents vont impunément retarder la sortie et multiplier les rois. Encore là, on réinvente la pédagogie sur la base de symptômes de société. La situation devient particulièrement inquiétante dans les familles aisées incapables d'offrir leur enfant en pâture à une société qu'ils jugent inadéquate, source d'infection ou de mauvais exemple. Mon enfant a dit « Tabarnak », me confie une mère. « Pourtant, il ne regarde pas *Les Bou…*, *Les Bougon*, il a dû apprendre ça à sa maternelle ! »

Chaque époque, chaque civilisation y va de ses constats et de ses recommandations. La nôtre vit une confusion inutile qui témoigne encore de la méconnaissance du développement de l'enfant. Dire quoi faire et acquérir des compétences, plutôt que dire pourquoi le faire et acquérir des connaissances, sont les motos de la nouvelle pédagogie. On la sert aux élèves autant qu'à leurs parents. Que les parents aimants ne s'avisent pas de poser la question autrement ! Il faut pourtant savoir qu'il y a peu de risques de fabriquer des enfants rois avant leurs 18 mois. La discipline éclairée débute ainsi avec la pensée symbolique. De la même manière, il y a peu de risques de fabriquer des enfants guerriers après leurs 18 mois. La discipline se poursuit ainsi dans l'attachement aux figures maternantes. 18 mois : avant cela, il faut les chouchouter, après cela, les libérer. Ce qui ne veut pas dire qu'il faille d'emblée les couper de toute libération pour ensuite les priver de tous les câlins. D'un point de vue pédiatrique, la réponse est claire. Mais est-elle socialement convenable ? Nathalie, qu'en pensent les pères et les mères ?

Il est venu le temps des Papous où les parents de part et d'autre se font convaincre des joies d'une socialisation précoce, soi-disant dans le meilleur intérêt de leur enfant. Que « sept piasses » par jour pour le faire garder ! Vous y pensez ? Trois semaines de garde non parentale pour le prix d'une vignette à stationner devant chez vous à Montréal ! Vous mettez ses parents à l'usine tant qu'à faire ? Écoutez-moi cela :

UN INTERVENANT
Socialisez-le, Madame !

UNE MAMAN
Il a huit mois.

UN INTERVENANT
Socialisez-le, vous n'avez pas peur qu'il s'ennuie ?

UNE MAMAN
Vous pensez qu'il peut s'ennuyer avec moi ?

UN INTERVENANT
Il risque de devenir asocial.

UNE MAMAN
Mais il n'a que huit mois !

UN INTERVENANT
Huit mois, c'est déjà un petit roi. D'ailleurs, il n'est pas encore propre. Il existe des tribus africaines et asiatiques où les enfants sont entraînés à la propreté à sept mois.

UNE MAMAN
Est-ce qu'ils vont à l'école ?

UN INTERVENANT
Vous confondez tout. Il faut bien que l'acte civique commence quelque part. Il n'y a pas d'école sans partage social. Qu'est-ce que vous attendez pour le séparer de vos becquées ? Qu'il mange des morceaux ?

À l'insectarium, cet été, Charles et moi observons une coquerelle. Ensemble, nous regardons comment la blatte se déplace, mange et fait caca. Je le prends dans mes bras pour lui permettre de voir au-delà de sa hauteur de petit homme. Soudain, le fracas. Trois éducatrices sont entrées dans la salle avec une quinzaine d'enfants. La tribu crie, hurle, s'agite. Une des trois éducatrices fait quelques efforts pédagogiques : « Rregarre », dit-elle dans une langue approximative en pointant une mante religieuse. À son invitation, deux fillettes balaient du regard la cage de verre, mais déjà elles sont interpellées par les singeries de trois ti-culs grimpés sur les présentoirs. Pendant ce temps, les deux autres éducatrices discutent ensemble de je ne sais quoi. Peu à peu, le petit groupe est contaminé par le délire des enfants fous. Tout l'insectarium est terrorisé par le mouvement et l'énergie non canalisée.

Il faut croire qu'on assiste ici à une sortie éducative. Personne ne prend la peine de prendre un enfant par la main pour lui montrer comment on fait le miel, ou de quelle façon la chenille s'y prend pour devenir papillon. La sortie à l'insectarium semble être un exutoire de tension, non pas une occasion de plaisir ou d'apprentissage. Les insectes battent de l'aile et Charles est terrorisé par le tintamarre quand un enfant de son âge atterrit devant nous sur la cage des coquerelles que nous sommes en train d'observer. « Pourquoi ils sont comme ça ? », me demande Charles, l'enfant aimé. Je lui sers alors ma théorie des Papous. Quand la science est caduque, la culture complète la sauce.

La Papouasie-Nouvelle-Guinée reste le seul endroit où, dans l'imaginaire contemporain, se trouvent encore des tribus cannibales qui « n'ont jamais vu de Blanc », une sorte de trou noir de la civilisation, un *réservoir fantasmatique d'authenticité absolue*. Ces enfants qui hurlent aujourd'hui à l'insectarium sont des enfants à l'état brut. « Ils n'ont jamais vu de Blanc ? », me réplique Charles. « C'est pas ça, que je lui réponds, ils n'ont jamais vu leurs parents. » De crainte d'être dévorés, nous quittons alors le musée pour aller jouer dehors.

Des travaux intelligents existent sur les bénéfices de la socialisation précoce. Des chercheurs distinguent les populations d'enfants, par exemple les enfants de familles démunies qui vont hautement profiter de cette expérience précoce ou encore les enfants de plus de 18 à 24 mois qui vont y trouver une occasion de partage positif. D'autres travaux de tendance hypersocialisante confondent les déterminants biologiques et, contre tout droit humain, vous envoient la prunelle de vos yeux sur les barricades, arguments scientifiques à l'appui ! Comme si un enfant avait à être socialisé avant d'être aimé ! Tous les modèles développementaux font pourtant référence à la construction du soi comme une activité préalable au regard vers l'autre. Les chercheurs qui l'ignorent auraient avantage à se taire ou à ne plus être financés par les bailleurs de fonds industrieux.

Les parents veulent le meilleur pour leurs enfants, désirent leur bonheur à l'école, souhaitent que les leçons et les devoirs ne soient pas pour eux une tâche difficile, rêvent de leur autonomie professionnelle, de leurs succès amoureux et d'éventuels petits-enfants. À ce chapitre, les tenants de la socialisation précoce leur donnent malheureusement de quoi soulager leur narcissisme coupable.

Mais si les garderies précoces réussissaient si bien là où les parents ont échoué, il n'y aurait de la violence qu'à la télé, les jeunes se donneraient la main devant le bar *Les foufounes électriques* et les agresseurs du métro s'agenouilleraient pour implorer le pardon. Qu'est-ce donc que cette mission que les gardes non parentales se sont donnée ? Pourquoi socialiser avant que les enfants aient le goût de l'autre ou aient acquis la maturité nécessaire pour en profiter ? Au nom de quoi ? Pour diminuer la violence, pour favoriser les *partys* de bureau ? Par exorcisation du monde du travail ? Au chapitre de la mise en société précoce de l'indompté, les livres, les politiques autant que les recommandations des spécialistes frisent souvent le ridicule. À force de vouloir socialiser les citoyens en herbe, ils oublient l'engrais et ne font que les arroser de leurs principes. L'agressivité qu'ils prétendent prévenir, la conciliation qu'ils se targuent de favoriser y font figure d'illusions raisonnées.

« Si vous rencontrez quelqu'un vous affirmant qu'il sait comment on doit élever les enfants, je vous conseille de ne pas lui confier les vôtres », écrivait Henri Laborit dans son chapitre consacré à l'enfance dans *Éloge de la fuite*. Le professeur s'y disait effrayé par les automatismes qu'on pouvait créer à son insu dans le système nerveux d'un enfant. L'éducation qu'il appelait *relativiste* lui paraissait la seule digne du petit de l'homme. « Bien sûr, écrivait-il, elle n'est pas payante sur le plan de la promotion sociale, mais Rimbaud, Van Gogh ou Einstein pour ne citer qu'eux, dont on se plaît à reconnaître aujourd'hui le génie, ont-ils jamais cherché la promotion sociale ? » Le développement de l'individualité qui résulterait du *relativisme* « ne pourrait être que favorable à la collectivité, car celle-ci serait faite d'individus sans uniforme ».

Laborit se demandait si l'individualisme familial ne représentait pas parfois un polymorphisme plus attrayant que le collectivisme de groupe, ce qui avait pour effet de déplaire dans les années 1970, globalement plus portées vers le socialisme. Protéger l'enfant d'une culture de masse était pour Laborit sauvegarder l'originalité de sa culture. L'Unesco applaudirait à une telle diversification culturelle ! « Si le rôle de l'adulte peut se résumer en disant qu'il doit favoriser chez l'enfant la conscience de lui-même et de ses rapports avec les autres (et pas seulement de production), la connaissance de l'intérêt sous toutes leurs formes : biologique, psychologique, sociologique, économique et en résumé politique, l'imagination pour en créer sans cesse de nouveaux mieux adaptés à l'évolution de la biosphère et de l'écologie humaine, par contre les moyens à utiliser pour y parvenir ne sont point encore et ne seront, espérons-le, jamais codifiés. »

Même les enquêtes officielles du gouvernement québécois s'affairent à évaluer la qualité des éducatrices sur leurs capacités à développer les comportements sociaux de leurs petits protégés à des âges où les enfants n'œuvrent pourtant qu'à parfaire leur intérieur, pas leurs relations publiques. « L'enfant apprend les rôles sociaux aussi bien auprès de ses pairs, de son éducatrice et de son père qu'auprès de sa mère, et ce, dès le plus jeune âge », peut-on lire dans un petit manuel type, bien fait par ailleurs, intitulé *Le bébé en garderie*. C'est faux, tous les intervenants précédents jouent effectivement un rôle clé dans la socialisation de l'enfant, mais ils n'interviennent pas avec la même temporalité, et pas au départ avec la même importance. Les autres sont tributaires de l'une.

Sur la question, écoutons plutôt le psychologue québécois François Dumesnil à qui je donne cent fois raison : « La socialisation n'est pas le résultat d'un apprentissage, mais l'aboutissement d'un développement. L'essentiel du travail de socialisation consiste à amener un enfant à tenir compte des autres enfants afin de composer avec eux. Or, pour qu'un enfant tienne compte des autres, il ne suffit pas qu'on lui explique ce qu'il doit faire, il faut surtout qu'il soit dans une disposition d'esprit qui l'amène à le faire. Et c'est la qualité de son développement personnel qui lui donnera accès à cette disposition. »

Dans les toutes premières semaines de sa vie, l'enfant va prendre contact avec l'autre en souriant. L'apparition du sourire est un grand moment pour les parents et une source de satisfaction pour le pédiatre qui se voit déjà encouragé pour l'avenir du bébé : si sourire il y a, socialisation il y aura. En établissant le contact visuel avec sa mère ou sa figure maternelle et en répondant à ses avances en alternance, le nourrisson s'engage et se désengage successivement dans un processus quasi imitatif avec l'adulte aimant. Si la maman ne répond pas à ses attentes, l'enfant se désintéresse du regard. Si la maman donne écho à ses avances, il multiplie les comportements d'échange. Déjà, si jeune, l'enfant apprend à deviner le réel de l'autre. Pour ce faire, point besoin d'un personnel de garde ni d'un attroupement de nouveau-nés. Un parent suffit. La socialisation passe par lui. Il suffit à la tâche. Dites-le.

À mesure qu'il devient un être différencié, entre trois et cinq mois, l'enfant se positionne par rapport à l'autre. C'est d'ailleurs pour cela qu'on explique aux parents qu'il ne faut jamais laisser pleurer un bébé avant ses quatre mois, qu'entre quatre et cinq mois s'effectue un transfert d'autorité qui conduira l'adulte, vers les cinq mois, à ne plus se laisser obligatoirement envahir par les pleurs du nourrisson en route vers une autonomie grandissante. Encore là, un parent suffit. Personne n'est mieux placé que lui pour fabriquer du bébé autonome. Dites-le.

Avant huit à dix mois, l'absence de jouets favorise les interactions sociales. L'enfant regarde sa maman, son papa, son grand frère, son jumeau, la petite voisine déposée avec lui par terre. Après dix mois, l'enfant qui aura exercé la motricité de ses poignets en ayant longtemps expérimenté la position couchée sur le ventre pourra prendre un objet puis le relâcher dans une autre main. Entre-temps, il l'aura porté à sa bouche et aura fait du bruit avec ses lèvres en signe de contentement. L'acte social ultime, celui de donner, passe ainsi graduellement par l'objet dont le rôle est primordial dans la découverte de l'autre. Dès que le bébé est apte à manipuler des choses, ses actions permettent l'interaction. Il prend conscience de celui qui reçoit, du corps de l'autre, à mesure qu'il prend conscience du sien. Dites-le.

Vers un an, l'enfant montre un intérêt pour l'autre. Mais il ne jouera pas encore avec lui. Il commence en fait à manifester une sensibilité pour l'autre. Autour de 15 mois, il tentera même de le consoler en lui offrant une babiole. Pourquoi veut-il le consoler ? Par altérité ou pour se consoler soi-même ? La réponse est confondante pour de nombreux sociologues : pour se consoler soi-même. Dites-le.

« La socialisation primaire s'enracine dans la relation avec les parents », écrit le psychologue Patrick Mauvais « en particulier avec la mère... », avant d'enfoncer le clou : « ... et repose sur de tout autres bases que celle de l'intégration en collectivité et la confrontation avec le groupe. Mais un curieux glissement sémantique semble entraîner souvent la confusion entre la vie en collectivité et les processus psychiques en jeu dans la socialisation proprement dite. Cette confusion mérite d'être soulignée, car elle alimente préjugés et culpabilisation des parents à l'idée de ne pas offrir à leur enfant, peu ou prou, cette expérience précoce de la collectivité, regardée comme une préparation incontournable à l'école maternelle. »

La socialisation est un processus psychique qui définit un mode d'être à soi. Ce n'est qu'une fois qu'a pris place le processus de confiance en soi que peut intervenir le processus de confiance à autrui. L'étape ultime, qui comme toutes les autres a commencé au jour zéro, ne trouve donc sa pleine licence qu'après les autres. Le nouveau-né est préprogrammé biologiquement à établir des échanges sociaux, mais pas tout de suite et avec n'importe qui : au départ, avec sa mère, son père et sa famille. Pour établir une relation entre soi et les autres et échanger des mouchoirs, il faut d'abord avoir une conscience de soi et des autres et avoir la chance et l'occasion de réaliser ces étapes avant celle de la socialisation. Le temps permettra de peaufiner la matière. Sinon, l'enfant risque bien des souffrances en sourdine ou en éclats.

Dans son livre-choc *Hold on to your kids*, le psychologue britanno-colombien Gordon Neufeld met ses lecteurs en garde contre les conséquences sociales désastreuses du « modelage sur les pairs ». Son analyse est d'une logique implacable : un bébé humain doit absolument combler son besoin d'attachement. Si ce besoin n'est pas satisfait par la présence chaleureuse, cohérente et prévisible d'une figure parentale adulte, mature et responsable dans sa toute petite enfance, l'enfant ressent un vide angoissant et insupportable et se tourne du coup vers tout ce qui bouge et parle pour se satisfaire, donc vers ce qui est toujours disponible en quantité industrielle en milieu de garde : d'autres enfants du même âge et tout aussi souffrants.

La ligne dure de la socialisation précoce confond la sympathie et l'empathie. Un enfant de 15 mois, comme il est possible de l'observer en laboratoire ou dans la réalité d'un service de garde, va être sensible à l'autre si celui-ci se fait mal, mais il ne lui sera pas empathique. L'empathie suppose que l'enfant ait franchi certains stades développementaux précoces avant de pouvoir ultimement éclore, au-delà de la troisième année de vie. L'hippocampe, nos fameuses amygdales cérébrales ainsi que le cortex cérébral favorisent l'action altruiste, mais pas au prix de perdre l'individu lui-même. Le donnant-donnant est inscrit génétiquement pour protéger l'un tout en permettant un regard sur l'autre, l'un après l'autre, dans un temps consécutif, non confondu.

« Le bébé n'a pas encore les moyens cérébraux pour contrôler ses émotions », dira le neurologue Jean Decety de l'INSERM, cité par Sophie Coisne dans un numéro exceptionnel de la revue *Recherche.* « Or, ce n'est qu'à cette condition que l'enfant peut se mettre à la place des autres sans perdre son identité. » L'enfant entre en « résonance affective » avec l'autre. Il partage. Il ressent. Il risque de souffrir. Mais il est encore incapable d'action pour l'autre. Il est encore trop jeune, insuffisamment câblé. « Si le spectacle d'une personne en situation de détresse me plonge moi-même dans la détresse, je me replie sur ma propre souffrance et ne vais pas l'aider. L'empathie nécessite de garder la distance avec autrui. Cela mobilise des ressources « exécutives », sous-tendues par le contexte préfrontal. » Sinon, l'enfant est submergé. Il faut pouvoir, nous apprend ici la science, développer une constance en nous avant d'être ultimement capable d'une action envers l'autre.

L'empathie, comme plus tard la faculté d'abstraction, s'inscrit donc au cœur du développement de notre cerveau. En forcer l'intrusion est une insulte à l'intelligence en construction. Nos systèmes de gardiennage prématuré ne sont-ils pas à la source d'émotions mal contenues, ingérées ou ingérables ? Le fait que l'enfant puisse vivre avant ses deux ans tant d'émotions impossibles à transmettre en gestes et en paroles n'est-il pas inquiétant en termes de résultante de nos étapismes bousculés ? Je brise mon jouet, il n'a pas cassé le sien. Je vis mes émotions, il vit les siennes. Avons-nous ainsi avancé dans la découverte l'un de l'autre ? Avons-nous développé de l'empathie ou ne nous sommes-nous que confortés sur nous ? Sommes-nous prêts pour la grande chevauchée ?

En donnant à l'enfant une image positive de lui-même, le parent et dans son continuum l'éducatrice équipent l'enfant affectivement pour aller vers l'autre. Sa petite amie, son petit ami de la garderie sont à ce titre des compagnons de fortune qui agissent dans une même organisation, mais comme des opérateurs parallèles. En rendant compétents émotivement et l'une et l'autre, la confiance en soi qui en résulte permet ultérieurement l'éclosion des acquis sociaux tributaires de leurs consciences personnelles.

Vers l'âge de deux ans, l'enfant a acquis la notion de propriété. Ceci est à moi, cela est à toi. Il n'est pas encore apte à tout partager, mais ça viendra. À cet âge, le parent encore, ou l'éducatrice en continuité, doit agir comme médiateur. Tranquillement se développera la possibilité d'une négociation avec les autres. Le jeu parallèle fera place au jeu à deux. Ainsi la naissance de l'altruisme se fait possible grâce aux bases solides de la confiance en soi.

La vie d'un pédiatre est traversée d'enfants qui meurent. Pour survivre à leur mort et accompagner leurs familles, il faut savoir faire preuve d'empathie, pas de sympathie. La sympathie, c'est pour le salon mortuaire ou le braillage télévisuel à l'occasion d'une chanson ou d'une rétrospective. Trop d'émotions empêchent l'action pour l'autre. Les meilleurs thérapeutes n'ont pas besoin d'avoir souffert pour aller à la rencontre de l'autre. Les pires sont atteints de *furor therapeuticus* et confondent le désir de soigner les autres avec les soins qu'ils nécessitent pour eux-mêmes. C'est par empathie pour les enfants et leurs familles que j'écris sur les garderies, pas en vertu de l'émotion. La sympathie aurait voulu que je me taise pour épargner la culpabilité des unes et des autres. Quand il s'agit d'aider les enfants, la sympathie des adultes est infantile, leur empathie est responsable.

Mettre prématurément les enfants en garderie, c'est créer un monde de Papous sympathiques afin de mieux les exploiter sans honte. Les enfants grégaires sont faciles à manipuler, c'est connu. Vous niez les lois de leur espèce et ils mangent dans votre main. En contrepartie, à trop se mouvoir dans la sympathie, les enfants prématurément socialisés aux couches cannibalisent toute la société. Ils se nourrissent d'émotions, se font masser jusqu'à l'irritation, multiplient les autobiographies et revendiquent partout où ils passent les « j'y ai droit, j'y ai droit ». Ils se gavent, épuisent les stocks et nos énergies, se noient dans des rivières de larmes et ne construisent en rien notre civilisation.

Bibliographie

Aurelli, T. et Procacci, A. *Day-care experience and children's social development. Early Child Development and Care* 1992, vol. 83.

Boulay, R. *Kannibals et Vahinés.* Éditions de la réunion des musées nationaux, France, 2001.

Coisne, S. *Comment l'empathie vient aux enfants. La Recherche*, France, juillet-août 2005.

Côté, S. *Les CPE peuvent-ils nuire? Le Devoir*, 18 mai 2005.

Dumesnil, F. *Questions de parents responsables.* Montréal, Les éditions de l'Homme, 2004.

Dumesnil, F. *Parent responsable, enfant équilibré.* Montréal, Les éditions de l'Homme, 2003.

Ferland, F. *Le développement de l'enfant au quotidien : Du berceau à l'école primaire.* Montréal, Éditions de l'hôpital Sainte-Justine, 2005.

Gayne, H. *De l'un aux autres : Se rencontrer à la crèche*, dans *Les premiers pas vers l'autre.* Mille et un bébés, Érès, 2003.

Laborit, H. *Éloge de la fuite.* Paris, Gallimard, 1976.

Martin, J., Poulin, C. et Falardeau, I. *Le bébé en garderie.* Québec, Presses de l'Université du Québec, 2004.

Neufeld, G. et Mate, G. *Hold On to Your Kids.* Knopf, 2004.

Palacio-Quintin, E. *Les services de garde et le développement de l'enfant. http ://www.isuma.net/v01n02/palacio/palacio_f.shtml*

Rivest, C. *L'épreuve de l'abandon et l'état d'insécurité affective.* Québec, Les éditions du Cram, 2005.

Steinberg, S. « La réalité ne m'intéresse pas... » dans Léni Riefenstahl 2003 World Socialist Web, Site *http ://www.wsws.org*, 15 septembre 2003.

Simon, Alexandra, Béatrice et un tiers

La discipline et la garderie

Jean-François Chicoine

À défaut d'un supérieur, plus fort que lui, il se trouve sans défense dans un monde qui lui est hostile, car les enfants élevés selon les méthodes « anti-autoritaires » ne sont aimés nulle part. Quand il essaie d'agacer ses parents pour provoquer de leur part une juste indignation et « réclame des claques », il ne reçoit pas la réponse agressive à laquelle il s'attendait inconsciemment, mais se heurte au mur de caoutchouc de beaux discours apaisants et de phrases pseudo-rationnelles. Or, aucun homme ne s'est jamais identifié à un pauvre esclave...

Les huit péchés capitaux de la civilisation
Konrad Lorenz, éthologue

Les enfants ont besoin de structure, d'un cadre pour parler, se mouvoir et agir. La discipline leur est non seulement nécessaire, elle leur apporte du plaisir. Leur espace de créativité est impossible sans balises à leur liberté naissante. Mais comment convenir d'un infini ? Aussitôt éloignés du feu de camp, les enfants rêvent de se faire griller de la guimauve.

Plusieurs spécialistes de l'enfance s'accordent pour dire qu'après l'amour, le plus beau cadeau qu'on puisse faire à un enfant est la discipline. Le cadre souhaitable à l'implantation des lignes de conduite n'est cependant pas n'importe lequel : il est celui de l'amour inconditionnel.

Un père frappe son enfant dissipé au visage. Il lui tord l'avant-bras. Au-delà des apparences, on a affaire à un père qui prétend aimer son enfant. On peut aimer sans faire confiance, nous en avons longuement parlé, mais on peut aussi aimer sans être capable d'exercer ses responsabilités. L'enfant, argumente-t-il, était juste un peu indomptable. « Y'écoutait rien, y chialait à rien. » Un enfant aimé, mais aimé sous conditions, rend décidément inopérante l'intervention structurante. C'est pourquoi les papas misérables se sentent ainsi autorisés à frapper, mais plus ils frappent fort, plus ils s'écartent de l'inconditionnel nécessaire. Dans la dynamique en place, les conditions parentales se font progressivement manipulation. L'enfant est finalement coincé dans un cycle de maltraitance et devient franchement indisciplinable. Sa survivance est d'ailleurs tributaire de son indiscipline. Son prédateur n'est pas un chasseur de gorille, c'est son géniteur, alors l'enfant use de stratégies de survie inhabituelles, moins apparentes.

Le parent est appelé à donner de l'amour, puis à exercer de la discipline strictement dans un contexte d'amour parental. Autrement, il faut répéter sans arrêt les consignes à l'enfant jusqu'à ce que le parent et l'intimé craquent tous deux à un petit jeu désespérant qui roule à vide. Quand il n'a pas d'image intérieure de son parent, l'enfant ne répond que partiellement à ses volontés éducatrices, il les métabolise l'air de rien en quelques secondes. Quand, au contraire, l'enfant a eu l'occasion de confier sa survie à son parent aimant dans les 15 premiers mois de sa vie, il se laisse plus facilement discipliner par lui. Il s'abandonne en quelque sorte. À moins d'erreurs techniques de leur part, l'enfant se range aussi bien avec son papa et sa maman qu'à une gardienne à domicile ou un grand-parent en fonction maternante qui s'ajoutent ainsi à ses principales figures d'attachement. Ainsi, l'enfant ne va pas s'attacher uniquement à la mère. Parce qu'il est un partenaire de jeu plus exigeant, qu'il stimule la capacité d'exploration de l'enfant, le papa aimant est particulièrement bien placé pour exercer sa contenance dans le respect de limites sans cesse repoussées.

En général, le retrait de l'objet ou de l'enfant d'une situation indésirable accompagné d'une explication brève fonctionne bien jusqu'à l'âge de deux ans. Comme le souligne la Société canadienne de pédiatrie, « le parent doit alors demeurer avec l'enfant pour le superviser et s'assurer qu'il ne répète pas le comportement indésirable et pour lui démontrer qu'il ne lui a pas retiré son amour ». Avec les enfants de deux à trois ans, il faut déjà en mettre un peu plus, c'est-à-dire fournir une explication verbale simple et prendre le temps de rassurer. Il faut retenir qu'un bambin est incapable de régler son comportement seulement sur la foi d'interdictions ou de directives verbales. Que de cris inutiles donc de la part de tant de parents ! L'enfant n'a pas atteint la permanence nécessaire pour s'emparer mentalement de la guidance. Il teste et valide la solidité des liens qu'il partage avec les adultes et selon son enquête infantile, répond en conséquence. C'est, pour l'instant, son droit absolu.

Dans un service de garde, familial ou en installation, l'enfant se laissera plus facilement discipliner par une éducatrice qu'il connaît depuis deux à six mois. Dans un continuum avec le travail parental déjà amorcé, l'enfant s'autorisera à s'abandonner à ce nouvel adulte significatif pour lui. Du côté de l'éducatrice également, il est plus facile d'intervenir et de prévenir les situations conflictuelles quand elle connaît les us et coutumes de l'enfant. La croyance est bien ancrée, mais c'est une erreur d'y adhérer, que la discipline parentale est possible après quelques minutes de retrouvailles en fin de journée. C'est également une erreur de croire que la discipline est facilement réalisable par l'éducatrice qui connaît un enfant depuis à peine deux semaines. À des âges charnières, il faut compter des heures pour que l'enfant séparé de son parent pour la journée retrouve pleinement confiance. Pour des raisons apparentées, mais à une tout autre échelle, il faut compter des mois pour que l'enfant perçoive comme un amour inconditionnel les gestes d'attention de l'éducatrice qui cherche à l'apprivoiser. L'éducatrice est une survenante, je vous disais, il faut du temps au cerveau limbique de l'enfant pour apaiser ses courts-circuits anxiogènes, pour décider de confier sa survie à la petite nouvelle.

Dans un contexte stabilisé de nourriture affective, les modalités structurantes sont décidément facilitées. Ainsi, quand la règle disciplinaire est transgressée, le parent est invité à la faire respecter. Beaucoup d'enfants glissent des mains de leurs parents simplement parce que ces adultes manquent de constance dans l'application de la consigne. Ils n'ont pas le sens de l'éducation, sont envahis par leurs considérations de grandes personnes, débordent d'anxiété, viennent tout juste de divorcer ou sont fatigués, tout simplement trop fatigués. Le parent fatigué est irascible.

Mon père a une grande tante narcissique qui a passé l'essentiel de sa vie à dire à ses enfants : « Attends rien qu'un peu... » Jamais elle ne donnait suite à ses promesses d'intervention. On aurait filmé la tête des intéressés qu'on aurait quasiment pu y lire leur déception. La maison familiale était un foutoir, comme une gare désertée par les trains. Mes petits cousins ont aujourd'hui mon âge et attendent toujours leur je-ne-sais-quoi. Ils sont anxieux, phobiques, timorés et habitent encore à moins d'un kilomètre les uns des autres. À défaut d'avoir eu une mère structurante capable d'accueillir leurs peurs enfantines, ils se sont tracé un périmètre d'adulte. Hors du cercle, point de salut.

L'amour inconditionnel flanqué de techniques éducatives constantes et constamment ravivées à l'ouvrage permet à l'enfant de se retrouver en lui pour ensuite mieux se tourner vers les autres. Autrement, il ne trouve pas de soupapes à ses frustrations, développe des colères, des dépressions et une anxiété débordante qui l'éloigne du partage et d'une morale civique. Toute cette surconsommation contemporaine de soins psychologiques, de médication psychotrope et cette multiplication de classes éducatives spécialisées s'expliquent en grande partie par le malheur des enfants mal aimés, indisciplinés, ou les deux en combiné. Six des dix médicaments les plus prescrits au Québec pour les enfants sont maintenant des médicaments pour l'humeur ou le comportement. Les interventions tardives ont la cote. Elles s'agitent dans l'évidence, font avec, du mieux qu'elles peuvent. La prévention primaire et précoce de la sécurité affective n'a pas de licence sociale. Tout le monde agite l'eldorado de la prévention, mais peu de gens y comprennent réellement quelque chose.

Intervenir sur un cerveau en construction est d'autant plus facile que le cerveau est jeune. Il n'y a pas de causes perdues avant le milieu de l'adolescence, mais il y a des courses qui tiennent de la gageure. C'est pourquoi il faut agir en amont, tôt, très tôt. Pour la majorité des interviewés que vous croiserez dans la rue, prévenir, ce n'est pourtant pas astiquer le cerveau de son enfant, c'est manger des légumes et s'inscrire dans un club sportif. Prévenir ce n'est pas s'atteler à forger un port d'attache pour un enfant d'un an : la navigation nécessaire pour braver les tempêtes de la vie fait moins de vagues que le lycopène des tomates cuites. « Lâche ton bébé, viens on va se faire une pizza ! » Nourrir un cerveau en croissance paraît moins stimulant que de supplémenter une prostate en décroissance. Serions-nous noyés par des inconditionnels d'adultes ? Certains d'entre nous seraient-ils devenus trop souffrants pour accueillir sans condition des détresses enfantines ?

Aimer inconditionnellement son enfant offre le double avantage de pouvoir recadrer aisément ses petits désarrois tout en permettant une révision des techniques utilisées pour ce faire. La discipline n'est pas une enveloppe étanche, la fibre disciplinaire laisse pénétrer la magnanimité nécessaire aux ajustements contextuels. Une crise de colère, même quand elle paraît injustifiée, n'arrive jamais seule, sans paysage, sans être incarnée. Ainsi, dans l'amour et la constance, il appartient au parent de pouvoir modifier la directive officielle à la lumière de ce qui est unique chez son enfant, sans risquer pour autant que l'ambiance dégénère.

Par exemple, la spontanéité qui aura accompagné un écart de conduite mérite parfois que la loi soit révisée par l'adulte. Une garde en installation ne permet pas cette latitude, ce qui n'enlève rien aux techniques structurantes professionnelles mises en place, mais offre d'ordinaire moins de prise devant les débordements infantiles et en appelle ainsi à plus de rigueur, voire de rigidité. L'éducation est comme une règle à calcul, tandis que la bonne éducation est un alliage de transgressions calculées facilitées par la parentalité.

Quand le policier vous arrête pour excès de vitesse et qu'il décide de ne pas vous donner de contravention, vous le remerciez le sourire fendu jusqu'aux oreilles et respirez enfin intérieurement. La prochaine fois que vous croiserez l'intersection de votre crime légalement impuni, vous ne respecterez toujours pas la limite de vitesse, mais vous en ferez déjà un peu moins pour souligner la réciproque qui vous unit maintenant à la loi. Preuve que nul n'est tenu à l'impossible : vous vivez maintenant dans l'amour inconditionnel de la police.

Il en va de même pour les enfants qui défient l'autorité des dizaines de fois par jour. Cent fois sur le métier de la loi structurante, leurs parents sont interpellés à faire preuve d'amour, à sévir bien entendu, à coup de conséquences et de chaises « à réfléchir », mais aussi à éviter des contraventions pourtant bien méritées. Dans le contexte de sa garderie, l'éducatrice se doit aussi de modérer les incartades et d'appliquer avec empathie, mais sans ménagement, une règle disciplinaire qui paraîtra néanmoins plus ou moins impersonnelle selon sa connaissance de l'enfant. Les contraventions ne peuvent pas toutes être évitées, cela n'annoncerait rien de bon pour l'avenir de l'éducation. L'éducatrice en donne le moins possible, mais est appelée à donner plus de signalements que le bon parent ou à voir ses quelques signalements comme générateurs de plus d'anxiété chez les contrevenants. Du point de vue de l'enfant, se faire arrêter pour excès de vitesse par un Ranger étasunien est plus anxiogène que d'apercevoir derrière soi les gyrophares de la Sûreté du Québec à Sainte-Tite-des-Caps ou sur l'autoroute 40. La loi de l'autre risque toujours d'être plus implacable, parce qu'elle l'est justement. Autrement, il n'y aurait pas de lois, que des regards complices.

La discipline donne à l'enfant la satisfaction d'avoir gagné le respect de ceux qu'il aime le plus, ses parents d'abord, puis ses principales figures d'attachement dont éventuellement celles de ses gardiennes et de ses éducateurs. La discipline lui donne la possibilité d'aller au maximum des limites permises et lui procure un sentiment d'aboutissement et de liberté.

Parent ou éducateur, inutile de se faire sévère, mais surtout ne pas faire le contraire : ne pas faire le mou, toujours tendre vers la solidité, la fermeté, ce qui permet une meilleure contenance. En boutade, j'ai l'habitude de dire qu'il faut choisir son matériau. Vous vous rappelez vos cours de physique ? L'impédance, la résistance, la résilience ? Les ponts ne sont pas mous, ils sont solides mais courbent sans qu'on s'en aperçoive au passage des gros camions, et qui plus est d'un autobus scolaire. Il faut savoir doser les interventions, ne pas réagir de façon excessive à la moindre offense. S'obliger à prendre les moyens qui conviennent à son âge, comme écrivait Shakespeare.

Pour se sentir libre, il faut savoir expérimenter la frontière. Regardez les conducteurs décoller à la douane étasunienne : « Yé, y nous ont laissé passer ! » L'encadrement des faits et gestes de l'enfant demande générosité, affection, empathie et disponibilité de la part des adultes solidaires. Plus le lien d'attachement, donc de confiance, est établi entre toutes les parties, plus facile sera la mise en place de la discipline.

Simon et sa maman sont au bord de l'eau. Simon, en équilibre sur un bout de quai, risque de tomber dans l'eau :

MAMAN DE SIMON
Simon, ça fait trois fois que je te le dis. Maman t'aime, mais elle n'aime pas ce que tu essayes de faire là.

SIMON
(Boude)

MAMAN DE SIMON
Simon, regarde maman dans les yeux. Dis-moi que tu ne le feras plus, d'accord ?

SIMON
D'accord.

MAMAN DE SIMON
Maman t'aime beaucoup. Elle trouve que tu écoutes aussi bien qu'une roche.

SIMON
Ça écoute bien, une roche ?

MAMAN DE SIMON
Ça écoute juste quand on la ramasse dans nos mains. Tiens, on va en ramasser d'autres et faire une collection.

SIMON
C'est quoi une collection ?

MAMAN DE SIMON
Une collection, c'est plein de roches qui écoutent au lieu de traîner par terre.

SIMON
Pourquoi ?

MAMAN DE SIMON
Parce qu'on les tient dans nos mains.

Un enfant se laissera moins discipliner par un étranger. Avec raison : je le répète, c'est une question de confiance. L'étranger y arrivera, mais il devra gagner ses épaulettes pour que l'enfant lui laisse les commandes. Pour adhérer au cadre souhaité, l'enfant a besoin de pouvoir confier sa survie physique et émotive à une personne qui lui offre des garanties constructives. Ainsi, dès sa deuxième année, il fera quelques petits tests à froid, comme une colère ou une salve de pleurs ; il se déstructurera à quelques reprises pour savoir si l'adulte nouvellement responsable de lui est suffisamment bon prince. Les bonnes éducatrices savent cela. L'enfant ne se laissera pas discipliner s'il ne sent pas le respect de l'adulte ou s'il sent que l'adulte a des anxiétés qu'il n'a pas pu contenir. L'enfant ne se laissera pas domestiquer si le service de garde joue à la chaise musicale de l'éducatrice. Il contrecarrera également toute forme de structure si on tente de le dompter par la peur ou le mépris ou en l'agressant physiquement.

Alexandra avait trois ans quand elle a commencé à avoir des difficultés d'endormissement, à se réveiller la nuit et à multiplier ses accès de terreur nocturne, alors qu'elle n'avait jamais eu de problèmes de sommeil auparavant. La totale quoi. Les histoires, les allées et venues des parents, les « C'est fini, tout le monde va faire dodo », rien n'y faisait. Il a fallu du temps aux parents et à moi avant de pouvoir relier cette régression nouvelle à une pratique contraignante de sa garderie privée. À la maison, Alexandra ne faisait pas de sieste l'après-midi. Elle acceptait de se détendre sur un lit ou sur un matelas, de feuilleter ses livres d'images. Parfois elle s'endormait, mais sur une base très irrégulière. À la garderie, on la contraignait à s'étendre dans le noir. « Méchante Laura », exprime-t-elle un jour à sa mère. Laura est l'une de ses éducatrices. Elle travaille à mi-temps. Le reste du temps, elle est coiffeuse. Un mois plus tard, les parents et moi arrivons enfin à décoder pourquoi la petite Alexandra a maintenant peur de cette Laura : de fait, elle force Alexandra à dormir dans le noir, lui interdit les livres pour permettre « le petit repos » officiel. Alexandra, étendue à l'horizontale avec les enfants de son âge, ne s'endort pas. La milice la prive de lumière et de lecture. Comme le contentieux sur Laura se structure, qu'il devient presque obsession, les parents rencontrent finalement la directrice pour lui demander de faire autrement. La directrice et le personnel refusent néanmoins d'utiliser la veilleuse que je recommande pour qu'Alexandra puisse se ranger à la structure du campement, mais dans le respect de ses besoins à elle. Les parents la retirent donc du régiment, et le temps de trouver une nouvelle structure de garde éducative, se réapproprient déjà une nouvelle petite fille, moins irritable, plus souriante, plus épanouie. Il a suffi d'un rien, vous voyez. Laura est coiffeuse à Dorion : si vous souhaitez garder vos cheveux longs, elle vous les coupe très courts, comme à la guerre.

Nous acceptons de répondre aux ordres raisonnables de ceux que nous aimons ou respectons. Mais nous ne lèverons pas le petit doigt sans avoir toisé l'inconnu qui nous dit quoi faire. Il y a, vous en conviendrez, du bonheur à se laisser diriger par une figure aimante. La tortionnaire élue est contente et l'esclave que vous êtes n'a pas à prendre de décision, le temps de sortir les poubelles ou de refaire le lit. L'autorité, c'est le nirvana. « Bravo, mon grand ! », faudra-t-il dire à l'enfant qui aura été à la hauteur des attentes. Lorsque les enfants reçoivent des compliments concrets, ils actualisent encore plus rapidement le lien entre leurs actions et votre façon d'y réagir.

Nous avons vu qu'il faut attendre les 15 mois de l'enfant pour que les activités cellulaires et neurophysiologiques de l'attachement arrivent à pleine maturité. Mais déjà, dans la portion périphérique de ce gyrus cingulaire droit où se concrétisent les opérations de charme, d'autres cellules spéciales ont migré : ces neurones émergents vont maintenant permettre de freiner les ardeurs gloutonnes de l'enfant. Encore une fois, c'est le cerveau qui met la table. Les cellules nouvellement arrivées modulent les excès des neurones attachementistes pour mieux permettre la rupture. Sans ces cellules sympathiques régulatrices, il n'y aurait pas de discipline possible. L'enfant envahirait le monde, mais sans jamais le posséder. Les liens qui se construisent entre l'hippocampe, les amygdales cérébrales, le cortex préfrontal droit et le gyrus cingulaire ont la précision d'un mécanisme d'horloge dont le parent serait l'horloger. L'attachement, comme comportement biologique de survie, contient son propre mécanisme d'autorégulation. C'est décidément une bombe à retardement.

Le père est un bon activateur : vous lui laissez le bébé et ça explose bien. Ses comportements d'attachement avec l'enfant se sont inscrits moins dans la contenance que dans le mouvement. Le chercheur québécois Daniel Paquette fait à ce chapitre des recherches fascinantes illustrant que par des mises en jeu et des prises de risque plus grandes que la mère ne s'en permettrait d'ordinaire avec l'enfant, le papa anticipe la séparation tout en réactivant autrement l'attachement parent-enfant. Paquette appelle cela « la réaction d'activation ». La participation du père permettrait donc quelques saucées dans l'étrange, sans pour autant terroriser le petit qui en est à ses premières armes en dehors du giron parental. Avec la mère, il gagne la foi ; avec le père, l'enfant porte la cuirasse : ce n'est pas beau ça ?

À 15 mois, on ne compte plus les sautes d'humeur. Les chavirements qui affectent l'enfant en quête d'autonomie le conduisent à alterner petites déstructurations et structurations consécutives. Le parent aimant n'est pas en cause. L'enfant cherche à apprivoiser ses limites. La terre n'est pas vraiment le centre de l'univers, mais elle en a l'impression, et c'est pourquoi elle continue de tourner. En testant sa propre Voie lactée, l'enfant se recentre et renforce ainsi la permanence de sa personne. Les parents sont appelés à le soutenir. Tandis que certains en feront trop, d'autres n'en feront pas assez. En matière de discipline, durant la deuxième année de vie, on peut cependant retenir que l'intervention aiguisée est moins aidante que la compassion incessante.

Quand la maman accourt derrière Béatrice qui fait ses premiers pas vers le feu de foyer, qu'elle fait « Tut, tut, tut » en faisant « non » de la tête, que la petite la regarde et cesse immédiatement l'action réprouvée, elle réactualise la séparation commencée au jour de la naissance tout en s'assurant de pouvoir équiper son rejeton d'une protection permanente. Le cerveau de Béatrice s'est maintenant assez spécialisé pour permettre la réussite de l'opération. L'enfant comprend automatiquement qu'il doit s'arrêter là parce que la tête qui fait « non » n'est pas celle d'une poupée, c'est celle de son parent à qui il a confié sa survie. La formule doit parfois être répétée et répétée, des fois au-delà de l'endurance parentale. « C'est chaud », dira la maman. « Chaud ». Ce n'est pas facile pour les adultes, mais ce l'est encore moins pour l'enfant qui apprend tout juste à contrôler ses pulsions négatives, à ne pas se laisser envahir par elles, à les maîtriser. Ses émotions sont contradictoires et sa pensée pas encore assez contenue pour épancher totalement sa frustration. La générosité d'un parent consiste à reconnaître que l'enfant est malhabile et à s'oublier soi-même au profit de la petite chose qui pousse.

Qu'a fait la maman de Béatrice au juste ? Elle a utilisé tout son système sensoriel, la voix (« Tut, tut, tut »), le toucher (elle a accouru et, qui sait, l'a peut-être prise dans ses bras), la vue (elle a fait « non » de la tête) pour envelopper la petite d'un environnement signifiant apte à permettre la discipline. Grâce à ses fonctions d'attention, de concentration et de perception, bref en présence d'éléments organiques nécessaires et favorisants, grâce aussi à ses expériences maternelles antérieures, l'enfant se laisse alors encadrer et, sécurisé dans ses limites, se trouve ensuite disposé à graver la consigne dans sa mémoire à long terme. L'enfant change de trajectoire. Sa maman ultimement lui sourit ou la félicite. Béatrice est encore bien jeune, il va donc falloir recommencer, toujours dans l'affection et la contenance d'ici à ce que sa mémoire à long terme ne soit que leçon de choses ; une leçon raisonnable, programmée, mais sensible. La mémoire à long terme est impossible sans l'activation de l'émotion.

« Bien des années plus tard, face au peloton d'exécution, le colonel Aureliano Buendia devait se rappeler ce lointain après-midi au cours duquel son père l'emmena faire connaissance avec la glace », écrit Gabriel Garcia Marquez au début de son roman *Cent ans de solitude.*

Le pédiatre étasunien S. I. Greenspan parle « d'idées émotionnelles » pour faire référence aux enfants éduqués par l'amour aux représentations mentales des choses : « Non seulement ils font l'expérience de l'émotion, mais ils sont capables de faire l'expérience de l'émotion qu'ils peuvent traduire en mots ou par des jeux d'imagination. » Au lieu de crier pour avoir du lait, autour de leurs 13 mois, les enfants pointent le litre de lait, avant de pouvoir dire franchement : « Lait ». L'idée ne se substitue pas au désir, elle s'y confond. C'est parce que le lait le nourrit émotivement que l'enfant arrive à se le représenter symboliquement et à contenter son appétit.

« Les choses ont une vie bien à elles », poursuit un peu plus loin un personnage de Gabriel Garcia Marquez. « Il faut réveiller leur âme, toute la question est là. » Réveiller l'âme du lait, réveiller la présence du dispensateur d'affection, c'est se représenter le litre, se représenter ses principales figures d'attachement, de sécurité émotive autant que de survie.

Les enfants mal aimés et mal disciplinés boivent souvent trop de lait. L'enfant pauvre est nourri à la calorie, pas à la cuillère. Son biberon est gorgé de jus et de lait. Il sent le suri et la pomme à chevreuil. La petite céréale enrichie, la petite courge surgelée, l'introduction de la petite légumineuse, c'est réservé aux autres. Quelque 70 onces de liquide par jour qu'il buvait le dernier coco pâle examiné hier. « En millilitres, ça fait encore plus », que j'ai dit à sa mère. Le quart des enfants d'un an habitant la « ville » – entendre Montréal – souffrent d'anémie par manque de fer dans l'alimentation, ce qui cause des retards de développement et dans les apprentissages. Les diététistes abordent la question comme un problème de nutrition. C'est aussi un problème de représentation. Sans transfert d'idées émotionnelles, le litre de lait devient pour l'enfant insaisissable. Représenté de travers dans le cerveau de l'enfant qui a faim, il en appelle à une quête compulsive qui met en danger la santé de son corps en croissance.

Si on vous refile un numéro de téléphone, vous l'écrivez sur un bout de papier, car vous savez instinctivement qu'une série de chiffres n'est pas absorbante émotivement. Vous n'utilisez alors que votre mémoire à court terme, celle qui dure une soixantaine de secondes dans votre cortex cérébral, mais qui ne fait pas appel au cerveau limbique, particulièrement compétent dans les émotions. Si par ailleurs on vous raconte une histoire juteuse, du genre Laura la coiffeuse, gardienne et putain, vous n'avez pas besoin du bout de papier. Vous emprisonnez l'image dans les zones nobles de votre pensée en assurant sa pérennité relative par un circuit communiquant avec le système limbique, véritable lobe cérébral situé tout à l'intérieur.

Les apprentissages disciplinaires ne sont pas différents. S'ils ne sont pas accompagnés d'action empathique de la part de l'adulte responsable, ils ne sont pas intériorisés par l'enfant. À 14 mois, on ne sort pas son calepin pour noter les consignes. Si les ordres disciplinaires sont empreints de négativisme, ils sont intériorisés de la mauvaise manière. Si l'affection et la compréhension sont en place, la répétition générale est concluante et le spectacle du vivant peut prendre toute la place. Quand l'expérience disciplinaire est ainsi faite et consciencieusement répétée, comme au théâtre, l'enfant s'en trouve grandi. Et les spectateurs aussi. Graduellement, l'enfant applique alors cette expérience exemplaire à d'autres situations de son quotidien. La durabilité et la capacité de reproduire le meilleur sont la source de l'altérité et du sens moral. La discipline permet d'atteindre des sommets, avec l'équipement nécessaire : l'équipement de l'amour sans condition.

Dans les recherches effectuées sur les garderies, ces éléments de qualité éducative sont extrêmement difficiles à dépister. La multiplicité des intervenants en place, la subtile mesure de leurs qualités posent des contraintes à l'évaluation objective. Si toutes les éducatrices ont à composer avec des jeunes enfants qu'elles apprendront à connaître, toutes n'ont pas la manière, le temps ou la patience de le reconnaître. Les conséquences sont cependant manifestes. Un cerveau déprogrammé ou programmé de travers n'est pas facile à recanaliser après les trois premières années de la vie. Sa malléabilité permet des prodiges dits de résilience, mais ne les permet pas tous.

Avec l'âge, l'enfant trouvera en lui les mécanismes lui permettant sa propre régulation. Les psychanalystes traitent le sujet en termes de *Ça*, de *Surmoi* et de *Moi*, je n'insiste pas là-dessus, et les neuropsychologues avec leur terminologie anatomique et physiologique. Si l'évolution de l'imagerie cérébrale donne raison aux seconds, le conseil parental qui en résulte est néanmoins le même : la discipline, à travers l'émotion. Des enfants auront été gâtés par leurs parents, leurs grands-parents, les amis de la famille et leurs éducatrices ; d'autres auront souffert d'amour et leur *Moi* risque de se trouver sans défense. L'enfant se trouve alors envahi par des émotions brutes et réactualisées. Il a grandi physiquement, a progressé intellectuellement et dans ses apprentissages, mais fonctionne affectivement comme un petit bébé. Il n'est pas fini, sans solage. Peut-être a-t-on essayé de le construire trop vite? Devant une autorégulation impossible ou difficile, naît la peur, la colère et la dépression. Le *Moi* ainsi se fragilise, donc l'estime de soi, la confiance aux autres et le sens des choses. Tenter de construire trop prématurément l'enfant, je persiste avec mes chiffres, avant 18 à 24 mois, c'est s'exposer à une perte de sens. L'intelligence, un bon « mononcle », une éducatrice émérite et chaleureuse, la fameuse résilience en fait, ont heureusement des chances de le protéger contre l'adversité.

À quatre ans, l'âge du petit Simon, l'enfant choyé et encadré sait déjà se faire une idée du bien et du mal et est apte à saisir plusieurs conséquences de ses actes :

SIMON
Faut pas lancer des roches à Laura, maman? Ce n'est pas gentil.

MAMAN DE SIMON
Non, Laura ne comprenait pas pourquoi ta petite sœur pleurait à l'heure de la sieste, c'est tout. On s'est expliqué. On sait pourquoi maintenant.

SIMON
Alexandra pleure plus.

MAMAN DE SIMON
Alexandra dort bien. C'est fini l'ancienne garderie. Il y en aura une autre où elle dormira mieux. Béatrice aussi va y aller. Comme ça, tes deux petites sœurs vont pouvoir se voir toute la journée. C'est fini Laura.

SIMON
Plus jamais de la vie.

Traditionnellement, c'était le papa qui séparait l'enfant de sa mère et était conséquemment responsable des principaux éléments de discipline. Le papa a des aptitudes naturelles à transmettre aux enfants des capacités profondes de résolution des conflits. Ce rôle de *défusionneur* en chef, le psychiatre français Marcel Rufo le vulgarise fort bien :

« Dès les premiers jours de vie, le père va introduire la notion si essentielle de différence. Parce que ce papa n'a pas la même texture de peau que celle de la maman, pas la même voix, pas la même façon de le porter, de lui donner le biberon ou de jouer avec lui, l'enfant perçoit, même confusément, qu'entre sa mère et lui il y a déjà un tiers, de la différence, du «pareil» et du «pas pareil» qui va l'aider à sortir de la fusion et à s'ouvrir au monde.»

Cette façon de voir à l'*élevage* ne correspond plus à la manière de faire de plusieurs familles. Le rôle de la mère a évolué, celui du père aussi. Mais rien n'interdit à ce stade que le rôle de défusionneur soit dévolu à la mère. Globalement, il faut surtout retenir que la triangulation est grandement facilitante à la discipline et la monoparentalité, à l'inverse. On peut aussi être à la fois fusionneur et défusionneur et une même personne comme le font maintenant plusieurs couples parentaux appelés à mieux partager les tâches depuis les premiers moments de la vie du bébé, sous forme de deux demi-temps parentaux. Les 12 à 18 mois sont un stade important à cet effet car ils supposent justement cette alternance entre la proximité et la distance, le confort du plein et l'appel du vide. C'est une période de la vie où plusieurs services de garde échouent, malgré leurs disponibilités et leurs compétences. C'est une période encore «trop» parentale. Ça vous choque de lire ça?

Peu importe si c'est la mère ou le père qui exprime la consigne, mais il faut que ce soit le moins fatigué et le plus disponible des deux qui puisse voir à la discipline structurante de l'enfant dès qu'il a l'âge de marcher. Une situation enviable pour l'enfant à ce stade est le papa qui décide de prendre quelques mois de congé pour succéder à l'année consacrée par la mère. Il est le mieux placé pour décoller l'enfant en épargnant encore l'essentiel de la colle. Les Suédois, toujours avec leur préfabriqué, sont encore, il faut bien l'avouer, passés maîtres à cette phase de bricolage. Depuis 1991, vous le disait Nathalie, le congé parental y a été porté à 18 mois. Le parent suédois peut choisir la meilleure solution de couple jusqu'à 18 mois ou même commencer le travail à temps partiel sur quelques mois.

Pourquoi autant de précautions? Parce qu'il n'est possible de se séparer que des adultes auxquels on a été attaché. À un an, l'éducatrice arrive avec du retard pour les bébés qui ont manqué de stimulation, mais elle risque également d'arriver trop tôt pour la moyenne des enfants. Au minimum, il faudrait pousser la garde parentale jusqu'à 15 à 18 mois, l'essentiel de ce que j'ai toujours défendu, et s'assurer que la gardienne ait de meilleures qualités que Laura la coiffeuse.

La vie qu'on mène en garderie est déterminée par les pleurs et grincements de dents des enfants d'un à deux ans. On entend parfois dire de leurs parents qu'ils les ont mal élevés. C'est faux. Ces enfants s'ennuient de leur mère, c'est tout, et ne font pas encore totalement confiance à leurs substituts de jour. Dix heures de solitude, cent ans encore pour en écrire un roman, ces petites histoires font encore trop peu de remous.

Dans une même continuité, Brazelton et Greenspan insistent sur un point dont on ne parle que rarement. Cela s'applique à Béatrice, Alexandra et Simon, en ajustant nos attentes selon leurs différents degrés de maturité : il n'y a pas de discipline possible pour le parent ou l'éducatrice sans flânerie ni nourriture affective durant l'heure qui précède la structuration. L'enfant va accepter le « non » sans trop rechigner, sans trop pleurer, sans trop se déstructurer à condition que l'adulte ait partagé avec lui une heure de jeux, de « oui, c'est beau, oui, c'est comme ça ». Donc pas de « non » sans « oui ». Facile à retenir, n'est-ce pas ?

L'heure est profitable à toutes les parties. « Vous avez simplement à suivre, à entrer dans le jeu. À sa façon, non à la vôtre », recommande Roger-Pol Droit dans ses leçons de philosophie quotidienne. « Acceptez les répétitions sans fin, les règles aberrantes, les temps d'attente, les moments d'excitation dont les causes vous échappent. L'expérience consiste d'abord à entrer dans ce monde du jeu-enfant en laissant de côté, autant que faire se peut, votre univers-normal-adulte. »

Droit – c'est son nom, je n'y peux rien – recommande de 30 à 40 minutes à l'adulte pour qu'il en ressente du bien. C'est très bien, 30 minutes pour le père, 30 minutes pour la mère : une heure en tout. Brazelton et Greenspan ont eu l'audace d'avancer ce même chiffre avantageux pour les enfants. Cela veut dire une heure de jeu entre l'arrivée de la garderie et les premières attentes structurantes parentales. Une heure, vous avez bien lu. Cela veut donc dire qu'il n'est pas acceptable qu'un enfant se retrouve 12 heures par jour en milieu de garde car cela lui fait 60 heures par semaine ailleurs que sous le regard de son parent. Cela ne lui laisse pas le temps de re-connaître ses figures d'attachement. Cela ne lui laisse pas le temps de jouer. Cela le rend indisciplinable. L'enfant a alors raison de se rebiffer.

Toute l'évolution de nos techniques parentales et de nos techniques de garde à la mode, et soi-disant éducatives, sont passées à côté de l'essentiel. Toutes ont sacrifié l'amour inconditionnel pour un indécrottable inconditionnel adulte. Sur les deux heures de soirée parentale restante après une longue journée de garde, les enfants perdent dorénavant un tiers :

Le tiers complice.

Bibliographie

Chicoine, J.-F. *Nourrir son prochain/Poor Diets the result of unawareness, not economic. Prescription Nutrition,* II, (3), p. 273-278, 2001.

Cline, F. et Fay, J. *Parenting with Love and Logic.* Piñon Press, 1990.

Droit, R.P. *101 expériences de philosophie quotidienne.* Paris, Éditions Odile Jacob, 2001.

Garcia Marquez, G. *Cent ans de solitude.* Paris, Éditions du Seuil, 1968.

Lorenz, K. *Les huit péchés capitaux de la civilisation.* Paris, Flammarion, 1973.

Paquette, D. Institut de recherche pour le développement social des jeunes, Centre jeunesse de Montréal et Département de psychologie, Université de Montréal Enfance 2/2004.

Quintal, L. *Le développement affectif de l'enfant de 2 à 5 ans.* Montréal, Éducation médicale continue de l'Université de Montréal, 1978.

Société canadienne de pédiatrie. *Une discipline efficace : Une démarche saine. Paediatric Child Health,* vol. 9, n° 1, janvier 2004.

Temper tantrum

La colère de l'enfant et la garde non parentale

Jean-François Chicoine

Trois ans pour former un tout, trois années du tonnerre : la psychiatre Margaret Mahler a montré dans ses travaux que la grande marche vers l'individuation est un processus progressif qui s'étend globalement sur les trois premières années de la vie de l'enfant. De la dépendance vers l'indépendance, le tout-petit devient un sujet, en pleine possession de son corps et de son esprit. Sur ses dessins, il arrivera à se représenter, en bonhomme têtard, puis un peu plus tard, en bonhomme tout court, avec un soleil et tout le tralala. D'ici l'apparition du « je », l'enfant parle à présent de lui à la troisième personne : « Victoria veut dormir, Victoria veut manger, Victoria aller dehors. » Ces trois années coïncident avec une période de croissance accélérée du cerveau. Tant que l'individuation n'est pas achevée, tant que l'enfant n'a pas pleinement intériorisé les figures des adultes qui lui procurent une stabilité intérieure, il demeure particulièrement vulnérable aux séparations, aux ruptures et aux « non », car l'immaturité de son cortex cérébral ne lui permet pas le contrôle absolu. Devant une frustration, l'enfant « flippe » en un rien de temps, tout comme s'il glissait, et c'est normal.

Il ne faut pas voir dans cet automatisme essentiellement émotif une infériorité des petits sur les adultes : les enfants ne sont tout simplement pas des adultes en miniature. Leur fonctionnement au quotidien est encore viscéralement dépendant de l'environnement externe. Une pulsion, quelque obstacle qui lui barre le chemin, l'impossibilité de saisir un objet convoité et finalement ça y est : l'enfant va se déstructurer. Le fardeau est trop lourd, inconfortable. La décharge est inévitable, à l'agenda, et c'est alors que surviennent les pleurs qui ont forgé la fameuse réputation des *terrible two*. Le parent en renfort est appelé à contenir les épanchements. Il fait office d'enveloppement, de cortex intérimaire en quelque sorte.

« Quand je parle des rituels que j'avais avec mes filles, la moitié des élèves me regardent comme une extraterrestre et font la grimace en se demandant de quoi je parle », m'écrit Hélène R., enseignante au primaire. « Les enfants n'ont plus de routine, plus de balises. »

En l'absence des parents, l'éducatrice hérite de la tâche. Son travail est grandement facilité après l'âge de 18 à 24 mois car l'enfant a alors intériorisé l'image de ses parents, principales figures de sa confiance au monde. Peu importe si ses papa et maman sont partis travailler, il a maintenant la capacité de les raviver en lui pour se réconforter, surtout quand il est fatigué, frustré ou surstimulé par trop de bruits ou trop d'enfants en mouvement, notamment en activité de groupe. Une maman appelle ça « jouer à Jinny » : elle a entraîné sa fille à frotter une petite lampe intérieure pour qu'au besoin, la petite puisse faire apparaître son parent dans un nuage de fumée. À la moindre détresse, par exemple si elle se fait mal ou est en colère, youp, elle frotte la petite lampe et la maman apparaît ! Imaginez toutes les mères sortir de la sorte de leurs lampes d'Aladin en pleine garderie.

Quand l'éducatrice lui est familière, que l'enfant lui est attaché, le tout-petit rappelle aussi en lui l'image positive qu'il a d'elle pour consolider sa construction intérieure advenant une frustration. L'éducatrice ainsi positionnée agit de la sorte dans un continuum avec l'image sécurisante des parents. En terrain de connaissance, on est toujours mieux armé pour surmonter une petite adversité. C'est pourquoi les éducatrices nouvelles ou en rotation ont moins de pouvoir de consolidation sur les déstructurations infantiles. Avant les deux ans de l'enfant, toute tentative d'enveloppement est effectivement galère si l'éducatrice ne représente pas une figure d'attachement solide pour lui. Il faut des mois pour gagner la confiance absolue du tout-petit. Sans cette relation d'infaillibilité acquise, l'éducatrice n'est pas, du point de vue de l'enfant, la dépositaire de la fonction parentale. Du moins, elle n'est pas inévitable. L'enfant ne la reconnaît pas encore comme un objet incontournable ; elle lui apparaît négociable et c'est normal.

Il ne faut pas perdre de vue que le contrat de service avec la garderie est un contrat d'adultes. L'enfant n'est pas tenu de le respecter. Il est libre de tester la qualité du service et de faire le difficile sur le concept. Sa position est celle du consommateur avec ses droits, en l'occurrence son droit au développement harmonieux et adapté. S'il ne se sent pas contenu, il s'autorise à s'épancher et à lever le nez sur la « marchandise ».

Les moments de tension commencent à la maison, par exemple quand l'enfant tente de se traîner jusqu'à la prise électrique, et ses frustrations quotidiennes durent bien au-delà de ses trois ans, mais c'est au cours de sa troisième année de vie, donc dans toutes les activités quotidiennes, dont la garderie, que ses éclats font le plus mal. Ils font d'autant plus mal que l'enfant a des difficultés de nature organique, par exemple s'il a un retard intellectuel qui retarde ses apprentissages. Ils font d'autant plus mal que ses parents ont été trop absents, qu'il vit en garde partagée ou encore que ses éducatrices sont trop vertes.

Je vous soumets mon petit organigramme mental « N.N.S. » pour que vous puissiez vous retrouver vous aussi devant un débordement. « N. » pour Nature : le problème est-il de nature organique, par exemple y a-t-il une possibilité que l'enfant soit malade ? « N. » encore pour *Nurture,* Nourriture affective : le problème est-il de nature émotive, par exemple y a-t-il une possibilité que l'enfant ne se sente pas en confiance ou qu'il ne soit pas à l'âge de l'être ? Et enfin « S. » pour Structure : le problème est-il de nature disciplinaire, par exemple y a-t-il une possibilité que l'enfant soit « mal élevé » ? Il peut y avoir un peu de l'un et un peu de l'autre, mais il est impossible que vous ne trouviez pas un de ces trois facteurs, ou un peu des trois, pour expliquer l'origine d'une crise de larmes.

Devant une quête impossible, l'enfant s'agite, pleure, fait son numéro, incapable de contenir un trop-plein. Parfois, la colonne d'air qui exprime son désarroi est si longue à inspirer que l'enfant de deux ans et demi en perd la voix, le temps d'expulser une plainte magistrale. Les spasmes du sanglot commencent en général avant deux ans, entre six mois et deux ans en fait, mais ils impressionnent longtemps. À la suite d'une frustration, d'une peur intense, l'enfant commence à pleurer puis retient son souffle en expiration jusqu'à ce que ses lèvres deviennent bleues. Son parent, comme une enveloppe externe, sert normalement de paravent à son vagabondage interne pour permettre à l'enfant de se recentrer sur lui-même. D'instinct, le parent le regarde dans les yeux, le touche, lui parle, le distrait ou encore le laisse s'égosiller s'il le sent capable de se reprendre en main. « Ne pas intervenir, ne pas insister devant le spasme du sanglot », disent encore nombre de docteurs. Certains enfants cyanosent, arrêtent de respirer, convulsent, c'est tout comme s'ils mouraient et c'est normal.

Si le principe éducatif n'est pas obsolète et vient à bout de bien des crises, il mérite tout de même d'être un peu réaménagé. À cause des garderies, justement. Jean-Jacques Rousseau préconisait une éducation aux larmes. « Il faut, écrivait-il, savoir rester indifférent aux pleurs que l'enfant verse par habitude ou par obstination. » Mais voilà, la situation de la garde non parentale prolongée ou prématurée n'est pas rousseauiste et l'agitation, de moins en moins une affaire de caprice et plutôt le fruit de tensions accumulées. Les avis médicaux n'ont malheureusement pas suivi la cadence sociale et tiennent généralement trop peu compte du fait que l'enfant ne voit presque pas ses parents au cours d'une journée de semaine et que cela doit modifier les leçons de choses et les pratiques d'intervention.

Ignorer l'enfant qui se pâme, comme le veut la prescription, est une recommandation des *fifties* et un non-sens si l'enfant n'a pas vu son parent de la journée. Il faut éviter d'accourir, de peur d'encourager le cirque, mais se présenter à l'enfant sans autre hésitation, comme si on était une grosse douillette. Il faut prendre l'enfant en pleurs contre soi. On peut appliquer une compresse humide sur son front. L'enfant, vous en conviendrez, a ses raisons de ne pas faire totalement confiance. Il est encore fondu à des parents qui se sont permis de le décoller, et pas juste le temps de changer de pièce pour vaquer aux activités quotidiennes : toute la journée, toute. Toute la journée, d'eux il se sera ennuyé.

Devant la crise de Valérie, âgée de deux ans et demi, le parent qui aura passé la journée avec elle, au parc puis à domicile, pourra laisser faire, simplement s'étendre auprès d'elle et ne pas intervenir devant le spasme du sanglot, surtout pour éviter toute répétition et manipulation infantile éventuelle. La formule classique de Rousseau et du bon docteur Benjamin Spock, donc. Mais devant la crise de Valéria, son double qui a passé dix heures en service de garde, le parent devra d'abord la prendre contre soi, rétablir le lien et sa confiance avant de la laisser choir. La plupart des livres de pédiatrie qui conseillent aux parents de ne jamais intervenir d'office devant un enfant incapable de se contenir ou face à un spasme du sanglot ont été conçus pour des enfants gardés à domicile, pas par des étrangers. Jusqu'à trois ans, l'enfant n'est pas complètement individualisé. Il suffit qu'il vive quelques petites ruptures supplémentaires, un déménagement ou le voyage d'un parent, pour qu'il se retrouve encore plus désavantagé au chapitre de son confort affectif.

Une éducatrice, à l'instar d'un bon parent, va arriver à contrer un big-bang de la sorte, à condition que l'enfant soit préalablement attaché à elle, qu'il n'ait pas vu quatre ou cinq autres gardiennes s'affairer sur son cas ou qu'il soit assez vieux, ou individualisé, pour concevoir que l'éducatrice le fait pour son bien, du moins sans qu'il puisse y souffrir d'insécurité supplémentaire.

Que ce soit le jour à la garderie ou durant les quelques heures qui lui restent avec ses parents le soir, l'impossibilité de réaliser une contenance apaisante risque de nuire à la sécurité émotive de l'enfant de deux ou trois ans. Si l'enfant est bien parti affectivement dans la vie, comme plus de la moitié le sont, il n'en subira probablement pas d'outrages. Parce que son histoire se termine bien, l'affrontement aura été bénéfique pour son amour-propre. Quelques bonnes crises et on définit mieux le territoire de sa personne et celui de l'autre. Mais s'il a souffert le moindrement, s'il est né petit, si ses parents ne s'aiment plus, s'il a été hospitalisé dans l'année, il risque d'en sortir vaincu. Le cycle de la méfiance s'installera. Il interprétera la non-intervention, non pas comme de l'éducation, mais comme de l'indifférence à son endroit. Il se confirmera dans son idée qu'il n'est pas à la hauteur de ce qu'on attend de lui et pourrait même en avoir honte. Les conséquences de cet abandon de fait seraient alors désastreuses pour sa confiance en lui et ses capacités éventuelles de se lier de nouveau avec les autres. Avec le temps, à quatre ou cinq ans c'est déjà évident, il pourrait bien devenir anxieux ou trop indépendant ou encore colérique et anormalement agressif.

D'une manière plus générale, pas nécessairement on s'entend, deux parents qui travaillent sont deux parents *fatigués*. Des mères désireuses de bien faire sacrifient bien d'autres choses avant leur progéniture, dont une heure de sommeil par jour, mais elles finissent ultimement par s'exécuter avec une fatigue qui n'est pas leur genre. Ces parents jouent souvent un peu moins, rient un peu moins, transmettent moins de joie, tout juste un peu moins, de quoi faire la différence. Entre le souper qui cuit (ou qui décongèle), les courriels à prendre et le répondeur, les papiers à classer et le compte du téléphone, l'enfant ne manque de rien, mais en tire déjà un peu moins des « moments mous » de l'existence. Son éducation, sa stimulation ne répondent pas à la politique du temps perdu et retrouvé. Les interactions sont programmées, ritualisées, sous la direction d'un parent chef d'orchestre qui a oublié que le parent n'a, en matière de jeu, rien à orchestrer, qu'à laisser l'enfant aller à ses pulsions, puis de plus en plus, à son imagination. C'est un peu comme si les parents qui travaillent s'attelaient avec la meilleure des dispositions à diriger une symphonie alors que l'enfant exécute déjà ses mouvements de *free* jazz.

Deux parents qui travaillent sont aussi deux parents *sous-informés*. L'éducatrice de la garderie a beau avoir communiqué avec eux, elle ne peut pas, humainement parlant, les avoir renseignés sur tout ce qui concerne leur bébé. Il y a des phénomènes très subtils qui se produisent et qui changent la vie d'un enfant. Pour y être vraiment sensible, il faut savoir ce qui se passe pour lui sur le moment, mais aussi ce qui s'est passé une ou deux heures avant, nous dit encore Daniel Stern. « La mère qui travaille est désavantagée par le fait qu'elle n'a pas pu suivre les événements de la journée et qu'elle ne peut par conséquent pas ajuster son comportement au contexte du bébé. Il y a beaucoup d'exemples de ce genre qui montrent qu'en fait, nous essayons de nous tromper nous-mêmes si on oublie qu'il y a des limites liées au temps, à l'effort, à l'énergie qu'on investit. »

Et pour en finir avec ces quelques généralités, deux parents qui travaillent sont également deux parents *forcés à négocier*. Mais ils ne doivent pas pour autant donner l'illusion à l'enfant que tout est possible, sous prétexte qu'ils s'en sont privés toute la journée. L'enfant deviendrait alors de moins en moins capable de contrôler et de vivre avec quelque contrainte que ce soit. Trop de parents tentent de compenser leur absence par une tolérance excessive aux colères et frustrations de l'enfant. Et bien des parents ont peur de le traumatiser encore plus. Maintenir une permissivité n'est pas un acte de contrition. Le laxisme parental est une illusion d'adulte qui entretient un sentiment d'omnipotence chez l'enfant. Son estime de soi en prend un coup. L'enfant ne carbure ultimement qu'à travers les autres qui deviennent ainsi pour lui purs objets de manipulation.

MÈRE
Vous allez voir, docteur, il a du caractère pour ses deux ans.

DOCTEUR
Ce n'est pas du caractère.

MÈRE
C'est quoi d'abord?

DOCTEUR
C'est presque du mépris. Du mépris en construction…

MÈRE
Un enfant de deux ans ne peut pas penser comme cela?

DOCTEUR
Les enfants commencent à penser en même temps qu'il se mettent à respirer, et probablement bien avant dans le ventre de leurs mères. Ce qu'ils vivent surtout comme émotion jusqu'à leurs 18 mois, ils le conçoivent ensuite, en jouant, en parlant, en verbalisant à mesure que croît leur périmètre cranien. Une simple indifférence de votre part peut être interprétée dans son cerveau immature comme quelque chose de bien plus grave que cela. Il est encore petit, c'est normal. Le mépris, il le fabrique envers lui, envers les autres. Un jour, il l'exprimera en gestes, en paroles, en écrits.

MÈRE
Il nous méprise aussi. Il va tout de même pas nous cracher dessus?

DOCTEUR
Non, il vous aime. Il a du mépris pour son caractère. Comme papa, comme maman, vous êtes les mieux placés pour lui servir d'enveloppe afin de le protéger de son caractère.

MÈRE
Il n'est pas trop vieux pour faire comme ça avec lui? On ne voudrait pas le gâter.

DOCTEUR
On n'est jamais trop vieux pour reprendre confiance en soi.

À la suite de cette consultation, les parents en question se sont payé quelques jours de vacances à domicile avec le fiston puis l'ont réexposé au service de garde, mais seulement trois demi-journées par semaine. « Des journées entières ne sont à prévoir que le mois prochain », a assuré le papa rejoint par l'infirmière pour un petit suivi téléphonique. Quand survient une crise, les parents prennent désormais l'enfant contre eux. Ils ont demandé à son éducatrice de faire de même. Son éducatrice fait maintenant cela avec plein d'autres enfants dits « de caractère ». Et 10 à 20 jours plus tard, les spasmes du sanglot finissent par disparaître, même si les séances de pleurs s'éternisent parfois un peu. À la maison comme à la garderie, il a suffi d'être consistant, de ne pas céder. Les adultes solides forment des ponts solides avec leurs enfants. Il ne s'agit pas d'être mou ou d'être sévère, en matière de discipline quotidienne, il faut faire preuve de solidité. C'est avec de petites choses apparemment sans importance qu'on évite à des enfants le mépris de soi et de l'autre, que la confiance en soi devient, vers l'âge de trois ans, conscience de soi puis, vers six ans, estime de soi.

« L'expérience de la crèche, d'une nourrice, d'une famille élargie, le mode de vie même de la famille peuvent conduire à des différences interindividuelles importantes », peut-on lire dans un ouvrage grand public intitulé *L'enfant parmi les autres : se construire dans le lien social.* « Chaque enfant donne un sens et une valeur propre à chacun de ces milieux, en fonction des expériences qu'il y fait, en fonction des moments de son histoire subjective. (...) Comprendre une inscription dans le lien social pour un enfant nécessite donc de prendre en compte la multiplicité des milieux et groupes d'appartenance, mais aussi la façon dont chacun va régler les conflits qu'il y rencontre, hiérarchiser les affects, les valeurs et les identifications qui leur sont associés. »

Socialiser un enfant, c'est d'abord l'amener à croire en lui. C'est l'envelopper, décacheter l'enveloppe, l'envelopper à nouveau, puis encore décacheter l'enveloppe le temps qu'il parachève l'unicité de sa personne. Après cela, et seulement après, parents et éducatrices peuvent juger de son caractère. Comptez trois ans, ses trois premières années. La suite appartient à l'imagination.

Bibliographie

Beaumatin, A. et Laterrasse, C. *L'enfant parmi les autres : Se construire dans le lien social.* Milan, 2005.

Lemieux, J. *Adopteparentalité.* Le monde est ailleurs, Québec, Canada, 2006.

Quintal, L. *Le développement affectif de l'enfant de 2 à 5 ans.* Montréal, Éducation médicale continue de l'Université de Montréal, 1978.

Spock, B. et Rothenberg Michael B. *Dr Spock's baby and child care.* New York, Pocket Books, 1992.

LE BAIN

Point de presse sur les grands

Les parents d'aujourd'hui et la garde non parentale

NATHALIE COLLARD
Les théories sur l'attachement sont très critiquées, entre autres par les féministes qui estiment qu'elles servent surtout à culpabiliser les mères et à les renvoyer à leurs chaudrons. Comprends-tu l'anxiété des femmes qui subissent la pression de devoir tout assumer en ce qui concerne les soins et l'éducation des enfants ? Comment réconcilier ces théories avec les aspirations des femmes qui souhaitent être mères, mais qui désirent également pouvoir s'épanouir dans leur vie personnelle et professionnelle ?

JEAN-FRANÇOIS CHICOINE
J'aurais envie de darwiniser ma réponse pour la rendre aussi complexe que ta question. Quand Charles Darwin laisse poindre sa théorie de l'évolution au milieu du 19e siècle, il emporte alors les frasques des biologistes qui n'arrivent pas à voir dans le dessein organique autre chose qu'un affront au dessein moral. Les poubelles de l'histoire débordent de théories ratées. Les scientifiques de l'époque, comme ceux d'aujourd'hui, étaient aussi des êtres de culture, avec leurs propres croyances, leurs propres habitudes, leurs propres quotidiens. La théorie de l'attachement et ses éclairages en neurosciences sont relativement récents

et nous rappellent froidement à quel point le bébé humain ne peut pas échapper à un certain déterminisme biologique fondu à l'environnemental, et ce, malgré toutes les libertés que les adultes aimeraient bien vouloir prendre sur la question. Nous sommes des hominidés, qu'on se le dise ! Les réflexes féministes sont des réflexes de culture. Dans le propos qui nous intéresse, ils sont essentiels à la survie du groupe social. Par exemple, ils empêchent les abus de pouvoir des professeurs Frankenstein de l'attachement qui ne verraient dans le développement biologique de l'humain qu'un seul modèle à appliquer sans souplesse du genre « Allez Mesdemoiselles, aux torchons ! » Par ailleurs, les mouvements de femmes favorisent aussi l'émulation et stimulent de nouvelles voies de recherches pour adapter dans la mesure du possible les nécessités de la construction cérébrale du nourrisson aux impératifs de la culture moderne et de leurs aspirations. Mais ni les femmes, ni les hommes ne peuvent plus vivre impunément sans le respect de l'ordre biologique. Ils savent que la planète se réchauffe s'ils laissent trop longtemps ouverte la porte du frigo. Ils savent que l'esthétique ne peut rien contre le vieillissement, que la poésie ne peut rien contre le cancer du côlon, mais que l'amour peut peut-être quelque chose contre la mort.

Ainsi, jusqu'à preuve du contraire, le bébé a surtout besoin, du moins dans ses premiers mois de vie, de la bulle sensorielle de sa maman et sa maman est, sans contredit, encore la mieux placée pour l'allaiter. Mais le papa, le milieu de travail, l'ordre social et l'État devraient se faire de plus en plus supportants et plus militants pour protéger la mère et son enfant. La survie humaine en dépend et la survie n'a pas de sexe, car aussitôt qu'elle s'en donne un, sa descendance paraît risquée. La théorie de l'attachement repose sur une responsabilité partagée, ne serait-ce que parce qu'elle s'avérerait impossible sans l'élément essentiel qui la caractérise : le détachement. Il ne suffit pas de bien pouvoir lancer une balle, il faut aussi quelqu'un pour l'attraper. Certaines féministes se trompent de cibles en voulant priver de mères les bébés. Les hommes, les groupes sociaux, les instances politiques doivent être mis au pas, voire au parfum d'une théorie envers laquelle ils ont une responsabilité partagée. Les femmes ont l'intelligence de savoir que si leurs aspirations ne sont pas reconnues, il n'y aura pas de bonheur possible pour leur progéniture. Leur appel à la concertation et au partage doit être entendu, encaissé et doit déboucher sur des actions concrètes. Mais rien n'indique encore biologiquement que les femmes puissent se contenter d'un chaînon de second ordre dans le nourrissage physique, intellectuel, émotif, langagier, social et identitaire du bébé humain. Elles ont la première place et je te dirais, en revanche, qu'elles ont bien de la chance.

Quelle est la place des pères dans tout cela ? Peuvent-ils eux aussi être une figure d'attachement dès les premiers mois de la vie de leur enfant ? Combien de figures d'attachement peut-on envisager pour un enfant sans mettre en péril son développement ?

Le soutien des pères autant que leur sensibilité sont déterminants pour l'estime de soi, ses rapports avec les autres, son sens du bien et du mal et pour le devenir identitaire de l'enfant. Les modèles de recherche et leurs applications cliniques manquent encore pour évaluer la profondeur des relations de confiance qui s'établissent entre un papa et son enfant, mais ce n'est qu'une question de temps. Plus les hommes seront à l'écoute des besoins de base de leurs enfants, ce qui dans une certaine mesure fait encore largement défaut, plus on arrivera à créer des modèles participatifs adaptés, imaginatifs et variés dans l'éducation des enfants. Pour l'instant, et c'est le pédiatre qui parle, on pourrait dire que les premiers mois de l'enfant se doivent d'être dominés par la présence de la maman, d'abord parce qu'il s'agit pour lui d'un prolongement de son univers sensoriel, ensuite parce que c'est la mère qui allaite. Dès le départ, la participation du père est essentielle, d'abord comme soutien incontournable de la maman. Des cours intelligents en post-partum devraient sensibiliser les pères qui à cette étape de la périnatalité se sentiraient plus d'égal à égal. Rapidement, en quelques semaines, l'enfant va aussi reconnaître la voix du père, ce qui va permettre à celui-ci d'interagir de plus en plus directement avec son nourrisson. Le bébé n'est pas fou et va déjà se permettre d'agir différemment avec le papa, on pourrait dire en complémentarité avec la mère. Il est important que la maman assiste à l'émergence du nourrisson entre ses quatre et sept mois environ, moins pour le nourrisson que pour elle, pour que la maman s'accroche profondément à son bébé, peu importe si le choix du couple a alors favorisé la présence d'un papa ou d'une maman à la maison. Toute la discipline, l'éducation et le passage à l'adolescence en dépendent. Les possibilités de deux demi-temps parentaux sont à cet âge encore sous-exploitées. C'est l'âge de l'attachement sélectif, entre 8 et 15 mois, qui doit être moins maltraité dans nos civilisations de soi-disant modernité. Je suis convaincu que nous manquons le bateau et hypothéquons l'avenir de plusieurs enfants en négligeant ces mois extrêmement subtils. C'est ici que les États, les groupes féministes, des éditorialistes de grands journaux (rassure-toi, je sais que le terrain est miné et je ne vise personne en particulier) se trompent totalement. L'enfant à cet âge a besoin d'une base de sécurité privilégiée à qui il peut totalement confier sa survie animale. Traditionnellement, la mère a exercé ce passage essentiel à la survie émotive de l'enfant, mais rien n'empêche que le papa hérite du rôle. Les bébés s'attachent d'ailleurs à la fois au père et à la mère pendant la première année de leur vie, bien que la plupart manifestent une préférence pour la mère dans les situations qui génèrent du stress. Par contre, de manière générale, lorsque le père est présent, on a démontré, notamment, que les garçons peuvent montrer une préférence pour l'interaction avec leur père dès la seconde année. Je te dirais également que la personne la moins anxieuse des deux, celle qui a eu des bonnes relations avec ses propres parents, est la mieux équipée pour ultimement mener le bébé à une saine sécurité affective. Celle qui aime le moins son travail est également la meilleure pour trouver un temps de qualité avec son bébé. Entre 8 et 15 mois, on pourrait dire que le bébé va facilement s'attacher à cinq figures de référence, un grand frère ou une grande sœur de deux ans et plus y compris. L'enfant va opérer par hiérarchie, la maman comme principal référent, le père ensuite, puis tout le reste de la distribution dans des rôles de soutien.

Tout ce que tu me dis là me semble tellement clair, tellement évident. Alors dis-moi, pourquoi ne nous dit-on pas ces choses-là lorsque nous attendons un bébé ? Je me souviens d'un horrible cours de préparation à la naissance dans un auditorium glacé de l'hôpital Sainte-Justine. Le film qu'on nous montrait devait dater de 1970, il nous parlait des techniques de respiration durant l'accouchement. Autour de moi, je voyais des gars regarder au plafond, des couples se tortiller d'ennui sur leur siège. On nous distribuait également une liste des articles à ne pas oublier lorsque le temps serait venu de partir pour l'hôpital : la brosse à dents, la boîte de mouchoirs, les couches... C'est drôle qu'on insiste tant sur des détails aussi insignifiants mais qu'on ne nous dise pas à quel point l'environnement de l'enfant et le comportement de ses parents peuvent jouer un rôle déterminant dans sa vie. Je me souviens également de la visite de l'infirmière de mon CLSC après mon accouchement. J'étais à la maison depuis une semaine. Mon chum était retourné au travail au bout de trois jours. J'étais seule, un

peu assommée, fatiguée. Ma fille dormait dans son berceau. Tout ce que l'infirmière a été capable de me dire, c'est de ne pas acheter trop de cadeaux à mon enfant. (Je vivais à Outremont à l'époque. Ça devait sans doute faire partie de son petit discours taillé sur mesure pour une clientèle de parents privilégiés.) Et elle a insisté pour que je fasse des exercices afin de retrouver mon ventre plat au plus vite. Puis-je te dire qu'elle m'a quasiment traumatisée en me décrivant ce qui m'attendait si je ne m'empressais pas de faire ses foutus exercices. Elle ne m'a pas parlé une seule fois de ma relation avec mon bébé, de mes inquiétudes, de mes anxiétés. Comment se fait-il qu'on néglige à ce point la préparation des parents ? Parfois, je me dis que mon garagiste est plus généreux lorsqu'il m'explique comment entretenir mon auto afin qu'elle roule le plus longtemps possible...

L'EAU
D'hier à demain

JEAN-FRANÇOIS CHICOINE
De nombreux parents et plusieurs pédiatres qui savaient qu'on écrivait « un petit quelque chose » sur les garderies m'ont demandé de leur expliquer les enjeux de la réforme des services de garde. Ces adultes-là étaient intéressés par la question. Ils avaient lu des éditoriaux sur le sujet et écouté des bulletins de nouvelles sur la question ; certains avaient même fouillé le projet de loi. Malgré cela, plusieurs n'arrivaient pas à comprendre les véritables enjeux du point de vue de l'enfant. À qui la faute, s'il y en a une ? À la vacuité de nos politiciens, à la difficulté des médias à analyser les problématiques complexes ou à la paresse citoyenne ?

NATHALIE COLLARD
En faisant de la recherche pour notre livre, j'ai passé en revue tout ce qui s'est écrit sur la réforme de notre système de garde. Des comptes rendus, des résumés, des textes du genre « La réforme expliquée en plusieurs points ». Et pourtant, comme tu le dis, cette réforme n'est pas claire dans l'esprit des gens. Sans doute parce qu'elle ne semble pas claire dans l'esprit de ceux qui nous la proposent. On s'est bien promis de ne pas faire de politique dans ce livre, Jean-François, mais il faut dire

que la ministre responsable du dossier ne semblait pas la comprendre elle-même, sa réforme. Au-delà de la clarté des propos du gouvernement, je crois qu'il y a eu tellement de bruit, tellement de disputes, tellement d'opposition autour de ce projet de réforme que le public a perdu le fil. Ce qui m'étonne le plus dans ce débat depuis le début, c'est à quel point on parle de structures, de budgets, d'économie... C'est peut-être pour ça que les gens sont confus. On parle du système de garde sans parler des enfants. C'est un peu mêlant...

La petite histoire

Les services de garde au Québec

Nathalie Collard

La petite histoire des services de garde au Québec est fascinante car elle révèle l'évolution de notre société, les différents mouvements sociaux qui l'ont animée et l'ont fait évoluer au fil des ans et des luttes de revendication. On peut le constater en lisant plusieurs livres sur le sujet, dont *Des salles d'asile aux centres de la petite enfance. La petite histoire des services de garde au Québec*, par Micheline Lalonde-Graton, un ouvrage qui retrace l'évolution des services de garde au Québec depuis le milieu du 19e siècle, ainsi que *Faire garder ses enfants au Québec... une histoire toujours en marche*, de Ghislaine Desjardins, qui en est à sa troisième réédition et qui est une référence incontestable.

Mon but ici n'est pas de passer en revue toute l'histoire de nos services de garde, mais plutôt d'en brosser les grandes lignes afin que nous ayons un portrait plus juste de la situation actuelle. Ainsi on comprendra mieux dans quel contexte s'inscrit le projet de loi 124 de réforme des services de garde, un projet de loi déposé en octobre dernier par la ministre libérale Carole Théberge, ministre de la Famille, des Aînés et de la Condition féminine. Entre les premières salles d'asile – d'immenses pièces dans lesquelles une seule religieuse pouvait s'occuper de 200 enfants ! – et nos garderies à 7 $, la vie n'a pas été un long fleuve tranquille.

Entre 1945 et 1960, le Québec comptait bien quelques garderies à but lucratif ainsi que des garderies tenues par des religieuses, mais il faudra attendre 1965 avant que se fassent entendre les premières revendications pour un service de garde public et gratuit au Québec. Cette année-là, on célébrait le 25e anniversaire du droit de vote des Québécoises et la majorité des enfants qui n'allaient pas à l'école restaient à la maison avec leur mère.

Le premier projet-pilote de garderies québécoises a vu le jour en 1969. Cette année-là, seulement 34 % des femmes étaient sur le marché du travail.

Dans les années qui ont suivi – caractérisées par l'essor des mouvements communautaires et du mouvement des femmes – on a vu apparaître des garderies de quartier (organismes sans but lucratif). Elles ont été mises sur pied par des parents dans le cadre des Projets d'initiative locale et des Projets Jeunesse financés par le fédéral.

Inutile de dire qu'au début des années 1970, les familles qui envoyaient leurs enfants à la garderie étaient assez rares et se divisaient en deux grandes catégories : les familles aisées dont les deux parents, habituellement des professionnels, travaillaient à l'extérieur du foyer, et les familles pauvres, en majorité monoparentales, qui recevaient une subvention comme celle du Régime d'assistance publique du Canada.

En 1972, on a assisté au premier (mais pas au dernier !) d'une longue série d'affrontements entre le fédéral et le provincial à propos du financement des services de garde. À la suite de ce bras de fer, les quelque 70 garderies créées au Québec ont perdu leur financement et la majorité ont dû fermer leurs portes.

Il a fallu attendre cinq ans pour voir l'adoption de la première politique en matière de services de garde à l'enfance. En 1979, la ministre d'État aux Affaires sociales du Québec, Lise Bacon, a déposé le projet de loi sur les services de garde à l'enfance qui reconnaissait les trois principaux types de garde au Québec : garderies à but lucratif, sans but lucratif et en milieu familial. C'est la colonne vertébrale de notre système actuel.

Les libéraux sont revenus à la charge à la fin des années 1980. Le gouvernement de Robert Bourassa propose alors un énoncé de politique sur les services de garde à l'enfance qui sera présenté et défendu par la ministre Monique Gagnon-Tremblay. En gros, on annonce l'injection de 500 millions et le double de places en garderie, soit 60 000 places supplémentaires. On veut stimuler la création de haltes-garderies et de garderies en milieu de travail. On introduit également les subventions aux garderies privées, une mesure qui est loin de faire l'unanimité.

À titre d'exemple, la CSN – qui représente à l'époque les travailleurs de 120 garderies au Québec – déclare que « les éducatrices sont moins bien payées que les gardiens de zoo ». Sa fougueuse vice-présidente, Monique Simard, revendique plutôt une amélioration des conditions de travail des éducatrices. À l'époque, les éducateurs et les éducatrices en garderie sont payés en moyenne 8,60 $ l'heure, alors que la majorité d'entre eux détiennent un diplôme spécialisé de niveau collégial. La même formation, dans la fonction publique, commande un salaire d'environ 14 $ l'heure. Selon la CSN, c'est la qualité des services de garde qui est en jeu, car ces bas salaires favorisent l'instabilité du personnel. C'est souvent dans un contexte de crise – revendications salariales, pourparlers fédéral-provincial, compressions budgétaires – que l'argument de la qualité des services de garde est invoqué. Sinon, on en parle rarement. On discute très peu de l'impact des services de garde sur la vie et le développement des enfants. En d'autres mots, on parle beaucoup du comment mais rarement du pourquoi.

Par contre, en parcourant les journaux d'il y a environ 20 ans, on est frappé par le fait que la plupart des problématiques de l'époque sont les mêmes qu'aujourd'hui. Dans la foulée de son énoncé, la ministre de la Condition féminine Monique Gagnon-Tremblay abordait la délicate question de la conciliation travail-famille et promettait aux Québécoises des congés de maternité plus longs, des journées de travail plus courtes et des horaires flexibles. Or, pendant 10 ans, soit jusqu'en 1995, il en a coûté plutôt cher pour faire garder son enfant au Québec et les congés parentaux demeuraient bien modestes. Quant aux journées de travail plus courtes... on les attend encore.

L'idée de génie des garderies à contribution parentale réduite – mieux connues sous l'appellation de garderies à 5 $ – émerge pour la première fois au Sommet sur l'économie et l'emploi de 1996. La plupart des observateurs de la scène politique québécoise s'entendent pour dire que cette mesure a été plutôt improvisée par le premier ministre du temps

Lucien Bouchard pour donner un peu de *oumph* à un sommet qui en manquait drôlement.

Cela dit, il y a tout de même un contexte. Les sociologues vous diront que durant les années 1990, les enfants réapparaissaient dans le décor et sont redevenus un sujet de réflexion.

Denise Lemieux, chercheuse à l'INRS Urbanisation, culture et société, note que « les démographes se penchent sur le coût des enfants tandis que d'autres s'interrogent sur le désir d'enfant, sur les effets des séparations parentales sur les enfants, sur la diversité culturelle au sujet des enfants ou sur l'évolution du droit à leur égard. Avec l'expansion des services de garde, la socialisation des enfants déborde la cellule familiale. On étudie les services de garde et les grands-parents commencent à refaire surface dans certaines recherches. »

La tournée préréférendaire a également permis aux membres de l'équipe Bouchard d'entendre les revendications des électeurs. Les jeunes parents sont unanimes : tous évoquent la difficile réalité de la conciliation travail-famille.

À la fin de 1996, le gouvernement publie donc un volet de sa nouvelle politique familiale, *Le Québec fait le choix de ses enfants*, présenté par la ministre d'alors, Pauline Marois. On y privilégie trois axes de développement : les services à la petite enfance, le soutien financier aux familles et l'assurance parentale. On propose de « faciliter la conciliation entre famille et emploi en offrant à prix accessibles de meilleurs services à la petite enfance en prévision de leur séjour dans le système scolaire ». On parle aussi « d'inciter au travail les prestataires d'aide sociale avec enfants et les travailleurs à faible revenu ». On souhaite aussi « réduire le travail au noir dans un secteur d'activité (la garde) où il est très présent ».

« Il est plus clair que jamais, dès lors, que les garderies ne font pas que du "gardiennage" pour dépanner les parents travailleurs mais offrent aussi des services éducatifs qui sont régis (donc soumis à inspection et évaluation) et qui viendront soutenir la réussite scolaire des enfants, en plus d'être accessibles financièrement », écrit la sociologue Renée B. Dandurand, professeure émérite de l'INRS Urbanisation, culture et société et sans doute la plus grande experte québécoise des services de garde.

On assiste donc à la création des centres de la petite enfance, à la maternelle à plein temps accessible aux enfants de cinq ans, ainsi qu'aux services de garde éducatifs en milieu scolaire au coût de 5 $ par jour pour les enfants de la maternelle et du primaire.

C'est la consécration des centres de la petite enfance (CPE) qui privilégient une approche éducative et l'apprentissage par le jeu. La loi leur confie la responsabilité de coordonner, de surveiller et de contrôler les services de garde en milieu familial qui sont offerts dans une résidence privée par une responsable reconnue. Avant eux, ce rôle incombait aux agences de services de garde en milieu familial.

Deux principes guident ce nouveau programme : l'universalité et le caractère non commercial des garderies. Ce sont aussi les deux raisons qui expliquent son immense succès. Le programme de garderies à 5 $ connaît un engouement que le premier ministre Bouchard et son équipe n'avaient pas vu venir. En 2001-2002, 55 % des parents d'enfants de moins de cinq ans les confiaient à un service de garde à contribution réduite.

Dans le même souffle, le gouvernement péquiste a imposé un moratoire aux garderies à but lucratif, s'appuyant plutôt sur le réseau des garderies en milieu familial pour développer de nouvelles places. Résultat : un engorgement du système et de graves lacunes comme l'observe la Protectrice du citoyen. Dans un rapport, elle estime que le nouveau système a créé de graves iniquités et que le gouvernement aurait dû, en attendant d'en arriver à son objectif d'offrir des places à 5 $ à toutes les familles québécoises, créer un crédit d'impôt pour compenser celles qui sont exclues du nouveau réseau. De plus, il aurait pu créer certaines priorités pour les places en garderie, par exemple en les offrant d'abord aux familles monoparentales ou à faible revenu.

Comme l'observait ma collègue Katia Gagnon à l'époque, « des mesures comme celles que suggère la Protectrice du citoyen auraient très bien pu faire partie de la politique familiale si elle n'avait pas été lancée dans un tel climat de précipitation ».

Le Parti libéral a repris le pouvoir en 2003. Il a poursuivi le développement des services de garde et apporté quelques modifications au réseau en augmentant, par exemple, les tarifs de 5 $ à 7 $ par jour pour la garde des enfants. Parmi les motifs invoqués, on a affirmé que cette augmentation assurerait l'accessibilité, la qualité et la pérennité des services de garde éducatifs.

Avec sa réforme des garderies, le gouvernement Charest ira toutefois beaucoup plus loin.

Bibliographie

Boileau, Josée. « Les mères ». *Le Devoir*, 21 juillet 2003, p. A6.

Desjardins, Ghislaine. *Faire garder ses enfants au Québec... une histoire toujours en marche.* Les publications du Québec, 2002.

Dugas, Jocelyne. *Les services de garde en milieu familial et la gouverne.* Colloque sur les CPE et les services de garde en milieu familial : Les enjeux d'une nouvelle loi. Institut du Nouveau Monde, 1er novembre 2005.

Lalonde-Graton, Micheline. *Des salles d'asile aux centres de la petite enfance. La petite histoire des services de garde au Québec.* Sainte-Foy, Presses de l'Université du Québec, 2002.

La politique du bruit

Un regard sur la réforme des services de garde

Nathalie Collard

Y avait-il vraiment urgence de réformer le système québécois de garderies ?

C'est la question que bien des parents se posent depuis le dépôt à l'Assemblée nationale du projet de loi sur les services de garde éducatifs à l'enfance, le 25 octobre 2005.

Promise lors de la dernière campagne électorale par l'équipe de Jean Charest, cette réforme des garderies devait s'inscrire dans un projet plus large de conciliation travail-famille mis de l'avant par le ministre de la Famille de l'époque, Claude Béchard, puis repris par son successeur, Carole Théberge. Dans ce contexte, l'exercice était intéressant, les parents du Québec rêvant – une fois n'est pas coutume – qu'on allait enfin se pencher sur leurs difficiles conditions de vie.

Mais cette réforme est rapidement devenue objet de mécontentement général dans un contexte de grande insatisfaction à l'égard du gouvernement Charest. Et comme la réforme revoit en profondeur le rôle des CPE qui sont, rappelons-le, une création du Parti québécois, le débat a pris une tournure très politique. Depuis, tout le monde – les syndicats, les élus du parti au pouvoir comme ceux de l'opposition péquiste –

parle de structures, de compressions budgétaires, de conditions de travail... Ils disent parler au nom des enfants mais dans les faits, ils parlent rarement des enfants.

En gros, le projet de loi 124 – qui doit entrer en vigueur le 1er avril 2006 – prévoit confier la gestion des services de garde en milieu familial à des bureaux coordonnateurs. Jusqu'ici, 884 des 1 002 CPE québécois supervisaient 14 200 garderies en milieu familial. La ministre souhaite désormais confier cette tâche à 163 bureaux dont la tâche serait entre autres de gérer les fameuses listes d'attente et de s'assurer que les normes et le projet éducatif qui s'appliquent aux services de la petite enfance soient respectés. Ce réaménagement permettrait à l'État d'économiser plusieurs millions. Au total, le réseau coûte environ 1,5 milliard. Par contre, cette réforme aura pour conséquence la réduction du nombre de conseillères pédagogiques chargées d'encadrer et d'appuyer les éducatrices en milieu familial, souvent isolées et moins formées que les éducatrices en CPE. On s'inquiète aussi du nombre de bureaux coordonnateurs – 163 pour tout le territoire québécois – car plusieurs craignent une diminution de la qualité de l'encadrement et donc, à plus long terme, de la qualité des services offerts aux enfants.

Inutile de dire que cette proposition d'un gouvernement libéral a été perçue comme un désaveu des CPE, créatures du gouvernement péquiste de Lucien Bouchard.

Toutefois, lorsqu'on étudie le projet de loi plus attentivement, on y trouve quelques bons points. Par exemple, si on offre aux CPE qui le souhaitent vraiment la possibilité de superviser les services de garde en milieu familial mais qu'on en dispense ceux qui n'ont aucun intérêt à le faire et qui voyaient cette responsabilité uniquement comme une façon d'obtenir une subvention supplémentaire, cette idée devient plus intéressante. À condition qu'on nous assure qu'il y aura suffisamment de ressources pour garantir le même niveau de qualité. Car le problème est là. Alors que nous devrions penser à des façons d'améliorer la qualité des services de garde au Québec, nous voilà, une fois de plus, à essayer de sauver les meubles. Comment peut-on d'un côté annoncer une diminution des ressources et, de l'autre, nous promettre que la qualité des services ne diminuera pas ? C'est impossible.

Un autre aspect du projet de loi qui en a fait sourciller plusieurs : les pouvoirs accrus que s'accorde le gouvernement en inscrivant le projet éducatif des garderies dans la loi. Ainsi, les garderies qui ne s'y conforment pas peuvent voir leur permis suspendu ou carrément retiré. Autre nouveauté : les garderies qui ont des places vacantes pourront accueillir des enfants d'âge scolaire. Ces places ne seront toutefois pas subventionnées.

Enfin, on exigera des conseils d'administration des garderies qu'ils ajoutent deux membres issus de la communauté et qui n'ont aucun lien avec la garderie en question. Ce serait là, il me semble, une belle occasion pour des gens à la retraite de s'impliquer dans leur milieu et de permettre aux plus jeunes de bénéficier de leur expérience. Pourquoi ne pas carrément « réserver » ces places à des gens âgés de 55 ans et plus ? Quand on sait à quel rythme la population vieillit au Québec et combien les aînés souhaitent rester actifs, voilà une belle occasion de développer une vision intergénérationnelle, non ?

On ne peut pas parler du projet de loi 124 sans s'arrêter à l'article 9 qui a fait couler beaucoup d'encre cet automne. Il permettra à des garderies privées d'ouvrir des succursales. On s'inquiète : n'est-ce pas là une porte d'entrée à la walmartisation des garderies ? On brandit le spectre de l'Australie où 70 % des garderies sont commerciales et où la qualité des soins dispensés aux enfants est fort critiquée. Il y a des liens évidents entre la recherche du profit et la perte de qualité des soins offerts. Lorsqu'une garderie veut faire des économies, elle coupe où ? Dans les salaires des éducatrices, dans la qualité de la nourriture, dans l'aménagement des lieux. Bref, le spectre des garderies commerciales n'a rien de rassurant. Et la ministre Théberge refuse toujours de réviser l'article en question.

Il reste que LA mesure qui a le plus frappé les imaginations, celle qui a animé les tribunes téléphoniques et les discussions de salon, et qui, à mon avis, touche directement à la qualité de vie des enfants et aux valeurs de notre société, c'est le souhait de rendre plus flexibles les services de garde pour les parents aux horaires atypiques qui doivent faire des pieds et des mains pour faire garder leurs enfants.

La ministre Théberge a annoncé que Québec allait subventionner les garderies qui accepteraient d'offrir des services de soir, de nuit et de fin de semaine, et ce, jusqu'à concurrence d'un court séjour de 48 heures.

Qui sont ces parents ? On pense d'abord aux infirmiers, infirmières, travailleurs du commerce ou de la restauration. Il y a aussi les jeunes parents qui poursuivent des études. Ces parents n'ont pas toujours le réseau familial nécessaire pour faire garder leurs enfants à la maison et doivent bricoler des solutions qui ne sont pas toujours à l'avantage des petits.

Que faire dans ce cas ? Aux États-Unis, où le réseau de services de garde est pour ainsi dire inexistant, on a vu des travailleurs désemparés laisser leur bébé dans la voiture pendant qu'ils allaient bosser à l'usine. Dans certains cas, cela s'est terminé tragiquement... Sans verser dans le drame, il faut pouvoir éviter des situations critiques comme le recours à une gardienne qui n'est pas digne de confiance, à un trop grand nombre de gardiennes pour le même enfant ou encore, à des arrangements avec la famille qui font en sorte que les parents ne se sentent pas à l'aise.

Je ferai un aparté ici pour vous parler du projet-pilote mené en 2000 et 2001 dans 10 garderies du Québec. Il s'agissait d'offrir aux parents intéressés la possibilité de faire garder leurs enfants le soir et la nuit.

J'ai visité la garderie Les Moissons, à Repentigny, dans le cadre d'un reportage sur le projet-pilote réalisé pour *La Presse*. C'était la seule garderie à but lucratif participante. Déjà, depuis 1992, elle ouvrait ses portes jusqu'à 19 heures. Les enfants qu'elle accueillait étaient âgés entre 18 mois et 8 ans. Le projet consistait à offrir un service de garde de soir en semaine, de 15 heures à 1 heure du matin.

Je vais être honnête, j'ai trouvé que c'était triste à voir, ces petits enfants qui s'endormaient côte à côte sur des matelas trop étroits en serrant leurs peluches contre eux. Je ne remets pas en question le professionnalisme de la directrice de ce service de garde ni les soins et l'attention prodigués par les éducatrices, mais je ne pouvais pas m'empêcher de me demander s'il n'y avait pas des risques à réveiller un petit enfant au beau milieu de sa nuit.

Le projet-pilote a toutefois été supervisé de près par une équipe dirigée par Marie-Hélène Saint-Pierre, chercheuse à l'INRS Urbanisation, culture et société. Résultat : un gros rapport de plus de 350 pages dans lequel on a tout répertorié : le profil et les motifs des parents qui ont eu recours aux services de garde atypiques, la réaction et l'adaptation des enfants, l'attitude des éducatrices, les installations pour accueillir les tout-petits, etc. En le lisant, on y apprend par exemple que le ratio éducatrice-enfant des services de nuit est beaucoup plus humain : parfois un enfant par éducatrice, parfois deux mais jamais plus de trois ou quatre. On est donc bien loin du ratio appliqué dans les garderies de jour.

Au lendemain de l'annonce de la ministre Théberge concernant les services de garde aux horaires atypiques, les critiques ont fusé de toutes parts : « Il y aura des abus ! Les parents vont en profiter pour s'offrir des week-ends de vacances en « parquant » leurs enfants à la garderie... Les parents vont abuser du système... »

Il n'y a pas à dire, on semble avoir une bien piètre opinion des parents au Québec... Comme s'ils n'attendaient qu'une occasion pour se débarrasser de leurs enfants. Soit dit en passant, le projet-pilote du gouvernement québécois n'a provoqué aucun raz-de-marée humain aux portes des garderies participantes. « La fréquentation de la garde à horaires non usuels offerte, le soir et la nuit, dans le cadre des projets-pilotes a été relativement faible durant toute la période des projets en ce qui concerne la garde de nuit, notent les auteurs de l'étude. Elle a été plus élevée pour la garde de soir de manière générale, mais elle était également fort peu élevée dans certains services de garde, surtout au début des projets. » Autrement dit, s'il y a une demande pour des garderies aux horaires plus flexibles, elle n'est pas excessive. Les parents qui y ont recours le font parce qu'ils n'ont pas d'autre choix.

Cela dit, il faut se poser des questions sur l'impact d'un tel service de garde. Dans quel état d'esprit les parents se rendent-ils à la garderie de soir ? Comment les enfants réagissent-ils ? Dans le rapport, on peut lire que « plusieurs parents, même parmi les plus enthousiastes, ont mentionné avoir éprouvé de la peine au début, voire une certaine douleur ; certains disant que ça leur avait semblé peut-être même plus difficile pour eux que pour l'enfant. Il leur était très difficile de laisser l'enfant au service de garde, surtout s'il pleurait, difficile aussi de ne pas y penser au travail ensuite. » Une mère a raconté aux auteurs que la première fois qu'elle avait fait garder son enfant la nuit, c'est elle qui avait pleuré. « Elle était allée travailler, elle avait les yeux rouges, elle regardait l'heure, peut-on lire dans le document ; elle est ensuite allée s'acheter une « pagette » juste pour la garderie. »

Les auteurs du rapport abordent aussi le sentiment de culpabilité des parents qui font garder leur enfant le soir et la nuit. « C'est mon premier enfant, je me sens bien coupable de la laisser au CPE. Ma fille est toute petite et fragile », peut-on lire dans le document. « Que mon enfant ait à dormir ailleurs que chez lui, je ne l'accepterai jamais à 100 %. Le prix à payer est cher pour avoir un emploi. Dans ma tête, je continue de penser que mon garçon devrait dormir chez lui », explique une autre mère.

Bref, des témoignages assez poignants qui montrent bien le désarroi de ces parents, déchirés entre l'obligation de travailler et le désir d'être auprès de leurs enfants. N'est-ce pas plutôt de ce côté – les horaires de travail qu'on impose aux jeunes parents, l'absence de flexibilité du marché du travail – qu'on devrait chercher des solutions dans une éventuelle réflexion sur la conciliation travail-famille ?

Je le rappelle, cette réforme des garderies devait s'inscrire dans le cadre d'une grande réflexion sur le temps et la famille. On a abandonné le défi – colossal, il faut l'avouer – de s'attaquer à nos façons de vivre et notre rapport au temps. On a plutôt choisi d'accommoder le marché du travail. Devant un employeur qui leur demandera de travailler le soir ou la fin de semaine, que pourront répondre les employés qui ont des enfants maintenant que les services de garde sont là pour les dépanner ?

Le 27 novembre dernier, entre 8 000 et 10 000 personnes se sont réunies au stade Uniprix du parc Jarry pour manifester contre la réforme des garderies. Paul Piché, Mara Tremblay et compagnie sont venus donner leur appui à la Coalition pour le maintien et la consolidation du réseau des CPE. Ce rassemblement à saveur politique (toutes les occasions sont bonnes pour critiquer le gouvernement Charest) m'a toutefois laissé un goût amer. Encore une fois, les enfants étaient fort absents des discours entendus ce soir-là. Bien sûr, on me répondra que se porter à la défense des CPE est une façon de défendre la qualité des services de garde, mais j'aurais aimé en entendre davantage. J'aurais aimé entendre des artistes s'inquiéter des enfants comme ils s'inquiètent de la qualité de l'eau ou de l'état de nos forêts.

Bibliographie

Gagnon, Katia. « La garderie de l'avenir ». *La Presse,* 19 septembre 1999, p. A6.

Projet de loi n° 124 : Loi sur les services de garde éducatifs à l'enfance. Ministère de la Famille, des Aînés et de la Condition féminine.

Rochette, Maude, Québec et ministère de la Famille et de l'Enfance. *Le travail atypique des parents et la garde des enfants. Description du phénomène et recension des expériences étrangères de garde à horaires non usuels.*

Saint-Pierre, Marie-Hélène, avec la collaboration de Dandurand, Renée-B., Moisan, Marie et Gauthier, Johanne. *Évaluation des projets-pilotes de garde à horaires non usuels.* 2002, 362 pages.

Et la qualité, bordel ?

L'évaluation des services de garde au Québec

Nathalie Collard

Quand il est question de services de garde, nous le disions plus tôt, on parle beaucoup de structures et pas assez de qualité.

Quand un parent confie son enfant à la garderie durant plus de huit heures par jour, de quoi veut-il d'abord entendre parler ? Du nombre de personnes qui devraient siéger au conseil d'administration de son CPE ou de la compétence des éducatrices ? De l'appui du chanteur Paul Piché ou du contenu du programme éducatif ? Ce n'est pas un hasard si même les parents utilisateurs en ont perdu leur latin dans le grand brouhaha qui a suivi le dépôt du projet de réforme des services de garde. « La comprends-tu, toi, la réforme ? », se demandaient-ils à l'heure du lunch.

Depuis la création des CPE et du système de garderies à 5 $, on s'est peut-être moins inquiété de la qualité des services offerts dans nos garderies. On a eu tort. Ce n'est pas parce que nous sommes un exemple ailleurs au pays qu'il n'y a pas place à l'amélioration, au contraire. Nos services de garde sont-ils à la hauteur de ce que les différents gouvernements nous promettent dans leur politique familiale ? Sont-ils à la hauteur d'un pays riche qui ne cesse de répéter que les enfants sont sa priorité ? Sont-ils à la hauteur de nos attentes à nous, les parents ?

Regardons la réalité en face. Depuis 2003, le système québécois a subi des coupes importantes. À l'heure actuelle, on évalue que 80 % des budgets des CPE, soit de 40 à 60 millions, vont aux salaires et aux bâtiments.

L'été dernier, la Presse canadienne publiait des données du ministère de la Famille pour l'année 2004-2005 qui révélaient un nombre inquiétant de plaintes dans les garderies en milieu familial au Québec. On découvrait entre autres que plus de la moitié (53 %) des plaintes reçues concernaient les garderies privées, qui ne représentent pourtant que 15 % des places disponibles au Québec. Dans plus de la moitié des cas, il s'agissait de plaintes pour violence verbale, punitions abusives, discrimination ou humiliation.

Si on regarde les chiffres de plus près, il y a environ une plainte par 206 places dans le milieu privé alors que dans les garderies à but non lucratif, on compte environ une plainte par 1 345 places.

Au cours de l'année 2004-2005, le ministère de la Famille a donc enregistré 34 plaintes pour violence physique : 6 en CPE, 6 en garderie privée et 22 en milieu familial.

L'isolement, le manque de soutien et de formation sont parmi les raisons qui peuvent expliquer – mais non justifier – ce phénomène.

En guise d'explication, l'Association des garderies privées a invoqué la structure des deux systèmes qui favorise les plaintes du côté du secteur privé alors que dans les CPE, gérés par des comités où siègent des parents, les plaintes se règlent plus facilement à l'interne.

Peu importe la raison, aucun geste violent – verbal ou physique – ne doit être toléré dans les garderies. Si certaines structures isolent les éducatrices et les rendent plus susceptibles de perdre le contrôle, il faut immédiatement y remédier. Or, le projet de réforme déposé par la ministre Théberge prévoit une structure qui compte moins de conseillères pédagogiques, ces professionnelles chargées d'apporter un soutien aux éducatrices en milieu familial.

Que cherchent les parents quand ils commencent à penser à la garderie? « Une place ! », vous répondront-ils en chœur, mi-blagueurs, mi-sérieux. Il faut dire que notre système actuel ne permet pas beaucoup le magasinage. La plupart des parents vont d'abord frapper à la porte de la garderie de leur quartier ou à celle qui se trouve près de leur lieu de travail.

Au cours des derniers mois, j'ai posé la question autour de moi, encore et encore. Que cherches-tu lorsque tu cherches une garderie? « Moi je veux un endroit où les éducatrices sont de bonne humeur et aiment leur travail, m'a expliqué Geneviève. Je veux que lorsque je dépose mon fils à la garderie, il soit content de retrouver le lieu, les éducatrices, les amis. » « Moi, je cherchais un endroit lumineux, où j'entendais rire les enfants », me dit Julie, qui a deux enfants en garderie. « Je cherche un endroit propre, sécuritaire, où les éducatrices sont allumées », répond Isabelle.

Bref, ce n'est pas sorcier, les parents cherchent un milieu de vie agréable où leurs enfants pourront s'épanouir. Il faut être parent pour connaître ce sentiment de culpabilité, ce nœud dans l'estomac lorsqu'on sait qu'on dépose son enfant dans un endroit correct ou ordinaire. Quand on se dit, en démarrant le moteur de la voiture, qu'il serait bien mieux à la maison avec ses jouets que dans cette maison bruyante, ce local aux murs un peu défraîchis, en compagnie de cette madame gentille, bien sûr, mais au ton un peu bourru... Aucun parent ne rêve d'ordinaire pour son enfant.

Entre 2000 et 2003, des chercheurs de l'Institut de recherche en politiques publiques (IRPP) ont visité plus de 1 500 établissements – CPE, garderies privées et garderies en milieu familial – fréquentés par des enfants nés en 1997 ou 1998. Cette recherche s'inscrit dans une vaste enquête longitudinale portant sur les enfants au Québec, mieux connue – du moins dans les milieux concernés – sous le nom d'ÉLDEQ ou Étude longitudinale du développement des enfants du Québec, une étude menée par la Direction Santé Québec de l'Institut de la statistique du Québec et une équipe interdisciplinaire de chercheurs provenant de plusieurs universités avec, à leur tête, Richard E. Tremblay, professeur titulaire au département de pédiatrie de la Faculté de médecine de l'Université de Montréal où il est également accrédité au département de psychologie.

Depuis 1998, le Dr Tremblay et son équipe suivent le développement de 2 223 enfants québécois.

Les conclusions de l'étude *La qualité, ça compte!* rendues publiques en octobre dernier n'ont rien de réjouissant. Dans un peu plus de 6 établissements sur 10, on a observé que la qualité des services offerts était minimale alors que dans près d'un milieu de garde sur sept, soit 12 %, elle s'avérait carrément inadéquate.

Quand on parle de garderie d'une qualité minimale en ce qui a trait à la composante éducative, « ça signifie que les enfants reçoivent des soins de base et ne courent pas de danger quant à leur santé et à leur sécurité », déclarait Christa Japel, coauteure du rapport, à mon collègue Nicolas Saint-Pierre, dans *La Presse*, au moment de la publication de l'étude.

Autrement dit, on ne parle plus tellement de services de garde éducatifs mais plutôt de « gardiennage », ce qui est nettement insuffisant compte tenu des objectifs de la politique québécoise et surtout, bien en-deçà de nos attentes à nous, parents.

Maintenant, quand on sait que la qualité des garderies a un impact sur le développement des enfants, comme cela a été prouvé à plusieurs reprises et comme l'a bien expliqué Jean-François, on a vraiment raison de s'inquiéter.

« Ces garderies ne représentaient pas un milieu assez stimulant pour avoir un impact positif sur le développement des enfants », confirmait madame Japel qui est également professeure au département d'éducation et de formation spécialisées à l'Université du Québec à Montréal. Et bien entendu, les milieux défavorisés sont encore plus à risque dans ce contexte.

J'ai rencontré la professeure Japel au lendemain de l'annonce de la réforme des garderies, au moment où elle était elle-même sollicitée de toutes parts par les médias pour commenter le projet de loi de la ministre Théberge.

Son constat était sévère : la réforme Théberge est arbitraire, elle n'est pas motivée par le bon sens mais par des motifs financiers. Elle manque de vision et surtout, ajoute-t-elle, « le gouvernement perd de vue que le système de garde québécois est là avant tout pour répondre aux besoins des enfants ».

La chercheuse était évidemment déçue qu'on n'ait pas tenu compte des conclusions de son enquête, conclusions qui avaient pourtant été communiquées à la ministre quelques mois auparavant.

« Les résultats de cette étude sont inquiétants, m'a répété madame Japel. Le programme éducatif obligatoire dans les garderies subventionnées n'est appliqué que dans un milieu sur quatre. »

Une autre étude, publiée en 2004 par l'Institut de la statistique du Québec (ISQ), confirmait ces résultats. *Grandir en qualité* demeure la plus vaste étude sur les garderies jamais réalisée dans la province. Le constat donne froid dans le dos. Note accordée aux garderies du Québec : passable. Et personne n'est descendu dans la rue pour manifester. Or, comme le font remarquer les auteurs de *La qualité, ça compte !*, la fréquentation d'un service de garde de faible qualité peut nuire au développement social, affectif et cognitif des enfants. Peut-on être plus clair ?

Qu'est-ce que la qualité et comment l'évalue-t-on ? Chose certaine, elle dépasse la simple appréciation des parents ou le sourire des enfants lorsqu'on va les cueillir à la fin de la journée. Dans *La qualité des services de garde. Un bilan de la littérature*, Guy Bellemare, Louise Briand et Anne-Renée Gravel recensent trois types de mesures pour évaluer la qualité des services de garde : l'ECERS (*Early Childhood Environment Rating Scale*) ; l'ITERS (*Infant/Toddler Environment Rating Scale*) et l'échelle d'interaction des fournisseurs de service d'Arnett (*Caregiver Interaction Scale*).

La qualité évaluée à l'aide de ces outils repose sur plusieurs critères comme la relation entre les éducatrices et les enfants, les programmes d'activités, la formation et la compétence du personnel, le ratio éducatrice-enfant, l'environnement physique, la qualité de la nourriture et la gestion.

Au Québec, me rappelle Christa Japel, nous avons le ratio éducatrice-enfant le plus élevé au pays, soit une éducatrice pour cinq poupons âgés de 18 mois et moins. À titre de comparaison, l'Alberta n'en permet pas plus de trois.

« Cinq poupons, c'est beaucoup trop élevé, c'en est ridicule !, s'indigne madame Japel. On ne laisserait pas une mère seule avec cinq enfants du même âge ! »

Comment une éducatrice peut-elle réussir à répondre aux besoins des bébés dans un tel contexte, on se le demande.

Surtout quand on connaît les soins à prodiguer à un poupon. Dans l'ouvrage de référence *Le bébé en garderie,* les auteures notent ceci : « Quiconque a vécu quelques heures avec un petit bébé sait qu'il a des besoins physiques et émotifs intenses qui demandent des réponses immédiates et adaptées; que chaque bébé a, de plus, un rythme biologique qui lui est propre : il a besoin qu'on le nourrisse quand il a faim, de dormir quand il a sommeil, d'être libre d'explorer quand ses besoins physiologiques sont comblés. »

Nos services de garde ne peuvent évidemment pas répondre à tous ces besoins, surtout lorsqu'on sait que les soins ne peuvent pas attendre lorsqu'il s'agit d'un poupon. On ne peut pas lui dire « Sois patient, attends une minute ». « Chez le poupon, poursuivent les auteures du manuel *Le bébé en garderie,* les soins doivent être prodigués immédiatement et dans une relation individualisée puisque l'enfant très jeune apprend beaucoup en tête à tête avec un adulte disponible et qu'il supporte difficilement l'attente. »

La formation des éducatrices est un autre critère de qualité sur lequel nous devrions davantage insister. Vrai, la formation universitaire n'est pas un gage que l'éducatrice de votre enfant sera la meilleure mais tout de même, on peut se poser des questions sur les exigences du gouvernement dans le secteur des services de garde. Comment expliquer qu'on retrouve seulement 35 % d'éducatrices formées dans les garderies privées et 49 % dans les CPE?

Confierait-on sa voiture à un garage qui compte seulement deux employés sur trois ayant des connaissances en mécanique? Je pose la question.

Au fond, il n'y a pas de relation plus délicate, plus fragile et plus importante que celle qui lie une éducatrice à un bébé ou un jeune enfant. Le parent confie à un adulte la vie de son petit. D'une certaine façon, il paie quelqu'un pour prodiguer de l'amour à son enfant durant les heures où il est absent. D'un côté, il souhaite que son enfant soit accueilli, aimé, observé avec le même regard aimant mais de l'autre, il ne voudrait pas que l'adulte responsable le remplace dans le cœur de son enfant. On parle donc d'une relation très subtile, d'un rapport délicat basé sur la confiance et le respect. Notre système est-il construit de manière à faciliter cette relation? Peut-on penser à des façons d'améliorer ce lien, cette communication entre le parent et l'éducatrice?

« De toute évidence, pour assurer la qualité, il importe de fournir au personnel éducateur et aux responsables de garde en milieu familial le soutien nécessaire, par exemple, à l'application du programme éducatif, à la prévention ou à l'identification de difficultés d'apprentissage ou de comportements, au soutien des enfants ayant des besoins particuliers », note Jocelyne Dugas, coauteure de *La mise à jour des données du marché du travail* pour le Conseil sectoriel des ressources humaines des services de garde à l'enfance. « Ce n'est pas tout le monde qui devrait être éducateur », remarque pour sa part Christa Japel, avec sagesse.

Dans l'étude *La qualité des services de garde*, on explique qu'« une meilleure formation des éducateurs favorise des attitudes d'éducation moins autoritaires, un modèle d'interaction plus positif, un meilleur rapprochement avec les enfants et un meilleur développement général de l'enfant (émotif, moteur, relationnel, intellectuel) tout en générant une diminution des troubles de comportement chez les enfants ».

Dans une autre étude, toutefois, on affirme qu' « une trop grande formation universitaire peut nuire à certains aspects du développement de l'enfant, entre autres aux aspects entourant la socialisation. En fait, ces intervenants seraient plus axés sur le développement académique aux dépens du développement social. » Comme le font remarquer les auteurs de *La qualité des services de garde. Un bilan de la littérature*, il serait temps de mener une recherche québécoise sur le sujet.

Il y a quelques années, on a introduit le système ISO 9000, une série de normes internationales utilisées par les entreprises qui souhaitent mettre sur pied leur propre système de qualité interne. Les normes ISO fixées par l'Organisation internationale de normalisation ont été adoptées dans plus de 90 pays et ses exigences sont reconnues à travers le monde. Vous me voyez venir... Faudrait-il imposer des normes ISO aux garderies pour s'assurer que la qualité soit impeccable? Imaginez la scène : une garderie recouverte d'une immense banderole blanche sur laquelle serait inscrite la mention : « Garderie ISO 9002 »...

À moins qu'on demande à l'équipe du magazine *L'actualité* de dresser un palmarès des garderies du Québec ? Cela relèverait peut-être nos exigences.

Il n'est pas normal qu'on se contente d'une note de passage quand il est question de nos enfants. Nous avons le droit, et le devoir aussi, d'offrir et d'exiger ce qu'il y a de mieux pour eux, en leur nom. La plupart des enfants de ma génération ont eu l'avantage de passer les premières années de leur vie à la maison, en compagnie de leur mère, dans un environnement sécuritaire et affectueux. La société a changé, nous sommes de plus en plus nombreux à devoir – et vouloir – travailler. Dans ce contexte, il faut toutefois s'assurer que nos enfants n'en paieront pas le prix.

Si « l'État c'est nous », alors exigeons de l'État qu'il impose des normes de qualité supérieure aux garderies qui accueillent nos enfants.

Demandons-lui de consacrer une part de son budget à l'amélioration des services et à la mise à jour régulière de la formation des éducatrices en garderie. Revendiquons de meilleurs salaires pour ces éducatrices qui élèvent nos enfants et qui méritent tellement plus que ce qu'elles reçoivent actuellement. C'est la seule façon de s'assurer que les meilleures resteront.

Il n'y a qu'un seul objectif qui tienne : offrir à nos enfants des services de garde de qualité supérieure. On se doit de refuser tout ce qui se situe au-dessous de ce niveau.

Bibliographie

Bellemare, Guy, Briand, Louise et Gravel, Anne-Renée. *La qualité des services de garde. Un bilan de la littérature.* Université du Québec en Outaouais, 2002.

Hendrick, Joanne. *L'enfant : une approche globale pour son développement.* Québec, Presses de l'Université du Québec, 2000, 704 pages.

Japel, Christa, Tremblay, Richard E. et Côté, Sylvana. *La qualité, ça compte !* Résultats de l'étude longitudinale du développement des enfants du Québec concernant la qualité des services de garde. Institut de recherche en politiques publiques, octobre 2005.

Martin, Jocelyne, Poulin, Céline et Falardeau, Isabelle. *Le bébé en garderie.* Québec, Presses de l'Université du Québec, 2000, 419 pages.

Saint-Arnaud, Pierre. « Les garderies privées font l'objet d'un nombre disproportionné de plaintes ». *La Presse canadienne,* 26 juillet 2005.

Tremblay, Sabin, avec la collaboration de Bernard, Stéphane. *Enquête grandir en qualité : Recension des écrits sur la qualité des services de garde.* Montréal, Québec, 2003, ministère de la Famille et de l'Enfance, Direction des communications et de la gestion documentaire, 37 p. Boileau, Josée. « Tout se joue avant six ans ». *Le Devoir,* 11 septembre 2003, p. A6.

Des éducatrices racontent

Point de vue de l'éducatrice sur la garderie

Nathalie Collard

La relation entre l'éducatrice, l'enfant et les parents repose sur un équilibre délicat. J'ai voulu connaître le point de vue de deux femmes qui ont travaillé dans le milieu des garderies, en CPE et en milieu familial, afin qu'elles nous expliquent leur réalité.

Éducatrice en garderie, Marie Bélec a été propriétaire de sa propre garderie en milieu familial durant quatre ans avant de tout quitter pour fonder une famille. Elle nous parle de sa vision du milieu familial, de sa relation avec les parents et des abus de certains d'entre eux.

NATHALIE COLLARD
Pourquoi avoir fondé une garderie en milieu familial ?

MARIE BÉLEC
J'ai toujours voulu avoir des enfants. J'avais cinq ans et j'en voulais déjà... J'ai un D.E.C. en garderie du cégep de Sainte-Foy. Je travaillais dans une garderie à but non lucratif à Québec. Un jour, mes parents ont décidé de déménager à Montréal et je les ai suivis. Je suis arrivée à Montréal et j'ai fait un petit sondage informel auprès des collègues de travail de mon beau-frère qui travaillait à Softimage. Ils avaient tous des enfants

et cherchaient tous une garderie. Comme ils vivaient sur le Plateau, j'ai loué un appartement dans ce quartier.

Les premiers mois, je ne gardais qu'un seul enfant puis peu à peu, d'autres se sont ajoutés. La demande était très forte pour les petits bébés, mais les règles imposées au milieu familial limitaient à 2 le nombre d'enfants de 18 mois et moins. Finalement, je me suis retrouvée avec six enfants d'environ un an et demi. Laissez-moi vous dire que lorsqu'ils sont tous arrivés à l'âge de deux ans, ça a été l'enfer...(rires)

Comment organisais-tu tes journées ? Suivais-tu un programme très strict ?

Je n'aimais pas travailler en garderie à cause des horaires. Je n'aimais pas les horaires fixes, le fait de savoir que tel jour on fait du bricolage, l'autre jour de la peinture. Je n'aime pas voir les enfants marcher à la queue leu leu dans la rue comme s'ils étaient dans l'armée, ça me rend triste.

Déjà quand on est adulte, on veut décrocher de notre routine, alors je n'avais pas envie d'imposer cela aux enfants. Bien sûr, il y avait une certaine routine, on mangeait à midi, on faisait la sieste à une heure et demie. Le reste du temps, on jouait, on allait dehors, on faisait du bricolage... Il y avait des thèmes – Noël, Pâques, le corps humain, etc. –, mais c'était très souple... Au fond, je voulais que ce soit comme à la maison. Or, quand les enfants sont à la maison avec leur mère, elle ne leur dit pas : c'est mardi, on fait du bricolage, c'est jeudi, on fait de la peinture...

Chez moi, il n'y avait pas de petites tables, de petites chaises ou des petites toilettes comme dans les garderies... Je voulais que ça ressemble à une maison normale pour qu'ils ne soient pas dépaysés. À l'heure du repas, quelques enfants m'aidaient à sortir les aliments du frigo, à mettre la table. J'en profitais pour leur apprendre les couleurs, les odeurs, les formes...

Passais-tu beaucoup de temps à discuter avec les parents ? Quel genre de relation entretenais-tu avec eux ?

Avec les parents, cela dépendait s'ils avaient le temps ou pas. À ceux qui avaient le temps, je racontais la journée de leur enfant dans les moindres détails. Aux autres, je me contentais des grandes lignes. J'ai essayé de créer une espèce de communauté entre les parents. Je ne me gênais pas pour faire des commentaires sur un enfant devant les parents d'un autre. Je voulais que les parents connaissent tous les autres enfants, leur caractère, la dynamique entre eux. Je voyais ma relation avec tous les parents comme un travail d'équipe. L'été, j'organisais un gros 5 à 7 avec eux afin qu'ils puissent se rencontrer et à Noël, il y avait une fête avec des cadeaux et un père Noël.

Par contre, il m'est arrivé d'avoir une altercation avec un père parce qu'il m'avait laissé sa fille super-malade et que je l'avais rappelé dans la journée pour qu'il vienne la chercher. Il était fâché parce que son patron n'allait pas être content et qu'il allait se faire engueuler s'il quittait le travail. Cette fois-là, je me suis fâchée. Je lui ai dit : « Qu'est-ce qui est le plus important ? Ton argent ? Ton travail ? Ou ton enfant qui est toujours malade ? »

Il y a certains comportements de parents que je ne comprenais pas toujours. Comme ceux qui me laissaient leur enfant une grosse journée pleine alors qu'ils savaient que le petit était malade. Ou encore, ceux qui ne travaillaient pas, qui allaient se promener toute la journée mais qui m'emmenaient quand même leur enfant à sept heures le matin pour le reprendre seulement en fin de journée. J'ai même gardé durant la crise du verglas, alors que tous les bureaux étaient fermés et qu'on vivait une crise... Sans juger, j'avoue que j'avais de la difficulté à comprendre.

Comment voyais-tu ton rôle d'éducatrice ?

Moi, je me voyais surtout comme une remplaçante de la maman. Je me disais que comme leur mère ne pouvait pas être là pour eux – parce qu'elle devait travailler, parce qu'elle avait une carrière, parce qu'elle voulait donner le meilleur à ses enfants, pour toutes sortes de raisons... – moi je prenais soin des enfants, je leur donnais de l'amour, de l'affection, je jouais avec eux... j'étais stricte quand c'était le temps de l'être. Ma relation était bonne et jamais il n'y a eu de friction avec les parents à ce niveau-là.

Même que certains enfants m'appelaient parfois maman. Je me disais, c'est bon, ça signifie qu'ils se sentent bien avec moi... je savais bien qu'ils ne me confondaient pas avec leur maman mais qu'ils exprimaient juste le fait qu'ils étaient bien avec moi.

Aujourd'hui, j'ai deux enfants et je trouve que je fais le plus beau métier du monde. Mais j'ai gardé contact avec certains parents qui sont devenus mes amis avec le temps.

~

Teresa Kozina travaille dans le milieu de la petite enfance depuis 1979. Elle a été éducatrice en Centre de la petite enfance (CPE), gestionnaire et évaluatrice. Détentrice d'un bac en éducation scolaire et d'un diplôme universitaire en petite enfance de l'Université d'Alberta, Mme Kozina est âgée de 52 ans. Après plus de 20 ans d'expérience dans ce milieu, elle pose un regard très lucide sur la qualité des soins de garde offerts aux enfants québécois.

Pourquoi avoir choisi le milieu de la petite enfance?

J'ai toujours été passionnée par les jeunes enfants. Je crois beaucoup à l'apprentissage par le jeu et j'ai compris que le milieu de la petite enfance était plus ouvert à mes idées que le milieu scolaire. Aujourd'hui, toutefois, je suis un peu découragée par ce que je vois autour de moi. La question de la qualité me préoccupe au plus haut point. Or, lorsqu'on critique notre milieu, c'est toujours très sensible. Prenons la question de la formation des éducatrices. Lorsqu'il y a eu une pénurie d'éducatrices, on a envoyé un paquet de monde suivre l'attestation raccourcie de 13 cours au collégial plutôt que les 43 exigés pour un D.E.C. Avec le temps, cette attestation raccourcie est devenue la norme. Et la rémunération est la même, peu importe que tu aies obtenu un D.E.C. ou une attestation raccourcie.

Quant aux diplômées universitaires, on ne les voit plus. La diplômée en éducation spécialisée qui se joint à une équipe, en garderie, recevra le même salaire qu'une éducatrice qui n'a qu'une attestation. Les diplômées universitaires ne sont donc pas intéressées et les garderies ne réussissent pas à attirer des candidates ayant une grande formation, d'où la baisse de qualité.

Les différentes études sur la qualité dans les garderies québécoises nous révèlent des résultats plutôt décevants. Est-ce que ça vous surprend? Est-ce que ça correspond à votre expérience?

Tout à fait. Je vous ai parlé de formation. Je pourrais également vous parler de ratio. Imaginez une éducatrice responsable de cinq poupons. Si une mère donnait naissance à cinq enfants, l'entourage et les membres de sa communauté iraient l'aider. Ce n'est pas par hasard si les nouveaux parents sont toujours crevés : un petit bébé, ça demande énormément de soins, de présence, d'énergie. L'éducatrice, elle, sous prétexte qu'elle est payée, doit se débrouiller.

Avant la dernière réforme, en 1997, le milieu était moins réglementé et les services de garde s'arrangeaient. Quand une garderie voulait plus d'éducatrices dans le groupe des poupons, elle déplaçait des éducatrices d'un groupe à l'autre en « empruntant » par exemple une éducatrice au groupe des quatre ans qui s'organisait avec une éducatrice en moins. Chaque garderie avait ses propres arrangements. Or, le gouvernement a vu que les éducatrices pouvaient se débrouiller avec plus d'enfants par groupe et il a augmenté les ratios si bien qu'aujourd'hui, on se retrouve avec les pires ratios au Canada.

Je peux vous parler d'espace aussi. La norme prévoit un espace de 2,75 mètres carrés pour chaque enfant. Et ça inclut les meubles et l'éducatrice ! À titre de comparaison, une secrétaire dispose d'environ quatre mètres carrés pour travailler. Et elle ne saute pas et ne joue pas avec un ballon. Il faudrait de 25 % à 50 % plus d'espace par enfant. De plus, les enfants qui vivent dans des petits espaces n'ont pas les habiletés sociales pour dire : « Excuse-moi, tu es dans mon chemin... » Ça crée de l'agressivité...

Pourquoi les éducatrices ne sont-elles pas plus nombreuses à déplorer cette situation ?

Le problème avec le milieu des garderies, c'est qu'il a de la difficulté à s'autoévaluer. En fait, il en est incapable. Quand on parle des problèmes, on vous dira toujours : « Oui, mais notre garderie n'est pas comme ça, c'est l'exception... » On ferme les yeux, on refuse de faire le lien de cause à effet qui s'impose. La moindre critique est très douloureuse. Admettre par exemple que nos éducatrices manquent de formation, ça ne se dit pas. Et il faut comprendre : les éducatrices travaillent tellement fort, elles ne peuvent tout simplement pas concevoir qu'elles n'en font pas assez.

Tout le monde fait preuve de bonne volonté, mais ça dérape tout le temps. Prenons l'exemple d'une garderie qui voudrait stabiliser le groupe des tout-petits et faire en sorte que les éducatrices soient toujours les mêmes. Un jour, les éducatrices demandent la semaine de quatre jours. C'est compréhensible. On arrange l'horaire en conséquence et les éducatrices seront les mêmes quatre jours sur cinq. Puis une éducatrice tombe malade et on « emprunte » une éducatrice à un autre groupe qui, lui, perdra à son tour sa stabilité pour que le groupe des tout-petits ait les mêmes éducatrices durant... trois jours par semaine.

C'est toujours ainsi. Il y a les besoins des petits et il y a les besoins des éducatrices qui veulent passer elles aussi du temps auprès de leur famille. Alors en bout de ligne, qui paiera le prix ? L'éducatrice, sa famille ou le bébé ?

Que pensez-vous de la place qu'on accorde aux enfants dans notre société ?

Je vais vous dire, on n'aime pas nos enfants. Nous sommes en train d'institutionnaliser l'enfance. Le raisonnement est le suivant : je paie des taxes, j'ai des droits, je veux ma place en garderie. Il y a des gens qui utilisent les services de garderies alors qu'ils auraient besoin de haltes-garderies, d'autres de prématernelles.

Personnellement, j'ai remarqué un grand changement chez les parents avec la réforme. Avant, lorsqu'ils cherchaient une garderie, ils appelaient, s'informaient des lieux, de la nourriture, des horaires... ils voulaient visiter. Après la réforme, la seule question qu'ils posaient était la suivante : « Avez-vous une place à 5 $? » J'ai déjà forcé des parents à venir visiter la garderie que je dirigeais afin de m'assurer que nous avions des valeurs communes.

Diriez-vous que les parents ne sont pas assez vigilants ?

Je trouve que c'est triste pour les jeunes parents, ils ont la vie dure. Ils souffrent de culpabilité, de stress... Dans les milieux défavorisés, ils travaillent fort pour peu d'argent alors que dans les milieux favorisés, ce sont souvent des professionnels à bout de souffle. Les garderies remplissent un mandat important, c'est évident. Et je ne juge pas les parents d'agir comme ils le font, ils n'ont souvent pas le choix.

En fait, c'est au gouvernement de s'assurer que la qualité est impeccable. Prenez la réforme. Le milieu familial va en souffrir. Il y aura moins de supervision et donc, moins de qualité. Or, c'est un milieu où les éducatrices sont beaucoup laissées à elles-mêmes. Imaginez que ça ne clique pas entre un enfant et une éducatrice, ou que l'éducatrice soit impatiente une journée (nous sommes tous humains). Les enfants sont trop petits pour le dire. C'est pour cette raison que lorsque je dirigeais une garderie, je favorisais toujours les groupes doubles. Ça protégeait les éducatrices, les enfants, les parents. Avec les nouveaux bureaux coordonnateurs, je ne suis pas certaine du suivi qu'on pourra assurer auprès des garderies en milieu familial. (...) En général, je crois que les parents ne sont pas toujours conscients de ce que leur enfant peut vivre dans une journée, de l'impact de la garderie dans leur vie. Ils se diront : « L'éducatrice est fine, l'enfant sourit, tout va bien... » Le parent ne peut pas se dire qu'il laisse son enfant dans un endroit de moins bonne qualité, ce serait trop insoutenable...

~

Cher Jean-François, vois-tu à quel point ces femmes sont dévouées ? Et en même temps, frustrées, parfois, de ne pas pouvoir effectuer leur travail comme il faut. J'ai peur qu'on soit en train d'évincer les meilleures candidates qui refuseront de travailler dans des conditions difficiles pour des salaires de crève-faim. Moi je rêve d'une garderie où les éducatrices seraient payées généreusement (après tout, leur travail est primordial), où elles assisteraient régulièrement à des cours de formation, où les conditions seraient respectueuses de la qualité de vie des personnes, qu'il s'agisse des enfants ou des éducatrices. Au bout du compte, ce sont les enfants qui en bénéficient.

Et la famille, ça va ?

L'importance de la famille au Québec

Nathalie Collard

Philosophe, président de L'Agora Recherches et Communications, éditeur du magazine *L'Agora* et auteur de plusieurs ouvrages, Jacques Dufresne a prononcé en mai dernier la conférence d'ouverture du colloque « Regards sur la diversité de la famille : mieux comprendre pour mieux soutenir », organisé par le Conseil de la famille et de l'enfance du Québec. J'ai trouvé ses propos tellement éclairants que je l'ai joint par téléphone à sa ferme d'Ayer's Cliff afin qu'il partage avec nous ses observations et ses réflexions sur l'état de la famille dans un Québec qui se dit « fou de ses enfants... »

NATHALIE COLLARD
Vous dites que la famille est en crise aujourd'hui. Pourquoi ?

JACQUES DUFRESNE
Nous sommes à une époque où le choix est devenu un absolu. C'est la perversion de la conception de la liberté, avec des effets funestes dans le cas de la famille. Aujourd'hui, on conçoit la liberté comme un ensemble de choix, pas de connaissances. Et on ne choisit pas nécessairement ce qui est bon. C'est ce qu'on choisit qui est bon PARCE QU'on l'a choisi...

Quand un couple se sépare alors que son enfant a six mois, c'est l'expression d'une certaine conception de la liberté. Et quand on vit dans un contexte de choix absolu, le deuxième choix peut être un reniement du premier. Et donc, l'ensemble des rapports humains – et la famille – sont exposés à une grande fragilité.

Sommes-nous nostalgiques d'une famille qui, finalement, n'a jamais existé, d'une famille idéalisée ?

Je suis dans la plus grande perplexité par rapport à la famille comme institution universelle. Pas par nostalgie de la famille ancienne, mais parce que la famille est soumise actuellement à une cascade de nouveautés bouleversantes. Il y a tellement de changements – le nombre élevé de séparations, le mariage gay, les parents homosexuels – et ils se produisent tellement rapidement que c'en est inquiétant.

J'ai cependant appris à relativiser les choses, en particulier par rapport à la séparation, quand mon ami, l'historien Philippe Ariès, m'a expliqué qu'en Nouvelle-France au 18e siècle, la durée moyenne des mariages était d'environ 20 ans. À l'époque, ce n'était pas la séparation qui mettait fin à l'union mais la mort.

L'autre question qui me touche est le rôle des pères dans la famille. Une des choses qui m'ont beaucoup frappé lorsque j'ai participé à la conférence organisée par le Conseil de la famille, c'est le désarroi des pères. C'était pathétique. Ça m'a rappelé qu'il y a quelques années, j'avais siégé à un jury durant une semaine de cinéma québécois. J'avais remarqué que dans 95 % des films, les pères étaient des chiffons, des êtres minables et complexés. L'automne dernier, aux entretiens Jacques-Cartier, à Lyon, on a présenté le film de Carole Laure. Même situation... Je ne suis pas sociologue mais... je me pose des questions. Que devient l'homme dans tout ça ? On n'a plus besoin du père. C'est un changement radical qui s'ajoute à d'autres... Quel sera le résultat pour l'enfant qui aura été exposé au père bafoué ou au père absent ?

Au Québec, on ne cesse de répéter qu'on aime les enfants, qu'ils sont notre priorité. Sommes-nous honnêtes lorsque nous affirmons cela ?

La vérité c'est que je n'aimerais pas être un enfant dans une ville d'aujourd'hui... L'isolement de l'enfant à l'intérieur de la famille nucléaire, c'est tragique. Ils sont comme de faux adultes. À quatre ans, leur vie est programmée comme celle d'un président d'entreprise. Il n'y a plus de place pour les lectures inutiles, l'ennui, le rêve... Le sort réservé aux enfants me rend triste... La vie des enfants est totalement séparée du milieu de travail des parents, c'est comme deux univers qui ne se rencontrent jamais. Je suis convaincu que les enfants qui, encore très jeunes, travaillaient dans les ateliers avec leurs parents étaient plus heureux que les enfants d'aujourd'hui... et je ne suis pas pour le travail des enfants, qu'on me comprenne bien. Mais il y avait un contact avec le monde adulte. Aujourd'hui, ce contact a disparu. L'autre aspect de la vie des enfants que je trouve assez malheureux, c'est le fait qu'il n'y a plus de communauté pour les soutenir. Avant, il y avait le village, l'église, l'école, les voisins... Aujourd'hui, tout le monde est seul... Je dirais qu'il y a une hostilité à peine déguisée à l'endroit des enfants. La vie est très dure pour les jeunes familles. Dans beaucoup de situations, les couples avec enfants n'ont pas leur place. L'enfant dérange partout. Jusque dans la façon dont les maisons sont aménagées, il n'y a pas de place pour les enfants. On revient à la question de départ, celle de la liberté. Pourquoi cette hostilité? Parce qu'avoir un enfant nous enlève des choix.

Diriez-vous que les adultes ne savent plus ou n'osent plus être parents? Comment expliquez-vous cette désintégration du rôle des parents?

Je dirais, comme l'essayiste Jean-Claude Guillebaud, que nous sommes victimes des effondrements de nos croyances, et je ne parle pas seulement de nos croyances religieuses... de nos croyances en général... Être parent, c'est quoi? C'est aimer aujourd'hui pour avoir une récompense dans 30 ans... ou jamais. C'est regarder un enfant se développer, le nourrir, l'aider à devenir ce qu'il est... C'est infiniment beau... Encore faut-il avoir foi dans la conception de l'être humain. Si nous pensons que l'être humain doit être en santé, performer et s'intégrer dans la société, alors élever un enfant est une opération technique et relativement simple... Mais si on veut éveiller en lui le sens de la beauté, de la poésie... alors c'est l'équivalent d'une création artistique, mais en plus beau...

Étant donné le sujet de notre livre, je ne peux m'empêcher de vous demander ce que vous pensez de la discussion entourant les garderies, le nombre d'heures qu'y passent nos enfants, la possibilité d'y faire garder son enfant le soir, la nuit, la fin de semaine...

La question des garderies nous ramène à la question du temps. Moi je dis qu'on a besoin d'une hygiène du temps... Nous devons réapprendre à retrouver les rites et les rythmes de la vie. Cela soulève bien entendu une foule de questions, comme l'ouverture des magasins le dimanche. Le commerçant, lui, n'a pas à respecter les exigences des familles. En fait, je remarque que dans son organisation actuelle, la société d'aujourd'hui ressemble à la société ouvrière du 19e siècle, la richesse en plus. Tout est programmé pour que l'art de vivre consiste essentiellement à être bien organisé. On ne respecte plus les besoins fondamentaux de l'être humain. Lors de la conférence sur la famille, j'ai comparé la famille à une membrane qui protège la cellule des assauts extérieurs, qui filtre ce qui vient de l'extérieur. La membrane a éclaté et aujourd'hui, l'enfant échappe aux parents.

Je dresserais un parallèle avec l'arrivée du *juke-box* dans mon village lorsque j'étais enfant. Jusque-là, c'étaient les parents qui apprenaient des chansons aux enfants. Le parent transmettait des savoirs, des connaissances, une culture. Aujourd'hui, les médias, l'école, l'industrie du divertissement se chargent de cette transmission. On assiste à la mercantilisation de la vie et on laisse entrer une foule d'experts dans la famille. La conséquence de cela, c'est que les parents en viennent à douter de leur utilité, ils se sentent complètement dépossédés. Ils ont perdu leur estime d'eux-mêmes en tant que parents. Qu'est-ce que c'est aujourd'hui, être parent ? Dépenser pour nourrir des petits consommateurs ?

Il y a tellement de petites choses à encourager afin de rendre nos enfants heureux, et ce, sans abus de consommation. Les parents craignent que leurs enfants n'aient pas d'estime d'eux-mêmes s'ils ne possèdent pas les vêtements, les objets à la mode. C'est dire la pauvre vision qu'ils ont de l'estime de soi... Au fond, c'est la conception de l'idéal de l'être humain qui est en cause. Moi je crois que nous sommes arrivés à un moment dans notre histoire où il faut se réapproprier notre valeur d'être humain. Et je ne suis certainement pas le seul à penser ainsi.

LE BÉBÉ
De 3 ans à l'âge adulte

JEAN-FRANÇOIS CHICOINE
J'observe les parents dans les vestiaires des garderies. Je les vois prendre, dévorer, lécher, chatouiller leurs enfants avant de s'en séparer pour la journée, trop longue journée. Secrètement, ces adultes se surprennent à rêver d'une incorporation humaine injectable : une piqûre d'ADN amoureux le matin, sur le pas de la porte, voire à la naissance afin que les enfants puissent porter en eux leur parent pour toute la journée, pour toute la vie ! S'inscrire dans l'enfant qui part grandir chez l'autre est depuis toujours un souci et une responsabilité pour les familles. Chaque époque le fait comme elle peut, chaque parent le fait comme il pense. Les succès et les insuccès reposent sur un équilibre subtil entre une économie de masse et une économie de la personne.

NATHALIE COLLARD
Les aurevoirs m'ont toujours crevé le cœur. Combien de matins ai-je dû me sauver en courant parce que ma fille criait à fendre l'âme lorsque je la laissais à la petite école du quartier. Elle avait trois ans, quatre ans, ce n'était plus un bébé. Autour de moi, on me disait : ne t'en fais pas, elle te manipule. Moi j'avais peur de détruire sa confiance en moi. Je

quittais en pleurant à chaque fois. Arrivée au boulot, un peu ébranlée, je retrouvais tout de même le plaisir de travailler. Mais avec au fond de moi, le sentiment persistant que la vie est tout de même mal faite.

Demain la maternelle

La scolarisation hâtive ou la garderie

Jean-François Chicoine

L'idée de l'école à deux ans ou à trois ans est prônée dans certains milieux de pensée. En Europe, elle bat son plein. Ici, elle commence à faire école. C'est une idée insensée, comment peut-on tolérer une idée pareille ? Les services à la petite enfance doivent apporter sécurité, affection, encadrement et stimulation : qui a parlé de scolarisation ?

Vivement, portons-nous à la défense des centres de la petite enfance pour que les meilleurs d'entre eux continuent d'être des occasions ludiques, créatives, chaleureuses et éducatives, et non des écoles prématurées forcées de former, au mieux de petits comptables, au pire des caniches de cirque acculés à égrener l'alphabet à la moindre réunion de famille :

MAMAN DE MARIE-SOPHIE
Récite, Marie-Sophie, à l'endroit ou à l'envers. Montre que tu sais le faire à l'envers : Z, Y, X, W, V, U... Allez, Marie-Sophie, ne sois pas gênée, ne pleure pas... Tu pleures ? Pourquoi tu pleures, alors que tu es capable d'habitude. Montre que tu es bonne, allez, la visite t'écoute !

Des parents anxieux, comme ceux de la petite Marie-Sophie, trouvent dans les maths et l'abécédaire précoces une formule pour tenter de protéger leur progéniture des affres de la scolarité plébéienne. La garderie est jugée insuffisante, l'éducatrice leur paraît anémique. Pour parer aux ratés de notre système scolaire, l'école aux couches leur apparaît comme une vitamine.

Un reportage récemment réalisé par le service de l'information de Radio-Canada sur une « école » québécoise privée à la japonaise illustrait combien certains parents qui voulaient le meilleur pour leurs enfants risquaient de les précipiter tête première vers le pire. L'enseignante japonaise y allait de ses petites cartes à jouer pour forcer la porte du cerveau d'une petite de trois ans. À l'écran, l'enfant me paraissait intelligente, mais déjà totalement terrorisée par la grammaire – j'allais écrire par la « *gram-mère* ». Je croyais revoir l'écrivaine Amélie Nothomb à l'école de monsieur Omochi : « N'espère pas jouir, car ton plaisir t'anéantirait. N'espère pas être amoureuse, car tu n'en vaux pas la peine (...) N'espère même pas une chose aussi simple que le calme, car tu n'as aucune raison d'être tranquille. »

La pauvre mère interviewée dans la foulée disait vouloir garantir le succès scolaire à sa fille. Un pédiatre se serait évertué à la convaincre qu'à cet âge, l'enfant doit « jouer, jouer, et jouer », question de mieux « apprendre à apprendre et non d'apprendre tout court », elle ne l'aurait pas cru. La peur sociale de certaines familles l'emporte souvent sur la guidance humaine ou professionnelle. Il faut croire que nous assistons en Occident à une crise morale souterraine pour laquelle les chiffres et les lettres offrent une protection vaguement encadrante aux angoisses parentales.

La petite à qui on enseignait et qui, selon la Nippone, avait « l'air d'aimer ça », semblait pourtant, et de toute évidence, pétrifiée par un stress difficile à intérioriser. L'algèbre du bonheur et le désir de ne jamais décevoir des parents aussi « prévenants » emportent les enfants privés de liberté vers des troubles anxieux, des troubles obsessifs compulsifs et des dépressions plus ou moins cachées. De fait, la privation de jeux a autant de conséquences que la privation de sommeil et rend impossible la poursuite de la vie. « Là s'arrête la liste de tes espoirs licites », continue Mme Nothomb dans *Stupeurs et tremblements.*

À côté de ces parents phobiques, d'autres parents trouvent pour leur part dans la scolarisation hâtive une occasion socialement louable de déserter leurs enfants plus longtemps, mais sans avoir l'air de le faire. Entendu un jour de Ségolène, maman d'une petite Océane, âgée de deux ans à peine :

SÉGOLÈNE
Ils l'ont vachement stimulée à la crèche, je te jure, mais elle s'ennuyait déjà. Son père et moi, on a jugé que l'école était la meilleure solution. Vous ne faites pas comme ça au Canada ?

Plusieurs autres voient dans l'école anticipée une manière d'égaliser les chances pour les enfants des milieux à risque, confondant ainsi besoin d'éducation et besoin de scolarisation. C'est plutôt de protection, de liens de confiance, d'occasions d'apprentissages et d'école de tolérance aux frustrations dont ont besoin les enfants tristes ou difficiles, pas déjà de devoirs et de leçons à réciter. L'intervention précoce auprès des milieux à risque doit d'abord viser à encadrer les enfants et leurs familles dans la gestion de leurs comportements indésirables. La recherche sur l'éducation des jeunes enfants suggère à ce chapitre que les centres de la petite enfance ont des avantages nombreux. Pour faire obstacle aux comportements agressifs – d'ailleurs un problème de taille chez les enfants chroniquement insécurisés dans leurs besoins –, les éducatrices sont appelées à magnifier la maîtrise de soi des enfants et leur compréhension des autres, à raffiner leurs moyens de communication et à les couvrir de baisers. Afin d'améliorer l'ambiance des maternelles, d'y prévenir l'anxiété et l'agressivité des enfants en difficulté et de mettre la table à la connaissance, il suffirait donc de réviser les contextes d'admission des garderies éducatives, d'en améliorer l'accès en fait, et d'en assurer la qualité des services, pas d'y introduire du scolaire dans des marges déraisonnables. Pour progresser intellectuellement, l'enfant insécurisé a besoin d'Amour, pas de savoir épeler le mot.

« Le temps de qualité plutôt que la quantité de temps est pour moi une bien bonne façon de déculpabiliser les parents trop occupés à gagner des sous pour consommer encore davantage », m'écrit dans une lettre chaleureuse, Myriam T., enseignante à Beauport. « La stimulation excessive des bébés dès leur plus jeune âge, le besoin des parents que les enfants connaissent deux langues avant cinq ans, qu'ils nagent comme des poissons avant quatre ans, qu'ils patinent, qu'ils dansent, qu'ils sachent lire avant l'école... ne font qu'augmenter le décrochage. Les enfants deviennent blasés bien jeunes à force de stimulation. Il faut les laisser vivre et être. L'enfance ne reviendra pas. »

Les traits de comportement que les enfants possèdent quand ils entrent en maternelle sont annonciateurs de leur futur ajustement scolaire. Je pense ici, à la lumière des différentes recherches, à leurs capacités d'autorégulation devant les frustrations, à leurs dispositions à écouter l'enseignant ainsi qu'à leurs habiletés à établir des relations avec leurs nouveaux camarades de classe. Ces qualités souhaitables se forgent dès les premières années de la vie. C'est pourquoi il m'apparaîtra toujours illusoire de forcer l'estime de soi d'un nourrisson à travers une infrastructure inadaptée ou trop fragile comme un service de garde. Des services appropriés à la petite enfance, au bon âge, adressés aux bons enfants et avec le bon dosage, servent par ailleurs autant à prévenir l'anxiété croissante des enfants de l'excellence qu'à intervenir précocement pour guérir l'agressivité des tout-petits des milieux défavorisés ou carencés.

Les enfants d'âge préscolaire qui n'ont pas trouvé à se sécuriser auprès de leurs mamans ou de leurs papas trouveront donc, jeunes, dans les CPE, des occasions incontournables de bien préparer leur maternelle et, par-delà, toute leur vie scolaire. Les enfants qui ont pu développer une confiance inébranlable dans leurs principales figures d'attachement trouveront pour leur part plus tardivement un plus à la préparation scolaire dans les services de garde. Ainsi, les troisième et quatrième années de vie de l'enfant choyé peuvent, et souvent doivent, faire appel à des rencontres hors du foyer familial, à des services d'éducation et à des espaces de jeux prévus pour faire grandir l'imaginaire, la conciliation, l'empathie, l'écoute, bref le dépassement de soi et le dépassement à travers l'autre. Mais la précipitation contemporaine à les y mettre pourrait au contraire priver les enfants de ces valeurs qui se bâtissent, je le rappelle, d'abord au sein des ponts parentaux, et plus tardivement avec les petits amis, quand ils ont environ deux ans et demi.

Pour G. Doherty, la transition vers la grande école n'est possible qu'en investissant dans les expériences antérieures de l'enfant : « Le développement précoce des enfants est fortement influencé par : le niveau de sensibilité des parents envers leurs besoins et leurs désirs ; les différentes formes de communications et de stimulations adaptées au développement à la maison ; le degré de sécurité physique et affective de la communauté ; et pour plusieurs enfants, l'importance des expériences en centre de la petite enfance, qui soutiennent et favorisent leur bien-être et leur développement. » La recherche sur la transition vers l'école a également permis de déceler les aspects les plus pertinents de la prospérité des enfants et de leurs futurs succès scolaires : une bonne mémoire ainsi qu'une bonne capacité d'attention, qui favoriseront en temps et lieu la compréhension des nombres et des symboles, de bonnes habiletés sociales, qui soutiendront les capacités participatives, et finalement un état d'esprit qui permet de réagir de façon enthousiaste aux nouvelles expériences et aux occasions d'apprentissages, bref une prédisposition au bonheur.

À l'instar de nombreux chercheurs, Doherty fait également remarquer que « plusieurs programmes de services préscolaires subissent une pression parentale et/ou gouvernementale pour s'assurer que les enfants possèdent des habiletés « préscolaires » comme par exemple réciter l'alphabet, compter au moins jusqu'à 10 et écrire leur nom, avant qu'ils n'entrent en maternelle ». Nos programmes éducatifs en service de garde ont donc ici une mission majeure, celle de contrecarrer ces prétentions d'adulte et de démontrer aux parents l'importance, pour entrer en maternelle, des habiletés d'autonomie, de communication et de socialisation qui ne se développent que dans l'expression ou le partage des imaginaires.

Les enfants qui bénéficient avant leur arrivée à la maternelle de services de haute qualité qui « favorisent l'interaction prosociale, la créativité, l'exploration et la résolution de problèmes » sont socialement plus compétents avec leurs pairs et les adultes, ont des niveaux d'habileté de langage plus élevés et obtiennent de meilleurs résultats aux tests d'habileté cognitive, nous permettant ainsi de prédire une trajectoire scolaire plus harmonieuse. Les enfants qui ont de meilleures capacités intellectuelles apprendront plus facilement que d'autres. Les enfants chez qui s'installent des troubles d'apprentissage apprendront moins facilement que d'autres. Mais peu importe leurs bonnes ou moins bonnes capacités intellectuelles ou leurs déficits suspectés, les enfants exposés aux compétences, à la chaleur et à l'excellence parentale ainsi qu'au professionnalisme des éducateurs de la petite enfance, apprendront mieux, plus vite et dans une meilleure harmonie avec leurs profs et leurs confrères.

Ces effets sur le bien-être et les compétences des enfants varient néanmoins en fonction des expériences qu'ils ont vécues. Ainsi, toujours selon Doherty, « tous les enfants profitent des services préscolaires de haute qualité et leur développement est compromis dans les services préscolaires de faible qualité. Provenir d'une famille favorisée ne suffit pas à protéger les enfants des effets négatifs des services préscolaires de mauvaise qualité. »

Les enfants de deux ans et de quatre ans sont plus exigeants que les trois ans et les cinq ans, c'est connu, vous avez peut-être déjà eu l'occasion de le vérifier. À deux ans, ils ne sont pas encore aguerris au monde des émotions. À quatre ans, ils ne maîtrisent pas encore leur imagination. D'un point de vue éducatif, les trois ans permettent une certaine consolidation des acquis, les cinq ans constituent la plateforme souhaitée pour toutes les intégrations : on appelle ça la maternelle, en attendant l'émergence imminente de la pensée concrète, vers les six ans. Réussir son expérience prématernelle, en famille élargie, en service de garde, ou les deux, m'apparaît ainsi une expérience éducative parmi les plus importantes. Elle assure la prévention des anxiétés, phobies et autres échecs personnels. Elle assure la prévention de l'agressivité, des colères, de la violence. Elle assure la prévention de l'isolement, de la détresse, du suicide. Bref, l'expérience réussie d'une prématernelle est contre-décadente.

Je suis fils unique. J'ai quatre ans en 1961 et mes parents m'ont inscrit à mi-temps au *Jardin de l'éveil* pour que je puisse socialiser un peu tout en élargissant mon champ de connaissances. Tante Marcelle fait cette année-là l'objet d'un reportage de Radio-Canada pour souligner la pertinence de son expérience éducative. Je suis choisi à des fins d'illustration. C'est ma première expérience télévisée et je dois distinguer dans un herbier une feuille de bouleau d'une feuille de chêne. J'échoue, par timidité allez-vous croire, préférant me ranger sous les jupes de cette formidable éducatrice que d'affronter mon premier public. Plus de 40 ans plus tard, je considère cette occasion manquée comme l'instant le plus formateur de toute ma vie. Sans cette rencontre botanique impossible, j'imagine que je n'aurais pas autant, et inlassablement, cherché l'autre, dans l'harmonie ou la maladresse ; sans cet instant préscolaire, l'un de mes tout premiers souvenirs d'enfance, je ne serais pas devant mon ordinateur en train d'écrire ce livre pour ouvrir un dialogue avec vous.

Bibliographie

Aureli, T. et Procacci, A. *Day-care experience and children's social development. Early Child Development and Care* 1992, 83, p. 45-54.

Bates, J.E. *et al. Child-care history and kindergarten adjustment. Developmental Psychology* 1994, vol. 30, n° 5, p. 690-700.

Béliveau, M.C. *Au retour de l'école : la place des parents dans l'apprentissage scolaire,* Montréal, Éditions de l'hôpital Sainte-Justine, 2002.

Blair, C. *School readiness : Integrating cognition and emotion in a neurobiological conceptualization of children's functioning at school entry. American Psychologist* 2002, 57 (2), p. 111-127.

Broberg, A.G., Wessels, H., Lamb, M.E. et Hwang, C.P. *Effects of day care on the development of cognitive abilities in 8 years old : A longitudinal study. Developmental Psychology* 1997, 33 (1), p. 62-69.

Côté, S., Tremblay, R.E., Nagin, D., Zoccolillo, M. et Vitaro, F. *Childhood behavioral profiles leading to adolescent conduct disorder : Risk trajectories for boys and girls. Journal of the American Academy of Child & Adolescent Psychiatry* 2002, 41 (9), p. 1086-1094.

Doherty, G. *Transition vers la maternelle : Bâtir en se basant sur l'expérience antérieure,* dans Tremblay, R.E., Barr, R.G. et Peters, RDeV. (dir.). Centre d'excellence pour le développement des jeunes enfants. *Encyclopédie sur le développement des jeunes enfants.* Disponible sur le site : *http : //www.excellence-jeunesenfants.ca/documents/DohertyFR.pdf*

Howes, C. *Can the age of entry into child-care and the quality of child-care predict adjustment in kindergarten. Developmental Psychology* 1990, 26 (2), p. 292-303.

Janus, M. *Pratiques de transition vers l'école : Le besoin de preuves,* dans Tremblay, R.E., Barr, R.G. et Peters, RDeV. (dir.). Centre d'excellence pour le développement des jeunes enfants. *Encyclopédie sur le développement des jeunes enfants.* Disponible sur le site : *http : //www.excellence-jeunesenfants.ca/documents/JanusFR.pdf*

La Paro, K. et Pianta, R.C. *Predicting children's competence in the early school years : A meta-analytic review. Review of Educational Research* 2000, 70 (4), p. 443-484.

National Institute of Child Health and Human Development Early Child Care Research Network. *Does amount of time spent in child care predict socioemotional adjustment during the transition to kindergarten? Child Development* 2003, 74 (4), p. 976-1005.

National Institute of Child Health and Human Development Early Child Care Research Network. *Does quality of child care affect child outcomes at age 4 1/2? Developmental Psychology* 2003, 39 (3), p. 451-469.

Pianta, R.C., Steinberg, M.S. et Rollins, K.B. *The first two years of school : Teacher-child relationships and deflections in children's classroom adjustment. Development and Psychopathology* 1995, 7 (2), p. 295-312.

Rimm-Kaufman, S.E. et Pianta, R.C. *An ecological perspective on the transition to kindergarten : A theoretical framework to guide empirical research. Journal of Applied Developmental Psychology* 2000, 21 (5), p. 491-511.

Stipek, D.J. *Âge d'entrée à l'école,* dans Tremblay, R.E., Barr, R.G. et Peter, RDeV. (dir.). *Encyclopédie sur le développement des jeunes enfants.* Montréal, Québec, Centre d'excellence pour le développement des jeunes enfants, 2004, p. 1-6. Disponible sur le site : *http : //www.excellence-jeunesenfants.ca/document/Stipek-FRxp.pdf*

Warwick, L. *Petite enfance et prévention de la violence.* Bulletin du Centre d'excellence pour le développement des jeunes enfants, vol. 2, n° 1, avril 2003.

Jeux libres

L'imaginaire de l'enfant gardé

Jean-François Chicoine

Le jeu, c'est avant tout... une attitude subjective où plaisir, sens de l'humour et spontanéité se côtoient, qui se traduit par une conduite choisie librement et pour laquelle aucun rendement spécifique n'est attendu.

Francine Ferland, ergothérapeute

Quand des parents arrivent avec un enfant en souffrance, les psychologues ont l'habitude de leur demander si leur enfant joue, comment il joue, quand il joue, avec qui il joue. Diane Quevillon est de cette « race »-là. Comme Armande Beaulieu, elle est psychologue en pratique privée. Comme si elles se rencontraient autour d'un café, je les ai réunies avec Diane Vadeboncœur du CHU Sainte-Justine, une autre psychologue avec qui je collabore régulièrement en exercice clinique. Mon intention était de les convier toutes trois à discourir un peu sur la liberté et la créativité des trois à cinq ans. Je les remercie amicalement de s'être prêtées à l'exercice. Jeux libres.

DIANE QUEVILLON

Quand l'enfant sait jouer, cela évoque sa capacité de concilier son monde avec le monde extérieur. C'est bon signe ! Je demande aussi aux parents s'ils jouent avec l'enfant, ce qui parle de la place que cet enfant arrive à occuper dans l'organisation familiale et de la capacité de ses parents à le considérer en tant qu'enfant...

JEAN-FRANÇOIS CHICOINE
Aux parents des enfants de trois ou quatre ans que je rencontre à l'hôpital, j'ai pris l'habitude de demander : « Racontez-moi ce que votre enfant a fait de plus surprenant ces derniers temps. » Quand la réponse est évasive ou hésitante, je me dis que leur enfant ne joue peut-être pas assez ou que ses parents ne jouent peut-être pas assez avec lui.

D.Q.
Au plan psychique, jouer est une activité qui élabore un espace pour penser la différence entre le dedans et le dehors, le subjectif et les faits, entre ce qui se passe et ce qui est ressenti. Il y a une différence entre les jeux (*games*) et le jeu (*play*) qui est l'activité constitutive de la capacité de réfléchir. Sans le jeu (*play*), le petit enfant ne se développerait pas comme une personne.

J-F.C.
Nos services de garde éducatifs prévoient des périodes de jeux : les blocs à telle heure, le flatte-la-tortue à telle autre, la chansonnette après la sieste. Les parents, même épuisés, prennent aussi généralement le temps qu'il faut pour jouer le soir avec leurs enfants. En fait, nos tout-petits ont un agenda ludique de plus en plus chargé, mais leurs jeux sont de plus en plus structurés et eux, en quelque sorte, sont de plus en plus surstimulés. J'ai parfois l'impression que nos enfants ont tellement de périodes pour jouer, tellement d'objets pour jouer qu'ils n'ont justement plus le temps de jouer, je veux dire de jouer librement à *play*, comme tu dis Diane, pas assez librement en tout cas pour nourrir suffisamment leur cerveau, je me trompe ou non ?

D.Q.
Passer d'un petit coin à un autre et d'une activité dirigée à une autre ou d'un cours à un autre et d'une sortie à une autre, cela fait peut-être des enfants bien adaptés socialement et cultivés, mais cela ne favorise pas nécessairement la créativité et l'autonomie. C'est ce qui se passe parfois dans les centres de la petite enfance où est appliqué techniquement le programme *Jouer c'est magique* qui, lorsqu'il est bien utilisé, est un bon outil. Dans ces conditions, l'enfant, submergé par le programme ou l'horaire tout pensé pour lui, n'apprend pas à se positionner comme organisateur et comme régulateur de sa propre activité. Ainsi, les enfants passent d'un coin à un autre selon des règles préétablies, avec des limites de temps et de participants. On a l'impression dérangeante d'un jeu à la

chaîne où le désir de l'enfant est assujetti à une mécanique invariable au sein de laquelle les éducateurs se transforment en agents de circulation. Plusieurs éducatrices qui s'occupent des moins de trois ans, trois ans et demi, m'ont dit prendre quelque distance par rapport au programme. Elles préfèrent laisser les enfants explorer l'environnement selon leur gré et développer leur sociabilité selon leur rythme et se contentent tout simplement d'être là pour eux.

ARMANDE BEAULIEU
L'enfant n'a pas besoin que son parent joue sans cesse avec lui et le stimule, pas plus qu'il n'a besoin que l'éducatrice encadre toutes les allées et venues de ses camions de pompiers. Le besoin de l'enfant est d'avoir du temps libre passé à proximité de son parent ou de son éducatrice qui lui procure sa sécurité physique et permet ainsi à sa créativité d'émerger.

D.Q.
À trop vouloir prévoir et programmer, on perd le sens premier du jeu qui est ni d'occuper l'enfant, ce qui a pour effet certain de faire baisser l'angoisse des éducateurs et des parents, ni de l'éduquer, mais bien de favoriser sa créativité, sa conscience de lui-même et des autres. Jouer, c'est s'inscrire dans le monde. Permettre et favoriser le jeu, c'est donner la parole à l'enfant.

A.B.
Il faut encourager le jeu créateur, le jeu qui parle de ce qui se passe à l'intérieur de l'enfant, le jeu libérateur, le jeu qui permet le « métabolisme » des tensions vécues dans sa journée... Pour cela, l'enfant n'a pas besoin de grand-chose, des jouets simples où la créativité aura beaucoup d'espace... Des cailloux deviennent des autos, des branches deviennent des chevaux...

J-F.C.
S'il n'y a plus de plaisir, il n'y a plus de jeu. Je suis toujours étonné de tout ce qu'un enfant peut exprimer par le jeu. Vous, les psychologues, vous tombez jeunes là-dedans. Nous les pédiatres, on est un peu comme des bons parents, on apprend avec l'expérience et à travers la vôtre.

D.Q.
Entre les cours, les ateliers, les sorties mur à mur, les parents et les éducateurs s'occupent beaucoup trop du contenu, mais souvent trop peu

du contenant comme la capacité de s'organiser, de jongler, de réfléchir, de s'ennuyer puis de décider d'une activité, de s'inventer des jeux, etc. Cet aspect est remplacé par du cadre et de l'organisation. Ne pas être un contenant pour l'enfant, c'est ne pas occuper véritablement une position d'adulte qui se doit de laisser l'enfant faire ses expériences en toute sécurité. Je ne parle pas de dictature et de sadisme, mais bien d'autorité et de bienveillance.

J-F.C.
Être capable de contenir un enfant suppose de la pudeur. Il faut accepter comme adulte de mettre son intelligence sous clé pour donner libre cours à des émotions et de la disponibilité à son corps. Souvent je dis à la blague aux enfants : « Je suis là, je ne sais faire que ça, être là. » Je me venge ensuite avec les adultes.

D.Q.
Comme parent ou comme éducateur, on doit pouvoir supporter que l'enfant ait un petit passage à vide pour qu'il sente le manque. Alors là s'instaurent tranquillement le désir et l'inventivité.

D. VADEBONCŒUR
Il faut aussi savoir donner aux enfants le goût de l'intimité et de la vie privée et l'enseigner aux parents.

J-F.C.
L'autonomie passe par là, l'avenir aussi ! Les enfants d'aujourd'hui demandent maintenant « C'est quoi le programme ? » alors qu'on aimerait mieux qu'ils nous demandent : « C'est quoi le désir ? »

D.Q.
Souvent l'angoisse naturelle des moments de flou est évitée en branchant bébé sur la télé ou le vidéo. En conséquence, beaucoup de jeunes ont aujourd'hui perdu la capacité de s'organiser et de jouer. Il y a plein d'enfants qui, étant donné les horaires chargés des parents, n'ont pas le temps de jouer chez eux et il y en a même qui n'ont pas le temps d'avoir des amis. Ils vivent dans un programme tout inclus, sans espace de solitude.

J-F.C.
Comme le programme ne vient pas toujours à point, les enfants souvent se déstructurent, crient, fondent en larmes, se tiraillent entre eux, font

beaucoup de bruit pour rien. Au lieu de partir à l'aventure dans leur imaginaire, ils se voient encore forcés d'en appeler à leurs mécanismes de survie.

D.V.
L'enfant tendu, stressé, anxieux parle beaucoup, mais il peut être aussi du genre taciturne, ne jamais sourire, tout cela en fonction de ses expériences antérieures. Les parents, les éducateurs devraient toujours l'avoir à l'œil.

A.B.
En effet, les jeux des enfants anxieux ont tendance à ressembler davantage à des jeux d'excitation, d'agitation, seront davantage répétitifs, avec peu d'élaboration imaginaire ou, s'il y a de l'imaginaire, le jeu sera désorganisé, le scénario décousu, quelquefois rude, quelquefois destructeur. L'enfant anxieux a de la difficulté à « faire semblant » ou à maintenir le « faire semblant » tout au long du jeu. L'enfant ne laissera pas son parent ou un pair participer ou ajouter au jeu un élément nouveau. L'autre y sera davantage utilisé en tant qu'observateur.

D.V.
Les scénarios de l'enfant « qui ne va pas bien » offrent des jeux symboliques répétitifs, comme s'ils ne servaient qu'à le sécuriser, non plus à aller de l'avant. Chez les enfants anxieux, on observe dans les jeux une prédominance du thème de la famille, l'évocation de personnages menaçants à l'endroit de papa, de maman, de la fratrie, enfin des menaces envers lui-même. Une figurine représentant une panthère à grandes dents peut lui paraître dangereuse : il peut paniquer rien qu'en la voyant.

J-F.C.
On parle beaucoup de sentiments, mais ce qui me frappe surtout moi dans l'observation des enfants « nouveaux », anxieux ou pas, un peu ou beaucoup, c'est le mouvement. Le plaisir des enfants organisés à outrance en est un d'agitation. Je suis bien placé pour le mesurer lorsque je constate qu'ils bougent plus que moi ! Quand ils décrochent, ce n'est pas à peu près ! On a tous vu des enfants revenir à leur domicile après une journée à la garderie : ils ont l'énergie d'un ballon qui se dégonfle. Psssssssss.

D.Q.
En consultation, je propose aux parents, qu'ils soient essoufflés, inquiets de l'agitation de leur enfant ou superorganisateurs, un exercice adapté de la méthode Barclay pour les enfants en troubles d'opposition. L'exercice a pour but de créer un moment où parent et enfant se rencontrent autour du jeu de l'enfant. La technique s'avère très souvent apaisante pour les enfants. Elle a pour but principal d'apprendre aux parents à porter attention au jeu de leur enfant pour reprendre contact et éventuellement intervenir plus efficacement auprès de lui. De mon point de vue, la méthode contribue du coup à sécuriser l'enfant en l'assurant de l'intérêt du parent et en lui permettant d'apprendre à être lui-même en la présence de ce dernier.

J-F.C.
Enfin une recette pour soulager une trop longue journée de garde non parentale. Il ne faut jamais perdre une occasion de transformer une petite souffrance en maîtrise potentielle ! On t'écoute, Diane, à moins qu'il s'agisse du Monopoly (j'haïs ça le Monopoly).

D.Q.
Il faut bien comprendre que ce qui va suivre est un exercice et que ça ne doit pas empêcher le parent de jouer avec l'enfant à un autre moment ou de lui lire une histoire ! Il faut aussi tout expliquer clairement à l'enfant. C'est un moment spécial où le parent va le regarder jouer parce que ça montre qu'il s'intéresse à lui et qu'il aime être avec lui et le voir s'amuser. Bon, et de un : il faut choisir un moment fixe qui deviendra votre moment privilégié avec votre enfant chaque jour ou le plus souvent possible. Vous réservez 20 minutes pour faire l'exercice. Ça peut être moins long pour un tout-petit ou pour un enfant agité. Deux : vous veillez à être seul avec l'enfant. Aucun autre enfant ne doit participer ou assister à la séance. Un ou l'autre des parents peut mener l'exercice selon les disponibilités. Trois : le moment venu, vous appelez l'enfant et vous l'invitez à choisir un jeu (blocs, animaux et figurines, bricolage, etc.) et à commencer à jouer. Quatre : la qualité de votre observation dépendra de votre capacité de vous détendre pour être vraiment disponible pour l'exercice. Quoi qu'il ait pu se passer avant, votre journée de travail, etc., vous devez contenir vos émotions et faire l'exercice, laisser faire l'exercice en fait. Cinq : après avoir observé l'enfant quelques minutes, vous commencez à faire la description à voix haute de ce qu'il est en train de faire, vous vous intéressez à son activité. Vous

ponctuez votre observation de commentaires, félicitations et encouragements, mais aussi de silences attentifs.

J-F.C.
Du genre « J'aime beaucoup lorsque tu joues calmement comme tu le fais » ?

D.Q.
Oui. « J'aime beaucoup ces moments que nous passons ensemble » ou « Comme c'est beau ce que tu as fait ». Soyez attentionné et authentique. N'exagérez rien. Six : Ne posez aucune question, sauf pour une explication sur quelque chose que votre enfant fait et que vous ne comprenez pas, comme « Qu'est-ce que cela représente ? » N'imposez rien. Ne faites aucune suggestion et n'essayez pas d'enseigner quoi que ce soit. Ce moment doit être consacré exclusivement au plaisir que votre enfant peut avoir à s'amuser en votre compagnie.

J-F.C.
Et si l'enfant cesse de coopérer ?

D.Q.
Vous détournez tout simplement votre attention vers autre chose quelques instants. Si cela continue, vous annoncez que la période de jeu est terminée et vous quittez la pièce en lui disant que vous recommencerez un autre jour. S'il se désorganise, vous utilisez les méthodes habituelles pour le contenir.

J-F.C.
Le lendemain, il repart au service de garde et glisse sur le serpent, comme dans le jeu. Le soir d'après, on recommence et on remonte dans l'échelle. Il n'y a pas à s'en sortir : le jeu de serpents et échelles, ça amuse ; au pire, on imagine que ça nettoie.

D.Q.
Les parents qui ont fait régulièrement l'exercice et pour un bon moment en sont bien contents. Dans bien des cas, l'enfant s'apaise et en général il réclame ce moment. En fait, c'est pour le parent que c'est ardu... S'arrêter 20 minutes, c'est loin d'être évident !

D.V.
Il n'y a pourtant pas de course.

J-F.C.
Ni de ligne d'arrivée.

~

Dans l'année qui précède sa maternelle, l'enfant est un grand causeur débordant d'imagination, un bavard qui aime jongler avec les mots et les personnages. Il ne tarit pas d'histoires abracadabrantes et interminables, il pose des questions sur tout, ne laisse échapper aucun mot nouveau. Il se délecte à vivre pleinement dans ses fantaisies. La distinction entre le réel et l'illusion n'est pas très nette de sorte qu'un observateur mal avisé pourrait le traiter de fabulateur. En fait, à cet âge, l'enfant sait que ce qu'il raconte n'existe pas vraiment, mais il se plaît à y ajouter foi.

Et si on lui laissait le temps de croire au père Noël avant de lui expliquer de quelle microfibre sa barbe est fabriquée ?

Bibliographie

Barkley, R. W. Adaptation libre de « Porter attention au jeu de votre enfant » tirée du programme de formation P.E.D.A.P. pour parents d'enfants défiant l'autorité parentale de Gilles Cloutier M.Ps., Québec.

Beaulieu, A. Ateliers « *Les Mères veilleuses* ». Montréal, 2006.

Dyer, W. *Les dix commandements pour réussir l'éducation de vos enfants.* Paris, Belfond, 1988, p. 123-161.

Ferland, F. *Et si on jouait?* Montréal, Éditions de l'hôpital Sainte-Justine, 2002.

Quintal, L. *Le développement de l'enfant.* Montréal, Éditions de l'hôpital Sainte-Justine, 1982.

Ministère de la Famille et de l'Enfance. *Jouer, c'est magique.* Les publications du Québec, 1998.

Winnicott, D. W. *Jeu et réalité.* Éditions Gallimard, 1975/Folio essais #398, France 2004, 277 pages.

« Tu te calmes ! »

Le déficit d'attention avec ou sans hyperactivité et la garderie

Jean-François Chicoine

Les prescriptions de Ritalin grimpent en flèche pendant que les écoles suppriment des postes de psychologues en milieu scolaire. Je suis toujours frappé de voir, dans la partie exposition des grands congrès médicaux, les stands et présentoirs luxueux des laboratoires pharmaceutiques, qui dépensent en trois jours ce que les groupes communautaires qui s'intéressent aux mêmes questions n'ont pas pour fonctionner pendant trois ans. Il faut mener une guerre vigoureuse contre la pauvreté et l'exclusion sociale – en commençant sans doute par des investissements soutenus en faveur des enfants, tant les premières années de vie sont, elles aussi, primordiales.

Yannick Villedieu, journaliste scientifique

« Tu ne touches pas, tu te calmes, tu écoutes, tu m'écoutes, hein, je te parle, tu m'écoutes, touche pas, tu te calmes ? »

Selon ce qu'on a usage de rapporter, entre 3 % et 5 % des enfants sont atteints du trouble déficit de l'attention, avec ou sans hyperactivité (TDAH), les garçons étant de deux à quatre fois plus touchés que les filles. Cela fait beaucoup de monde au portillon. Vous ajoutez à cela les enfants qui ont des déficits intellectuels et qui ne sont pas hyperactifs, les autistes, les dysphasiques, les dyslexiques, les malheureux et d'autres, et votre liste s'allonge suffisamment pour expliquer pourquoi l'école et la vie sont souvent bien compliquées. Le pourcentage démographique, foncièrement basé sur notre manière de relater les comportements, ne dit pas si le diagnostic de TDAH a été bien ou mal fait, à quelle anxiété il est ou non associé, comment on s'explique ou pas sa présence, s'il est bien ou mal vécu par l'enfant, mais donne en tout cas une idée de l'ampleur des répercussions potentielles sur la famille, les milieux de vie et d'éducation.

L'enfant atteint du déficit de l'attention risque d'éprouver une pauvre estime de lui-même, des troubles scolaires et, secondairement, de sérieux travers dans ses relations avec ses pairs. Devenu adolescent, il est celui qui s'attire des blessures ou qui se retrouve plus souvent qu'autrement impliqué au volant dans des accidents d'auto. Le tabagisme et la toxicomanie sont souvent sa tasse de thé. Il y a effectivement des relations étroites entre les neurotransmetteurs du cerveau impliqués dans l'attention et ceux qui sont responsables des voies du renforcement du plaisir et des comportements addictifs. Lorsqu'il est pris en charge par une équipe compétente, le jeune atteint du TDAH risque moins de souffrir de dépendance aux drogues, ce qui va dans le sens d'une origine neurohormonale semblable. Enfin, quand le trouble persiste substantiellement à l'âge adulte, il augure de plus grandes potentialités d'alcoolisme, de conflits de travail et de tribulations légales. Contrairement aux idées reçues donc, toute la vie du futur adulte risque d'être affectée par la question, un enfant sur deux demeurant symptomatique après l'adolescence, selon sa prédisposition génétique, la présence de maladies mentales associées à ses symptômes ou l'adversité à laquelle il aura eu droit, ou pas, dans la vie. Un adulte atteint « d'une affaire pareille » demeure affecté par de la dispersion, de la bougeotte dans les idées et de la désorganisation d'idées. Des distraits, des éparpillés, des impulsifs, vous en connaissez, non ?

Les jeunes hyperactifs grandissent, on l'oublie trop souvent. Négliger de s'en rendre compte n'est pas qu'un affront à l'école, c'est une offense à leur quotidien d'enfants et, à mesure qu'ils grandissent, à toute leur intégration sociale, comme personnes et comme citoyens.

Cette psychopathologie extraordinairement marquante pour nos sociétés, aussi appelée *trouble hyperkinétique* en Europe, est parmi les plus étudiées de l'enfance, les plus médiatisées sur la place publique, les plus lucratives pour l'industrie pharmaceutique et malheureusement, encore parmi les plus souffrantes pour les enfants et leurs familles. Erreurs d'attention, distractions, contingences à suivre des instructions, promptitude à parler, difficultés à attendre son tour, peines à être au calme, tel est le vécu quotidien du TDAH. On peut remarquer à cet effet que le diagnostic, essentiellement basé sur la présence de ces symptômes attentionnels, de suractivité ou d'impulsivité, sert plus à consoler le monde des adultes des comportements susceptibles de perturber l'ambiance sociale qu'à décrire précisément ce dont souffre l'enfant : un véritable trouble cognitif impliquant les fonctions organisationnelles et motivationnelles de son cerveau avec des effets observables sur son comportement de tous les jours.

Pourquoi les fonctions cognitives de certains enfants fonctionnent-elles autrement qu'à l'habitude ? Qu'est-il arrivé à leurs neurones ? Comment se fait-il que ces enfants ne réussissent pas à performer comme d'autres, malgré une intelligence bien préservée et des stratégies quotidiennes, orthopédagogiques et beaucoup de pilules suppléantes ? Pourquoi éviter de parler de l'atteinte, des connaissances neuroscientifiques qu'on en a et se borner à chiffrer les symptômes et les échecs sociaux qui risquent d'en découler ? Parce que la classification de la maladie à l'américaine, utilisée au Canada et au Québec, a décidé d'ainsi la valider ? Parce qu'un comprimé se paie et alimente mieux les recherches et l'industrie ? Parce qu'il n'y a rien d'autre à faire avec les enfances en émergence que de les médicaliser à partir d'une grille de symptômes à répertorier ?

Je ne suis pas contre cette manière scientifiquement validée par toutes mes revues scientifiques de mieux préciser cliniquement un diagnostic, mais, comme le recommande le protocole diagnostique, six critères sur neuf d'inattention et six sur neuf d'hyperactivité/impulsivité pour aboutir à une opinion du genre « Il est hyperactif, c'est de famille » ou encore « C'est un TDAH, les garçons de certaines familles sont à risque », c'est un peu court pour se construire un continuum explicatif des sensibilités de chacun des enfants. D'une manière générale, on peut dire qu'aucun parent ne peut éviter l'apparition de ce trouble extrêmement handicapant pour le quotidien. Mais au-delà des points de validation, les contextes de vie passés ou actuels des enfants demeurent trop évacués des conclusions médicales, ne serait-ce que pour éclairer les parents sur les lendemains à attendre. Sur la question, il existe une *ligne de parti*, des tendances générales et encore plusieurs controverses qui expliquent pourquoi le TDAH est toujours un sujet aussi brûlant dans les milieux savants.

Les causes du TDAH sont décidément très hétérogènes et les troubles associés massifs. Par exemple, le tiers des enfants en déficit de l'attention sont aussi des enfants au comportement opposant. Le quart souffrent de troubles de conduite, vont voler, se battre, se mesurer à l'extrême. Le quart sont anxieux. Un sur cinq est déprimé. Je veux bien croire à la classification symptomatique de la chose, j'y adhère dans ma pratique pédiatrique quotidienne, mais je me sentirais mal à l'aise de ne pas communiquer mon insatisfaction aux orthodoxes de ma profession. Je suis loin d'être le seul médecin à penser comme cela d'ailleurs. Des enfants qui sont souvent qualifiés d'hyperactifs par le milieu de l'enseignement sont en réalité des enfants indisciplinés. D'autres sont mal aimés ou ont été trop précocement sevrés de leurs parents. Enfin, certains sont véritablement atteints du TDAH. Entre le moins symptomatique et le plus intolérable, existe une continuité symptomatique où l'on décèle ou pas une origine commune et qui peut correspondre à une lésion commune des circuits cognitifs de l'attention, de la motivation et de la mémoire.

Après toutes ces années de pratique, il a bien fallu que je réalise que le flou social autour du TDAH est d'abord un flou pertinemment entretenu par des adultes ayant peur de souffrir. En répertoriant ainsi le trouble par sa représentation sociale, on évite un jugement de valeur sur le fonctionnement de l'enfant citoyen, le privant cependant du coup, lui et ses soignants, de toute une panoplie de leviers préventifs, curatifs et d'accompagnement. Une presse à bout de souffle autour des sempiternels *pro* et *anti-Ritalin* témoigne incidemment de ce refus des grandes personnes d'affronter la maladie en pleine face. Il y a la ritualisation, on pourrait aussi parler de *ritalinisation.*

Maudite culpabilité. Tu en as parlé, Nathalie, il va falloir en reparler. Je ne dis pas par là que nos enfants sont mal soignés, j'affirme ici qu'on pourrait mieux les soigner si on acceptait de tenir compte des multiples facteurs potentiellement à l'origine du trouble, la transmission génétique chez certains autant que les facteurs interrelationnels d'influence chez une majorité trop silencieuse. On pourrait mieux les soigner si on accompagnait leurs familles pour les aider à mieux réagir préventivement ou secondairement aux incartades. En matière de TDAH, un diagnostic arrive rarement seul. La problématique est multifactorielle. Un train, comme disent les panneaux sur les petites routes de France, peut toujours en cacher un autre. Les gènes sont là pour expliquer une prédisposition aux symptômes, mais le rôle de l'environnement précoce du jeune enfant et de l'ambiance quotidienne à laquelle il a droit n'en sont pas moins déterminants. C'est un peu comme pour l'obésité : vos parents sont gros, vous mangez mal, alors vous devenez gros, tandis que si vous mangez mieux, vous ne deviendrez pas nécessairement gros, bien que vos parents le soient.

Parmi les causes contributives au TDAH, il faut mentionner tous les agents de stress de la petite enfance, entre autres les garderies, moins pour leur principe que pour ce qu'elles supposent comme milieu de vie : qualité de leur environnement, styles parentaux qui y trouvent un écho, nombre d'enfants confiés à une éducatrice, bruits et fureurs du service de garde, nombre d'heures en garderie, temps individualisés avec une gardienne, etc.

Prétendre comme le font certains chercheurs en psychologie que les garderies ne peuvent pas avoir d'influence sur l'expression du TDAH est un détournement clinique irrecevable. L'influence d'un milieu de garde peut même être positive, énoncé sur lequel les promoteurs de la garde nous laissent habituellement tranquilles. Mais tous les milieux de vie des premières années, la garderie y comprise, pas plus pas moins que d'autres facteurs environnementaux, vont avoir une influence sur l'expression du TDAH. Tous les milieux de vie modulent les fonctions cognitives du cerveau en développement. Investir dans d'autres recherches quasi impossibles à concevoir tellement il y a de facteurs impliqués pourrait réconforter nombre de chercheurs, mais ne changerait pas le *modus operandi* déjà élucidé par les sciences neurologiques et l'observation clinique, la première étape, je le rappelle, de toute démarche scientifique. Comme toute expérience de vie capable d'engendrer bonheur et adversité, la garderie ne peut pas être épargnée dans les hypothèses de travail comme explication étiologique ou aggravante des symptômes des enfants.

La plus grande fréquence d'observations de TDAH dans certaines populations d'enfants nous permet de mieux nous convaincre de l'apport de l'environnement aux prédispositions familiales de l'enfant à développer des signes et symptômes. Les traumatismes à la tête causés par un parent ou une chute dans l'escalier, aussi bien que l'intoxication au plomb de l'air ou de la vieille peinture, vont atteindre directement les structures limbiques ou frontales en croissance et perturber la bonne gestion des neurotransmetteurs du cerveau. Les grands prématurés, (je pense ici aux enfants pesant moins de 1 500 grammes à la naissance) vont développer plus de TDAH que d'autres groupes d'enfants, probablement en raison d'une trop grande exposition au monde de leurs structures cérébrales immatures. Le système limbique où on retrouve nos amies les amygdales cérébrales est rapidement submergé s'il se trouve trop stimulé par un environnement qui ne correspond pas à l'âge de la petite victime. On retrouve également une plus grande proportion de déficits de l'attention chez les enfants issus de familles dysfonctionnelles, les enfants à l'attachement désorganisé et les enfants institutionnalisés de la Direction de la protection de la jeunesse. Certaines données internationales concluent que les enfants abandonnés puis adoptés à l'étranger présenteraient quatre fois plus de déficits de l'attention que ceux d'une population moyenne. Faites le calcul, vous obtenez un enfant adopté sur quatre, ce qui en dit long sur les séquelles des négligences humaines et l'impact du quotidien sur le TDAH. C'est vous dire que tout ne peut pas s'expliquer par la seule génétique et qu'il y a des façons « adultes » d'imposer des vies aux bébés qui s'incrustent inconditionnellement dans leur manière d'être attentifs et de bouger.

Pour un pédiatre ou un éducateur, il est devenu quasiment impossible de faire sa semaine sans une consultation ou un contact avec un enfant hyperactif et ses parents – des papas et des mamans fort courageux d'ailleurs, on ne le dit pas assez. En cette matière, obtenir un diagnostic, une explication au problème, des services, un traitement approprié et, en prime, une tape sur l'épaule n'est pas vraiment une sinécure pour les familles. Dans le branle-bas compréhensible des insatisfactions généralisées, la voie pharmacologique s'en trouve déifiée ou châtiée, alors qu'elle n'est qu'une pierre à considérer ou à ignorer dans la prise en charge d'un édifice de difficultés. Certes, les moyens diagnostiques et d'encadrement mis à la disposition des soignants et des enseignants se sont raffinés, mais ils sont encore trop peu utilisés et trop peu adaptés à nombre de situations. Les garçons, atteints en plus grand nombre, trouvent souvent dans le TDAH une explication à leurs échecs au primaire. Au Québec, pour cette raison et d'autres, on retrouve jusqu'à trois garçons pour une fille dans les classes d'adaptation scolaire.

En plus de nuire aux apprentissages scolaires, l'hyperactivité, l'impulsivité et l'inattention au programme, avec toutes les combinaisons possibles et les variations en termes de sévérité, entraînent les difficultés pratiques, personnelles et relationnelles qu'on a relevées et des états comorbides persistants, comme d'autres troubles d'apprentissage ou affectifs, encore à l'adolescence et plus tard aussi dans la vie adulte. La présence de signes et de symptômes complémentaires, comme les troubles de la conduite, en viennent à masquer les symptômes d'origine, voire à remettre en question au quotidien le diagnostic de travail. Peu de diagnostics médicaux sont effectivement affublés d'autant de conditions comportementales associées, ce qui laisse présager une mixité de problématiques tendant vers un déficit commun. L'enfant qui éprouve des difficultés à organiser personnellement et socialement son cerveau pour faire face aux amis, à l'école ou au monde du travail n'est pas un clone, c'est un modèle atypique : il n'y a pas deux exemplaires pareils.

Le chef d'un gang de rue, voleur et fuyant à ses heures, dépressif et mal dans sa peau à d'autres, est-il à l'origine un inattentif hyperactif impulsif ou un enfant mal aimé sans attention et vivotant dans l'agitation et l'agressivité ? Peut-il être un peu des deux ? Comment préciser son trouble, et éventuellement l'aide à lui apporter ? En continuant de n'étaler que la liste d'épicerie de ses symptômes ou plutôt en fouillant mieux les antécédents familiaux, néonataux, préscolaires et scolaires de sa vie en dents de scie ? En matière d'hyperactivité, le clinicien médecin ou psychologue ne doit pas se contenter d'interpréter ce qu'il y a à voir, il doit se commettre sur les origines de ce qu'il voit. Se commettre : voilà qui n'est pas donné à tout le monde. Il y a de ces jours où je déteste le gène du tribun et envie l'inconséquence et la naïveté citoyenne de plusieurs de mes confrères ! Pour réussir aujourd'hui, il faut avoir l'air d'y croire, sans jamais avoir à y croire assez pour se jeter dans la tourmente.

Si la leucémie et la greffe d'organes sont souvent sous les *spotlights* des téléthons, le TDAH l'est beaucoup moins. On en parle beaucoup pourtant, incessamment presque, on placote beaucoup autour comme on dit, en disant tout et n'importe quoi, et n'importe comment depuis que les labos pharmaceutiques y trouvent l'occasion de vendre leurs nouvelles molécules ! Mais fondamentalement, la problématique n'attire pas d'office la sympathie des uns et des autres. Les parents sont accusés d'en faire trop ou pas assez, se retrouvent injustement retranchés dans la honte ou épuisés de ne jamais obtenir de services adaptés. Y a-t-il un orthopédagogue dans la classe ? Grande question, dont la réponse administrative et gorgée d'espoir est souvent : « On en a demandé un. » Dans le désert des services scolaires, les origines du problème et les contextes environnementaux qui l'alimentent se trouvent escamotés devant la charge scolaire, économique, environnementale et interrelationnelle des signes et symptômes du trouble. Comme s'il y avait des conditions de santé qui frisaient l'absolu, et d'autres qui nous rabaissaient à nos limitations d'hommes !

Peut-être l'hyperactivité est-elle trop socialement dérangeante pour être prise en pitié? L'enfant qui frappe les jouets et les bras de ses petits amis, l'écolier qui fait des avions et lance des crayons, la serveuse qui se trompe de tablée au Saint-Hubert, le voisin qui vous pique une crise par-dessus la haie, toutes ces choses, petites ou grandes, s'immiscent dans le territoire des autres, mettant ainsi à rude épreuve leurs compétences professionnelles comme leur tolérance et leur esprit civique.

« Ne prononcez pas le mot *Ritalin* devant elle », me dit une mère pas plus tard qu'hier. Elle a toujours voulu éviter cette démotion sociale. Mais elle en est dorénavant venue à la conclusion que l'état de sa fille résistait à son excellent parentage, à son excellent tutorat et à quelques vitamines de circonstance. Sans l'apport de la petite pilule, ce sera le cul-de-sac certain, mais de la petite pilule, on aura tout le temps de reparler. La recherche pédiatrique va décidément dans le même sens que l'intuition ravivée de cette maman. Malgré l'excellence de tout ce qu'on peut réaliser sur les plans disciplinaires, environnementaux et scolaires pour contrer le mal hyperactif, il faut le plus souvent se contraindre à prescrire des médicaments à l'enfant pour qu'il redevienne attentif, contrôle ses impulsions et acquière estime de soi et donc sens de l'autre. Quand le diagnostic est bien posé, le taux de réponse positive à cette médication stimulante est de plus de quatre fois sur cinq. La médication sauve ainsi indirectement des vies, des ambiances de vie, mais elle ne les améliore pas toutes. Il faut donc se méfier des conjurations de mauvais sort du genre « Jamais de Ritalin » autant que des « Jamais sans Ritalin ». Oui, je prescris du Ritalin, non je n'en prescris pas toujours, souvent je recommande de cesser le traitement, tout dépend. Un pédiatre soigne des enfants avec des neurones, pas des neurones d'enfants.

Jusqu'à quel point la garderie hâtive ou prolongée contribue-t-elle, ou pas, à l'émergence du problème? N'est-ce pas une pathologie transmise par les parents? N'a-t-on pourtant pas confirmé les origines biologiques du syndrome? Ces questions ouvrent la porte à des éléments affectifs et de stimulation cognitive et langagière capables d'interagir dans un contexte neurologique déterminé. Elles reposent sur des éléments multifactoriels complexes, mais sont maintenant raisonnablement abordées par de plus en plus de psychologues et d'orthopédagogues. En fait, la garderie pourrait être à la fois la cause et une solution thérapeutique au TDAH.

Le plus souvent, le TDAH est d'abord génétiquement transmis, pas de doute là-dessus. Il faut insister sur cet aspect biologique pour mieux réaliser que des enfants auront hérité de leurs parents d'interconnexions cérébrales aberrantes ou de récepteurs d'amines cérébrales fautifs. L'aveu neurobiologique a l'avantage de ménager les consciences et de protéger l'estime de soi déjà fragilisée de l'enfant intelligent qui apprend mal. Un environnement X, comme la garderie, ne vient donc pas modifier la cartographie génétique de ces intimés. Le biologiste Lamarck croyait que l'environnement social pouvait s'incorporer à la génétique. On n'en est plus là, et les girafes persistent à produire des girafeaux au long cou, pas juste pour leur permettre d'aller mâcher les feuilles des branches les plus hautes, mais bien à cause de l'ADN de leurs parents.

Des facteurs de risques environnementaux scientifiquement documentés vont par ailleurs permettre l'expression de la maladie. Il faut aussi insister là-dessus, sur cet aspect plus complexe à élucider. « Pour autant cette vulnérabilité constitutionnelle ne serait pas suffisante en soi pour aboutir à la constitution d'une hyperactivité au sens pathologique du terme. Il va falloir pour cela que des facteurs à risque environnementaux (familiaux et/ou sociaux) interagissent avec ce terrain individuel susceptible », affirme Pierre Fournet, pédopsychiatre. Les bons parents d'un enfant porteur d'un TDAH qui feraient un deuxième enfant devraient ainsi être encouragés à offrir un milieu de vie le moins tumultueux possible à leur dernier-né. Oui, vous m'avez bien compris, à ne pas envoyer les cadets à la garderie avant qu'ils aient deux ans.

Fini la « récréation » parentale : peu importe les gènes au menu, vous avez, parents et éducateurs, à cuisiner les ingrédients ! Autrement dit, des enfants qui comme moi avaient une tendance à l'hyperactivité et qui comme moi auraient eu droit à une parentalité et un environnement adéquats ne développeraient pas le syndrome, malgré une susceptibilité génétique. Vous imaginez votre pouvoir ? Aller au-delà d'une certaine volonté génétique et faire valoir au monde la profondeur parentale !

« ...Tu te calmes ? »

Depuis longtemps, et encore aujourd'hui, l'hyperactivité est considérée prioritairement comme une problématique psychoaffective par mes confrères de la francophonie. Leur approche n'est ni meilleure ni pire, elle est simplement complètement différente. Des défauts de maternage, un manque d'instance paternelle, la séparation parentale, voire des conflits œdipiens et des traits dépressifs infantiles y sont mis de l'avant comme facteurs étiologiques de la maladie. Les auteurs français, comme le pédopsychiatre Christian Flavigny ne se gênent pas pour souligner le peu de place que prend la dimension affective dans notre façon nord-américaine de concevoir le diagnostic à partir de nos grilles de recherche et de classification des maladies. « La spécificité de la relation de chaque patient ne retient jamais la réflexion des auteurs anglo-saxons », écrit-il.

Ainsi, sur un terrain génétique plus ou moins à risque, de nombreux enfants développeraient le TDAH en réaction à des facteurs précipitants. Plusieurs de ces facteurs sont clairement reconnus. Je les nomme, ils sont importants à reconnaître, nos services de garde s'inscrivant sur cette longue liste. Un abus d'alcool, la cigarette, certaines toxines environnementales, des infections durant la grossesse, un petit poids à la naissance, une prématurité, un accouchement difficile, des saignements ou une prééclampsie, toutes ces ruptures ou souffrances des premiers moments peuvent précipiter le TDAH. Chez les enfants de petit poids ou qui ont souffert durant la période fœtale, la matière cérébrale responsable de la fonction d'attention n'est pas optimale, d'où leur risque accru de déficit d'attention avec ou sans hyperactivité, associé ou non à différents autres troubles d'apprentissage. Le caractère neurologique plutôt que « psychologique » de ces déficits d'attention paraît d'ailleurs plus convaincant quand on s'attarde à toutes ces difficultés complémentaires. Mais il y a plus, et j'en arrive aux services de garde. C'est que l'ordre psychosocial tout entier contribue substantiellement à l'émergence de l'inattention et de l'hyperactivité : dépression chez la mère, isolement social et pauvreté, manque d'encadrement disciplinaire, conflits familiaux, surcharge familiale, violence au foyer, et ainsi de suite. Que remarquez-vous? Qu'une discipline inconstante pourrait précipiter la chose, et cela est plus clair qu'il n'y paraît dans les écrits scientifiques. Cela ne s'achète pas en petites pilules martiennes.

Une structure de garde éducative pourrait ainsi s'inscrire positivement et protéger les fonctions d'attention de l'enfant à risque social, la bonne éducatrice veillant personnellement ou à titre conseil à l'émergence du développement cognitif. À l'inverse, une garderie de qualité ordinaire, une éducatrice inconstante, des conditions émotives, de stress ou de fatigue chez l'enfant pourraient favoriser l'expression du désordre.

Comment un bébé peut-il fixer son attention dans le bruit? Comment un enfant peut-il sélectionner l'information utile à son développement dans un brouhaha quotidien? L'attention dirigée, l'attention sélective à tel ou tel détail de la robe rouge du chaperon par exemple est rendue plus difficile quand il y a un brouillage sonore ambiant. La bonne information à retenir peut ainsi se confondre avec la moins intéressante. Des chercheurs ont récemment démontré que la capacité de ne pas inhiber certaines informations sensorielles distinguerait le jeune bébé de l'enfant en croissance. Plus l'enfant est jeune donc, moins son attention privilégiée serait développée. Plus l'enfant paraîtrait instable, plus les étapes de planification des mouvements et du contrôle et de la régulation des actions feraient largement défaut.

Avoir une capacité d'attention n'est pas une question de bonne ou mauvaise volonté, c'est une aptitude intellectuelle plus ou moins développée. Cette fonction intelligente du cerveau, appelée à nourrir notre conscience de tous les stimuli possibles, assure le traitement optimal de l'information, par exemple la vitesse de traitement et l'efficacité de la captation sensorielle. L'attention se développe dès la naissance et durant les premières années de la vie et se construit, en quelque sorte, à mesure que l'enfant est stimulé par des objets et des personnes.

Parler au bébé sous forme de conversation, en énonçant de courtes phrases qui l'incitent à intervenir à son tour, regarder un livre avec lui, nommer les images en l'incitant à tourner lui-même les pages, attirer son attention en y allant d'exclamations et de petites descriptions d'images, voilà des activités, parmi des centaines d'autres, qui favorisent le développement de l'attention en émergence. Mes cochercheurs du laboratoire d'études du nourrisson du Québec, Andrée Pomerleau, Gérard Malcuit et Renée Séguin, ont développé des programmes de lecture interactive visant à protéger ces fonctions d'attention et d'autres chez les enfants des milieux à risque. La lecture dite dialogique permet d'aller au-delà de la narrativité et propose dix minutes de lecture, trois fois par semaine pour stimuler les habiletés cognitives, langagières et socioaffectives des jeunes enfants, et ce, dès l'âge de six mois. En lecture interactive, l'enfant est amené à lui-même décrire les images du livre, l'adulte, parent ou éducatrice, s'inscrivant plutôt dans le rôle d'un auditeur actif, posant des questions, ajoutant de l'information et félicitant ultimement l'enfant. À mesure que le petit devient habile, l'adulte en profite pour poser des questions ouvertes. Par exemple, il demande :

« Que fait le chien ? » plutôt que « Où est le chien ? ». Ce type de programme, incontournable pour les éducatrices des milieux à risque, peut aussi être utilisé dans toutes les « bonnes » familles. Il est scientifiquement démontré qu'il est compétent pour magnifier les habiletés attentives. La lecture dès six mois, n'est-ce pas formidable ?

Ce qu'on appelle le cerveau émotionnel, notamment le système limbique, contient aussi, nous en avons parlé, de véritables fonctions cognitives, on a tendance à l'oublier : l'attention en est une, la motivation en est une autre. Les premiers mois de la vie contribuent donc à la bonne intégrité de l'attention autant que de l'attachement. C'est peut-être d'ailleurs pour des raisons de proximité neurologique que des carences émotives importantes vont s'accompagner de déficits d'attention dont les conséquences apparaîtront dans les comportements et les apprentissages. Il n'y a pas à s'en sortir, les déficits d'attention, l'hyperactivité et l'impulsivité, ces symptômes phares sont souvent frères jumeaux de l'insécurité affective.

Il n'est pas concevable que l'attention et la motivation des enfants en difficulté pour des raisons médicales ou sociales soient laissées en friche, sans service de garde éducatif. Il n'est pas concevable que les mécanismes de prévention du déficit de l'attention chez les enfants en général soient aussi peu explorés ou mis en pratique. Il n'est pas concevable que l'expérience de garde non parentale soit exclue du processus diagnostique comme facteur salvateur ou aggravant du déficit d'attention, avec ou sans hyperactivité.

Le système attentionnel est à l'origine de la conscience, ce n'est pas rien.

Bibliographie

Baleyte, J.M. *Attention et conscience : Contribution neuropsychologique,* dans *L'attention,* Spirales, Érès n° 9, 1998.

Société canadienne de pédiatrie. *L'utilisation de stimulants dans le traitement du trouble déficit de l'attention avec hyperactivité. Paediatric Child Health,* vol. 7, n° 10, décembre 2002.

Fox, A.M. *Attention deficit hyperactivity disorder. Paediatric Child Health,* vol. 7, n° 10, décembre 2002.

Flavigny, C. *Psychodynamique de l'instabilité infantile,* dans Ménéchal, J. (dir.). *L'hyperactivité infantile : Débats et enjeux.* Paris, Dunod, 2001.

Fourneret, P. *L'hyperactivité : Histoire et actualité d'un symptôme,* dans Ménéchal, J. (dir.). *L'hyperactivité infantile : Débats et enjeux.* Paris, Dunod, 2001.

Geiser, C. « L'hyperactivité est-elle liée aux garderies ? » *La Presse,* 17 mars 2005.

Jensen, P.S. *Standards for the use of stimulants.* Paediatric Child Health 2004, 9 (suppl. B), p. 8B-12B.

Lavigueur, S. *Un guide de survie à l'intention des parents qui ont un enfant hyperactif,* Les éditions Quebecor, 1998.

Malcuit, G., Pomerleau, A. et Séguin, R. *ALI : Activités de lecture interactive,* Les Éditions du RCPEM, 2003.

Porter, B. *Attention deficit hyperactivity disorder-Medical malady or societal madness ? Paediatric Child Health,* vol. 7, n° 10, décembre 2002.

Villedieu, Y. *Un jour la santé.* Montréal, Éditions Boréal, 2002.

Vincent, A. *Mon cerveau a encore besoin de lunettes.* Éditions Académie Impact, 2005.

Les batailles ordaliques

L'adolescent enfant gardé

Jean-François Chicoine

Ce n'est pas tant parce qu'il cherche la mort que l'adolescent brave le danger, mais parce qu'il est plus fort qu'elle, et qu'il la méprise. De tels comportements sont en même temps une forme d'appel à une figure paternelle archaïque, puissance suprême (...) entre les mains de qui on remet sa vie et son destin (...). Pour cette raison, on a qualifié ces conduites d'ordaliques, en référence à une forme de justice utilisée au Moyen Âge, qui consistait à faire appel au jugement de Dieu.

Virginie Granboulan, psychiatre

Que font-ils, où s'envoient-ils, où iront-ils, que deviendront-ils? L'adolescence est une étape du développement au cours de laquelle l'identité est questionnée. Le psychanalyste Eric Erikson parlait d'identité et de diffusion pour rendre compte de ce processus où le grand enfant se positionne au-delà de son cercle familial, d'évidence après avoir pris soin d'en saisir le contour.

ADO
Suis-je comme mon père? Suis-je bien d'ici? Suis-je en accord avec telle ou telle manière de faire? Que m'arrivera-t-il quand je serai seul? En suis-je capable? À qui puis-je faire encore confiance?

D'un deuil à l'autre, d'une confrontation à l'autre, l'adolescent déconstruit ce qu'il aime le plus dans une sorte de « je t'aime, moi non plus » pour reconstruire ensuite ses ancrages à partir expressément de ce qu'il aime le plus. Ses premiers liens de confiance sont ainsi garants de sa manière de s'accoutumer au monde. L'adolescence ne survient pas comme cela un matin sans que rien ni personne ne s'y soit attendu.

PARENT D'ADO.
Tiens, il transpire.

AUTRE PARENT D'ADO
Quelle surprise qu'elle soit menstruée!

PORTE DE CHAMBRE D'ADO
Bizarre, il me verrouille maintenant...

L'adolescence est l'aboutissement d'une construction de l'enfant comme personne et dont les parents entrepreneurs sont à l'origine les principaux artisans. Plus loin encore que son souvenir ne l'amène, les rapports antérieurs de l'adolescent avec sa mère, son père, ses frères et ses sœurs, ses éducatrices, ses amis, ses profs sont maintenant réactivés avec plus ou moins d'armatures pour être recyclés dans une vision d'avenir. Quand l'ado longe les murs ou fixe le plafond, c'est justement cette vision de demain qu'il tente de fixer en lui. À ce chapitre de sa réflexion, les premières années de sa vie sont les plus déterminantes dans la progression de ses interrogations. Malgré leur apparence lointaine, je n'exagère pas si je dis que ces années fondatrices sont fatales. Il y a un lien entre la petite enfance et l'adolescence et donc il n'y a pas de raison qu'il n'y en ait pas entre la garderie et la crise de boutons.

Les adolescents qui ne risquent rien ne vivent rien. « L'éducation humanisante, c'est l'expérience fondée sur le vécu », écrivait Françoise Dolto. Mais d'autre part, les adolescents qui empruntent des conduites extrêmes pour raviver en eux la sécurité affective dont ils ont été privés risquent tout pour rien. À défaut de pouvoir se mesurer à ses père et mère qu'il connaît insuffisamment, l'adolescent tente de confronter l'absolu et se noie en cours d'opération dans un excès d'endorphines. Je ne parle pas ici d'expérience accordée à l'âge, d'initiation tribale ou d'ouvertures un peu déraisonnables, je parle bien d'addiction au risque, d'omnipotence, de ritualité hors limites où « tout est permis, tout est possible ». Pendant que les adultes s'emploient à abaisser leur taux de cholestérol, ils oublient que la prévention est pourtant possible : elle ne passe pas par eux, elle passe par la construction émotive de ceux qui leur survivront. Les adolescents qui risquent tout pour rien ont côtoyé des adultes plus soucieux du bon gras que des bons sentiments.

Attaché un jour, attaché toujours : plus encore que la prévention individuelle, notre thème de l'attachement concerne aussi la construction sociale. La notion de l'édification de la confiance en soi et en l'autre est en passe de transformer la pédiatrie, la psychologie, l'éducation, le monde des affaires, la politique, l'éducation, les médias, la justice. On ne peut pas l'ignorer quand on veut résoudre les problèmes que posent les phobies, l'hyperactivité, la dyslexie, les troubles du sommeil, l'échec scolaire, les troubles de comportement, la toxicomanie, la dépression, les impasses amoureuses ou professionnelles, bref quand on intervient sur la relation de la personne avec son environnement, du petit au grand âge. On ne peut pas l'ignorer quand on intervient, comme parent ou comme professionnel, avec des adolescents dont les stratégies de survie se sont inscrites dans des cerveaux limbiques qui se sont en grande partie construits dans les trois premières années de leur vie, en passant par la garderie.

Comment sont leurs parents, comment étiez-vous disponibles comme parents ? Comment s'est-on soucié d'eux durant les premières années de leur vie ? Comment vous êtes-vous tourmentés pour eux durant les premières années de leur vie ? Qu'est-ce qu'on leur a transmis sur la question ? Qu'est-ce que vous leur avez transmis sur leurs attachements précoces ? Qu'est-ce qu'ils en ont retenu ? Est-il possible qu'ils aient un jour vécu de l'indifférence, de l'ennui ou du stress, du moins trop d'indifférence, d'ennui et de stress pour avoir été capables si jeunes d'en gérer les excès ? Ces adolescents, vos adolescents, pensent-ils que cela a pu modifier leurs études, leur sens de la camaraderie, leur style en amour, leurs visions d'avenir ? Avez-vous déjà pris le temps d'en discuter avec eux ? De confronter vos amygdales cérébrales ?

Les enfants du tiers-monde comprennent pourquoi leurs parents les forcent à travailler. Leur famille est pauvre et ils le savent. Les adolescents de notre monde ne comprennent pas pourquoi leurs parents sont forcés ou appelés à travailler. Leur famille n'est pas si pauvre que cela et ils s'en doutent. Père et mère écoutent des émissions de rénovation intérieure pour se détendre et dépensent pour des appareils électroniques de plus en plus sophistiqués.

Avez-vous déjà pensé prendre le temps d'expliquer à vos enfants qui grandissent pourquoi vous n'aviez pas été aussi disponibles que vous l'auriez souhaité ?

Établir un lien entre les souffrances d'un petit bébé et les bravades du grand gars ou de la grande fille qu'il est devenu n'est pas une excentricité. Les neurosciences ne tiennent plus si on pense le contraire. La sécurité affective du nourrisson évolue en véritable confiance en soi autour de ses trois ans, puis en estime de soi quand la pensée plus mature de l'enfant lui permet d'avoir du recul sur lui-même. Cette confiance en soi sert de matière pour bâtir la personne et de matrice génératrice à l'identité. Investir dans la qualité des rapports d'origine, avec les parents ou les éducatrices, ne sert donc pas qu'à consolider la vie quotidienne des enfants d'âge préscolaire, leur sécurité et leur individuation, mais les propulse tout de go vers une vie plus heureuse qu'ils auront envie de partager avec leurs tuteurs de confiance. L'attachement parent-enfant est une valeur, personnelle, familiale, sociale qui fait de la confiance interindividuelle une clé privilégiée pour la *refondation du monde.*

Ce qu'il a perçu, très jeune, à partir de ses sens et de ses mouvements, ce qu'il a façonné dans sa matière cérébrale devant la réponse, ou la non-réponse, à ses détresses enfantines, ce qu'il en a compris, ce qu'il en a dit, les occasions qu'il aura eues de le partager avec d'autres, vous, ses parents, elles, ses éducatrices, eux, ses amis et professeurs, toutes ces étapes dans une sorte d'amalgame constituent l'essentiel du bagage intérieur de l'adolescent. Ses forces, ses faiblesses, ses talents sont dorénavant inscrits dans le corpus de ses fibres neuronales. Ses manières de se concentrer, de se motiver, de réagir, de comprendre, de déduire sont désormais consignées en lui. Quelques zones corticales sont toujours en développement, d'où sa capacité prodigieuse d'apprendre, mais les déterminants de sa personne sont là, sa mémoire affective est presque achevée dans sa construction. L'adolescent n'a plus qu'à empoigner son passé pour le transmuter en plateforme d'exploration à laquelle participent encore les parents, mais de plus en plus les amis, les mentors, les groupes, les amoureux et autres laboratoires vivants d'expérimentation.

Les plus grands connaisseurs de la question, dont vous retrouverez quelques-uns dans la bibliographie, s'entendent pour dire que l'adolescence n'aboutit pas obligatoirement à une crise, qu'il s'agit plutôt d'un passage révélateur qui se franchit d'ordinaire sans séquelles importantes. « Aucune adolescence n'est vraiment simple même si certaines sont moins chaotiques que d'autres », se plaît à dire mon amie le Dr Françoise Hallet. L'adolescent met à l'épreuve son corps en transformation, investit le sport et la sexualité. L'adolescent explore le monde environnant, se dépayse, fait de la vitesse, monte à l'arrière d'un pick-up, se soûle avec des amis. L'adolescent repousse les limites des constructions mentales, s'improvise dans des fraternités, des philosophies et empoigne des causes plus grandes ou plus abstraites que nature. La transition est prodigieusement rapide, asynchrone, insécurisante et risquée. Tous les jeunes n'en sortent pas gagnants, car tous n'y sont pas arrivés avec le même équipement d'émotions et de talents. D'une ritualité traditionnelle et d'expériences attendues pour l'âge, d'autres basculent dans le défi et la vie hors limites.

Non sans raison, plusieurs proches sont pantois et envahis d'inquiétude par ces passages liquoreux à la vie adulte, dont le parent, toujours le premier chargé de renégocier l'autonomie émergente du petit qui grandit. Je dis bien renégocier : on pourrait résumer les 18 premières années de la vie en 3 temps semblables dont chacun en appelle successivement de la réussite des autres. Hormis les joies de l'allaitement maternel et quelques classes d'antibiotiques, l'essentiel à savoir pour bien pratiquer la pédiatrie est cette résonance des différents âges de la vie : les difficultés à dormir à deux ans, suivies des difficultés à se concentrer sur ses devoirs à l'âge de la latence, pour finir avec les difficultés à respecter les heures de sorties à la puberté. Trois temps, trois difficultés, parfois trois stations de *chemin de croix*, mais qui sont, pour l'enfant et sa famille, une même dynamique de séparation et d'autonomisation vécue dans la petite et la grande enfance.

Dès l'âge de deux ans et demi, l'enfant acquiert la notion de « dehors ». En le projetant d'un milieu à un autre, la garderie aura souvent accéléré la première séparation de taille entre l'enfant et son parent. Cela donne incidemment aux services de garde un statut exceptionnel qui incombait autrefois à la maternelle. La séparation est d'autant plus facile que l'attachement parent-enfant a été réussi ou qu'on lui a donné le temps d'opérer. Des pères et des mères malhabiles, anxieux, violents et absents ne favorisent pas l'autonomie. L'enfant pour grandir devra alors bénéficier d'une relation forte et substitutive avec une éducatrice bien diplômée. Des attentes disproportionnées inadaptées aux individualités physique et mentale de l'enfant sont également préjudiciables. L'enfant qu'on aura libéré trop prématurément de son foyer parental ou qui n'aura pas trouvé la sécurité nécessaire dans un gardiennage adapté à lui comme personne souffrira aussi à sa mesure, en silence ou en fureur.

Entre cinq et sept ans l'enfant quitte son parent pour la vie scolaire, au même titre qu'il s'en éloignait naguère pour faire quelques pas du salon à la cuisine et qu'il le fera plus tard en traînant les pieds à un show de U2. Je dis bien de cinq à sept ans, large éventail vous en conviendrez, moins pour une question d'intelligence que de différence dans la maturité affective. Des enfants peuvent être scolarisés plus jeunes, d'autres devraient jouir d'une dérogation pour jouer librement quelques mois de plus. La vie à l'école est d'autant plus facile que l'enfant sait qu'il peut compter sur son parent pour encadrer ses manques et ses inquiétudes. La vie scolaire est par ailleurs infernale si le parent n'a pas l'écoute ou la disponibilité nécessaires ou s'il ne lâche pas prise et impose à son enfant « son propre sac d'école », sans entorse possible. Qu'il ait deux-trois ans ou six-sept ans, si l'enfant ne trouve pas en son parent une source de cautionnement sur laquelle il peut toujours compter, il a du mal à s'éloigner, il hésite, il trébuche, il chute, il fait un demi-tour nostalgique et finalement il échoue. Pour desserrer un lien, il faut qu'un adulte se soit préalablement chargé de le nouer.

Le troisième temps de la vie où l'enfant cherche en son parent un port d'attache qui lui permette de prendre le large se situe à l'adolescence, on pourrait dire entre 12 et 15 ans. Peter Bloss, psychologue étasunien cité avec raison par de nombreux éducateurs, a d'ailleurs mis en évidence les similitudes relationnelles entre les premiers âges de la vie et la dynamique interpersonnelle à la préadolescence. Si jusqu'alors, l'enfant a pu trouver en son parent force et solidité, s'il a pu y trouver une figure capable de respecter son autonomie et son individualité, l'adolescence se fait généralement sans brisure importante. Sa liberté nouvelle sert à expérimenter et à valider ses acquis. Quand l'ambiance est bonne et ses projets relativement raisonnables, ses initiatives de détachement n'ont pas à être questionnées et les parents généralement peuvent dormir tranquilles. Ainsi, plus le lien d'attachement entre l'adolescent et ses parents est fort, moins il faut voir de menace dans sa déclaration d'indépendance. Quand des parents m'interrogent sur les frasques de leur jeune de 14 ans, ma question est toujours la même : « Il était comment à huit ou neuf ans ? » La notion de vulnérabilité psychologique est extrêmement importante à prendre en considération. S'il allait bien à 8 ans, il y a des chances qu'il aille bien à 14. Quand la base est là, tout va, peu importe qu'il revienne un peu bourré le vendredi soir.

La quête identitaire est un long processus qui prend fin bien après l'adolescence, à la mort, j'allais écrire, quand la peau se retrouve en terre. La puberté signe le début de l'adolescence, mais vous savez comme moi qu'on ne la quitte qu'après des années, voire des décennies d'errance ou d'aventure. La séparation d'avec les parents, autant que la conquête d'une certaine autonomie, accompagnent cette reconnaissance graduelle du corps, l'émergence de la sexualité et des identifications affectives, de nouvelles pulsions créatrices et l'investissement d'un idéal académique et humain. Cela ne va pas sans anxiétés, sans dépressions, sans souffrances, sans oppositions, sans transgressions. L'adolescent attaché à ses parents, celui qui a eu l'occasion de confier sa survie à des adultes est celui-là même qui sera assez sûr et fier de lui pour écouter l'autre : sa famille, ses amis, ses professeurs. Son sens de la communication aura ses conséquences comportementales, scolaires, humaines et morales. Peu importe ses explorations, ses échecs et ses excentricités, s'il a eu la chance de grandir dans la confiance, il générera de la confiance et de l'humanitude. Fort de ses premiers attachements, l'adolescent s'alliera ainsi à des modèles inspirants, expérimentera lui-même des valeurs sociales évocatrices comme la solidarité, partagera avec des pairs des expériences de créativité, des apprentissages, des compétences et, bien sûr, des idées. Ce n'est pas le genre de discours qui transpire de nos jours à la radio, à la télé, dans les journaux, mais c'est la vérité, je vous assure.

Les recherches longitudinales, celles qui suivent par exemple des personnes des premiers âges de la vie jusqu'à l'âge adulte se font rares et ne permettent pas encore de voir directement en quoi le passage à l'adolescence pourrait être influencé par la garde non parentale précoce ou prolongée. Des études importantes du genre accompagnent pour l'instant des enfants seulement jusqu'à l'âge scolaire. L'agressivité à l'école peut d'ores et déjà être reliée à des anxiétés d'enfants trop longtemps privés de leur parent. À l'inverse, les recherches nous apprennent aussi que l'agressivité aurait peut-être été pire si les enfants des milieux difficiles n'avaient pas su trouver une figure réconfortante en la personne de l'éducatrice.

Par ailleurs, l'expérience clinique et nos connaissances sur la pérennité des styles relationnels à travers les âges nous permettent de croire que les enfants qui traversent leurs 15 à 18 premiers mois auprès de parents ou d'équivalents parentaux disponibles se développeront plus harmonieusement à l'adolescence que ceux qui ont survécu à force de comportements de fuite, de terreur ou d'agression. Les adolescents anxieux, rebelles, impulsifs ou dépressifs ont souvent un passé fragile ou tragique auprès des adultes. Leurs désarrois, troubles de conduite et d'attachement sont d'autant plus fracassants que leurs premiers moments de vie ont été difficiles. Comme des virus informatiques sournois, leurs séquelles adaptatives influencent négativement leur perception de l'univers extérieur. Un bon prof au primaire, un entraîneur sportif ou une stabilisation de la situation parentale peut heureusement déjouer les pronostics malheureux de plusieurs d'entre eux. Avant l'âge de 16 ans environ, il n'est jamais trop tard pour agir en leur faveur, quoiqu'il ait toujours été plus facile d'agir plus tôt.

Plus souvent qu'autrement, les adolescents blessés dans leur amour-propre repoussent avec violence, mépris ou indifférence nos tentatives de les écouter, de les aider ou de les appuyer. Il faut se rappeler qu'ils se sont fabriqué des stratégies de survie d'une efficacité dangereuse. Ces lignes de conduite sont logées profondément dans leur cerveau limbique – hippocampe, amygdale et tout le tralala – et datent généralement de moments de détresse antérieurs à l'apparition de la parole. De façon parfois très traumatique et très précoce s'est altérée leur perception de la réalité. Ces adolescents fonctionnent dans le quotidien avec une sorte de programme informatique aberrant continuellement susceptible d'empoisonner leur relation à autrui. Leur relation à un adulte en position d'autorité se voit donc altérée. Qu'on le répète, qu'on l'assume : la crise d'adolescence survient, mais elle ne survient jamais pour rien, ni par surprise, ni au moment où on s'y attendait le moins. La crise d'adolescence est une gestation, une grossesse extra-utérine que le désir parental aurait désertée.

Parce qu'ils n'ont pas prise sur leur adolescent ou qu'ils craignent de perdre son amour déjà fragilisé, des parents hésiteront à intervenir dans des situations conflictuelles, les heures de sortie par exemple, ou les relations soutenues avec de *mauvais garçons*. Leur méconnaissance de la psychologie est compréhensible, mais c'est l'obstruction des parents à prendre le temps de décoder les enjeux en place qui pourrait bien les perdre. Regrettent-ils le temps passé, le temps insuffisamment passé avec leur enfant quand ils auraient dû le faire ? Ont-ils maintenant peur du rejet ? Peur de mettre le pied par terre ? Ces parents cherchent tant la sympathie qu'ils en oublient leur devoir empathique. Paralysés par la recherche d'amour, essoufflés par leur propre vie et leur propre quête du bonheur, ils omettent les actions parentales attendues en pareilles circonstances et brandissent mollement un petit drapeau blanc pour signifier à leur adolescent qu'ils aimeraient bien avoir une seconde chance de le materner. Leur entourage ne rehausse pas leur détermination : craignant encore de les culpabiliser, voisins, profs et médias les confortent dans leur « zigonnage » irresponsable. Pourtant, nul ne devrait se priver d'un bon sens naturel.

En agissant de la sorte, les parents s'emprisonnent dans un dramatique cercle vicieux. Pour illustrer leur roulement à vide, travailleurs sociaux et psychologues font souvent référence au triangle de Karpman du nom de celui qui a décrit pour la première fois leur type de cul-de-sac relationnel afin de décrire l'emprisonnement auquel ils s'astreignent. Le parent affaibli et silencieusement coupable endure les frasques jusqu'à l'exaspération. Fort de sa colère intérieure, épris d'une sorte de conscience à retardement, il s'autorise ensuite à persécuter son adolescent rebelle, ce qui ravive finalement en lui sa culpabilité parentale d'origine et le ramène à sa passivité. À long terme, le parent perd toute forme de contrôle sur le jeune, en souffre terriblement, craint le pire, se sent pointé du doigt, culpabilise et déchante. Vous chantiez ? J'en suis fort aise. Eh bien ! dansez maintenant ! La voisine s'en donne à cœur joie : « Ça n'a aucune espèce d'allure de voir ce qu'ils font avec leurs adolescents. » Dans l'insécurité générale, entre quelques cuites ou appels aux policiers, les adolescents en arrivent à exercer un contrôle sournois sur leur parent, ravivant ainsi les premiers mécanismes de survie qui les ont accompagnés dans la vie. « Dans cette dynamique autour de l'enfant-roi », précise le travailleur social et éducateur Michel Delagrave, « les parents sont à la fois victimes de ses caprices, sauveurs de ses gaffes et irresponsabilités, et persécuteurs quand ils n'en peuvent plus. » Il n'y a pas de méchanceté là-dedans, que de la survie, de la lutte pour assurer ses besoins de base.

Les adolescents en situation de détresse n'ont pas besoin de notre pitié, et surtout pas qu'on agisse à leur place. Ils ont besoin d'adultes qui saisissent leur souffrance mais célèbrent également leur grande capacité de s'adapter, de survivre malgré les errances, souffrances et incartades du passé. Votre conviction qu'ils sont à la fois très forts et très fragiles doit transparaître dans toutes vos attitudes, interventions et surtout dans toutes les solutions. « *No blame, no shame : only solutions* ! » (« Pas de blâme, pas de honte, seulement des solutions ! ») L'idéal est d'offrir aux adolescents de l'aide tout en leur demandant une certaine réciprocité. L'idéal est de tenir compte de leur fragilité, en être très conscient, mais oser miser sur leur potentiel à s'adapter, à se débrouiller tout seuls. En ravivant en eux leur passé familial, en projetant avec eux la famille vers l'avenir, on transcende enfin la maudite culpabilité pour se retrouver dans une zone de responsabilité.

« Comment on aurait pu prévenir ça ? », me demande un jour une maman qui se précipite sur moi affolée.

Trois éducatrices sont étendues sur le plancher de la salle d'urgence de Sainte-Justine où je suis le pédiatre de garde en cette fin d'après-midi-là. J'ai dans la vingtaine, je sors d'une adolescence studieuse. C'est la première fois que je rencontre des éducatrices et elles sont par terre à l'horizontale. Les lits, il en manque, ont été réservés à la trentaine d'enfants de la garderie *La mangeaille*. Les petits vomissent et se plaignent de crampes abdominales atroces. Quatre d'entre eux sont déjà déshydratés. Les infirmières se relayent pour installer des solutés, donner des gorgées d'eau, répondre aux téléphones des parents en panique, accueillir les familles qui arrivent en trombe. Beaucoup de bruit et de fureur, mais l'histoire se termine bien. Le lendemain on apprend que le responsable de ce branle-bas de combat qui a tout l'air d'une intoxination alimentaire est un riz hawaïen préparé ou conservé dans des conditions sous-optimales. La cuisinière avait un « bobo » quelque part qu'elle avait malheureusement transféré au plat et par-delà à tous les petits et grands mangeurs de la garderie. Le lendemain, des dizaines d'appels des médias me conduisent presque pour une première fois au micro ou à la télé. Entre l'hôpital et la communication, il était dorénavant impossible d'en rester là. À peine attaché à mon métier, j'apprenais déjà à m'en séparer. Il faut dire que j'avais la sécurité intérieure pour le faire et pour tolérer qu'on me le reproche. « Il faut bien avancer », que je me disais. Encore aujourd'hui, je pense que les actions comptent plus que tout.

C'est bien peu de choses, une vie, ce qu'elle devient, en quoi et pourquoi elle prend telle ou telle tournure. Ainsi il faut toujours faire le maximum pendant qu'il en est encore temps. Qu'un adolescent soit contraint de se mesurer à Dieu à défaut d'avoir pu faire confiance à ses parents aux différents âges de la vie est d'une tristesse absolue. Il y a des rapports de force hommes-femmes, hommes-bébés, femmes-bébés, femmes-bébés-sociétés, société-État-bébés, bébés-bébés, etc. Il y a toutes ces incertitudes, mais au bout du compte, il n'y a qu'une seule grande bataille : celle pour la vie. Aimez vos enfants, je vous en conjure, donnez-leur confiance et continuez de leur faire confiance et ils vous aimeront. Il n'y a pas de culpabilité à être parent. L'amour est le seul plaisir coupable et son acte de contrition est le désir. Il n'y a pas d'autres prétentions à l'origine de ce livre.

Sinon, la révolution ?

Bibliographie

Béliveau, M.C. *Au retour de l'école : La place des parents dans l'apprentissage scolaire.* Montréal, Éditions de l'hôpital Sainte-Justine, 2002.

Boisvert, C. *Parents d'ados : De la tolérance nécessaire à la nécessité d'intervenir.* Montréal, Éditions de l'hôpital Sainte-Justine, 2003.

Chicoine, J.-F., Germain, P. et Lemieux, J. *L'enfant adopté dans le monde en 15 chapitres et demi.* Montréal, Éditions de l'hôpital Sainte-Justine, 2003.

Chicoine, J.-F. *Anthropologie médicale de l'aventure.* Québec, Congrès de médecine de voyage, novembre 2002.

Cloutier, R. *Psychologie de l'adolescence.* Boucherville, Gaétan Morin, 1996.

Cloutier, R. « Les adolescents de l'an 2000 ». *Le Médecin du Québec,* 1998, 33 (7).

Côté, S., Tremblay, R.E., Nagin, D., Zoccolillo, M. et Vitaro, F. *The development of impulsivity, fearfulness, and helpfulness during childhood : Patterns of consistency and change in the trajectories of boys and girls. Journal of Child Psychology and Psychiatry* 2002, 43 (5), p. 609-618.

Delagrave, M. *Ados, mode d'emploi.* Montréal, Éditions de l'hôpital Sainte-Justine, 2005.

Duclos, G. *Guider mon enfant vers la vie scolaire.* Montréal, Éditions de l'hôpital Sainte-Justine, 2001.

Granboulan, V. *Les conduites à risque,* dans *La santé des adolescents.* Lausanne, Payot, 1997.

Karpman, S. B. *Fairy tales and script drama analysis. Transactional Analysis Bulletin* 1968, 7 (26), p. 39-43.

Ladd, G.W. et Burgess, K.B. *Do relational risks and protective factors moderate the linkages between childhood aggression and early psychological and school adjustment? Child Development* 2001, 72 (5), p. 1579-1601.

Lambin, M. *Aider à prévenir le suicide chez les jeunes.* Montréal, Éditions de l'hôpital Sainte-Justine, 2004.

Montagner, H. *L'attachement, des liens pour grandir plus libre.* Paris, L'Harmattan, 2003.

Ministère de l'Éducation du Québec. *Agir autrement pour la réussite scolaire en milieu défavorisé.* Québec, 2005.

Sroufe, L.A. et Fleeson. *The coherence of family relationship,* dans *Relationships within families : Mutual influences* (p. 27-47), Oxford, UK, Oxford University Press, 1988.

Sroufe, L.A. *From infant attachment to promotion of adolescent autonomy : Prospective, longitudinal data on the role of parents in development,* dans *Parenting and the Child's World.* Londres, Lawrence Erlbaum Associates, 2002.

Tomkiewicz, S. *L'adolescence volée.* Calmann-Lévy, Paris, 1999.

Tomkiewicz, S. *Les conduites de risque et d'essai. Neuropsychiatrie de l'enfance et de l'adolescence.* 1989, p. 261-264.

Tursz, A., Souteyrand, Y. et Salmi, R. *Adolescence et Risque.* Paris, France, Syros, 1993.

Webster-Stratton, C. et Taylor, T. *Nipping early risk factors in the bud : Preventing substance abuse, delinquency, and violence in adolescence through interventions targeted at young children (0-8 years). Prevention Science* 2001, 2 (3), p. 165-192.

Yoshikawa, H. *Long-term effects of early childhood programs on social outcomes and delinquency. The future of children long-term outcomes of early childhood programs* 1995, 5 (3), p. 51-75.

LE BAIN

Point de presse sur les petits et les grands

Les enfants, leurs parents et la garderie idéale

NATHALIE COLLARD
La garderie idéale pour toi, elle ressemblerait à quoi ? Et l'éducatrice ou l'éducateur idéal ?

JEAN-FRANÇOIS CHICOINE
La garderie doit imiter la famille sans espoir d'y arriver. C'est une sorte de supplice de Tantale ! Elle se doit également de pallier les trous familiaux pour les enfants des milieux en difficulté. Elle a d'abord une fonction de protection physique et de sécurité. Elle a aussi une fonction d'affection. L'âge de ses clients fait qu'ils se nourrissent majoritairement d'émotions. La garderie se doit aussi d'être assez solide pour que l'enfant s'y abandonne à son éducatrice. Les adultes en place sont appelés à amener les petites choses à mieux gérer leurs débordements, à structurer leur personne et leur sens des autres. Au-delà du gardiennage, les éducatrices ont également la responsabilité de stimuler les bases cognitives de l'enfant, notamment ses fonctions d'attention et de motivation. La garderie idéale donne du temps libre également, assez pour que l'enfant puisse y grandir dans son imaginaire. Enfin, la coordonnatrice de la garderie est appelée à respecter et prévoir les besoins de santé et les malaises et maladies de ses petits protégés. Ses liens avec le réseau

de la santé sont resserrés. Une garderie en milieu familial, parfois plus difficile à sélectionner, est une bonne solution avant l'âge de deux ou trois ans, notamment en ce qui a trait à la prévention de l'insécurité affective et probablement aussi, à la prévention des infections. Une garderie en installation est parfois plus stimulante pour les plus grands. Un ratio d'une éducatrice pour trois jeunes enfants paraît plus souhaitable. L'éducatrice idéale est celle qui va au-delà des besoins de l'enfant, qui aime son métier, qui fait le maximum pour nourrir l'enfant d'émotions, pour l'éduquer sans le scolariser. L'éducatrice idéale se lave les mains aussi. L'éducatrice idéale, c'est celle qu'on aime pour ce qu'elle est et pour ce qu'elle fait.

On pourrait dire que ta conception des premières années de la vie d'un enfant est idéalisée. Comment la réconcilier avec la réalité, celle des parents d'aujourd'hui qui doivent travailler pour joindre les deux bouts ? Quand ils entendent des propos comme ceux qui sont tenus dans notre livre, ils se sentent coupables. Ils veulent le meilleur pour leur enfant, mais ils doivent aussi être réalistes. Que peux-tu leur dire pour les rassurer ?

Il faut leur dire de cesser d'avoir peur, de parfaire leurs connaissances sur les enfants, de ne pas hésiter à se faire conseiller par des professionnels, de revendiquer leurs droits à de l'assistance parentale, de chercher des qualités à leurs belles-mères, de réévaluer leurs horaires, leurs charges de travail, le coût-bénéfice de chacune de leurs activités ou dépenses quotidiennes, de se faire confiance, de prendre le temps d'aimer leur progéniture, de veiller à assurer la pérennité de leurs couples, de développer des modèles originaux, de se battre pour du mi-temps professionnel, de forcer la porte des CLSC, de comprendre qu'un enfant a autant besoin de son père que de sa mère, de devenir des informateurs familiaux auprès de leurs employeurs et de regarder leurs enfants droit dans les yeux pour qu'ils s'accrochent les uns aux autres et qu'ils deviennent une seule et même force. La liste précédente peut paraître longue ou irréaliste, elle n'est au contraire qu'une infime parcelle des modèles internationaux, des questionnements et des avenues que tu apportes et que j'apporte dans le présent livre. Ma vision de l'enfance et de la famille est tout sauf idéalisée. Au contraire, elle est issue d'une expertise essentiellement clinique et terriblement biologique. La culture actuelle du monde adulte me semble à moi beaucoup plus prétentieuse et nombriliste que celle que je sers dans les grandeurs et les limites du développement du bébé humain et des connaissances qu'on en a. La prétendue culpabilité des parents entendue sur la place publique, au bureau ou dans les médias ne doit plus être tolérée ni entretenue comme une issue socialement viable. Si un parent se sent coupable, c'est qu'il est stressé, dépossédé et que son bonheur est en danger. Pire encore, car il y a pire, si un parent se sent coupable, c'est que son enfant est possiblement stressé, dépossédé de ses droits et que sa vie entière est en danger. Si un parent se sent coupable, il doit retrouver la force en lui et la confiance nécessaire dans les autres, son réseau, ses répondants, ses soignants pour transformer le sentiment infâme en responsabilisation parentale. Tant que nos sociétés vont entretenir un flou économiquement et politiquement rentable entre culpabilité et responsabilité, les parents ne se retrouveront jamais en paix et en force en famille.

En écrivant le livre, j'en suis venue à la conclusion qu'entre les beaux discours et la réalité, il y a malheureusement un fossé. On se gargarise avec la générosité de notre politique familiale et l'efficacité de nos services de garde (surtout quand on les compare au reste du Canada), mais au fond, j'ai l'impression que la famille comme institution est plutôt maltraitée. Qu'en penses-tu ?

Nous la torturons, l'entretenons pour qu'elle dure longtemps, mais sans trop lui permettre de déranger. Les familles se sont appauvries, notamment les mères et les enfants. Les forces vives en émergence ne voient dans la famille qu'une empêcheuse de tourner en rond, une occasion philanthropique qu'il ne faut pas réanimer outre mesure au risque de voir les magasins fermer le dimanche, les journées de travail raccourcir, les restaurants s'encombrer, les taxes scolaires nous envahir, les immigrants en profiter pour se reproduire, au risque de voir les femmes surinvestir dans le lignage.

Que penses-tu de la place que nous accordons aux enfants au Québec ? Irais-tu jusqu'à dire que ce sont des citoyens de seconde zone ?

Aucune hésitation à te répondre ainsi, Nathalie : les enfants sont chez nous des citoyens de seconde zone. Plus ou moins de seconde zone comparativement à d'autres régions du monde, mais là n'est pas ta ni la question. Qu'est-ce qui explique que notre monde soit aussi déconnecté des besoins réels des enfants, voilà par ailleurs TOUTE la question. Au cours de la dernière année, des milliers d'articles et de reportages ont traité des garderies, des congés parentaux, des politiques familiales et des affres de la parentalité au Québec mais, de mon point de vue de pédiatre, peu de médias écrits ou électroniques ont directement abordé les besoins fondamentaux des enfants. Est-ce un souhait de la société, des politiciens ou le reflet d'un certain laxisme du quatrième pouvoir ? On me demande parfois de comparer les mères d'aujourd'hui avec les mères d'autrefois. Ce n'est pas facile de comparer les difficultés que les mamans des années 1940 avaient à surmonter en termes de survie alimentaire ou climatique avec celles qu'elles connaissent aujourd'hui sur les plans économique, émotif ou social. On me demande souvent également de comparer les parents québécois avec ceux des autres cultures américaines ou européennes. Là-dessus, je renvoie parfois poliment la balle aux sociologues ou aux anthropologues. Mais s'il y a une chose que je sais – mais ça, je le sais, comme diraient Jean Gabin et Jean Lapointe – et que je n'hésite pas un instant à endosser, c'est que la place accordée aux enfants au Québec n'est pas la bonne. De véritable politique familiale, on n'en a pas. Des véritables conséquences du stress chez l'enfant et de la carence affective ordinaire sur les circuits cérébraux, chez nous, on ne discute pas. La religion empêchait nos grands-parents de parler, aujourd'hui ce sont des bien-pensants déconnectés du réel des familles qui tentent d'imposer leurs lois de seigneurs de la démocratie. Il faut redonner du pouvoir aux familles. C'est tout un défi de se reproduire aujourd'hui et il faut aussi les élever, ces enfants-là ! L'action parentale force l'admiration ; tous et chacun, politiciens (de gauche ou de droite), scientifiques, groupes communautaires, citoyens, hommes ou femmes, etc., nous devons soutenir la parentalité et la petite enfance.

Le plus étonnant, c'est que nous sommes tous, pour la plupart, des parents. Et que pris individuellement, ce que nous désirons le plus au monde, c'est le bien-être de nos enfants. Comment se fait-il, dans ce cas, que nous soyons incapables de traduire ce désir, cette volonté, en quelque chose de concret, en politiques, en mesures de soutien, en philosophie de vie ? En décembre dernier, j'ai reçu une lettre du Service des ressources humaines m'annonçant qu'à compter du 1er janvier, on prélèverait un montant supplémentaire sur mon chèque de paie pour contribuer au nouveau régime de congé de maternité entrant en vigueur au Québec. Eh bien moi, je suis fière de contribuer

financièrement aux congés de maternité d'autres femmes. J'ai plusieurs copines dans la salle qui vont donner naissance au printemps. Je suis contente qu'elles puissent arrêter de travailler un an pour être auprès de leur bébé. Et je sais que leur conjoint sera présent aussi. J'aime l'idée que je participe, bien modestement et indirectement, à leur bien-être. Quand je dis que la famille doit être un projet de société, ça commence par là.

À défaut d'actions lucides et constructives, tant qu'on continuera de traiter du sujet des mères et des enfants par pitié, nos chances de survivre comme une lignée d'hommes et de femmes de bonne volonté demeureront faibles.

~

Dans un futur rapproché, sans doute des anthropologues déterreront cette réflexion autour de l'eau et du bain. Avec un peu de chance et de méthodologie, leur créativité scientifique les amènera à imaginer le bébé qui trempait dedans. Et la prescription qui venait avec : « Il ne faut pas jeter le... »

Annexe
Le cerveau en trois étages imagés

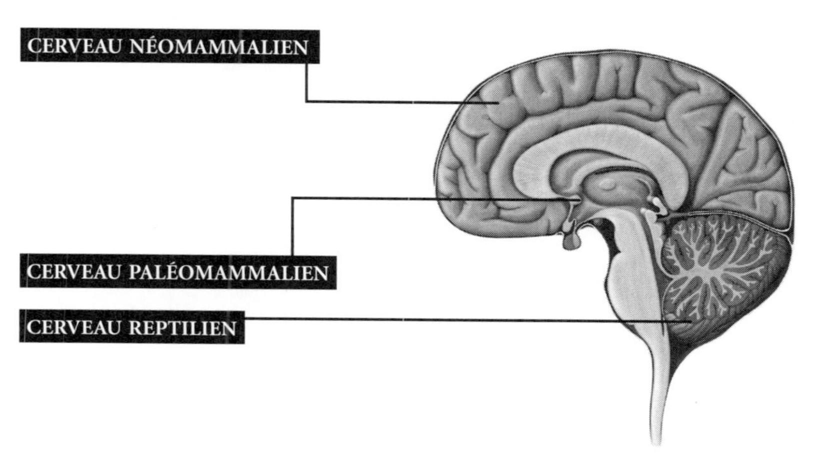

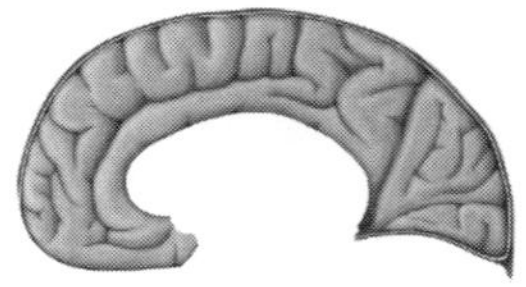

CERVEAU NÉOMAMMALIEN

Le néocortex est présent chez les primates et chez l'humain. Il est le siège de la pensée, du langage, de l'imagination et de la conscience. On lui doit la culture humaine. Il est constitué de deux gigantesques hémisphères cérébraux. À la naissance du bébé, ce cerveau néomammalien est le moins développé des trois cerveaux.

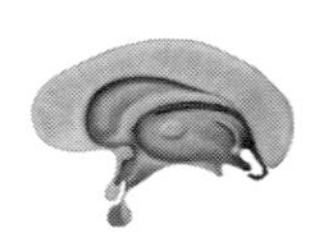

CERVEAU PALÉOMAMMALIEN

Le cerveau limbique est celui de tous les mammifères, dont celui de l'espèce humaine. Il nous permet de mémoriser les comportements agréables et désagréables. Il est le cerveau des émotions, de l'attention et de la motivation. Ce cerveau paléomammalien comprend plusieurs structures dont l'hippocampe, les amygdales et le gyrus cingulaire. Il se développe surtout dans les deux premières années de la vie et, dans une moindre mesure, jusqu'à la toute fin de l'adolescence.

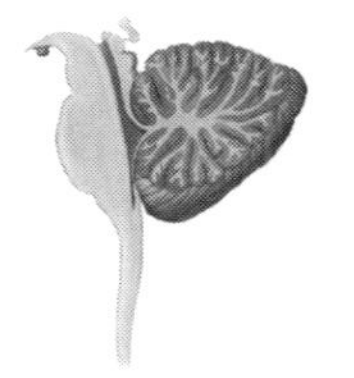

CERVEAU REPTILIEN

Le cerveau reptilien assure les fonctions vitales de l'organisme. Il comprend le tronc cérébral et le cervelet. Il est le plus ancien des cerveaux et le premier des trois à s'activer.

Le cerveau limbique

CORTEX PRÉFRONTAL

Le cortex préfrontal se développe sur une plus longue période que les autres structures du système limbique, très certainement jusqu'à la fin de l'adolescence, peut-être même jusqu'à 24 ans. Dans le cortex préfrontal se développent l'attention sélective, la mémoire à court terme et également l'habileté à anticiper les choses. Malgré des périodes difficiles en bas âge, le cortex préfrontal permet une certaine résilience de la personne.

GYRUS CINGULAIRE

Le gyrus cingulaire se développe plus tardivement que l'amygdale cérébrale. Tandis que les structures limbiques qui le précèdent permettent l'attachement au monde, pour sa part le gyrus cingulaire rend possible l'attachement sélectif à une maman et à un papa. On lui doit la fameuse « peur de l'étranger ».

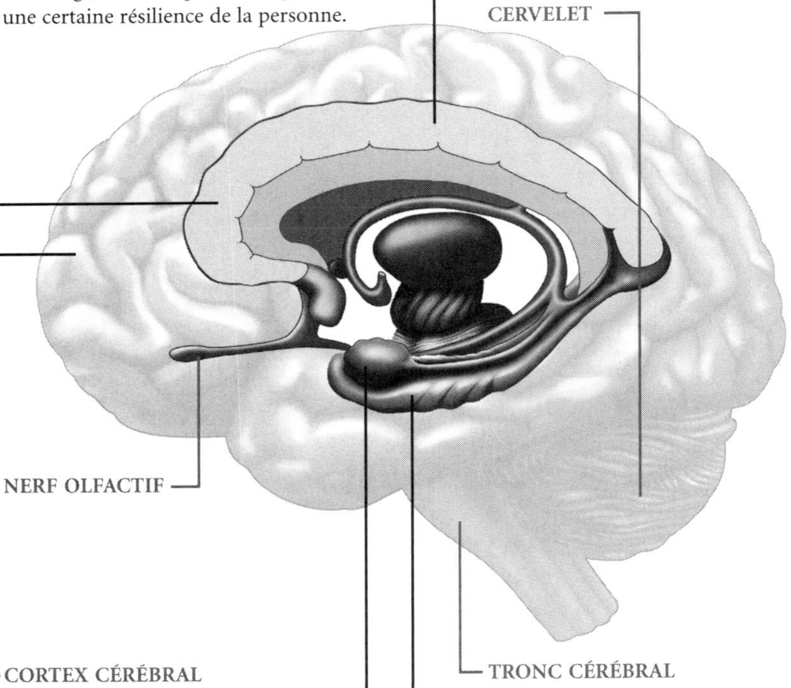

AMYGDALE

L'amygdale nous permet de percevoir, de ressentir et de réagir aux émotions. Grâce à l'amygdale, nous pouvons détecter les signaux du danger. Nous possédons deux amygdales cérébrales, chacune de chaque côté du cerveau.

HIPPOCAMPE

Dans l'hippocampe se développe la capacité de mémoriser les choses, les belles comme les plus tragiques. L'hippocampe entretient de nombreuses interconnexions avec différentes structures limbiques, dont les amygdales cérébrales. Il se développe surtout durant les deux premières années de la vie.

REMERCIEMENTS

Merci à Nathalie Collard d'avoir partagé cette réflexion avec moi dans la complémentarité, l'amitié et le courage d'opinion. Merci à Anne-Marie Villeneuve et Luc Roberge et à toute l'équipe de Québec Amérique d'avoir cru en cette rencontre. Anne-Marie, merci d'avoir rendu ce livre meilleur. Les propos relatifs à l'attachement ont été largement tirés de Chicoine, J.-F., Sulmoni, M., Hallet, F. et Marinopoulos, S. *Méta-analyse interdisciplinaire sur l'attachement : approche psycho pédiatrique familiale à des fins cliniques et éducatives*, Société de pédiatrie internationale, Canada/Québec, Suisse, Belgique, France, 2006. Merci infiniment donc à mes amies le Dr Françoise Hallet (Belgique), Marielle Sulmoni (Suisse) et Sophie Marinopoulos (France) pour leurs contributions respectives. Merci à la Société de pédiatrie internationale, à ses ambassadeurs et à ses bienfaiteurs. Merci aussi à tous les auteurs et chercheurs québécois et internationaux mentionnés dans ce livre pour leurs travaux et écrits de référence, notamment John Bowlby dont notre siècle reconnaîtra enfin le génie. Au Québec, les aspects de l'attachement parent-enfant ont été abordés par de nombreux chercheurs, auteurs et cliniciens dont Gloria Jéliu qui m'a montré *la voie*, Louise Noël dont j'ai déjà souligné la précieuse participation éducative et mon amie la travailleuse sociale Johanne Lemieux, inimitable Johanne, qui l'enseigne mieux que personne. Un merci incontournable également à mes amis, confrères, consœurs, collaborateurs, collaboratrices et complices : le Dr Rémi Bouchard, omnipraticien, pour ses remarques si attentionnées, le Dr Valérie Lamarre, Hélène Laurendeau, Diane Quevillon, Diane Vadeboncœur, Armande Beaulieu, pour s'être prêtées au jeu. Un merci tout spécial à Marie-Claude Goodwin, ainsi que des remerciements à Patricia Germain et Sandra Caron, « mes » deux infirmières de la Clinique de santé internationale, à Julie Leblanc, maman formidable, à Ginette Blais, au Dr Michel Vanasse, au Dr Gilles Chabot, à Andrée Quivigier, au Dr Chantal Buteau, au Dr Céline Belhumeur, au Dr Dominique Cousineau, à Louise Jolin, au Dr Anne Lortie, à Michèle Gagnon, au Dr Pierre Gaudreault et à André Forcier pour leur amitié et leurs aides respectives à la recherche, au contenu, à la relecture et pour leurs commentaires recevables et *irrecevables*. Merci à mes confrères, aux familles et aux enfants du CHU Sainte-Justine qui me font confiance. Merci à tous les groupes professionnels ou communautaires qui se tuent à défendre les enfants et leurs familles au Québec et dans le monde. Merci aux petites et grandes choses qui poussent autour de moi : Charles, qui contient l'espoir du monde, Victoria, *cré Vic*, princesse Léa, Arnaud qui grandit, Maxime, Marie-Ming, Laurence (3 502 grammes le 26 janvier dernier) et les autres, qui sont toute l'essence de mon travail, de ma survie et de ma vision. Merci à Luc et Pierrette, mes parents, de ne pas m'avoir fait autrement. Merci à Esther pour son amour et sa patience indéfectible. Merci au Lac Memphrémagog. Merci enfin à mon ami et associé de *Le monde est ailleurs*, Rémi Baril, sans qui ce projet aurait été impossible. « Il y a toujours une solution », se tue-t-il à me dire. Je serais porté à le croire.

Jean-François Chicoine

J'aimerais tout d'abord remercier Jean-François Chicoine, qui m'a entraînée dans cette belle – et intense – aventure et surtout qui a stimulé, grâce à sa sensibilité et son intelligence, ma réflexion sur la place que les enfants et la famille occupent dans nos vies. Qui aurait pu prévoir, il y a dix ans, lorsqu'il a examiné ma fille aînée pour la première fois quelques heures après sa naissance à l'hôpital Sainte-Justine, qu'on écrirait un livre ensemble ? J'aimerais également remercier mon employeur, le quotidien *La Presse*, qui m'a accordé une bourse afin que je me consacre à l'écriture de ce projet. Après plus de quatre ans à l'emploi de ce journal, je considère toujours comme un privilège le fait de travailler dans cette superbe salle de rédaction. Je remercie également les nombreuses personnes qui m'ont accordé une entrevue ou qui, plus simplement, ont répondu à mes nombreuses questions lors de la rédaction de cet ouvrage. Un merci spécial à un groupe de mamans de Saint-Lambert – elles se reconnaîtront – qui ont alimenté ma réflexion lors de nos célèbres soupers du mardi soir. Enfin j'aimerais remercier mes amis et mes parents pour leur soutien et leurs précieux encouragements. J'espère sincèrement pouvoir leur rendre la pareille un jour.

Nathalie Collard